LOVE MACHINE

JACQUELINE SUSANN

LOVE
MACHINE

Traduit de l'américain par
Florent B. Peiré

PIERRE BELFOND
216, boulevard Saint-Germain
75007 Paris

Ce livre a été publié sous le titre original
THE LOVE MACHINE
par Bantam Books, inc., New York

Si vous souhaitez recevoir notre catalogue
et être tenu au courant de nos publications,
envoyez vos nom et adresse, en citant ce livre,
aux Editions Pierre Belfond
216, boulevard Saint-Germain
75007 Paris

ISBN 2.7144.1673.X

A CAROL BJORKMAN

L'homme inventa la machine.

Une machine ne ressent ni amour, ni haine, ni crainte ; elle ne souffre ni d'ulcère à l'estomac, ni de crise cardiaque, ni de déséquilibre émotionnel.

Il se peut que la seule chance de survie de l'homme consiste à devenir une machine.

Certains y sont parvenus.

Une machine qui se fait passer pour un homme mène souvent le monde — un dictateur est une machine détentrice du pouvoir. Un artiste passionné par son art peut devenir une machine de talent.

Parfois, ce phénomène se produit sans que l'homme en prenne conscience. La chose arrive peut-être la première fois qu'il dit : « J'ai mal » et que son subconscient répond : « Si j'élimine tout sentiment de mon existence, *je ne pourrai plus être atteint par la souffrance.* »

Amanda aurait bien ri, si on lui avait dit cela à propos de Robin Stone — car Amanda était amoureuse de lui.

Robin Stone était *la* machine d'amour.

Ses lèvres pouvaient sourire.

Il pouvait réfléchir sans se laisser gagner par aucune émotion.

Il pouvait lui faire l'amour.

Robin Stone était *la* machine d'amour.

AMANDA

1

Mars 1960.

A neuf heures du matin, elle frissonnait en robe de toile sur les marches du Plaza Hotel. Une des épingles qui fermaient sa robe dans le dos tomba par terre. Une habilleuse se précipita pour la replacer et le photographe en profita pour recharger son appareil. La coiffeuse vaporisa vivement un nuage de laque sur quelques mèches rebelles et la séance reprit. Les passants qui s'étaient attroupés étaient ravis d'apercevoir une de ces beautés à la mode, un mannequin célèbre, en train d'affronter les rafales glaciales de mars en petite robe d'été. Pour ajouter à l'étrangeté de la scène, on voyait encore sur les collines de Central Park les vestiges d'une récente tempête de neige. Les badauds, chaudement emmitouflés dans d'épais pardessus, n'éprouvaient plus soudain la moindre envie pour cette créature grelottante qui gagnait davantage en une matinée qu'eux en une semaine.

Amanda était frigorifiée, mais elle n'avait pas conscience de la foule. Elle pensait à Robin Stone. Parfois cela aidait de penser à lui, en particulier lorsqu'ils avaient passé une merveilleuse nuit ensemble.

Ce matin, ses pensées n'avaient rien de réconfortant. Il n'y avait pas eu de merveilleuse nuit. Robin ne lui avait même pas donné signe de vie. Il avait deux conférences à faire, l'une samedi à Baltimore, l'autre à un dîner, dimanche, à Philadelphie. « Je leur expédierai mon laïus à sept heures — et serai de retour à New York vers dix heures, avait-il promis. Après, on ira se taper un hamburger au Lancer. » Elle avait attendu, pomponnée et maquillée, jusqu'à deux heures du matin. Pas même un coup de fil.

Le photographe s'arrêta. Un assistant se précipita avec un manteau et une bouteille thermos. Elle rentra dans le hall de l'hôtel et se laissa tomber dans un grand fauteuil pour boire son café. Le sang recommença à circuler dans ses veines. Elle survivrait. Heureusement, les photos suivantes étaient en intérieur.

Elle avala son café et gagna la suite réservée pour la durée de la séance. Les toilettes étaient soigneusement suspendues dans l'ordre. Avec l'aide de l'habilleuse, elle troqua sa robe de toile contre un confortable pantalon d'été. Elle rajusta ses faux seins dans son soutien-gorge, et vérifia son maquillage. Le peigne crépita dans son épaisse chevelure dorée. La veille, elle s'était lavé la tête et coiffée comme Robin aimait, les cheveux sur les épaules. Cet après-midi, elle avait trois heures de pose pour les produits de beauté Alwayso ; ils la feraient probablement changer de coiffure. Jerry Moss la préférait avec les cheveux attachés ; il prétendait que cela donnait plus de classe aux produits.

A onze heures, enfermée dans la salle de bains, elle réintégrait ses propres vêtements. Elle tira de son grand fourre-tout la pochette dans laquelle elle transportait sa brosse à dents et un tube de dentifrice. Elle se brossa énergiquement les dents de bas en haut. Elle faisait aujourd'hui les coloris mode-été de rouge à lèvres. Dieu soit loué pour ses dents, et pour ses cheveux, et pour son visage. Ses jambes étaient bien, elle avait les hanches minces, et elle était grande. Le Créateur ne s'était pas montré cruel à son égard. Il n'avait omis qu'un seul point. Elle jeta un regard mélancolique sur son soutien-gorge rembourré. Elle revoyait toutes ces femmes qui l'avaient regardée poser : employées, ménagères, les boulottes comme les laiderons, elles avaient toutes des seins, et elles trouvaient cela tout naturel. Et elle, elle était plate comme un garçon.

Chose curieuse, dans son métier c'était plutôt un atout, mais certainement pas dans sa vie privée. Elle se rappelait la honte qu'elle avait éprouvée à douze ans quand le corsage des autres filles à l'école avait commencé à « bourgeonner ». Elle s'était précipitée dans les jupes de Tante Rose qui s'était mise à rire : « Ça viendra, mon petit cœur. J'espère seulement pour toi qu'ils ne seront jamais aussi gros que ceux de ta vieille tante. »

Mais *rien* n'était venu. Quand elle avait eu quatorze ans, Tante Rose lui avait dit : « Allons, allons, mon cœur, le Bon Dieu t'a donné un joli minois et une cervelle solide. Et de toute façon, l'important dans la vie, c'est qu'un homme t'aime pour toi-même et non pas pour ton visage ou pour ton corps. »

Tout cela était bien beau tant qu'elle était assise là, dans la cuisine de Tante Rose, à une époque où ni l'une ni l'autre ne se doutaient qu'elle irait un jour à New York et rencontrerait les gens qu'elle fréquentait maintenant. Ainsi le chanteur, par exemple. (Elle était incapable de penser à Billy en d'autres termes.) Elle avait dix-huit ans et elle démarrait dans la carrière de mannequin au moment de leur rencontre. Ecolière, elle écoutait ses disques, et à douze ans elle avait fait la queue pendant deux heures le jour où il devait passer en attraction au cinéma du coin. Elle avait cru rêver en le rencontrant en chair et en os à une surprise-partie. Et qu'il puisse s'intéresser à elle en particulier était encore plus incroyable. Comme Billy l'avait déclaré à la presse : « Ce fut le coup de foudre instantané. » A dater de ce soir-là, elle avait fait partie de son entourage. Elle découvrait un univers inconnu : les premières dans les night clubs, le chauffeur particulier, la bande qu'il traînait partout avec lui : paroliers, conseillers artistiques, impresario, agents de presse. Et bien qu'ils ne l'aient jamais vue auparavant, tous l'avaient adoptée comme si elle faisait partie de la famille depuis toujours. Elle avait été ahurie par la rapidité de ses avances et par le retentissement de leur idylle dans les journaux. Il lui prenait la main et l'embrassait sur la joue sous les flashes des photographes. Et le cinquième jour, ils s'étaient soudain retrouvés seuls dans la suite de Billy.

Elle n'avait jamais mis les pieds au Waldorf Towers — à l'époque elle vivait encore au Barbizon, un hôtel pour femmes seules. Debout au milieu de la pièce, elle contemplait les fleurs et les rangées de bouteilles. Il l'embrassa, dénoua sa cravate, et prit le chemin de la chambre à coucher. Elle le suivit docilement. Il retira sa chemise et ouvrit négligemment la fermeture éclair de son pantalon.

— Okay, poulette, déballe la marchandise.

Elle avait été prise de panique tandis qu'elle retirait lentement ses vêtements. Elle resta immobile en slip et soutien-gorge. Il vint vers elle et se mit à l'embrasser sur la bouche, dans le cou, sur les épaules, tout en défaisant maladroitement les agrafes de son soutien-gorge qui glissa à terre. Il recula d'un pas, visiblement désappointé :

— Miséricorde ! Remets ton soutien-gorge en vitesse, poupée. (Son regard s'abaissa vers sa propre anatomie et il se mit à rire.) Le petit oiseau s'est déjà envolé de saisissement !

Elle remit son soutien-gorge. Elle remit tous ses vêtements, et s'enfuit de l'hôtel. Le lendemain, il lui envoya des fleurs, l'assaillit de coups de téléphone, l'assiégea sans répit. Elle finit par céder et ils passèrent trois merveilleuses semaines ensemble. Ils couchèrent ensemble, mais elle garda son soutien-gorge.

Au bout de trois semaines, le chanteur repartit sur la côte. Elle n'entendit plus jamais parler de lui. Pour se donner bonne conscience, il lui offrit un manteau de vison en guise de cadeau d'adieu. Elle se rappelait encore son expression stupéfaite en découvrant qu'elle était vierge.

Le bruit qu'avait fait leur idylle dans la presse lui valut une proposition de l'Agence Nick Longworth. Elle était lancée. Elle débuta à vingt-cinq dollars de l'heure, et aujourd'hui, cinq ans plus tard, elle était l'un des dix mannequins-vedettes du pays et en gagnait soixante à temps complet. Nick Longworth lui avait fait étudier les magazines de mode, lui avait appris à s'habiller et à marcher. Elle avait quitté le Barbizon pour un coquet appartement à East Side où elle passait le plus clair de ses soirées, solitaire. Elle s'acheta un poste de télévision et un chat siamois, et s'absorba dans son travail et dans l'étude des magazines féminins...

Robin Stone avait fait irruption dans sa vie à l'occasion d'un bal de charité. Elle avait été choisie avec cinq autres mannequins-vedettes pour présenter un défilé de mode au Waldorf. Les invitations étaient à cent dollars. Tout le gratin était là. Dans le Grand Salon, c'étaient la sauterie et les attractions habituelles. Mais quelque chose cependant distinguait ce bal des autres brillantes manifestations de charité. C'était Mme Austin qui présidait le comité. Son bal eut non seulement les honneurs de toute la presse, mais encore la IBC en assura le reportage télévisé. Ce qui n'avait rien de surprenant, puisque le patron de la chaîne n'était autre que M. Austin.

Le Grand Salon du Waldorf était bondé. Amanda et les autres mannequins étaient traités comme les invités payants puisqu'ils offraient leur participation gracieuse. On les avait installés ensemble à une table, à côté de six jeunes cadres, beaux garçons et insipides, qui leur servaient de cavaliers. Au début, ceux-ci firent quelques efforts pour soutenir une conversation mondaine, mais peu à peu ils se mirent à parler travail entre eux. Amanda les écoutait d'une oreille distraite. Du coin de l'œil elle observait la table qu'occupaient Mme Austin et ses amis. Elle avait reconnu Judith Austin d'après ses photos dans la presse, et elle était secrètement ravie de constater que celle-ci avait les cheveux teints exactement de la même couleur que les siens. Judith Austin devait avoir dans les quarante ans, mais elle était très belle — grande, élégante, d'une distinction raffinée. C'était ce genre de femme qu'Amanda se donnait comme modèle quand elle apprenait à s'habiller — évidemment, elle n'avait pas encore les moyens de se payer les mêmes vêtements, mais elle pouvait du moins les trouver en prêt-à-porter.

Après le dîner, elle alla se préparer dans le vestiaire avec les autres filles. Les caméras de la IBC étaient en place. Le défilé devait être retransmis en direct au cours du journal de vingt-trois heures. Elle attendait là avec les autres mannequins lorsqu'on frappa discrètement à la porte. Robin Stone entra.

Les filles lui donnèrent leur nom. « Amanda », dit-elle quand son tour arriva, et comme il attendait la suite : « Amanda, c'est tout. » Leurs regards se rencontrèrent et il sourit. Elle le regardait évoluer dans la pièce pendant qu'il notait les noms. Il était très grand et elle aimait l'aisance de ses gestes. Elle l'avait aperçu à plusieurs reprises sur le petit écran au moment du journal télévisé avant de passer sur la CBS pour le film du soir. Elle se rappelait vaguement qu'il avait autrefois obtenu un Prix Pulitzer de journalisme. A la télévision, il n'occupait certainement pas la place qu'il méritait. Il avait des cheveux noirs et drus qui commençaient à grisonner légèrement sur les tempes. Mais ce qui frappait chez lui, c'étaient surtout ses yeux. Ils se posèrent soudain sur elle avec insistance comme s'il la jaugeait. Puis il eut un petit sourire et il quitta la pièce.

Elle décida qu'il avait probablement une femme dans le style de Mme Austin et le spectacle n'était pas terminé qu'elle l'avait doté de deux enfants qui étaient son portrait tout craché.

Elle avait fini de s'habiller lorsqu'il frappa à la porte.

— Hello, Miss Prénom, fit-il en souriant, y a-t-il un M. Prénom qui vous attend à la maison ou bien puis-je vous inviter à prendre un pot ?

Elle le suivit au PJ's et, un verre de coca devant elle, le regarda avec stupeur ingurgiter cinq vodkas d'affilée sans broncher. Elle l'accompagna chez lui sans qu'il ait eu besoin de proférer un seul mot. Une simple pression de la main avait suffi pour qu'elle entende le message comme si un accord tacite s'était établi entre eux.

Elle se sentait littéralement hypnotisée. Elle entra chez lui sans la moindre appréhension et debout devant lui commença à se déshabiller sans se préoccuper un instant de sa poitrine. Voyant qu'elle hésitait à retirer son soutien-gorge, il vint vers elle et le lui retira lui-même.

— Vous n'êtes pas trop déçu ? questionna-t-elle.

— Il n'y a que les vaches qui aient besoin de mamelles !

Il la prit entre ses bras et, penché en avant, il lui baisa doucement les seins. Jamais une chose pareille ne lui était arrivée ; la tête de Robin entre ses mains, elle se mit à trembler...

Cette première nuit, il la prit doucement et sans un mot. Puis lorsqu'ils reposèrent enfin, heureux et haletants, il la tint serrée contre lui.

— Tu veux rester ma petite amie ? interrogea-t-il.

Pour toute réponse, elle se contenta de se serrer plus fort contre lui. Il s'écarta, et ses yeux d'un bleu lumineux la scrutèrent intensément. Ses lèvres souriaient, mais son regard était grave :

— Pas de liens, pas de promesses, pas de questions, ni d'un côté ni de l'autre, d'accord ?

Elle acquiesça silencieusement, et il lui refit l'amour avec un curieux mélange de violence et de tendresse. Lorsqu'ils retombèrent, apaisés et épuisés, elle jeta un coup d'œil sur le réveil. Trois heures du matin ! Elle se glissa hors du lit. Il se redressa et la saisit au poignet :

— Où vas-tu ?

— Chez moi.

Il lui tordit le poignet si brutalement qu'elle laissa échapper un cri de douleur.

— Quand tu couches avec moi, tu restes ici toute la nuit. Compris ?

— Mais je dois rentrer. Je suis en robe du soir !

Il la lâcha sans rien dire, se leva, et commença à s'habiller :

— Dans ce cas, c'est moi qui irai dormir chez toi.

Elle sourit :

— Tu as peur de rester seul, la nuit ?

Robin lui jeta un regard noir :

— Ne répète jamais cela ! J'ai l'habitude de dormir seul. Mais quand je couche avec une fille, je dors avec elle.

Ils allèrent chez elle et il lui refit l'amour. Et tandis qu'elle s'endormait entre ses bras, elle se sentait si heureuse qu'elle était pleine de compassion pour toutes les femmes du monde entier parce qu'elles ne connaîtraient jamais Robin Stone.

Trois mois depuis s'étaient écoulés, et même Slugger, son chat siamois, avait accepté Robin et dormait pelotonné à ses pieds.

Robin ne gagnait pas beaucoup d'argent et la plupart du temps, le week-end, il devait aller faire des conférences pour arrondir ses fins de mois. Amanda se moquait bien de ne pas fréquenter le Colony ou le 21. Elle aimait le PJ's, le Lancer, ou le Piccolo Italia, les bistrots où Robin tenait généralement ses assises. Elle adorait l'entendre discourir, et elle s'efforçait désespérément de comprendre la différence entre un républicain et un démocrate. Elle pouvait rester des heures assise au Lancer pendant que Robin discutait politique avec Jerry Moss. Jerry habitait Greenwich et il travaillait dans l'Agence qui s'occupait de la publicité des produits de beauté Alwayso. C'était grâce à l'amitié des deux hommes qu'elle avait été amenée à poser pour les produits Alwayso.

Elle enfila sa robe de tricot devant le miroir de la salle de bains du Plaza et regagna le petit salon. Le plateau-repas avait disparu. Le photographe démontait son appareil. Il s'appelait Ivan Greenberg et c'était un bon copain. Elle lui adressa un petit signe d'amitié, agita la main en direction des habilleuses qui remballaient les robes et quitta l'appartement, longue silhouette dorée aux cheveux mouvants. Les pans de son manteau de vison, cadeau du chanteur, flottaient tandis qu'elle traversait le corridor en courant.

Elle s'arrêta à la réception pour téléphoner. Aucune nouvelle de Robin. Elle composa son numéro : à l'autre bout du fil, la sonnerie retentit longuement dans l'appartement vide. Elle raccrocha.

Il n'était pas loin de midi. Où pouvait-il bien être ?

2

Il était au Bellevue Statford Hotel, à Philadelphie.

Il s'éveilla lentement, avec le sentiment que la matinée était déjà presque achevée. Il entendait les pigeons roucouler sur le rebord de la fenêtre. Dès qu'il ouvrit les yeux, il sut exactement où il se trouvait. Parfois, lorsqu'il se réveillait dans un motel, il lui arrivait de n'en être plus très sûr. Toutes les chambres de motel se ressemblent, et il devait faire un effort pour se rappeler le nom de la ville ou même celui de la fille qui dormait à ses côtés. Mais ce matin, il était seul. Et il n'était pas dans un motel. Cette bonne vieille ville de Philadelphie avec sa « Personnalité de l'Année ». Ils s'étaient fendus d'une vraie suite.

Il chercha ses cigarettes sur la table de chevet. Le paquet était vide. Et il ne restait même pas de mégot à peu près correct. Il aperçut alors le cendrier qui était posé de l'autre côté du lit : il débordait de longs mégots tachés de rouge à lèvres orange. Il n'y toucha pas. Il commanda par téléphone un grand verre de jus d'orange, du café, et deux paquets de cigarettes. En attendant, il récupéra le mégot le moins abîmé, en secoua la cendre, et l'alluma. Ceux de l'autre cendrier étaient mieux, mais il se leva et alla les jeter dans les toilettes. Il les regarda disparaître avec l'impression d'exorciser la fille. Bon sang, il aurait juré qu'elle était célibataire. D'habitude, il reniflait de loin les femmes mariées en quête de sensations. Mais celle-là l'avait bien eu, peut-être parce qu'elle sortait nettement de l'ordinaire. Enfin ! Ce n'étaient que des aventures sans lendemain. Que les maris se cassent donc la tête ! Il sourit intérieurement, et jeta un coup d'œil sur sa montre. Presque midi. Il pourrait attraper le train de quatorze heures pour New York.

Ce soir, Amanda et lui fêteraient la nouvelle en buvant à la santé de Gregory Austin, l'homme qui allait l'arracher à cette vie. Il n'arrivait pas encore à y croire, de même qu'au début il n'avait pas voulu croire que c'était réellement Austin qui lui téléphonait un samedi à neuf heures du matin. C'était sûrement un canular. Le PDG de la IBC appelant un petit journaliste de province ! Gregory lui avait conseillé en riant de le rappeler à la IBC pour vérifier. Il s'était exécuté et Austin avait décroché à la première sonnerie. Robin Stone pouvait-il passer le voir immédiatement à son bureau ? Dix minutes plus tard, Robin était dans le bureau de Gregory Austin, sa valise à la main : il devait prendre le train de midi pour Baltimore.

Austin se trouvait seul dans son imposant bureau. Il entra directement dans le vif du sujet. Que dirait Robin de passer chef des Informations ? Il aimerait également que Robin se charge de. réorganiser le service et de former une équipe capable de « couvrir » cet été les conventions des partis. L'idée plaisait beaucoup à Robin, mais le titre proprement dit laissait rêveur. Morgan White était directeur des Actualités. Randolph Lester en était le sous-directeur. Que fallait-il entendre, dans ce cas, par « chef des Informations » ? Eh bien, ma foi, cela signifiait quinze mille dollars par an, plus du double de son traitement actuel. Et pour le reste, comme le dit Austin : « Tenons-nous-en là pour commencer, vu ? »

C'était un sacré commencement ! Et quand Austin avait appris que Robin était encore sous contrat pendant un an pour ses conférences, il n'avait eu que deux coups de fil à passer, l'un à l'Agence Internationale de Conférences, l'autre à son avoué pour qu'il s'occupe de payer le dédit. Ce n'était pas plus compliqué : célérité et discrétion. Robin devrait s'absenter pendant une semaine. Il lui fallait également garder le secret sur cette nomination, et le lundi suivant, il viendrait prendre ses nouvelles fonctions. Gregory se chargeait d'annoncer lui-même la nouvelle à sa façon.

Robin se versa du café et alluma une cigarette. Un pâle soleil d'hiver filtrait par les fenêtres de l'hôtel. Dans huit jours, il prendrait son poste à la IBC. Il tira une longue bouffée. Un peu de sa bonne humeur s'envola avec la fumée. Il écrasa sa cigarette par terre comme pour conjurer l'image de la fille au rouge à lèvres orange. Comment s'appelait-elle déjà ? Peggy ? Betsy ? Non, aucun de ces prénoms ne lui disait rien. C'était pourtant quelque chose qui se terminait ainsi. Billie ? Mollie ? Lillie ? Bah ! quelle importance ? Il se cala confortablement et repoussa sa tasse de café. Une fois, pendant un week-end à New York, lorsqu'il était encore étudiant à Harvard, il avait vu une pièce, « La Dame dans l'ombre », dans laquelle une fille fredonnait sans cesse un air dont elle ne pouvait jamais se rappeler que les premières mesures. Le même phénomène lui arrivait parfois. Seulement il ne s'agissait pas d'une mélodie, mais d'un souvenir, d'une image... C'était quelque chose d'indéfinissable, comme s'il était sur le point de retrouver un souvenir important qui lui laissait une sensation douce, chaude, et musquée. Et puis, il était pris de panique. Ces moments étaient rares, mais le phénomène s'était produit la nuit dernière. Un bref éclair. Ou plutôt non, deux. La première fois, quand la fille s'était glissée avec lui dans le lit. Le contact de ce corps tendre, chaud, et vibrant. Elle avait des seins superbes. D'habitude, il n'attachait pas grande importance à la poitrine. Pour lui, têter un sein bien rond était une façon de retomber en enfance. Quel plaisir sexuel les hommes pouvaient-ils y prendre ? C'était tout bonnement la nostalgie du sein maternel. Seuls les faibles avaient besoin d'aller se réfugier dans le giron des femmes au corsage généreux. Pour sa part, Robin avait un faible pour les blondes fraîches et nettes, au corps mince et dur. Il trouvait excitante cette analogie avec son propre corps.

Mais la veille, c'était avec une brune aux seins superbes qu'il avait passé la nuit. Et chose curieuse, il était très excité. Il se rappelait maintenant : il avait crié quelque chose au moment de l'extase. Mais quoi ? D'habitude il ne criait jamais, ni avec Amanda, ni avec aucune autre. Et pourtant il *savait* qu'il avait crié quelque chose, comme il savait que cela lui était déjà arrivé d'autres fois, sans qu'il puisse jamais par la suite se rappeler les mots qu'il avait prononcés.

Il alluma une autre cigarette, et tourna délibérément ses pensées vers l'avenir qui s'ouvrait devant lui. Il fallait fêter cela. Il avait une grande semaine de liberté devant lui.

Il se mit à feuilleter le journal de Philadelphie qu'on lui avait apporté avec le petit déjeuner. En page trois, il aperçut sa photo en compagnie du type à qui la ville rendait hommage, un gros juge au crâne dégarni. ROBIN STONE, PRIX PULITZER DE JOURNALISME, PERSONNALITE BIEN CONNUE DE LA TELEVISION ET CONFERENCIER, S'EST RENDU A PHILADELPHIE POUR PRESENTER AU PUBLIC ET SALUER LE JUGE GARRISON B. OAKES, « PERSONNALITE DE L'ANNEE » 1960.

Il reprit un peu de café, un sourire ironique aux lèvres. Comme s'il s'était déplacé pour aller rendre hommage au Juge Garrison, un bonhomme dont il n'avait jamais entendu parler avant ce jour ! Il était venu pour que l'Agence Internationale de Conférences puisse empocher ses cinq cents tickets.

Il but son café à petites gorgées, tout joyeux à l'idée qu'il n'aurait plus jamais besoin d'aller faire des conférences. Au début, il avait vraiment cru que c'était une aubaine. Il était depuis un an aux Actualités Régionales de la IBC quand Clyde Watson, le directeur de l'Agence Internationale de Conférences, l'avait convoqué. L'Agence occupait tout un étage dans un immeuble neuf situé dans Lexington Avenue. Et Clyde Watson, derrière son imposant bureau en noyer massif, avait la tête d'un brave agent de change. Tout était calculé, jusqu'au bon sourire paternel pour mettre la victime à l'aise.

— Cher Monsieur Stone, comment se fait-il qu'un Prix Pulitzer de Journalisme finisse présentateur aux Actualités Régionales ?

— Parce que j'ai laissé tomber la Northern Press Association.

— Et pourquoi donc ? Est-ce parce que vous ne trouviez pas de débouchés à New York ?

— Non. Cela m'est parfaitement égal de ne pas travailler dans un journal new-yorkais. Des billets de faveur et des dîners gratuits dans les restaurants, c'est tout l'avantage qu'on en retire. Cela ne m'intéresse pas. Je suis écrivain. Du moins, je le crois. Or, la NPA permet à n'importe quel petit rédacteur en chef de sabrer mes articles à son idée. Parfois il n'en publie que trois lignes. Trois lignes d'un texte qui m'a coûté six heures d'effort. Je n'ai pas la plume facile. Je sue sang et eau sur mes articles. Et tout cela pour que le premier venu balance six heures de ma vie dans une corbeille à papier ! (Robin secoua douloureusement la tête.) A la IBC au moins, je suis libre de rédiger comme je l'entends mes comptes rendus politiques. Quitte à ce que par la suite la station fasse connaître qu'elle se désolidarise de mes opinions.

Cette fois Watson accompagna son sourire d'un signe de tête approbateur :

— Mais ça ne rapporte guère, commenta-t-il avec un soupir compréhensif.

— Suffisamment pour vivre. Je n'ai pas de gros besoins. Une chambre d'hôtel. Du papier pour ma machine à écrire. (Robin sourit comme un gamin.) D'ailleurs, le papier, le papier et le carbone je les pique à la IBC !

— Et vous écrivez le « Livre de l'Année » ?

— Comme tout le monde.

— Mais quand trouvez-vous le temps d'écrire ?

— Pendant le week-end. Parfois le soir.

Le sourire de Watson avait disparu. Il s'apprêtait à resserrer le nœud coulant.

— N'est-ce pas bien difficile de rédiger un ouvrage de longue haleine par à-coups ? Comment pouvez-vous garder l'inspiration ? Vous ne pensez pas qu'un écrivain devrait avoir la possibilité de prendre une année de congé pour se consacrer entièrement à son livre ?

Robin alluma une cigarette. Il posa un regard à peine teinté de curiosité sur Watson qui se pencha davantage :

— Les Conférences Universelles peuvent vous engager pendant le week-end. Je suis persuadé que vous pouvez obtenir cinq cents dollars par semaine. Sinon sept cent cinquante !

— En quoi faisant ?

— Vous choisissez un sujet. J'ai lu vos articles. (Watson agita un dossier pour confirmer ses dires.) Vous pouvez placer des anecdotes amusantes qui vous sont arrivées lorsque vous étiez correspondant. Prenez un thème ou un autre. Adoptez un ton sérieux ou spirituel. Je peux vous garantir que vous aurez du pain sur la planche.

— Pourquoi les gens viendraient-ils me voir ?

— Regardez-vous dans une glace, Monsieur Stone. Les clubs de femmes invitent des gens célèbres. Elles en ont assez des professeurs chauves et des comédiens sur le retour. Vous mettrez un peu de piment dans leur vie. Un correspondant de guerre, Prix Pulitzer ! On s'arrachera votre présence dans les dîners et les universités.

— Et quand est-ce que tout cela me laissera le temps d'écrire ?

— Mettez votre livre de côté pour le moment. Oubliez-le. Du train où vous y allez, il vous faudrait dix ans pour l'écrire. Mais deux ans de conférences, et vous pouvez économiser suffisamment pour prendre une année entière de congé. Partez quelque part. Et puis peut-être, qui sait, vous reviendrez avec un autre Prix Pulitzer. Pour le livre cette fois. Vous ne voulez pas rester présentateur aux Actualités Régionales toute votre vie, n'est-ce pas ?

Cette proposition paraissait inespérée. Même en tenant compte des trente-cinq pour cent que l'Agence retenait sur ses gains pour organiser les conférences. Il signa d'enthousiasme. Sa première conférence devait avoir lieu à Houston. Cinq cents dollars dont soixante-quinze pour l'Agence, ce qui laissait trois cent vingt-cinq dollars. Il lut alors ce qui était écrit en petits caractères. Les transports et l'hôtel étaient à sa charge. Quand il voulut rompre son contrat, Watson sourit d'un air froid. Naturellement il pouvait toujours reprendre sa liberté. A condition de payer le dédit. C'était il y a un an. Une année passée à voyager de nuit en classe touriste, recroquevillé sur son siège d'avion trop étroit au milieu de grosses dames et de gosses braillards. Et ces abominables motels, sauf à quelques exceptions près, comme cette fois-ci à Philadelphie, où un bon hôtel était compris dans le prix.

Robin regarda autour de lui. C'était exactement le décor qui convenait pour sa dernière représentation. Dieu soit loué, tout cela était terminé, les avions de tourisme, la promiscuité, les contacts avec l'assistance... A la fin, il le connaissait par cœur, son laïus, il n'avait même plus besoin d'y penser, il pouvait le débiter ivre-mort. Les rires s'élevaient toujours au même endroit, les applaudissements aux mêmes moments. Toutes les villes finissaient par se ressembler. A son arrivée, il était toujours accueilli par la même petite étudiante aux dents en avant avide de discuter de Mailer, de Bellow, ou du devenir de la peinture moderne. Et au bout du premier martini, il savait d'avance qu'elle finirait la nuit dans son lit. Bon. Il avait roulé sa bosse d'un bout à l'autre du pays. A présent, il était « chef des Informations ».

Avec ses premiers gains de conférencier, il avait emménagé dans un appartement. Rien de très somptueux, mais c'était toujours mieux que sa chambre d'hôtel. Sauf qu'il n'y était jamais. Il avait un bureau neuf, un stock de papier pelure, du carbone, et il avait même troqué sa petite portative pour une machine à écrire électrique, mais son travail à la IBC l'occupait toute la journée, les bistrots et les filles meublaient ses soirées, et durant le week-end il devait galoper par monts et par vaux. Enfin, c'était désormais le passé. Il allait se mettre à bosser comme un damné, il économiserait jusqu'au dernier sou. Et il finirait par l'écrire, son bouquin.

Parfois Robin se demandait s'il avait vraiment l'étoffe d'un écrivain. Le Pulitzer ne prouvait rien. On peut très bien faire du journalisme sans que cela implique forcément qu'on porte un livre en soi. Et c'est à un livre qu'il voulait donner forme et vie. Il y montrerait les répercussions de la guerre sur la vie politique : le retour de Churchill, la venue au pouvoir des généraux, Eisenhower, de Gaulle... Ensuite, il aimerait écrire un roman politique. Mais surtout, il voulait que son œuvre devienne réalité, que les mots noircissent le papier.

Il n'accordait pas beaucoup d'importance aux biens de ce monde. Souvent, en voyant Amanda lui montrer en ronronnant de plaisir une nouvelle paire de chaussures, il s'étonnait de son propre détachement. C'était peut-être parce qu'il n'avait jamais manqué de rien, du moins jusqu'à la mort de son père. Celui-ci avait laissé à Kitty l'usufruit d'un héritage qui se montait à quatre millions de dollars et qui reviendrait par moitié à sa sœur Lisa et à lui-même. En attendant, avec ses douze mille dollars par mois, Kitty la Magnifique se donnait du bon temps. C'était bizarre, mais il n'avait jamais pu penser à sa mère que comme « Kitty la Magnifique ». Elle était ravissante, toute petite et blonde — bon sang, peut-être bien qu'en ce moment, elle était rousse. La dernière fois qu'il l'avait vue, c'était il y a deux ans à Rome, et elle était ce qu'il appelait blond « tigré ». Elle prétendait que c'étaient des cheveux blancs. Il sourit avec attendrissement. Pour une pépée de cinquante-neuf berges, elle était encore drôlement bien.

Il avait eu une enfance heureuse, même pendant ses années de collège. Son père avait vécu assez longtemps pour payer à Lisa le plus grand mariage qu'on ait jamais vu à Boston de mémoire d'homme. Elle vivait maintenant à San Francisco, et elle était l'épouse d'un crétin aux cheveux en brosse, le plus gros agent immobilier de la Côte. Elle avait deux gosses merveilleux — Seigneur, cinq ans qu'il ne les avait pas vus ! Lisa avait maintenant... voyons voir, à sa naissance il avait sept ans... elle devait avoir trente ans, mère de famille et tout. Et lui ne s'était toujours pas fixé. C'était peut-être à cause d'une remarque que son père lui avait faite quand il avait douze ans, le jour où il l'accompagnait au golf pour la première fois.

— Aborde le golf comme s'il s'agissait d'une matière scolaire, l'algèbre par exemple, dont tu dois vaincre les difficultés. Il faut que tu apprennes à te défendre, fiston. C'est sur un terrain de golf que se traitent la plupart des affaires.

— Est-ce que tout ce qu'on apprend doit vous servir à gagner de l'argent plus tard ? avait demandé Robin.

— A tous coups, si tu as envie d'avoir une femme et des enfants. Quand j'avais ton âge, je rêvais de devenir un nouveau Clarence Darrow. Et puis je suis tombé amoureux de ta mère, et je me suis mis à potasser le droit civil. Je n'ai pas à me plaindre. J'ai fait fortune.

— Mais tu rêvais d'être avocat, 'Pa !

— Quand on est marié, on ne peut pas se permettre de faire uniquement ce qui vous plaît. Un chef de famille est avant tout responsable des siens.

Robin avait donc appris à jouer au golf, et lorsqu'il quitta Harvard il avait sept de handicap. Il voulait s'inscrire en Lettres et se spécialiser par la suite dans le journalisme mais son père s'y opposait, de même qu'il se fâchait chaque fois qu'il surprenait Robin plongé dans Nietzsche ou Tolstoï.

— Ce n'est pas ça qui te servira pour ton droit, répétait-il.

— Mais je ne veux pas faire mon droit !

Son père le regardait fixement et quittait la pièce. Le lendemain, Kitty lui expliquait avec douceur que c'était son devoir de rendre son père fier de lui. Il avait parfois l'impression de n'avoir jamais entendu d'autre mot que « devoir » autour de lui. C'était un *devoir* d'apprendre à jouer au football afin d'être un jour conforme à l'idée qu'on se fait de l'homme de loi jeune et dynamique. Il se démena donc comme un beau diable et devint cette année-là le meilleur capitaine qu'Harvard eût jamais possédé. Quand il décrocha son diplôme en 1944, il avait la possibilité de s'inscrire en droit, mais il était âgé de vingt et un ans et c'était la guerre. Il s'engagea dans les forces de l'air en promettant de faire son droit à son retour. Mais les choses avaient tourné autrement. Il s'était battu sur le front, il avait obtenu ses galons de capitaine ainsi qu'un entrefilet en page deux du journal de Boston lorsqu'il avait été blessé — au moins son père avait eu de quoi être fier ! Sa blessure n'était que superficielle mais elle avait rouvert une vilaine plaie qu'il s'était faite au football, et on avait dû l'hospitaliser Outre-Atlantique. Pour tuer le temps, il se mit à écrire le récit de sa vie à l'hôpital et les expériences de ses camarades à l'armée. Il envoya le manuscrit à un ami qui était à la NPA. On le publia et sa carrière de journaliste commença.

La guerre terminée, il entra à la NPA à titre d'envoyé permanent. Evidemment ses parents lui ressortirent l'éternelle rengaine. Son devoir était de faire son droit pour complaire à son père. Heureusement Lisa avait rencontré « cheveux en brosse », et toute la maisonnée s'affairait aux préparatifs du mariage. Cinq jours plus tard le vieil homme s'écroulait en pleine partie de squash. Du moins avait-il eu la mort qu'il aurait souhaitée. Il s'en était allé les muscles intacts et avec la certitude du devoir accompli.

Robin se leva et repoussa la table roulante. Il était libre, il ne devait rien à personne, et il comptait bien persévérer dans cette voie. Il se mit sous la douche. L'eau froide l'éclaboussa brutalement, dissipant les derniers effets de la vodka. Allons bon ! Il avait raté sa séance de gymnastique du lundi et oublié de téléphoner à Jerry pour qu'il décommande son rendez-vous. Il eut un sourire. Pauvre Jerry. Il avait dû se retrouver seul là-bas, lui qui détestait la culture physique ! Il n'y allait que parce que Robin l'y traînait de force. C'était curieux que Jerry se moque éperdument d'être avachi à trente-six ans.

Robin se mit à fredonner. Il téléphonerait à Jerry et à Amanda dès son arrivée à New York, et ils iraient arroser la nouvelle au Lancer. Mais il leur tairait le motif de ces réjouissances : Gregory Austin tenait à annoncer lui-même sa promotion.

Il commença à faire mousser la crème à raser sur son menton. Seigneur, songea-t-il, je donnerais n'importe quoi au monde pour savoir ce qui se passe en ce moment à la IBC !

3

Pour tout le monde à la IBC, ce lundi matin commença comme à l'accoutumée. Les « chiffres » — comme on appelait familièrement les cotes hebdomadaires de popularité des émissions — se trouvaient sur chaque bureau. Le premier signe avant-coureur de l'orage survint à dix heures sous la forme d'une simple note de service : « Gregory Austin attend Danton Miller dans son bureau à dix heures trente. »

Le message fut transmis par la secrétaire particulière de M. Austin à Susie Morgan, la secrétaire particulière de Danton Miller. Susie le griffonna sur un bloc qu'elle plaça sur le bureau de M. Miller à côté des résultats des sondages. Après quoi, elle se dirigea vers les toilettes. Elle passa devant la « cage » du secrétariat où régnait déjà une intense activité ; les machines cliquetaient depuis neuf heures trente. A l'échelon supérieur, les secrétaires particulières des pontes n'arrivaient qu'à dix heures avec des lunettes noires et sans maquillage. Elles pointaient, faisaient savoir à leurs patrons respectifs qu'elles étaient arrivées, et disparaissaient dans les toilettes. Vingt minutes plus tard, elles en ressortaient pareilles à des mannequins de mode. L'une d'elles y avait même installé un grand miroir grossissant.

Il y avait beaucoup de monde dans la place quand Susie arriva. Tout en crachotant sur son rimmel, elle se mêla négligemment à la conversation générale. Gregory Austin avait convoqué Danton Miller ! La première fille qui quitta les lieux passa le tuyau à une copine qui travaillait au service juridique. Moins de six minutes plus tard, la nouvelle s'était répandue dans toute la maison.

Ethel Evans était en train de taper une « dernière heure » quand la nouvelle parvint dans la section publicité. Elle avait tellement hâte d'interroger Susie plus en détail qu'elle dégringola les quatre étages sans attendre l'ascenseur et qu'elle fit irruption hors d'haleine dans les toilettes du seizième. Susie était seule et mettait la touche finale à son maquillage.

— Il paraît que ton patron va se faire virer, lança Ethel.

Susie acheva de se farder les lèvres. Elle tira son peigne et arrangea quelques bouclettes, consciente qu'Ethel attendait une réponse. Elle répliqua d'un ton qu'elle espérait discrètement teinté d'ennui :

— N'est-ce pas là le ragot habituel du lundi matin ?

Les pupilles d'Ethel se rétrécirent :

— Cette fois-ci, j'ai bien l'impression que ce ne sont pas des paroles en l'air. Jeudi, Gregory a sa réunion hebdomadaire avec les chefs de service. Convoquer Danton Miller un lundi matin, tout le monde sait que ça veut dire la porte.

Brusquement Susie fut prise d'inquiétude :

— C'est ça qu'ils disent là-haut ?

Ethel se sentit soulagée. Elle avait obtenu une réaction. Elle s'adossa contre le mur et alluma une cigarette.

— On comprend ça très bien. Tu as vu les « chiffres » ?

Susie se mit à se créper les cheveux. Ce n'était pas particulièrement nécessaire et elle détestait Ethel Evans. Mais si Danton Miller sautait, son boulot sautait également. Il fallait qu'elle sache s'il y avait anguille sous roche. Elle n'ignorait pas que le poste de Danton dépendait étroitement de la cote des émissions. Elle n'avait pas songé un instant que la convocation de Gregory Austin pouvait présenter une menace. En arrivant dans les toilettes, elle considérait la nouvelle comme une preuve supplémentaire de l'importance de Danton. A présent, elle commençait à avoir peur. Mais il fallait qu'elle se reprenne. Ethel Evans n'était qu'une petite employée aux relations publiques. Elle, elle était la secrétaire particulière de Danton Miller ! Elle répondit d'un ton dégagé :

— Oui, j'ai vu les chiffres. Mais ce sont les Actualités qui en ont pris le plus grand coup et c'est Morgan White qui dirige le service. C'est lui qui devrait se faire du mouron. Pas Danton Miller.

Ethel se mit à rire :

— Morgan White est parent avec les Austin. Il est intouchable. C'est ton petit ami qui est dans de sales draps.

Susie rougit légèrement. Effectivement, elle sortait avec Dan, mais leurs relations se bornaient à un dîner de temps à autre au « 21 » ou à une première à Broadway. Elle espérait secrètement que quelque chose se passerait, mais jusqu'à présent Dan s'était toujours contenté de lui poser un petit baiser sur le front au moment de la quitter. Elle savait cependant qu'on la prenait pour sa petite amie. On avait même rapproché leurs noms dans un potin de Broadway. Elle était fière du prestige que cela lui conférait auprès des autres secrétaires. Ethel haussa les épaules :

— Ce que j'en dis, c'est seulement histoire de t'avertir. Attends-toi à passer une soirée difficile avec le grand Danton. S'il est fichu à la porte, il risque d'être passablement saoul.

Susie savait que Danton passait pour être porté sur la bouteille, mais il ne buvait jamais plus de deux martini lorsqu'ils sortaient ensemble, et elle ne l'avait jamais vu se départir de son calme. Elle sourit à Ethel :

— Ne te fais pas de souci pour Dan. S'il perd sa place, je suis persuadée que ce ne sont pas les propositions qui lui manqueront.

— On voit que tu n'étais pas encore là quand Colin Chase a donné sa démission entre guillemets. Lorsqu'on lui a demandé quels étaient ses projets, il a répondu : « Quand on est maître à bord d'un dirigeable, et qu'il vous claque entre les doigts, il n'y a plus qu'à tirer l'échelle. Après tout, combien y a-t-il de dirigeables en ce bas-monde ? » (Ethel marqua un temps d'arrêt pour laisser à sa phrase le temps de faire son petit effet.) Ça doit être drôlement dur de se retrouver seul à Lakehurst et d'attendre qu'un autre dirigeable se pointe à l'horizon.

Susie sourit :

— Je n'ai pas l'impression que Dan ira moisir à Lakehurst.

— Mon chou, on est partout à Lakehurst quand on n'a pas de dirigeable. Colin Chase continue à aller tous les jours au « 21 » ou au Colony et fait traîner son repas pendant trois heures en attendant qu'il soit l'heure d'aller se taper des cocktails chez Louis et Armand.

Susie étudiait sa coiffure dans la glace. Ethel abandonna :

— Bon. Prends-le à la légère si ça te chante. Mais je te parie un déjeuner que Dan va se retrouver à Lakehurst. Il est vraiment dans le pétrin.

Susie resta seule dans les toilettes. Elle se faisait du souci pour Dan, mais elle s'en faisait encore davantage pour elle-même. Si Dan perdait sa place, son successeur amènerait avec lui sa propre secrétaire. Jamais elle ne pourrait retourner dans la « cage » ! Il faudrait qu'elle se mette à chercher du travail...

Et elle qui venait de consacrer une semaine de salaire à l'achat d'une robe qu'elle comptait mettre pour accompagner Dan au Emmy Awards Dinner, le mois prochain ! A présent, elle était vraiment affolée. Parce qu'elle les avait vus ces sondages ! La cote de toutes les émissions était tombée. C'étaient les Actualités qui avaient été le plus durement touchées, mais Ethel avait raison : Morgan White était parent avec les Austin. C'est Danton qui paierait les pots cassés. Certes, il s'était montré très détendu ce matin quand elle avait placé le message sur son bureau, mais avec lui on ne pouvait jamais savoir. A force de vivre dans ce métier, il avait pris l'habitude de rester toujours parfaitement maître de lui et de ne jamais se départir de son éternel sourire félin.

En fait, Dan n'en menait pas large. En voyant les résultats des sondages, il avait tout de suite flairé le désastre. Et quand Susie avait placé devant lui le message d'Austin, son ulcère s'était remis à le torturer. Il adorait son travail. C'était un boulot passionnant et stimulant. Et dans la mesure où il aimait le pouvoir par-dessus tout, sa crainte de l'échec en était plus vive. On ne peut pas prendre de risques quand le boulot est en jeu. Les directeurs des autres chaînes pouvaient peut-être se le permettre. Ils ne travaillaient pas pour un cinglé comme Gregory Austin qui se prenait pour un mélange de Bernard Baruch et de David Merrick. Qu'est-ce qu'il voulait prouver ? Qu'on ne peut pas en remontrer à Gregory Austin à moins d'être un Robert Sarnoff ou William Paley ?

A dix heures vingt-sept, il quitta son bureau et se dirigea vers l'ascenseur. Il regarda au bout du couloir l'impressionnante porte en noyer qui portait en lettres d'or : MORGAN WHITE. Tout semblait calme. Naturellement Morgan n'avait rien à craindre. C'était Danton Miller Jr que Gregory Austin avait choisi comme bouc-émissaire.

Il salua d'un air enjoué le liftier qui l'emmenait rapidement jusqu'au dernier étage. Il sourit tranquillement à la secrétaire de Gregory Austin qui l'annonçait. Il l'enviait d'être là, calme et sereine dans sa petite pièce à lambris garnie d'un tapis. Il pénétra dans le vaste salon où Gregory recevait généralement les hôtes de marque : gros commanditaires ou directeurs d'agences publicitaires qui achetaient pour plusieurs millions de dollars d'heures d'antenne. Derrière, se trouvaient la salle de réunion et le somptueux bureau privé de Gregory.

Si Gregory avait l'intention de le saquer, il aurait déjà été là afin d'en finir plus rapidement. Or Gregory n'était pas là. Alors c'était peut-être bon signe. Sauf s'il avait envie de le laisser un peu sur le gril. Alors c'était peut-être mauvais signe.

Il s'installa sur l'un des divans en cuir et contempla d'un air morose le splendide mobilier d'époque. Il regarda le pli impeccable de son pantalon en fine laine peignée. Oh mon Dieu, pour l'instant il était Danton Miller Jr, directeur de la chaîne. Dans cinq minutes, il ne serait peut-être plus rien.

Il tira son étui à cigarettes. Malgré le sourd avertissement qui lui vrillait l'estomac il sortit une cigarette qu'il tapota contre le dos de l'étui. Il aurait dû prendre un tranquillisant avant de quitter son bureau. Il aurait dû moins picoler hier soir. Il y en avait des choses qu'il aurait dû faire ! Il contempla son étui à cigarettes. Il l'avait choisi avec beaucoup de soin. Trois cents dollars. En croco noir à petites écailles, cerclé d'or à dix-huit carats. Pour le même prix, il aurait pu s'en payer un en or massif, mais cela ne correspondait pas au style d'élégance discrète et raffinée qu'il s'était donné. Costume noir, cravate noire, chemise blanche. Il possédait douze costumes noirs, cinquante cravates noires toutes identiques. Chacune portait un petit numéro cousu dans la doublure de sorte qu'il pouvait en changer chaque jour alternativement. Le complet noir simplifiait la vie. C'était parfait pour le bureau mais également de bon goût s'il avait un dîner le soir. L'étui à cigarettes était un auxiliaire précieux. S'il se trouvait devant une décision rapide à prendre, il pouvait tirer son étui, choisir soigneusement une cigarette, tasser le tabac contre le dos de l'étui ; il gagnait ainsi du temps pour réfléchir. Cela empêchait également de se laisser aller à des petites manies comme se ronger les ongles, s'arracher les envies, et autres manifestations de nervosité.

Il avait les mains moites. Il ne voulait pas perdre ce boulot ! Il aimait la sensation de puissance qu'il lui donnait. Il n'aurait plus nulle part où aller après cela, sinon au Valhalla des ex-directeurs de télévision. Ce seraient les repas quotidiens au « 21 » qu'on fait traîner en longueur à grands coups de martini.

Il regarda par la fenêtre. Un triste soleil d'hiver luisait faiblement. Bientôt ce serait le printemps. Et ce divan serait toujours là.

La secrétaire de Gregory serait toujours là. Et lui, il serait parti. Brusquement, il comprit ce que doit ressentir un condamné pendant qu'il marche vers la chaise électrique et contemple les témoins chargés d'assister à son exécution. Il aspira profondément comme pour savourer chaque ultime seconde de vie ; comme si d'un instant à l'autre l'existence allait lui être retranchée. Son vaste bureau, les petits voyages sur la côte, le bungalow au Berverley Hills Hotel, les petites pépées... Il se laissa retomber sur le divan. Il n'était pas très croyant, mais il adressa cependant une muette prière à Dieu, un serment. S'il n'était pas saqué, tout allait changer. Il ferait regrimper les cotes. Il se jurait bien d'y arriver même s'il devait pour cela piquer des émissions aux autres chaînes. Il travaillerait nuit et jour. Il dirait adieu à l'alcool et aux filles. Et il tiendrait parole. N'avait-il pas toujours scrupuleusement respecté la règle qu'il s'était fixée de ne jamais boire d'alcool pendant le déjeuner ? Il avait pris cette décision en voyant la déchéance de Lester Mark. Lester dirigeait une grosse agence de publicité. Dan l'avait vu passer de deux à quatre puis à cinq martini pendant le déjeuner. Les martini obscurcissent l'esprit et délient les langues. Il avait vu Lester passer de directeur d'agence à sous-directeur d'une agence de moindre envergure pour finir chômeur et poivrot invétéré.

Dan était persuadé que les martini au déjeuner étaient la plaie de ce métier. C'est pourquoi il s'en tenait à une stricte abstinence pendant la journée. Ce qu'il faisait après le travail, il avait toujours considéré que cela ne regardait que lui. Mais au cours de cette dernière année, il avait un peu forcé la dose. C'était peut-être pour cette raison qu'il s'était mis à sortir avec Susie Morgan, enfreignant une autre de ses règles sacrées. (Ne jamais mélanger le bureau et la vie privée.) Susie était beaucoup trop jeune pour lui. C'est d'ailleurs pour cela qu'il ne lui avait jamais fait de gringue et qu'il avait soin de rester sobre quand il la sortait. De surcroît, il n'était absolument pas le type qu'il fallait à une môme de vingt-trois ans ; à cet âge, les filles n'ont que le mariage en tête. Il valait mieux prendre une putain ou passer la main. Les filles comme Susie, c'était bien pour l'esbrouffe. S'il gardait son boulot, il renoncerait même aux putains. Il resterait chez lui plusieurs soirs par semaine et il regarderait cette sacrée télévision ; il mettrait les autres chaînes, il découvrirait pourquoi la IBC était à la traîne, il trouverait ce que réclamait le public. Mais bon sang, comment savoir ? Le public n'en savait rien lui-même !

La lourde porte s'ouvrit et Gregory Austin entra. Dan sauta sur ses pieds. Gregory tenait les sondages à la main. Il tendit la feuille à Dan et lui fit signe de s'asseoir. Dan se mit à parcourir la page comme s'il la voyait pour la première fois. Du coin de l'œil, il regardait Gregory arpenter la pièce de long en large. Où ce type puisait-il son énergie ? Dan avait dix ans de moins et pourtant il n'avait ni ce dynamisme ni cette vivacité. Austin n'était pas grand. Avec son mètre soixante-quinze, Dan le dépassait de plusieurs centimètres, et même Judith, quand elle était en talons hauts, paraissait parfois plus grande que son mari. Cependant Gregory dégageait une impression de force virile. Avec ses cheveux roux, ses fortes mains tannées par le soleil et constellées de taches de rousseur, son ventre plat et son sourire désarmant, toute sa personne débordait d'enthousiasme et de vitalité. On racontait qu'il avait fait des ravages parmi les starlettes de Hollywood avant d'avoir rencontré Judith. Depuis, pour Gregory, aucune autre femme ne semblait plus exister.

— Alors, qu'est-ce que vous en dites ? interrogea-t-il abruptement.

Dan fit la grimace.

— Vous ne remarquez rien de particulier ?

Dan tira son étui. D'une chiquenaude il dégagea une cigarette. Gregory se servit mais refusa de prendre du feu :

— J'ai arrêté depuis une semaine. J'en garde simplement une à la bouche. Ça marche. Vous devriez essayer, Dan.

Dan alluma sa cigarette et exhala lentement la fumée. Il adressa un autre serment au Dieu qui veillait sur les directeurs de télévision. S'il quittait cette pièce sans avoir perdu son travail, il ne toucherait plus jamais à une cigarette de sa vie.

Gregory se pencha en avant. De sa grande main couverte de poils roux il désignait les cotes des Informations.

— Ce n'est pas très brillant, articula Dan comme s'il venait seulement de s'en aviser.

— Vous ne remarquez rien d'autre ?

L'ulcère de Dan se remit à le torturer. Il ne pouvait détacher les yeux des deux émissions de variétés qui figuraient dans les dix dernières places. C'était lui qui les avait recommandées. Mais il se contraignit à poser sur Gregory un regard dégagé. Austin tapota la feuille d'un doigt impatient :

— Jetez un coup d'œil sur nos Actualités *Régionales*. Non seulement elles maintiennent leurs positions, mais encore certains soirs elles l'emportent sur la CBC, l'ABC, et la NBC. Et vous savez pourquoi ? Grâce à un certain Robin Stone !

— Je l'ai aperçu plusieurs fois, il est excellent, mentit Dan.

Il n'avait jamais vu ce type de sa vie, ni regardé le Journal de vingt-trois heures sur la IBC. A cette heure, il était généralement bourré, ou à moitié endormi, ou alors il passait sur la NBC pour regarder l'émission « *Ce Soir* ».

— Je le regarde tous les soirs depuis un mois, déclara Gregory. Mme Austin le trouve sensationnel. Et ce sont les femmes qui choisissent sur quelle chaîne on va mettre les Informations. Les hommes peuvent imposer leur opinion pour n'importe quelle autre émission. Mais lorsqu'il s'agit des Actualités, ce sont elles qui décident. Parce que les nouvelles sont les mêmes partout. Tout dépend du speaker qu'on préfère. C'est pour cette raison que j'ai offert à Robin Stone de quitter les Actualités Régionales. Je veux qu'il présente le Journal Télévisé de dix-neuf heures avec Jim Bolt.

— Dans ce cas, pourquoi garder Jim ?

— Il est toujours sous contrat avec nous. De surcroît, je ne veux pas que Robin Stone soit bloqué par ce programme. J'ai d'autres projets pour lui. Ce garçon a l'étoffe d'un Murrow, d'un Cronkite, d'un Huntley, ou d'un Brinkley. Nous allons le lancer. Avant la fin de l'été, son visage sera connu dans tout le pays. Il sera notre envoyé permanent à la Convention. Je veux que notre service des Informations prenne un nouveau départ. Pour ça, il nous faut une vedette. Et cette vedette, ce sera Robin Stone.

— Oui, peut-être, fit Dan songeusement.

Il attendait la suite. En fait, on entrait dans le domaine de Morgan White. Comme s'il lisait dans ses pensées, Gregory ajouta d'un ton calme :

— Morgan White doit partir.

Dan resta silencieux. Les événements prenaient une tournure inattendue, surprenante. Il se demandait pourquoi Gregory le mettait dans la confidence, lui qui d'ordinaire tenait toujours à garder ses distances.

— Et qui le remplacerait ?

Gregory le dévisagea :

— Mais, bon sang, de quoi est-ce que je vous parle depuis une heure ? Il faut vous faire un dessin ? Je ne veux pas que Robin Stone se cantonne au Journal Télévisé. C'est lui qui va prendre la direction du Service.

— Je trouve que c'est une idée formidable. (Dan était tellement soulagé d'avoir été lui-même épargné qu'il pouvait se permettre de se montrer exubérant.)

— Mais je ne peux pas renvoyer Morgan. Il faut qu'il démissionne. (Dan acquiesça. Il était encore trop effrayé pour risquer un commentaire.) Morgan n'a aucun talent. Mais il est bourré d'orgueil. C'est un trait de caractère dans la famille. Sa mère et celle de Mme Austin étaient sœurs. Une excellente famille — aucun sens des affaires — mais *terriblement* orgueilleuse. C'est là-dessus que je compte. En sortant d'ici, vous enverrez à Morgan une note de service dans laquelle vous lui annoncerez que vous avez engagé Robin Stone comme « chef des Informations ».

— Chef des Informations ?

— Le poste n'existe pas. Je le crée provisoirement. Morgan va se demander de quoi il retourne. Vous lui direz que vous avez créé ce poste pour Robin Stone dans le but de faire remonter les cotes, que Robin Stone a carte blanche pour remanier le Service, et qu'il dépendra directement de vous.

Dan acquiesça songeusement :

— Morgan va me dire que j'empiète sur son domaine.

— Vous n'empiétez sur rien du tout. En tant que directeur de la Chaîne vous êtes en droit de proposer tous les changements que vous jugez opportuns.

Dan sourit :

— De proposer. Pas d'y procéder.

— Ne pinaillons pas sur les mots. Morgan va se précipiter chez moi. Je feindrai la surprise. Mais je lui répondrai que vos fonctions vous arrogent le droit d'engager qui bon vous semble.

— Et si Morgan ne donnait pas sa démission ?

— Il la donnera. Je peux vous garantir qu'il partira.

Gregory jeta sa cigarette intacte et Dan se mit debout. L'entretien était terminé. Sa tête avait été épargnée. Il conservait son poste et il n'avait rien à redouter pour le moment. Gregory voulait en faire l'exécuteur de ses basses œuvres. La tête lui tournait à la pensée du prestige que cette mission allait lui conférer dans la profession. Chacun savait que Morgan était parent avec les Austin. Et voilà que lui, Danton Miller Jr, allait annoncer qu'il avait nommé Robin Stone « chef des Informations ». On penserait qu'il était assez puissant pour virer Morgan White sans que Gregory Austin lève le petit doigt. Demain tout le monde répéterait : « Danton Miller Jr fait la pluie et le beau temps. »

Sa main tremblait tandis qu'il rédigeait et recommençait la note de service destinée à Morgan White. Après plusieurs brouillons, il la dicta à Susie. Il se demandait combien de temps il lui faudrait pour répandre la nouvelle dans toute la maison. Il se cala confortablement et tira une cigarette, puis se rappelant sa promesse il la jeta sans l'avoir allumée dans la corbeille à papiers.

Il se leva et alla regarder par la fenêtre. Le soleil brillait, le ciel était d'un bleu intense, bientôt ce serait le printemps, et il serait encore là pour l'accueillir.

Il se retourna lentement quand Morgan White fit irruption dans son bureau :

— Qu'est-ce que c'est que cette histoire ?

— Asseyez-vous, Morgan.

Dan tira son étui à cigarettes, hésita, puis l'ouvrit d'un coup sec. Bon sang, s'il y avait un Dieu, il devait savoir que dans un moment pareil, un homme a *besoin* d'une cigarette.

4

Le lendemain du jour où la grande nouvelle fut annoncée, la vie à la IBC reprit son cours normal. La photo de Robin Stone parut dans le *New York Times*, accompagnée d'un entrefilet annonçant sa nomination à la direction des Informations en remplacement de Morgan White qui avait démissionné. Au service des Actualités, on attendait son arrivée avec une certaine appréhension. Robin avait toujours été un solitaire, de sorte que chacun se demandait surtout « quel genre de type il pouvait bien être ». Le seul qui l'eût approché d'un peu près était Bill Kittner, un cameraman. Par deux fois il l'avait accompagné au bistrot après le Journal de vingt-trois heures, les deux fois pour regarder un match. Robin Stone aimait donc le baseball. Il était également capable d'écluser trois martini-vodka comme s'il s'agissait de jus d'orange. C'étaient là tous les éléments qu'on avait pu réunir sur son compte.

Quelques-unes de ces dames l'avaient aperçu au PJ's, toujours accompagné d'une jolie fille. Parfois aussi de Jerry Moss lequel semblait être son seul ami. Ils se retrouvaient tous les jours au Lancer pour boire un pot.

— Mais où diable est-ce que ça perche, le Lancer ?

Jim Bolt croyait savoir que c'était dans la Quarante-huitième Rue Ouest.

Sam Jackson était persuadé que c'était dans la Cinquième Avenue.

Ils cherchèrent dans l'annuaire.

C'était dans la Cinquante-quatrième Rue Est.

Personne n'y avait jamais mis les pieds.

Le mercredi après-midi, la moitié du service se retrouva au Lancer.

Robin Stone ne se montra pas.

Le jeudi, l'un d'entre eux y retourna parce que l'endroit lui avait plu.

Robin Stone était là.

Avec Jerry Moss et la plus belle fille du monde.

Il n'y avait rien d'autre à faire que d'attendre l'entrée en scène de Robin Stone. Ce qu'il fit le vendredi en fin d'après-midi. Tous ceux qui travaillaient au service des Informations trouvèrent sur leur bureau le message suivant :

REUNION LUNDI A DIX HEURES TRENTE DANS LA SALLE DE CONFERENCES DU DIX-HUITIEME ETAGE.

ROBIN STONE.

A dix heures vingt, les premiers arrivants pénétrèrent dans la salle. A dix heures vingt-cinq, Ethel Evans apparut. Jim Bolt lui jeta un regard étonné. Elle n'avait rien à faire ici. Mais il était trop préoccupé par ses propres problèmes pour y accorder beaucoup d'attention. Un nouveau directeur, cela impliquait d'importants remaniements. Mais quand même, il lui tirait son chapeau. Elle ne manquait pas d'aplomb.

Pourtant Ethel n'était pas aussi sûre d'elle qu'il y paraissait. Elle s'apercevait que la plupart des gens s'installaient automatiquement comme s'ils avaient chacun leur place fixée d'avance. C'était une pièce toute en longueur avec une longue table pour tout mobilier. Quelques chaises supplémentaires étaient alignées contre le mur. La porte par laquelle tout le monde arrivait donnait sur le couloir extérieur. Ses yeux se posèrent sur l'autre porte. Elle demeurait obstinément close. Bientôt tous les sièges furent occupés à l'exception de celui qui trônait à la place d'honneur, au bout de la table. Ethel hésita, puis elle prit une chaise le long du mur, la tira près de la table, et se glissa entre un reporter et un journaliste sportif.

A dix heures trente, Randolph Lester, le sous-directeur des Informations du temps de Morgan, entra. Ethel remarqua qu'il avait l'air assez sûr de soi. Robin lui avait peut-être laissé entendre qu'il n'avait rien à craindre pour son poste. Il était en complet noir et cravate noire. Le style IBC créé par Danton Miller. Il leur sourit paternellement :

— Mes amis, bonjour, commença-t-il. Je sais que vous avez accueilli avec plaisir, comme nous tous à la IBC, la nomination de M. Stone à la direction des Informations. Quelques-uns d'entre vous ont déjà travaillé avec lui. D'autres le rencontreront aujourd'hui pour la première fois. M. Gregory Austin et M. Danton Miller sont tous les deux très fiers de lui confier la responsabilité de nos futurs programmes. Il y aura des changements — en fait, on peut même dire qu'il y aura de très nombreux remaniements. Mais je suis sûr que vous comprendrez tous qu'ils ne mettent nullement en cause le talent personnel de chacun. Les changements viseront essentiellement à étendre notre champ d'action dans tous les domaines de l'Information. Et à améliorer encore nos programmes.

— Pourquoi ne pas dire simplement à faire remonter les cotes ? chuchota quelqu'un à côté d'Ethel.

— Rendez-vous à la caisse de chômage, murmura un autre.

— La politique de la IBC a toujours été..., poursuivait Lester quand la porte s'ouvrit. Robin Stone entra dans la salle.

Quelques applaudissements crépitèrent. Mais quelque chose dans le regard de Robin les firent tourner court. Il eut alors un sourire et chacun se sentit comme un enfant pris en faute mais à qui on aurait pardonné.

Le regard de Robin fit rapidement le tour de la table sans s'attarder sur quelqu'un en particulier. Comme s'il voulait se faire une idée du nombre des participants, de la pièce, de la disposition des lieux. Puis de nouveau, il sourit. Ethel remarqua que la résistance de chacun se dissolvait. Son sourire agissait sur l'assistance comme un courant électrique qui la paralysait. Pour Ethel, il était soudain plus désirable que n'importe quel acteur de cinéma. Oh mon Dieu ! Briser cette carapace d'acier !... Faire trembler cet homme entre ses bras... le réduire à sa merci... ne serait-ce qu'un instant ! De sa place, à l'extrémité de la table, elle pouvait l'observer sans attirer son attention. Elle se rendit brusquement compte qu'il ne souriait qu'avec les lèvres. Ses yeux restaient froids.

— J'ai étudié la façon dont fonctionnait le service, commença-t-il calmement. Chacun d'entre vous est excellent. Mais les cotes sont mauvaises. La IBC est à la traîne. Il faut huiler la mécanique. Je suis un journaliste, ne l'oubliez pas. Je suis journaliste d'abord et avant tout. C'est la première fois que je me retrouve à la tête d'un service. Mais je continuerai en même temps à faire du journalisme. Dans l'aviation, quand j'ai décroché mes galons de capitaine, j'ai continué à voler comme pilote de guerre.

Ethel ne le quittait pas des yeux tandis qu'il parlait. Il était beau, froid, mais très beau. Il devait mesurer dans les un mètre quatre-vingt-dix et il n'avait pas une once de graisse. Il fallait absolument qu'elle repense à son régime. Il souriait de nouveau. Rien qu'avec ce sourire, il gagnerait la guerre.

— Je n'ai pas l'intention de rester sur la touche. Cet été, je compte former une équipe bien rodée pour couvrir la Convention des Partis, poursuivit-il. D'ici là, Andy Parino, de notre station de Miami, nous aura rejoints. Lui aussi fera partie de l'équipe chargée de suivre la Convention : Je veux élargir nos effectifs — et non pas les réduire. (Il se tourna vers Randolph Lester.) Mais d'abord, si on faisait le tour de la table et que tu me présentais un peu tout le monde.

Les deux hommes se mirent debout et Robin alla serrer la main de chacun. Il n'avait pas quitté son sourire amical mais son regard était lointain et ses paroles impersonnelles. On eût dit qu'il les rencontrait tous pour la première fois.

Quand Lester aperçut Ethel, il parut surpris, hésita une seconde, puis passa son chemin. Le tout s'était passé si vite, qu'Ethel ne comprit pas qu'il l'avait délibérément négligée. Elle les regarda regagner le bout de la table. Mais Robin ne se rassit pas. Ses yeux firent le tour de l'assemblée et s'arrêtèrent sur elle.

Il la désigna d'un signe :

— Je ne crois pas qu'on nous ait présentés.

Elle se mit debout :

— Je suis Ethel Evans.

— Quelles sont vos fonctions ?

Elle se sentit rougir :

— Je suis au service des relations publiques...

— Alors que faites-vous ici ? (Il souriait toujours, sa voix était calme, mais son regard la glaça.)

— Eh bien... J'ai pensé... Je veux dire, quelqu'un doit s'occuper des Informations. Faire de la publicité autour des initiatives nouvelles. Je me suis dit que vous auriez besoin de quelqu'un. (Elle se rassit vivement.)

— Quand j'aurai besoin de quelqu'un, j'en aviserai le service de publicité, fit-il sur le même ton. Et maintenant, si vous retourniez d'où vous venez.

Tous les yeux étaient fixés sur elle pendant qu'elle quittait la pièce.

Arrivée dans le couloir, elle s'appuya contre la porte. Elle se sentait malade à vomir. Elle avait envie de se sauver en courant loin de cette salle — elle les entendait discuter à l'intérieur — mais elle resta plantée là. Elle ne pouvait pas faire un pas... elle était encore trop secouée.

Puis elle entendit Lester demander à Robin s'il voulait qu'on garde le lundi comme jour pour les réunions hebdomadaires.

— Il n'y aura pas de réunions hebdomadaires, répliqua Robin. Je vous convoquerai chaque fois que je l'estimerai nécessaire. Mais il y a une chose qui doit changer...

Il y eut une seconde de silence. Elle sentait que tous les esprits étaient tendus. Puis la voix de Robin s'éleva de nouveau :

— Débarrassez-moi de cette table. J'en veux une ronde.

— Une ronde ? (C'était Lester.)

— Oui ! Une belle grande table ronde. Je n'aime pas siéger à la place d'honneur. Je ne veux pas que chacun ait sa place désignée. Si on doit travailler en équipe, on s'assied côte à côte. Dégottez-moi une bonne grosse table ronde.

Il y eut un moment de silence, puis tout le monde se mit à parler en même temps, et elle comprit que Robin avait quitté la pièce. Elle les entendait bavarder tous à la fois pour se détendre les nerfs. Dans un instant, ils allaient commencer à sortir ! Elle quitta le couloir à toutes jambes. Elle n'avait pas le temps d'attendre l'ascenseur — elle n'avait pas envie de se retrouver nez à nez avec eux. Elle s'engouffra dans l'escalier et courut s'enfermer dans les toilettes de l'étage inférieur. Par bonheur, il n'y avait personne. Elle se cramponna de toutes ses forces au lavabo jusqu'à ce que ses jointures deviennent blanches. Des larmes d'humiliation coulaient sur ses joues.

— Le salaud ! Je le hais !

Elle se mit à sangloter.

— Je le hais ! Je le hais !

Elle s'essuya les yeux et se regarda dans la glace. De nouveau, elle fondit en larmes :

— Oh ! Mon Dieu ! Pourquoi ne suis-je pas belle ?

5

Après sa désastreuse expulsion de la salle de conférences, Ethel se terra dans son bureau jusqu'au soir. Elle n'avait pas envie de se retrouver nez à nez avec quelqu'un dans les couloirs ; elle était persuadée qu'on devait faire des gorges chaudes de son départ précipité.

Elle en profita pour taper tous les « communiqués » qui s'accumulaient sur son bureau. A dix-huit heures trente, l'étage était désert. Dans sa rage de travail, son humiliation s'était en grande partie dissipée. Maintenant, elle se sentait simplement lessivée — vidée.

Elle sortit son miroir et essaya d'arranger son maquillage. Elle se regarda tristement : elle était vraiment moche. Elle couvrit sa machine à écrire et se leva. Sa jupe plissait de partout. Elle était trop serrée. Ethel soupira. Tout ce qu'elle avalait allait directement sur ses hanches. Il fallait qu'elle se mette sérieusement au régime.

Elle prit l'ascenseur jusqu'au rez-de-chaussée. Il n'y avait personne, mais la cafeteria était encore ouverte. Il était trop tard pour faire un tour chez Louis et Armand sous couleur d'y chercher quelqu'un et se mêler peut-être à un groupe joyeux au bar. A cette heure, tous les gens qu'elle connaissait seraient déjà partis. La foule des dîneurs devait commencer à affluer. Elle entra dans la cafeteria et commanda un café noir. Habituellement, elle le prenait avec du lait et deux morceaux de sucre. Mais elle démarrait officiellement son régime ! Elle regarda la serveuse emplir sa tasse. Elle avait les mains rouges et gercées à force de faire la plonge. Ethel s'interrogeait sur son compte. Est-ce qu'elle rêvait ? Espérait-elle s'en sortir un jour ? Physiquement, elle était nettement plus favorisée qu'Ethel. Elle était mince et jolie. Pourtant cette fille acceptait sans se plaindre de rester debout du matin au soir, d'essuyer le comptoir humide, de se faire engueuler par les clients, de ramasser avec le sourire dix cents de pourboire — alors qu'Ethel gagnait cent cinquante dollars par semaine !

Elle sortit son poudrier et retoucha son rouge à lèvres. Elle n'était pas une beauté, mais elle se défendait. Et même mieux que cela. N'empêche que ce serait quand même bien agréable d'avoir un petit quelque chose en plus de ce côté-là. Si seulement elle n'avait pas cet écart entre les dents ! Et ce crétin de dentiste qui lui réclamait trois cents dollars pour une jacquette en porcelaine ! Elle lui avait offert de coucher avec lui s'il la soignait gratis mais il avait pensé qu'elle plaisantait. Quand elle lui avait fait comprendre qu'elle parlait sérieusement, il avait feint de ne pas la croire. Et elle s'était alors rendu compte qu'il ne *voulait* pas d'elle ! Le Dr Irving Stein, un petit dentiste de rien du tout, ne voulait pas d'elle ! Ethel Evans, la fille qui ne s'envoyait que des vedettes et qu'on avait surnommée à la IBC la « baiseuse de célébrités » !

En sortant de la cafeteria, elle hésita un instant. Elle n'avait pas envie de rentrer. C'était le jour où sa copine de chambre se décolorait les cheveux et toute la maison serait sens dessus dessous. Pourtant c'était bien pratique de partager un appartement avec Lilian, laquelle travaillait à l'Agence Benson-Ryan. Elles avaient les mêmes horaires, et elles se livraient au même « sport ». Elles s'étaient rencontrées à Fire Island. Ç'avait été un été formidable. Elles s'étaient mises à six filles pour louer une petite villa qu'elles avaient surnommée la « Maison des Six Cracks ». Elles avaient un tableau noir sur lequel elles inscrivaient leurs scores. Chaque fois que l'une d'entre elles s'en faisait un, les autres devaient mettre un dollar dans la cagnotte. A la fin de l'été, la fille qui s'était envoyé le plus de gars gagnait le pot. Lilian avait battu Ethel de plus d'une douzaine de points. Mais aussi Lilian n'était pas très sélective. C'était une chic fille, facile à vivre, marrante, mais c'était une gourde. Elle était capable de draguer même un assistant de production ! Pour Ethel, un A.P., cela ne pouvait signifier que quelques verres chez Louis et Armand, et encore si elle n'avait vraiment personne d'autre à se mettre sous la dent.

Elle se rendit brusquement compte que le portier l'observait. Elle sortit et se mit à marcher. Elle irait peut-être faire un tour au PJ's.

Il y avait trois rangées de consommateurs autour du bar et elle se mit à bavarder avec quelques agents de publicité. Elle resta là plus d'une heure à échanger des plaisanteries salaces en sirotant une bière. Du coin de l'œil, elle surveillait la porte d'entrée pour le cas où une affaire intéressante se présenterait, quelqu'un susceptible de l'inviter à dîner...

A sept heures et demie, elle vit Danton Miller pénétrer dans le bar, seul. Elle se demanda où pouvait bien être passée Susie. Il la regarda sans paraître la remarquer et alla rejoindre quelques connaissances à l'autre bout du comptoir.

Une nouvelle heure passa. Puis comme à l'appel d'une sonnerie, les agents de publicité vidèrent rapidement leurs verres et se précipitèrent pour attraper le dernier train pratique de banlieue. Et pas un seul de ces enfants de salauds ne fit mine de ramasser son addition. A présent elle avait faim. Si elle s'installait pour manger un morceau, d'ici son retour Lilian en aurait fini avec son eau oxygénée et tout le tremblement.

Elle s'assit seule à une table et commanda un hamburger. Elle mourait de faim, mais elle laissa la moitié du pain. Bon sang, pourquoi avait-elle pris de la bière ? Elle pesait déjà soixante-dix kilos. Heureusement, elle avait la taille fine et ses nichons étaient du tonnerre. Elle faisait du quatre-vingt-quinze, et ils étaient fermes et durs. Son problème, c'étaient les fesses et les cuisses. Si elle ne maigrissait pas maintenant, après ce serait trop tard, elle aurait trente ans le mois prochain. Et elle n'était toujours pas mariée !

Elle aurait pu se marier, si elle avait voulu se contenter d'un minus — ce cameraman de la CBS ou le barman du *Village*. Mais Ethel tenait à n'épouser qu'un type célèbre. Mieux valait une seule nuit avec une personnalité connue qu'une existence médiocre auprès d'un homme obscur. Après tout, quand elle tenait un acteur de cinéma entre ses bras, et qu'elle gémissait « chéri... chéri », tandis qu'il la faisait jouir, cet instant valait bien tout le reste. En cette minute, elle se sentait belle — elle était *quelqu'un*. Elle pouvait échapper à la réalité...

Elle avait toujours eu envie d'être belle, déjà lorsqu'elle était toute gosse, qu'elle n'était encore que la petite et grassouillette Ethel Evanski d'Hamtramck à Detroit, celle qui mangeait de la purée de pommes de terre et des oignons frits, qui entendait tout le monde parler polonais dans son quartier, qui jouait à la marelle et à chat perché, qui dévorait des magazines de cinéma, et se faisait envoyer des photos dédicacées d'Hedy Lamarr, Joan Crawford, Clark Gable. Celle qui assise sur les marches du perron jouait au « Jeu » — à faire comme si c'était vrai — avec Helga Selanski, une petite Polonaise de son âge, aux cheveux filasse. Dans ce pâté de maisons à Hamtramck, tout le monde était polonais, et la seconde génération était coincée dans l'engrenage, vouée à se marier entre elle. Ils allaient au cinéma et découvraient qu'il existait un autre univers mais l'idée ne les effleurait pas qu'ils pouvaient essayer d'y pénétrer. Cependant pour Ethel, les films et les endroits qu'elle voyait sur l'écran ne représentaient pas uniquement deux heures de rêve. Hollywood existait vraiment. New York et Broadway existaient quelque part dans le monde. La nuit, elle restait éveillée, écoutant la radio, et quand la voix du présentateur disait que la musique était retransmise depuis le *Cocoanut Grove* à Hollywood, elle se pelotonnait dans son lit toute tremblante d'émotion : à la même minute, là-bas des vedettes célèbres écoutaient ces accords merveilleux en même temps qu'elle. En cet instant, elle avait presque l'impression d'un contact physique, comme si elle y était vraiment.

Ethel avait toujours su qu'elle quitterait Hamtramck. Aller à New York était la première étape dans ses rêves. Un soir que la petite Helga et elle écoutaient un orchestre qui passait au *Paradise Restaurant* à New York, Ethel commença à s'amuser au « Jeu ». Imaginer quelle robe elle porterait quand elle serait grande pour aller dans un endroit comme celui-ci et quel acteur l'accompagnerait. D'habitude, Helga entrait avec elle dans le « Jeu ». Mais ce soir-là, elle lança brusquement en avant sa mâchoire osseuse et annonça :

— Je ne joue plus. Je suis trop grande.

Ethel avait été surprise. D'ordinaire, elle faisait ce qu'elle voulait d'Helga. Mais cette fois, la petite se butait :

— Ma mère dit qu'on ne devrait pas se raconter des trucs comme ça. A notre âge, il faut qu'on commence à devenir réaliste et qu'on ne joue plus à faire semblant.

39

Ethel avait répliqué :

— Ce n'est pas un jeu pour rire. J'irai là-bas un jour, et je rencontrerai des acteurs de cinéma, et ils m'inviteront à sortir... et ils m'embrasseront.

Helga avait pouffé :

— Mon œil, qu'ils t'embrasseront. Ecoute, Ethel, je te parie tout ce que tu veux que tu n'oseras jamais aller répéter ça à quelqu'un dans le quartier. Tu n'iras nulle part. Tu vas rester ici comme nous tous, et tu épouseras un brave petit gars polonais, et tu auras des gosses.

Mais Ethel s'était obstinée :

— Je te dis que je rencontrerai des acteurs... Je sortirai avec eux... Peut-être même que j'en épouserai un.

Helga avait éclaté de rire :

— Ecoute, je crois que ma mère a raison. Elle dit qu'on peut parler de Hollywood tant qu'on sait que c'est seulement des rêves, mais qu'il ne faut pas les prendre au sérieux. Tu es complètement cinglée. Tu t'appelles Ethel Evanski, tu es grosse, tu es laide, tu habites Hamtramck, quel acteur de cinéma voudrait sortir avec toi !

Ethel l'avait giflée — de toutes ses forces. Mais elle avait peur, parce qu'elle craignait qu'Helga n'ait dit la vérité. Et pourtant, jamais elle ne resterait dans ce quartier pour épouser un gentil petit Polonais, élever des gosses, et faire de la purée de pommes de terre aux oignons ! Pourquoi donc ses parents avaient-ils quitté la Pologne si c'était pour refaire une Pologne en miniature à Detroit ?

Le facteur déterminant qui l'avait amenée à mettre le « Jeu » en pratique fut Peter Cinocek, un garçon aux oreilles décollées et aux grosses mains rougeaudes. qui était venu la « fréquenter » quand elle avait seize ans. Peter était le fils d'une amie de sa tante Lotte. C'était un « beau parti », moitié polonais et moitié tchèque. Ses parents avaient l'air gâteux à la perspective d'une telle union. Elle revoyait sa mère en train de nettoyer méticuleusement la maison. Il fallait que tout soit briqué le soir où Peter Cinocek devait faire sa visite. Elle les revoyait encore : sa mère piaffant d'impatience dans sa robe d'intérieur fraîchement repassée, son père maigre et chauve, si vieux. Seigneur, il n'avait pourtant que trente-huit ans. Il lui avait toujours paru usé et anémique à côté de sa mère, épaisse et solide.

Elle n'oublierait jamais le soir où Peter Cinocek s'était présenté. D'abord, elle avait remarqué les grandes oreilles, puis ses boutons dans le cou autour du gros furoncle qui n'avait pas encore entièrement mûri. Mais à la façon dont sa mère, rayonnante de bonheur, lui avait apporté un cruchon de limonade avant de s'éclipser discrètement dans la cuisine, on aurait pu croire que c'était Clark Gable en personne.

Tout le monde dans le quartier était aux aguets. Tous les habitants de la rue savaient qu'un « prétendant » était venu pour la « fréquenter ». Elle s'installa avec Peter Cinocek sur la balancelle. Ils restèrent assis en silence à écouter le grincement de la balancelle, les chuchotements des voisins sur la véranda mitoyenne. Elle revoyait encore la maison. Une petite boîte carrée au milieu d'une longue rangée de maisons préfabriquées toutes semblables. Chaque maisonnette avait la même véranda délabrée, la même gentille petite salle à manger, le même salon minuscule, et la même cuisine où l'on passait le plus clair de son temps. Et puis bien sûr, les éternelles poubelles dans la ruelle où venaient se retrouver tous les chats du quartier. Elle entendait encore leur tapage infernal à la saison des amours jusqu'à ce qu'un voisin, excédé, leur jetât un seau d'eau pour les faire taire. Ou bien il visait mal, ou bien les chats étaient particulièrement passionnés, mais après une brève accalmie les miaulements sauvages recommençaient de plus belle.

Elle revivait cette soirée qu'elle avait passée, assise à côté de Peter Cinocek sur la balancelle grinçante. Il lui parla de son travail à l'épicerie, puis il lui prit la main. La sienne était molle et moite. Et il lui dit qu'il aimerait tellement avoir une maison exactement comme celle-ci et plein plein d'enfants. C'est à ce moment-là qu'elle avait bondi de la balancelle et qu'elle s'était sauvée en courant. Naturellement, elle était revenue, quand elle avait été bien sûre que Peter avec ses grandes oreilles décollées était reparti. Ses parents avaient beaucoup ri. Ils l'avaient taquinée en polonais :

— La petite Ethel, elle a eu peur d'un garçon ! Mais elle était née pour avoir des enfants ! Des bonnes hanches bien larges — ça passerait comme une lettre à la poste.

Ethel n'avait rien dit, mais elle avait redoublé d'efforts à l'école. Cet été-là, elle trouva du travail dans un bureau à Detroit et devint excellente secrétaire. Elle n'avait pas de petit ami, mais elle n'était pas malheureuse. Elle mettait tout son argent de côté et attendait son heure.

A vingt ans, elle avait cinq cents dollars d'économies, et elle partit pour New York. A Detroit, elle avait travaillé en dernier lieu dans le service de publicité d'une petite agence. En arrivant à New York, elle trouva une place de secrétaire dans une importante agence de publicité. La chance de sa vie se présenta le jour où une idole du cinéma qui passait dans une émission commanditée par l'agence entra, ivre, dans son bureau. Elle avait été trop contente de la suivre à son hôtel. En s'apercevant qu'il venait de dépuceler une vierge, il s'était immédiatement dégrisé. Mais il avait trop bu pour se rappeler que c'était la vierge qui l'avait pratiquement violé. Il avait peur que cette affaire n'eût de fâcheuses répercussions. Il lui offrit de l'argent. Elle refusa fièrement. Elle n'avait cédé que par amour, assurait-elle. Il s'affola. Il était marié et il adorait sa femme. Y avait-il quelque chose qu'il pouvait faire pour elle ? Ma foi, lui expliqua-t-elle, elle n'était pas tellement enchantée de son petit emploi de secrétaire... Il n'avait pas perdu une seconde. Avec l'aide diligente et compréhensive de son impresario, il avait réussi à la faire entrer dans le service publicitaire de sa Maison de Production à New York.

Ce fut une merveilleuse plate-forme de départ pour Ethel. Elle connut un tas d'acteurs saouls et même quelques-uns qui ne l'étaient pas. Et elle y allait pour le plaisir. La chose finit par se savoir et sa carrière commença. Lorsqu'il y eut une place de libre à la IBC, elle la prit. Après tout, elle avait fait le tour des artistes de la Maison de Production. La IBC lui offrait un salaire plus élevé et un champ d'action inépuisable avec ses programmes sans cesse renouvelés. Elle se défendait bien dans son travail et, dans son violon d'Ingres, elle était imbattable — sa place à la IBC était assurée.

Elle savait parfaitement que sa réputation avait fait le tour du pays. Elle aimait cette notoriété, et même son surnom. L'une des Six Cracks de Fire

Island était partie travailler à Los Angeles au service de publicité de la Century Pictures. Ethel et elle échangeaient une volumineuse correspondance. Ethel lui racontait en détail chacune de ses conquêtes, donnait une note à son partenaire, et précisait même la taille de son outil. Elle avait un style amusant, et Yvonne, sa correspondante, avait fait ronéotyper ses lettres qui circulaient librement dans le bureau. Quand Ethel l'apprit, elle soigna encore davantage les descriptions. C'était un peu comme si elle avait passé une petite annonce. Beaucoup de noms célèbres l'appelaient en arrivant à New York. Des hommes connus... des hommes séduisants...

Souvent elle souhaitait qu'Helga puisse la voir sortir avec ces acteurs irrésistibles. Helga devait être fanée et chargée de marmaille à présent. Elle avait épousé Peter Cinocek !

Elle releva brusquement la tête. Danton Miller se tenait devant elle. Il avait passablement bu.

— Salut, poupée, fit-il avec son sourire félin.

Elle sourit distraitement :

— Tiens, tiens, voilà « Les Lumières de la Ville ».

— Ça veut dire quoi ? demanda-t-il.

— Comme le film du même nom. Vous ne me reconnaissez que quand vous êtes saoul.

Dan prit une chaise. Il se mit à rire.

— T'es une drôle de nénette. (Il fit signe qu'on remplisse son verre. Puis il la regarda avec curiosité.) Paraît que t'es une affaire formidable. Tu crois que je devrais coucher avec toi ?

— C'est moi qui choisis mes partenaires, Monsieur le directeur. Mais ne vous en faites pas, vous êtes sur ma liste, si j'ai une soirée creuse.

— Ce soir, c'est creux ?

— Ça commençait à l'être...

Il lui passa un bras autour des épaules :

— T'es vraiment moche. Au fond, t'es qu'une garce. Mais on raconte qu'avec toi, c'est du tonnerre. Je t'emmène chez moi ?

— Avec vous, ça a l'air tellement romantique !

Il la dévisagea :

— Il paraît aussi que tu as une grande gueule. On dit que tu causes beaucoup et que tu donnes une note aux types que tu t'envoies.

Elle haussa les épaules :

— Pourquoi pas ? Ça évite parfois à mes copines de se taper des minables.

Le sourire de Dan devint méchant :

— Qu'est-ce que tu te crois pour te permettre de noter un bonhomme ?

— Disons que j'ai d'excellents termes de comparaisons.

— Tu veux boire quelque chose ? proposa-t-il comme le garçon lui apportait un scotch.

Elle secoua la tête et le regarda vider son verre.

— T'embellis de minute en minute, Gargantua. Et je suis de plus en plus curieux.

— Vous êtes également de plus en plus saoul.

— Ouais. C'est l'heure de rentrer au dodo. Je vais peut-être t'emmener avec moi.

— Vous oubliez, Monsieur le directeur, que c'est moi qui décide.

Il la regarda d'un air humble :

— Tu veux pas venir ?

Un sentiment de victoire l'envahit. Maintenant il se faisait suppliant.

— Si j'accepte, je veux que vous me fassiez raccompagner par un chauffeur particulier.

— Tu rentreras chez toi en Rolls-Royce, si t'es aussi bien qu'on le dit.

Il se mit péniblement debout et fit signe au garçon. Elle vit avec soulagement qu'il ramassait son addition également.

— Vous êtes sûr que vous n'avez pas trop bu pour apprécier ? interrogea-t-elle.

— C'est à toi de te débrouiller, répliqua-t-il. Il est grand temps que quelqu'un te donne une note, à toi aussi.

Une fois dans la rue, elle le dévisagea fixement :

— Oubliez ça. Je ne vais pas me gaspiller avec un soulard.

Il lui saisit le bras :

— T'as la pétoche ? Peut-être que ta réputation est surfaite. C'est même probable. Je ne vois pas ce que tu peux avoir de plus qu'une autre, — à moins de jouer à la fin l'hymne national avec ton cul !

— Attends de voir, je vais te montrer ce que je sais faire, mon bonhomme.

Elle héla un taxi et l'aida à grimper dedans.

Il avait un appartement agréable dans le quartier est. L'appartement classique du cadre supérieur célibataire. Il l'entraîna directement dans la chambre à coucher et se dévêtit maladroitement. Elle vit la surprise se peindre sur son visage pendant qu'elle se déshabillait. La perfection de sa poitrine produisait toujours cet effet.

— Hé bé, ma poulette, t'es drôlement bien lotie !

Il lui tendit les bras. Elle s'avança vers lui :

— Autrement mieux que Susie Morgan, hein ?

— Ça, j'en sais rien, marmonna-t-il.

Il la jeta sur le lit. Ses lèvres étaient molles. Il essaya de la prendre, mais il était trop saoul. Elle se dégagea et le retourna :

— Te fatigue pas, mon pote, fit-elle. T'es peut-être le directeur de la chaîne, mais pour moi t'es qu'un enfant de chœur. Maintenant, détends-toi. La môme Ethel va te montrer ce que c'est que l'amour !

Elle commença à lui faire l'amour, et au fur et à mesure que son excitation croissait et qu'il gémissait en tremblant :

— Oh ! bébé, bébé... t'es la plus fortiche !

Elle oubliait que le lendemain il la croiserait dans le couloir sans avoir l'air de la reconnaître. Pour l'instant, elle était en train de se payer le directeur de la IBC. Et pour l'instant, elle se sentait belle...

6

Danton Miller repoussa la pile de papiers. Il était absolument incapable de se concentrer. Il fit tourner son fauteuil face à la fenêtre. Dans une heure, il devait déjeuner avec Gregory Austin. Il ne voyait vraiment pas de quoi il pouvait s'agir. Sans crier gare, celui-ci venait de le faire avertir par sa secrétaire.

Jusqu'à présent, les sondages n'avaient guère évolué. Les Actualités étaient toujours à la traîne, mais le nouveau venu, Andy Parino, n'avait débarqué que depuis huit jours de Miami. Il devait reconnaître que son arrivée avait sensiblement transformé l'émission. Mais, après tout, c'était leur problème. Il avait les siens. Son émission de variétés avait été supprimée. Il était persuadé que le western que Gregory avait choisi pour la remplacer ferait un bide. Et il était déterminé à sauver la saison avec un programme de choc. C'est dans cette intention qu'il avait passé tous les soirs de la semaine dernière avec deux auteurs et un chanteur à la gomme du nom de Christie Lane.

Huit jours plus tôt, il avait atterri au Copa pour voir passer un comique célèbre — Christie jouait simplement les utilités. Au début, Dan n'avait pas prêté attention à ce personnage falot de quarante ans qui avait l'air d'un de ces garçons de café qui poussaient autrefois la chansonnette à Coney Island. Il n'avait jamais entendu parler de ce minus. Mais en le regardant, une idée commença à germer dans son esprit. Il se tourna brusquement vers Sig Hyman et Howie Harris, les deux auteurs qui l'accompagnaient, en disant :

— Voilà exactement l'homme qu'il me faut !

Il savait que les deux autres s'imaginaient qu'il parlait sous l'effet du whisky. Mais le lendemain, il les convoqua pour leur annoncer qu'il voulait faire un ballon d'essai avec Christie Lane. Ils le contemplèrent d'un air incrédule.

— Christie Lane ! Mais c'est un tocard ! Il ne vaut pas un clou !

— Il n'arrive même pas à décrocher un samedi soir au *Concorde*, et au *Grossinger*, ils n'en veulent pas, ne serait-ce que hors saison, renchérit Howie. Tu n'as pas lu les comptes rendus sur le spectacle dans *Variety* ? Il n'est même pas cité. Les costumes des filles du *Copa* font plus d'effet que lui. Il ne passe à New York qu'en bouche-trou quand ils ont une super-vedette à l'affiche. Et puis ses ballades irlandaises... (Howie leva les yeux au ciel.)

— Et par-dessus le marché, il ressemble à mon oncle Charlie qui vit à Astoria, acheva Sig.

— C'est exactement ce que je cherche, insista Dan. Tout le monde a un bon vieil oncle Charlie qu'il adore.

— Mais je déteste mon oncle Charlie ! protesta Sig.

— Garde tes bons mots pour tes dialogues, répliqua Dan.

Sig avait raison en ce qui concernait l'allure de Christie. Il avait absolument l'air de Monsieur Tout le Monde. Il serait parfait pour une émission de variétés style bon enfant. Peu à peu, Sig et Howie saisissaient ce qu'il voulait dire. C'étaient des auteurs célèbres qui ne travaillaient que pour des artistes réputés. Trois mois plus tôt, Dan leur avait fait signer un contrat d'un an afin qu'ils l'aident à mettre sur pied de nouveaux programmes.

— On va prendre Christie comme animateur, expliqua Dan. On réunit une troupe avec une chanteuse et un présentateur, vous écrivez les sketches, et on utilisera les talents de chanteur de Christie. Si on ferme les yeux, cet imbécile a un peu la voix de Perry Como.

— Moi, il me fait plutôt penser à Kate Smith, ricana Sig.

Dan sourit :

— Je te dis que c'est le bon moment. A la télévision, ça marche par périodes. Après toute la violence des *Incorruptibles* et autres séries du même tabac, il faut des émissions qu'on peut regarder en famille. Christie Lane est un cabot de second ordre. Mais comme personne à la télévision ne le connaît, ce sera une tête nouvelle. Et on invitera chaque semaine une grosse vedette pour accrocher le public. Je vous dis, moi, que ça peut marcher !

Comme beaucoup d'artistes, Christie Lane avait commencé par jouer dans des revues. Il savait danser, chanter, raconter des histoires drôles, dire un texte. Il se mit au travail avec une volonté acharnée. Dan lui donnait la quarantaine. Il avait les cheveux blonds et plutôt clairsemés, un visage large et bon enfant, il était de taille moyenne avec un début de brioche. Ses cravates étaient trop criardes, les revers de son veston trop larges, le diamant qu'il portait au petit doigt trop voyant, ses boutons de manchettes avaient la taille d'une pièce d'un demi-dollar, et pourtant Dan sentait qu'il pouvait tirer un personnage sympathique de ce curieux mélange de vulgarité et de talent réel. C'était un travailleur infatigable. Quelle que soit la ville où il jouait, il se démenait aussitôt pour passer en supplément dans l'un ou l'autre des clubs de nuit du coin. Tous ses biens tenaient dans deux grosses malles, et quand il était à New York il descendait à l'Astor.

A la fin de la première semaine, l'idée de Dan commençait à prendre tournure. Même les auteurs avaient « pigé le coup ». Ils ne voulaient plus lui faire abandonner ses affreuses cravates, ses revers trop larges. Christie était convaincu qu'il s'habillait bien. Il les aimait ses sacrées cravates. C'était la clé de son personnage, leur expliqua Dan. Il fallait lui trouver quelques bonnes chansons, mais en même temps lui laisser un peu de son côté « tarte ».

La semaine précédente, Dan avait fait parvenir à Gregory Austin un bref synopsis de son émission. C'était peut-être la raison de ce déjeuner. Mais Gregory n'était pas le genre d'homme à gaspiller deux heures pour un bout d'essai. Il lui aurait envoyé un mot pour lui signifier son accord... ou démolir le projet. Il espérait bien que Gregory lui donnerait le feu vert. Ce serait trop bête de s'être donné tellement de mal pour rien. Il en avait mal à la tête rien que de penser à toutes ces soirées qu'il avait passées dans la petite suite enfumée de l'Astor. Ce Christie et ses cigares bon marché ! Et l'éternelle petite girl du *Copa* ou du *Quartier Latin*, immobile et muette dans son coin, attendant qu'ils aient terminé. Et les deux compères, Eddie Flynn et Kenny Ditto, les « auteurs » attitrés que Christie traînait partout avec lui. Ils étaient censés lui fournir des idées drôles. Mais pour autant que Dan ait pu en juger, ils lui servaient surtout de garçons de course. C'étaient des « Dis donc, Eddy, tu m'rapportes un café » et des « Eh, Kenny, tu as rapporté mon linge de la blanchisserie » du matin au soir. Christie venait d'un milieu où on mesure l'importance d'un homme au petit clan qu'il traîne derrière lui. Parfois, il ne payait Eddie et Kenny que cinquante dollars par semaine. Quand les affaires étaient prospères, il leur donnait davantage. Mais il les avait toujours « avec lui ». Il les emmenait aux premières, aux courses, en tournée. Et il avait tout de suite prévenu Dan :

— Je veux qu'on refile à mes gars des textes à écrire pour l'émission. Faut qu'ils aient deux cents tickets par semaine.

Dan, très amusé, avait caché son soulagement. Quatre cents dollars par semaine à ajouter sur le budget d'une grosse production de ce genre, c'était trois fois rien. Et Christie serait son débiteur. Les noms de Sig et de Howie passeraient en gros caractères sur l'écran, et on pouvait toujours ajouter en petites lettres les dialogues additionnels dans le générique final. Evidemment, ils étaient encore loin du premier tour de manivelle. Mais si Gregory lui donnait le feu vert, d'ici à août il pouvait avoir un premier bout d'essai dans la boîte. Il espérait faire l'émission en direct, mais en même temps l'enregistrer en ampex afin de la revendre éventuellement à d'autres chaînes. En travaillant en direct, ils pouvaient économiser pas mal d'argent, et s'il s'en tirait, Dan serait le héros du jour.

Pendant quelques instants, Dan se sentit regonflé. Puis il se rappela cette histoire de déjeuner, et son ulcère recommença à le faire souffrir. De quoi pouvait-il bien retourner ?

A douze heures vingt-cinq, il pénétra dans l'ascenseur. Le liftier appuya sur le bouton qui menait au dernier étage. Dan avait un jour affirmé que les initiales D.E. devaient sûrement signifier également Divin Empire. Le mot avait fait fortune. Dans ce bureau, une carrière pouvait commencer ou être définitivement brisée. De toute façon, il était paré : il avait pris deux tranquillisants aussitôt après le coup de fil.

Il se dirigea directement vers la salle à manger privée de Gregory. Il remarqua que la table était mise pour trois couverts. Il tirait une cigarette quand Robin Stone entra. Gregory arriva et leur fit signe de s'installer.

Ce fut un repas léger. Gregory traversait une de ses périodes de régime. Avec lui, on ne pouvait jamais savoir. Il avait un chef qui avait travaillé à Paris chez Maxim's. Vous veniez là un jour, et vous tombiez sur un exquis soufflé au fromage et sur des crêpes flambées, un régal pour le palais qui vous délabrait complètement l'estomac. Cela, généralement, c'était quand Gregory venait de lire que l'un de ses contemporains était mort dans un accident d'avion, ou était atteint d'un cancer ou de quelque autre mal inexorable. Dans ces cas-là, Gregory fumait et festoyait en disant :

— Bon sang, demain je peux recevoir un pot de fleurs sur la tête !

Cette période de faste gastronomique durait jusqu'à ce qu'un autre de ses contemporains succombe cette fois à une crise cardiaque. Alors, de nouveau, c'étaient les menus spartiates. Présentement, Gregory s'était remis au régime diététique depuis sa dernière indigestion.

Au début, ils parlèrent de choses et d'autres. Ils discutèrent des chances des Yankees contre les autres équipes, et de l'influence du temps sur leurs scores au golf. Pour un mois d'avril, on n'était pas gâté. Un jour, on crevait de chaleur, et le lendemain, plof, le thermomètre descendait à cinq.

Dan ingurgita sans piper mot son pamplemousse, ses deux côtelettes d'agneau, ses haricots verts et ses trois rondelles de tomate. Il sauta sur la gelée de fruits. Il se demandait ce que Robin Stone en pensait. Mais sa sympathie allait surtout au chef dont le régime actuel de Gregory avait étouffé l'art.

Lorsqu'ils en furent au café, Gregory passa à l'histoire de sa vie. Il fit à Robin la genèse de la IBC. Il lui raconta ses premières luttes, à l'aube de sa carrière, pour créer de toutes pièces une nouvelle chaîne. Robin écoutait attentivement, posant de temps en temps une question intelligente. Puis Gregory le complimenta pour son Prix Pulitzer et cita même quelques passages de ses articles. Dan était nettement impressionné. Le bonhomme devait tenir Robin Stone en haute estime pour s'être ainsi documenté.

Quand Gregory inséra sa cigarette éteinte entre les dents, Dan comprit qu'on allait aborder le véritable motif de ce déjeuner.

— Robin a plusieurs projets passionnants, commença Gregory d'un ton chaleureux. Ils relèveraient de l'organisation des programmes. C'est la raison pour laquelle je vous ai convié ici aujourd'hui, Dan.

Puis il se tourna vers Robin d'un air presque paternel.

Celui-ci se pencha par-dessus la table. Il regarda Dan droit dans les yeux.

— Je veux monter une émission qui s'intitulera *En Profondeur*, fit-il d'une voix décidée.

Dan tira son étui à cigarettes. Le ton de Robin ne laissait planer aucun doute. Il ne sollicitait pas, il informait. Dan tassa l'extrémité de la cigarette. C'était donc cela. Gregory avait déjà donné à Robin le feu vert. Il ne s'agissait plus que d'une pure question de forme, on feignait de s'en remettre à sa décision. Il était censé s'incliner et applaudir. Eh bien, qu'ils aillent se faire voir ! Il n'allait pas se laisser entortiller aussi facilement.

Il alluma sa cigarette et aspira une profonde bouffée. Lorsqu'il exhala la fumée, son sourire ne s'était pas altéré.

— Un bon titre, fit-il tranquillement. Et qu'est-ce que ce serait ? Une émission d'informations d'un quart d'heure ?

— Une demi-heure. Le lundi, à vingt-deux heures.

(Les salauds ! Ils avaient même déjà choisi l'heure !)

Dan se tourna vers Gregory :

— Il me semble qu'à cette heure-là nous avons un western programmé.

— M. Austin estime qu'*En Profondeur* devrait passer à ce moment-là, rétorqua Robin d'une voix tranchante. En faisant passer une émission d'informations à une heure de forte écoute, et en lançant un nouveau style d'actualités, la chaîne prouve son honnêteté intellectuelle. On peut toujours trouver à caser le western ailleurs.

— Est-ce que vous vous rendez compte de l'argent que cela va nous coûter ? Après le western, nous avons la possibilité de vendre une émission de jeu pas chère. Après une émission comme la vôtre, il va falloir que nous cédions pour presque rien le temps d'antenne suivant. (Dan s'adressait à Robin, mais en fait il parlait pour le bénéfice de Gregory.)

— Si *En Profondeur* marche, le prix ne baissera pas, répliqua Robin.

— C'est ce qui vous trompe, fit Dan froidement. Sans compter que jamais nous ne trouverons de commanditaire intéressé par un demi-heure d'actualités. (Il se demandait pourquoi Gregory restait là sans rien dire et le laissait se battre seul contre les idées abracadabrantes de cet intellectuel à la manque.)

Robin parut excédé :

— Je ne connais rien à ces histoires de valeur marchande des émissions. Vous pouvez discuter de cela avec le service commercial. Je suis ici pour rendre l'information plus attrayante et lui donner une diffusion plus large, et je pense que *En Profondeur* sera une émission passionnante. J'ai l'intention de voyager, de rapporter des interviewes et des documents du monde entier sur des sujets d'actualité. Je compte faire certaines émissions en direct hors de New York et de Los Angeles. Et je peux vous promettre une chose : Je ferai des émissions d'actualités comme on n'en a jamais vues et qui seront aussi distrayantes que passionnantes.

Dan n'en pouvait croire ses propres oreilles. Il chercha un soutien du côté de Gregory qui sourit d'un air évasif.

— Quand comptez-vous passer sur l'antenne ? interrogea-t-il. (C'était trop incroyable pour être vrai.)

— En octobre.

— Et d'ici là, vous n'avez rien prévu ? Ni Journal Télévisé, ni reportage ?

— Cet été, je couvrirai la Convention.

— Je suppose que vous prendrez Jim Bolt avec vous. Son visage est bien connu des téléspectateurs, et il a fait du bon boulot en 56.

— Il a été en-dessous de tout, répliqua Robin sans émotion apparente. Jim est parfait pour le Journal de dix-neuf heures. Mais pour ce genre de reportage, il manque de punch. Je suis en train de former ma propre équipe.

— Vous avez déjà des idées, ou bien est-ce que vous nous en réservez également la surprise ? questionna Dan.

— J'ai déjà plus ou moins tout prévu dans ma tête. (Robin se tourna vers Gregory Austin.) Nous serons quatre : Scott Henderson, Andy Parino, John Stevens, et moi-même.

Cette fois, Gregory prit la parole :

— Pourquoi Andy Parino ? Il n'est pas spécialiste des questions politiques. Je ne vois pas d'inconvénients à ce qu'on le fasse venir de Miami, mais pour une Convention... ?

— Spécialement pour la Convention, répondit Robin. Andy a fait ses études avec Bob Kennedy.

— Et alors, quel rapport ? intervint Dan.

— Je pense que John Kennedy sera le candidat démocrate. L'amitié d'Andy avec les Kennedy peut nous être d'un concours précieux.

Dan se mit à rire :

— Je ne pense pas que Kennedy ait la moindre chance de passer. Il s'est présenté à la vice-présidence en 56, et il a été battu. C'est Stevenson qui sera candidat.

Robin le regarda :

— Tenez-vous-en aux cotes et aux prix des émissions, Dan. C'est un domaine que vous connaissez. La politique et l'actualité, c'est mon rayon. Stevenson est un type bien, mais il va se ramasser.

— Dan, je suis pour qu'on lui laisse les mains libres en ce qui concerne *En Profondeur,* intervint Gregory. Les cotes, c'est bien beau, mais nous avons besoin d'une émission de prestige. Et si Robin se fait un nom en couvrant la Convention, *En Profondeur* risque en plus de devenir un gros succès commercial.

— Vous pensez que vous pouvez faire mieux qu'un Cronkite, un Huntley, un Brinkley, et des types comme ça ? questionna Dan, un léger ricanement dans la voix.

— Je ferai de mon mieux. Grâce à Andy Parino, je peux essayer d'enregistrer une interview avec John Kennedy. S'il passe, ça fera un excellent ballon d'envoi pour la première de *En Profondeur*. Et alors, vous pouvez être sûr que M. Nixon sera trop content de m'accorder une interview de la même durée.

— D'accord, grommela Dan. Vous vous dégottez deux candidats à votre idée. Ça fait deux émissions. Et après ? Qu'est-ce que vous avez l'intention de faire ? Jusqu'à présent, pour autant que j'en puisse juger, votre émission n'est jamais qu'une plate-forme pour candidats à la présidence !

Robin sourit d'un air très décontracté :

— Je compte aller à Londres interviewer quelques grands acteurs célèbres tels que Paul Scofield et Laurence Olivier. Puis j'interrogerai un grand acteur américain de même envergure afin de comparer leurs points de vue. En mai, la princesse Margaret doit épouser Tony Armstrong-Jones. J'ai un ami journaliste qui est très copain avec Tony. J'enregistrerai un entretien avec lui. J'ai également l'intention de me rendre la semaine prochaine à St. Quentin pour essayer d'obtenir une interview avec Caryl Chessman. Son exécution a été fixée au 2 mai.

— Il obtiendra un nouveau sursis, lança Dan.

— Je ne le pense pas, répliqua Robin. Et dans la mesure où un mouvement de plus en plus marqué contre la peine de mort se dessine dans l'opinion publique, j'estime important de présenter une émission sur la question.

50

— C'est un sujet un peu trop polémique, protesta Dan. Tous les thèmes que vous avez choisis sont beaucoup trop d'avant-garde. Le public n'a pas envie de se creuser la cervelle !

Robin sourit, mais Dan remarqua que son regard était glacé :

— Je crois que vous sous-estimez le public, Monsieur Miller.

Dan ravala sa colère. Il tira son étui à cigarettes. Le temps d'en allumer une, et il fut de nouveau capable de mettre dans sa voix juste ce qu'il fallait de condescendance :

— Vos idées sont nobles et chevaleresques. Mais pendant que vous luttez contre les moulins à vent, je dois me battre avec les commanditaires, organiser les programmes, me tracasser pour les cotes. Avant que vous ne vous embarquiez dans cette expédition, j'estime que nous devrions pressentir quelques commanditaires : après tout, une chaîne de télévision, c'est un jeu d'équipe. Vous ne pouvez pas piquer un sprint avec le ballon et vous attendre à ce que je vous couvre si je ne connais pas la tactique. J'apprécie votre courage et votre enthousiasme, mais avez-vous vu les programmes de la NBC, de la CBS, et de l'ABC ? Il nous faut des variétés, si nous voulons être compétitifs.

— Je n'ai pas l'intention de piétiner vos plates-bandes, coupa sèchement Robin. Je suis ici pour donner une impulsion nouvelle à l'Information. Peut-être que votre boulot à vous, c'est de vous planter devant votre poste pour voir les succès qui marchent sur les autres chaînes. Copiez-les, décalquez-les si ça vous chante. Ce sont vos méthodes. Pas les miennes.

Gregory Austin avait les yeux brillants. Il sauta sur ses pieds et tapa sur l'épaule de Robin :

— A votre âge, je parlais comme ça. J'avais le même enthousiasme quand je proclamais que j'allais créer une quatrième chaîne. Je ruais dans les brancards, je me démenais comme un beau diable, je refusais d'écouter les sceptiques. Allez-y, Robin, foncez ! Je dirai un mot au service comptable pour qu'on vous ouvre les crédits nécessaires. Ramenez-nous ces émissions. Dan et moi, on s'occupera du reste.

Robin sourit et se dirigea vers la sortie :

— Je me mets tout de suite au travail. Je vous tiendrai au courant des événements, Monsieur Austin.

Dan était toujours assis à la table. Il se mit maladroitement debout. Gregory regardait la porte qui se refermait avec une admiration non dissimulée.

— Ça, c'est quelqu'un ! fit-il.

— Si ça marche, rétorqua Dan.

— Ça marchera. Et même s'il échouait, au moins il s'agite. Vous savez, Dan ? Je crois que je viens d'engager l'homme le plus dynamique de notre profession.

Dan retourna dans son bureau. Son projet d'émission avec Chris Lane était posé sur la table. Brusquement toute l'idée lui parut sans consistance. L'arrogance hautaine de Robin Stone l'avait complètement mis à plat. Il prit néanmoins le téléphone et appela Sig et Howie. Il leur fixa rendez-vous pour quatre heures. Nom d'une pipe, il fallait que son émission marche. *En Profondeur* allait se casser la figure, il en était sûr et certain. Mais Gregory

51

voulait qu'on se montre dynamique. Parfait. Il allait passer à l'action. Il n'aurait peut-être pas un Tony Armstrong-Jones ou un Kennedy à leur mettre sous la dent, et le *Times* le démolirait peut-être, mais ce serait un gros succès commercial et les cotes grimperaient. Et quand les actionnaires se réunissent, il n'y a plus que les cotes qui comptent. Ce n'est pas le prestige qui rapporte des dividendes, ce sont les cotes.

Il garda Sig et Howie dans son bureau jusqu'à sept heures. Avant de les laisser partir, il leur demanda de lui apporter plus qu'un projet : il voulait une ébauche du script dans ses grandes lignes d'ici deux jours.

Après le départ des auteurs, Dan décida brusquement d'aller se saouler. Il l'avait bien mérité. Il se dirigea vers le « 21 » et s'installa au bar. Les habitués étaient là. Il commanda un double whisky. Quelque chose le tracassait à propos de sa querelle avec Robin. Il se creusa la tête. Ce n'était pas l'admiration de Gregory pour ce type, Gregory s'emballait et s'emportait avec une fougue égale. Quelques semaines de cotes catastrophiques, et il en reviendrait de son Robin Stone... Non, il s'était passé quelque chose de troublant dans cette salle à manger, mais il n'arrivait pas à mettre le doigt dessus. Il se remémora toute la conversation sans découvrir la cause de sa gêne. Il commanda un autre double whisky. Puis il reprit le déjeuner depuis le début sans omettre un seul détail, y compris le récit complet de la vie de Gregory. Il sentait que si seulement il pouvait se rappeler ce dont il s'agissait, il saurait de quel côté et contre quoi il lui fallait se battre. Sa dispute avec Robin était claire et nette. Les événements lui donneraient raison, et il en ressortirait plus fort que jamais. C'était comme s'il avait été sur le point de trouver la clé d'un danger plus grave et qu'il l'avait perdue.

Il pensa à Ethel. Il ferait peut-être mieux d'aller s'en payer une bonne tranche avec elle. Il pouvait l'appeler chez lui pour qu'elle lui fasse le grand jeu. Avec Ethel, on n'avait pas besoin de se fatiguer à la satisfaire. En fait, il avait l'impression qu'elle préférait encore quand elle n'avait pas même à se déshabiller. Il commençait à se sentir bien. Pourtant, tout au fond de lui-même, la petite gêne persistait. C'était quelque chose qui avait un rapport avec Robin Stone. Une fois de plus, il passa tout le déjeuner en revue du début jusqu'à la sortie de Robin : « Je me mets tout de suite au travail. »

Dan abattit son verre si brutalement sur le comptoir qu'il se fracassa. Un serveur déférent se précipita pour réparer les dégâts, tandis que le barman lui tendait aussitôt un autre double scotch. Dan le prit. Nom de Dieu ! Maintenant, il y était ! La dernière phrase qu'avait lancée Robin :

— Je vous tiendrai au courant des événements, Monsieur Austin.

Vous tiendrai au courant, Monsieur Austin !

C'était à *lui*, Danton Miller, que Robin Stone était censé rendre des comptes. Et Danton Miller se chargeait d'en référer à M. Austin. Cet enfant de salaud sautait à pieds joints par-dessus sa tête ! Et Gregory n'avait pas protesté. Bon. Eh bien, voilà qui réglait la question. Il fallait que son émission avec Christie Lane fasse un malheur. Il fallait qu'il sorte gagnant,

Il alla appeler Ethel Evans de la cabine téléphonique.

— Tu passes chez moi ? demanda-t-il.

— Je ne suis pas une call-girl.

— Ça veut dire quoi ?

— Que je n'ai pas dîné.

— Bon, d'accord. Retrouve-moi au PJ's.

— Il n'y a pas d'autre restaurant dans le pays ?

— Ecoute, mon chou (il radoucit sa voix), il est huit heures et demie Je ne peux pas me permettre de veiller tard. La semaine prochaine, je t'emmènerai où tu voudras.

— C'est une promesse ?

— Je le jure sur mes cotes !

Ethel se mit à rire :

— Bon, alors je vais me mettre en pantalon.

— Pourquoi te changerais-tu ?

— Parce qu'une fille qui vient dîner au PJ's sur son trente et un, on a l'impression qu'elle est déçue, qu'elle espérait aller chez *Voisin* ou au *Colony*. Alors que si elle arrive en pantalon, on pense que c'est elle qui a décidé de venir là.

— Tu calcules tout, hein ?

— Oui. Même toi, caïd.

Il rit. Il n'avait pas envie de se disputer :

— Bon, alors rendez-vous dans une demi-heure.

Il retourna au bar vider son verre. Il regarda sa montre. C'était déjà assez gênant de se montrer en compagnie d'Ethel, il ne tenait pas à ce qu'on voie en train de l'attendre. Il se commanda un autre double scotch.

Quelqu'un lui tapa sur l'épaule. C'était Susie Morgan. Dieu qu'elle était fraîche et jolie !

— Dan, vous connaissez Tom Mathews ?

Dan se retrouva en train de serrer la main d'un géant aux cheveux de sable roux. Ce nom lui disait quelque chose. Ah oui, c'était cela. Il venait d'être nommé au service juridique de la CBS. Ou bien était-ce la NBC ? Le géant lui broyait la main à lui briser les os. Dieu qu'il était jeune et vigoureux !

— Regardez, Dan ! (Susie étendit la main. Un minuscule diamant sur une monture de chez Tiffany scintillait à son annulaire.)

— Oh ! Oh ! C'est arrivé quand ?

— Ce soir ! Enfin, la bague, je veux dire. On se voyait comme ça, par-ci, par-là, depuis un an. Et pour de bon, depuis trois semaines. C'est merveilleux, non, Dan ?

— Sensationnel. Laissez-moi vous offrir un verre

— Non, on dîne là-haut avec les parents de Tom. Mais j'ai appris que vous étiez ici, et je tenais à ce que vous soyez le premier à connaître la nouvelle.

— Et quand est-ce que vous me quittez ? interrogea Dan.

— Mais je reste. Sauf si vous ne voulez plus de moi. Nous nous marions en juin. Notre lune de miel tombera pendant les vacances. Nous avons tous les deux quinze jours à prendre. Et j'aimerais tellement continuer à travailler pour vous, Dan. Jusqu'au jour où j'aurai le bonheur d'attendre un bébé. (Elle rougit et regarda le géant blond avec adoration.)

— Mais évidemment, acquiesça Dan. Vous me direz ce que vous aimeriez comme cadeau.

Il les regarda quitter la pièce. On n'avait pas le droit d'être aussi heureux. Cela ne lui était jamais arrivé, à...

Mais il avait la *puissance*. C'était sa part de bonheur. Et même s'il ne devait réussir qu'une seule chose dans sa vie, il ferait un triomphe avec son émission ! A ce moment-là, Robin Stone se serait cassé la figure avec *En Profondeur,* et il y aurait un nouveau directeur des Informations.

Il regarda sa montre. Bon Dieu ! Dix heures ! Il signa sa note, et se rendit brusquement compte qu'il avait trop bu. Il héla un taxi et rentra chez lui. Ethel devait l'attendre. Et après ? Qu'elle attende donc ! Il n'avait pas de comptes à rendre à cette pouffiasse. Ce n'était qu'une pauvre cloche — et lui : il était un gros bonnet !

7

Ethel attendait. A dix heures et demie, elle appela Dan. Il répondit au bout de plusieurs sonneries :

— Qu'est-ce que c'est ?

— C'est moi, espèce de sale ivrogne ! Je suis en train de poireauter au PJ's !

Le déclic à son oreille. Elle contempla un instant l'écouteur, puis raccrocha rageusement. Bonté divine ! Pourquoi avait-elle été se commettre avec lui ? Danton n'était pas un acteur de cinéma de passage pour une nuit. Et même un acteur de cinéma, elle ne le laissait pas lui marcher sur les pieds. Elle retourna à sa table, régla son addition, et jeta un dernier regard autour d'elle. Elle remarqua que tout le monde contemplait une fille très belle qui venait d'entrer dans la salle. Deux hommes l'accompagnaient. Dieu qu'elle était ravissante ! Ils s'installèrent à la première table près de la porte. Le visage de la fille lui paraissait vaguement familier. Mais bien sûr ! Elle était sur la couverture du *Vogue* de ce mois-ci. Ethel regarda les deux hommes. Elle avait été tellement absorbée par la fille, qu'elle ne les avait pas reconnus. L'un d'eux était Robin Stone, l'autre Jerry Moss. Elle avait rencontré Jerry à quelques soirées d'agences.

Elle se dirigea vers leur table.

— Salut, Jerry, fit-elle avec un sourire.

Il leva les yeux :

— Tiens ! Bonsoir, lança-t-il d'un ton dégagé sans bouger de sa chaise.

Elle sourit à Robin :

— Je suis Ethel Evans... Nous nous sommes déjà rencontrés. Je travaille au service de publicité de la IBC.

Robin la regarda. Il sourit lentement :

— Asseyez-vous, Ethel, vous pouvez vous joindre à nous. Voici Amanda.

Ethel fit un petit sourire qui resta sans réponse. Le visage de la fille demeurait figé comme un masque, mais Ethel sentait poindre son dépit. Comment peut-elle être jalouse à cause de moi, songea-t-elle. Si j'étais aussi belle, le monde m'appartiendrait.

Elle prit une cigarette. Robin se pencha pour lui donner du feu. Elle le regarda fixement pendant que la fumée effleurait son visage, mais il avait déjà reporté son attention sur son verre.

Le silence qui s'installait à la table la mit mal à l'aise. Jerry était gêné. Amanda mécontente, Robin absorbé dans sa boisson.

— Je viens juste de terminer un travail, annonça-t-elle. (Sa voix sonnait faux. Elle se tut, puis reprit presque en chuchotant.) Je me suis arrêtée là pour manger un morceau.

— Ne vous excusez pas, fit Robin toujours aussi décontracté. Vous êtes là, détendez-vous. (Il attira l'attention du serveur.) Qu'est-ce que vous prenez, Ethel ?

Elle regarda le verre vide qu'il avait devant lui. Elle se faisait toujours un point d'honneur de commander la même chose que celui qui l'invitait. C'était déjà au moins un point commun entre eux.

— Je prendrai une bière, dit-elle.

— Une bière pour Madame, annonça Robin. Et pour moi, un verre d'eau glacée.

Le serveur apporta les consommations. Robin avala une grande gorgée. Amanda se pencha pour goûter. Elle fit une grimace et se redressa impétueusement :

— Robin ! (Ses yeux étaient fâchés.)

— Tu n'aimes pas l'eau glacée, chérie ?

— C'est de la vodka pure !

Ethel les observait, dévorée de curiosité.

Robin avala un nouvelle rasade :

— Oui, et alors ? Mike a dû se tromper.

— Il est de mèche avec toi, répliqua-t-elle, d'un ton froid. Robin... (elle se pencha plus près) tu avais dit qu'on passerait la soirée ensemble.

Il lui glissa un bras autour des épaules :

— Mais nous *sommes* ensemble, chérie !

— Je veux dire (sa voix était basse et suppliante) *tous les deux*. Pas avec Jerry et une autre fille. Je n'appelle pas ça être avec toi.

Il lui ébouriffa les cheveux :

— J'ai dit à Ethel de rester pour Jerry. Comme ça, on est à deux couples.

Le visage d'Amanda demeura impassible :

— Robin, j'ai des photos en couleurs demain matin, très tôt. J'aurais dû rester à la maison, me laver les cheveux et me coucher. Mais je suis sortie pour être avec toi. Et tu te mets à boire !

— Tu n'es pas bien ici ?

— Je serais mieux à la maison. Et tu n'as pas besoin de moi, si c'est pour que je reste assise à te regarder boire.

Robin la dévisagea un moment. Puis son sourire lent réapparut. Il se tourna vers Ethel :

— A quelle heure devez-vous vous lever le matin ?

— Je n'ai pas besoin de sommeil pour ma beauté, répliqua Ethel. Ça n'améliorerait rien.

Robin sourit :

— Jerry, on vient de changer de partenaire !

Amanda ramassa son sac et se leva :

— Robin, je veux rentrer à la maison.

— Comme il te plaira, chérie.

— Alors ? (Ses yeux étaient trop embués pour paraître menaçants.)

— Assieds-toi, ordonna-t-il gentiment. J'aime bien cet endroit. J'ai envie de rester un moment.

Amanda se rassit à contre-cœur. Une lueur de défi dans le regard, elle attendait la suite des événements.

Jerry Moss s'agita d'un air gêné :

— Ethel, on devrait peut-être se tirer. J'ai un copain à moi qui donne une chouette soirée à quelques pas d'ici...

— Vous deux, vous restez là, intervint Robin d'un ton calme, mais c'était un ordre.

Il se tourna et regarda Amanda avec un sourire tendre :

— Elle est belle, n'est-ce pas ? Et elle a besoin de sommeil. Je me conduis comme un vrai salaud. Tu veux réellement partir, mon chou ?

Elle acquiesça silencieusement comme si elle craignait de ne pas arriver à maîtriser sa voix.

Il se pencha et déposa un petit baiser sur son front :

— Mets Amanda dans un taxi, Jerry, et reviens. Après tout, on n'a pas le droit de priver un mannequin-vedette de sommeil, sous prétexte qu'on a envie de picoler.

Amanda se leva et se dirigea vers la porte. Jerry la suivit, impuissant. Tous les hommes du bar la regardèrent gagner la sortie. Une fois dehors, elle s'effondra :

— Jerry, qu'est-ce que j'ai fait de mal ? Je l'aime ! Je l'aime tellement ! Qu'est-ce que j'ai fait ?

— Mais rien, mon chou. Ce soir, tout lui est indifférent. Quand il est dans cet état-là, il n'y a rien à en tirer. Demain il aura oublié.

Il siffla pour appeler un taxi.

— Fais-lui comprendre que je l'aime, Jerry ! Ne laisse pas cette grosse pouffiasse lui mettre le grappin dessus. C'est ce qu'elle cherche, n'est-ce pas ?

— Mon chou, Ethel n'est qu'une petite cavaleuse. Robin le sait très bien. Et toi, tu vas tâcher de prendre une bonne nuit de repos !

Un taxi s'arrêta. Il ouvrit la portière.

— Jerry, je retourne là-bas ! Je ne peux pas la laisser...

Il la poussa dans le taxi :

— Amanda, tu ne connais Robin que depuis quelques semaines. Moi, je le connais depuis des années. Personne ne peut lui dicter sa conduite. Tu veux savoir ce que tu as fait de mal ? Ce n'est qu'une simple supposition de ma part, mais tu t'es comportée en épouse. Tu lui as dit de ne pas boire. Ne l'étouffe pas, Amanda. C'est un garçon qui a besoin d'air. Il a toujours été comme ça. Même à l'université. Maintenant, rentre chez toi, repose-toi bien, et je suis sûr que demain tout sera oublié.

— Jerry, appelle-moi en le quittant. Quelle que soit l'heure. Comment veux-tu que je dorme après qu'on se soit séparé comme ça ? Je t'en supplie ! Il faut que je sache. Même s'il te dit qu'il en a assez de moi ou même s'il embarque cette fille...

— Il ne me dira rien ; tu devrais le savoir...

Jerry se rendit brusquement compte que le chauffeur suivait la scène avec intérêt pendant que son compteur tournait. Il lui donna l'adresse d'Amanda.

Amanda baissa la vitre :

— Appelle-moi, Jerry ! (Elle se pencha et lui saisit le bras.) Je t'en supplie !

Il promit, et regarda le taxi disparaître. Il avait pitié d'elle. Robin s'était montré délibérément sadique, ce soir. Il s'était complètement replié sur lui-même. Jerry avait appris à déceler cet aspect de son caractère. Cela faisait peut-être partie de son charme. On pouvait toujours compter sur lui pour se comporter de façon totalement imprévisible. Comme par exemple en invitant Ethel Evans à les rejoindre.

Il retourna à la table :

— Que diriez-vous d'un hamburger ? proposa-t-il.

— Tu peux te permettre de sauter un repas, répliqua Robin. Tu as raté deux séances de gym, la semaine dernière.

— J'habite tout près d'ici, intervint Ethel. Pourquoi ne pas monter chez moi ? Je suis très douée pour les œufs brouillés. (Elle regarda Jerry et ajouta :) Et j'ai une charmante petite blonde comme copine de chambre. Elle aura peut-être une serviette autour de la tête, mais si on lui donne cinq minutes, elle sera d'attaque.

Robin se leva :

— Je n'ai pas faim. Jerry et moi, on va vous raccompagner jusque chez vous, puis Jerry me fera un brin de conduite. (Il ramassa l'addition et la tendit à Jerry.) Signez-moi ça, jeune homme. C'est pour votre note de frais.

Ethel habitait entre la Cinquante-Septième et la Première Avenue. Elle marchait d'un bon pas pour rester dans la rapide foulée de Robin.

— Vous habitez près d'ici ? interrogea-t-elle.

— Sur la rive.

— On est peut-être voisin...

— C'est un grand fleuve.

Ils continuèrent en silence. Pour une fois Ethel n'arrivait à rien. Il avait une façon de répondre qui coupait net toute conversation. Ils s'arrêtèrent devant son immeuble :

— Vous êtes sûrs que vous ne voulez pas monter boire un verre ? questionna-t-elle. J'ai une petite vodka garantie d'origine.

— Non, je rentre chez moi.

— Bon, eh bien je pense qu'on se reverra. Je suis certaine que vous vous plairez à la IBC, et s'il y a quelque chose que je peux faire...

Il sourit lentement :

— Je me plais partout, mon chou. Bonsoir.

Il s'éloigna, Jerry sur les talons.

Ethel les regarda tourner le coin de la rue. Elle désirait Robin si violemment qu'elle en avait mal. Pourquoi avait-elle toujours besoin de blaguer et de faire des efforts pour séduire ? Quel effet cela faisait-il d'avoir un homme qui vous téléphone, et vous désire, et vous regarde comme si vous étiez la femme la plus merveilleuse du monde ? Elle marcha vers le fleuve, le visage ruisselant de larmes. Oh, mon Dieu ! Ce n'était pas juste ! Pourquoi avoir mis le cœur et les émotions d'une jolie fille dans l'enveloppe grossière d'une fille de ferme ? Pourquoi ses émotions n'étaient-elles pas aussi vulgaires que son corps ? Elle aurait pu épouser Peter Cinocek, et peut-être même vivre heureuse auprès de lui.

— Oh, mon Dieu, s'exclama-t-elle à haute voix, je veux simplement être quelqu'un et avoir à moi un homme qui *soit* quelqu'un. Est-ce trop demander ?

Soudain, elle éprouva une intolérable solitude. Des rêves, des aventures d'une nuit... mais elle ne possédait *rien* ! Bien sûr, elle avait un gentil appartement, somptueux comparé à Hamtramck, mais ce n'était qu'un trois pièces moderne qu'elle partageait avec une autre solitaire qui ne connaissait, elle aussi, que les amours de passage. Bien sûr, c'était merveilleux de tenir un acteur célèbre entre ses bras, mais le lendemain il était parti.

Elle revint vers son immeuble. Elle était persuadée qu'à cette heure Robin était dans les bras d'Amanda. Elle chassa cette pensée de son esprit. Inutile de se rendre malheureuse. Il y aurait d'autres soirs.

Après avoir quitté Ethel, Robin et Jerry parcoururent quelques rues en silence.

— Si on entrait boire un verre pour la route ? proposa Robin en passant devant un bar.

Jerry le suivit sans mot dire.

— Où mets-tu tout ça ? questionna-t-il.

Pour une fois, Robin ne sourit pas. Il regarda son verre gravement :

— Ma foi, j'ai été si longtemps sans boire que j'ai un sacré retard à rattraper. Je viens d'une famille imbue de principes d'hygiène. Mon père ne touchait jamais à une goutte d'alcool.

Jerry se mit à rire :

— Et moi qui te prenais pour un joyeux luron à l'université !

Robin le dévisagea comme s'il le voyait pour la première fois :

— Tu étais à Harvard en même temps que moi ?

— La promotion d'avant, répondit Jerry humblement.

Il était content qu'il n'y eût personne d'autre avec eux. Tout le monde savait que Robin et lui avaient fait leurs études ensemble et que leur amitié datait de cette époque. C'était l'un des côtés embêtants de Robin. Il paraissait toujours attentif, mais on ne savait jamais s'il avait enregistré ce qu'on lui disait. Soudain, Jerry s'irrita de sa propre soumission. Il se tourna vers Robin dans un élan inhabituel de courage :

— Bon sang, où crois-tu donc que nous nous soyons rencontrés ?

Robin se frotta pensivement le menton :

— Je n'y ai jamais réfléchi, Jerr. Je rencontre tellement de gens ! Je suppose qu'un jour, au Lancer, j'ai levé le nez et tu étais là.

Robin réclama l'addition et ils repartirent en silence. Jerry raccompagna Robin jusqu'à son immeuble, sur la rive. L'idée le frappa soudain qu'il n'était jamais entré dans l'appartement de Robin. Ou bien il le raccompagnait à sa porte, ou bien ils se retrouvaient dans un bar. Quand Robin lui proposa négligemment de monter boire un dernier verre, il se sentit gêné. On eût dit que ce clair regard avait lu dans ses pensées.

— Il se fait tard, bredouilla-t-il.

— Ta femme t'attend avec un rouleau à pâtisserie ? ironisa Robin.

— Non, mais il me reste encore un bon bout de route à faire en voiture, et j'ai un rendez-vous demain matin très tôt.

— Comme tu voudras.

— Bon, alors juste une bière en vitesse, concéda Jerry.

Il suivit Robin dans l'ascenseur. Il pourrait glisser quelques mots en faveur d'Amanda, songea-t-il.

L'appartement était agréable, étonnamment ordonné et bien meublé.

— Une fille que je connaissais — avant Amanda, commenta Robin avec un geste circulaire de la main.

— Pourquoi t'es-tu montré si dur avec Amanda, ce soir ? Elle t'aime. Tu n'éprouves aucun sentiment pour elle ?

— Non.

Jerry le dévisagea :

— Dis-moi, Robin, est-ce qu'il t'arrive parfois d'éprouver quoi que ce soit ? Tu ne ressens jamais rien ? Un sentiment ? Une émotion ?

— Peut-être que je ressens beaucoup de choses, mais je suis incapable de l'extérioriser. (Robin sourit.) J'imagine que ma vie serait beaucoup plus facile si je le pouvais. Je suis comme les Indiens. Quand je suis malade, je me tourne, la tête contre le mur, et j'attends que ça passe.

Jerry se leva :

— Tu n'as peut-être besoin de personne, Robin. Et ce n'est peut-être pas grand-chose. Mais je suis ton ami. Je ne sais pas pourquoi, mais c'est comme ça.

— Foutaises. Tu es avec moi, parce que tu en as envie. Tu l'as dis toi-même : je n'ai besoin de personne.

— Tu n'as jamais éprouvé de reconnaissance pour quelqu'un ? (Jerry savait qu'il allait trop loin, mais il ne pouvait pas s'en empêcher.)

— Si. Pendant la guerre. Un type m'a sauvé la vie alors qu'il ne me connaissait même pas. Il était dans un autre appareil. Soudain, il m'a fait signe sur ma droite. Un Messerschmitt piquait sur moi. J'ai plongé et je me suis éloigné. Deux minutes plus tard, le gars a été descendu. Je lui dois une fameuse chandelle. Je lui dois la vie. J'ai essayé de savoir qui il était, mais ce jour-là sept de nos appareils ont été abattus. J'aurais fait n'importe quoi pour ce type — j'aurais épousé sa veuve, si elle avait voulu de moi. Mais je n'ai jamais pu découvrir son identité.

— Alors, tu éprouves la même chose pour un chirurgien ?

— Tss tss. C'est son boulot de me sauver. Je le paie à la fin. Mais ce gars dans l'aviation, il ne me connaissait pas. Il ne me devait rien.

Jerry resta silencieux.

— Qu'attends-tu d'un ami ? questionna-t-il enfin.

— Je ne sais pas. Je n'en ai jamais eu.

Jerry se dirigea vers la porte :

— Robin, je ne vais pas te donner mon couteau de scout, ou attendre que tu traverses la rue au feu rouge pour te sauver la vie. Mais je suis ton ami, et je vais te donner un bon conseil : n'envoie pas Amanda sur les roses comme n'importe quelle autre bonne femme. Je ne la connais pas très bien, mais il y a quelque chose en elle, je ne peux pas dire quoi, mais je le sais. C'est une fille bien.

Robin reposa son verre et traversa la pièce :

— Bon Dieu ! J'ai oublié l'oiseau !

Il entra dans la cuisine et alluma. Jerry le suivit. Par terre était posée une grande cage ouvragée, et dans le fond un pauvre petit oisillon les fixait sans bouger.

— J'ai oublié de nourrir Sam, expliqua Robin en tirant un morceau de pain.

— C'est un moineau, non ? questionna Jerry.

Robin s'approcha avec un croûton de pain, une tasse d'eau, et un compte-gouttes. Il se pencha et prit l'oiseau qui se nicha avec confiance dans sa main.

— Ce petit nigaud a voulu s'envoler trop tôt. Il est tombé du nid et il s'est brisé une aile ou je ne sais trop quoi en atterrissant sur ma terrasse. Amanda se trouvait là, et naturellement elle s'est précipitée pour acheter une cage. Elle ne peut pas l'emmener chez elle : elle a un chat siamois. Cette sacrée bestiole arrive à marcher sur les murs. Alors, c'est moi qui le pouponne.

Il tenait délicatement dans la main l'oiseau qui ouvrit le bec d'un air d'attente Robin émietta un peu de pain et lui donna la becquée. La stupeur de Jerry augmenta quand Robin, à l'aide du compte-gouttes, versa un peu d'eau dans le petit bec.

Robin sourit d'un air gêné :

— Il n'arrive pas à boire autrement.

Il replaça l'oiseau dans sa cage et referma la porte. Le moineau regardait Robin avec gratitude, ses petits yeux brillants rivés sur ce grand gaillard.

— Allons, Sam, c'est l'heure de dormir !

Il éteignit la lumière et retourna vers le bar.

— Je ne pense pas qu'il souffre, fit-il. Il dévore comme un chancre. Quand c'est malade, ça ne mange pas, non ?

— Je ne connais pas grand-chose aux oiseaux. Mais je sais, en tout cas, qu'un oiseau sauvage ne peut pas vivre en captivité.

— Ecoute, dès que cette petite canaille sera rétablie, je lui rendrai sa liberté. C'est un malin. As-tu remarqué comment il ferme son bec pour réclamer de l'eau quand il a mangé quelques miettes ?

Jerry se sentait très las. Cela paraissait absurde qu'un homme puisse se montrer si gentil avec un oiseau et si dur avec une femme.

— Pourquoi n'appellerais-tu pas Amanda pour lui dire que le moineau va bien ? suggéra-t-il.

— Elle doit probablement dormir depuis belle lurette ! répondit Robin. Sa carrière passe avant tout. Ecoute-moi, ne te casse pas la tête pour Amanda. Elle a pas mal roulé sa bosse, elle connaît la musique.

Robin se versait un autre verre lorsque Jerry le quitta. Il était tard, mais il décida d'aller à pied jusqu'au garage. Cela lui éclaircirait les idées. Il s'arrêta impulsivement dans un drugstore pour appeler Amanda.

— Jerry ! Je suis tellement heureuse que tu m'appelles ! Il est parti avec cette affreuse pouffiasse, n'est-ce pas ?

— Pour ta gouverne, sache donc que nous avons laissé cette pouffiasse devant sa porte, vingt minutes après ton départ.

— Mais il est si tard ! Qu'est-ce que vous avez fabriqué ? Pourquoi ne m'as-tu pas téléphoné tout de suite pour me le dire ? Au moins, j'aurais pu enfin m'endormir !

— Ma foi, on a marché, puis on s'est arrêté dans un bar, puis on est allé à pied jusque chez lui, puis on a bu en bavardant, et puis il a donné à manger à cette satanée bestiole. Quand je l'ai quitté, il me faisait son panégyrique : il est très fûté, il sait quand il veut boire !

Elle se mit à rire de soulagement.

— Oh Jerry, si je l'appelais ?

— Non, Amanda. Montre-toi froide. Laisse faire le temps.

— Je sais. Je fais de mon mieux. C'est facile, quand on est indifférent. On fait automatiquement ce qu'il faut. On se montre froid sans effort. Mais quand on aime, c'est différent. Avant, je n'avais jamais aimé. Je suis amoureuse de lui, Jerry.

— Ne le lui montre pas.

Elle eut un petit rire contraint :

— C'est idiot, non ? Aimer quelqu'un et être obligé de s'en cacher ! Jerry, dis-moi, tu es un homme : est-ce que ta femme se montre froide ? Est-ce que c'est comme ça qu'elle t'a séduit ?

Il rit :

— Mary n'était pas un mannequin-vedette, et je ne suis pas Robin Stone. Et si je ne rentre pas chez moi, je risque de n'avoir même plus de femme ! Alors, bonne nuit, mon chou.

8

Le lendemain matin, Robin se réveilla à sept heures. Il se sentait bien. Il pouvait absorber n'importe quelle quantité de vodka, il n'avait encore jamais tâté de la gueule de bois. Quelle que fût la raison mystérieuse à laquelle il devait cette étrange faculté, il appréciait le phénomène à sa juste valeur et était bien résolu à en profiter tant que cela durerait. Il se rendait compte qu'un jour il risquait de se réveiller dans le même état que n'importe quel autre homme qui a trop bu la veille. Il se dirigea vers le réfrigérateur et se versa un grand jus d'orange. Puis il prit une croûte de pain et souleva le couvercle de la cage. Le moineau gisait sur le côté, les yeux grands ouverts, le corps déjà raide. Il le ramassa et le tint dans sa paume. En tombant, le pauvret avait dû se briser quelque chose à l'intérieur.

— Tu ne t'es jamais plaint, petit gredin, murmura-t-il. Ça me plaît.

Il enfila un pantalon et une chemise sport. Puis il glissa le petit corps dans un sac en cellophane et descendit le jeter dans le fleuve.

— Des funérailles en mer, Sam, je ne pouvais rien t'offrir de mieux.

Une vieille péniche grise descendait lentement. Il jeta le sachet dans l'eau noire et le regarda tourbillonner dans le sillage du bateau.

— Je regrette que tu ne t'en sois pas tiré, petit ami, mais tu auras au moins été accompagné par un cœur sincère jusqu'à ta dernière demeure. C'est plus que beaucoup de gens n'en peuvent espérer.

Il attendit jusqu'à ce que le sac ait disparu, puis il remonta chez lui.

Il prit une douche froide et il fermait le robinet quand le téléphone sonna. Il se noua rapidement une serviette autour de la taille et se précipita dans la chambre en répandant sur son passage une traînée de gouttelettes.

— Je te réveille, Robin ? (C'était Amanda.) J'ai une séance très tôt, et je voulais t'avoir avant de partir. (Il tâtonnait à la recherche de ses cigarettes.) Robin, tu es là ?

— Ouais ! (Il fouilla la table de nuit pour trouver les allumettes. Il les aperçut par terre.)

— Je suis désolée pour hier soir.

— Hier soir ?

— Mon départ précipité. Mais je ne pouvais pas supporter cette fille, et je devais être fatiguée, et...

— C'était hier soir. N'y pense plus.

— Et ce soir ?

— Tu m'invites à dîner ?

— Avec joie !

— Entendu. Tu nous fais des steaks et ta fameuse salade.

— Robin, comment va l'oiseau ?

— Il est mort.

— Mais il était vivant hier soir !

— Ah oui ?

— Enfin... (Elle réfléchit rapidement.) Je suppose. Sinon tu me l'aurais dit.

— Tu as raison. Il est mort entre deux et cinq heures du matin. Il était déjà raide quand je l'ai trouvé.

— Qu'est-ce que tu en as fait ?

— Je l'ai jeté dans le fleuve.

— Robin ! Tu n'as pas fait ça !

— Qu'est-ce que tu voulais ? Que je l'expose chez Campbell's ?

— Non, mais ça paraît si inhumain ! Oh, Robin ! Tu ne ressens donc jamais rien ?

— Si, pour l'instant, je me sens très mouillé.

— Tu sais ce que tu es ? Un type vraiment ignoble ! (Elle le dit comme une constatation plus qu'avec colère.)

Il rit. Elle l'entendit tirer sur sa cigarette.

Il y eut un silence.

— Robin, qu'est-ce que tu attends de la vie ?

— Ma foi, à la minute présente, des œufs frits.

— Tu es vraiment impossible ! (Elle rit pour détendre l'atmosphère.) Bon, je t'attends à sept heures. Steak et salade. Tu ne veux rien d'autre ?

— Si, toi.

Elle rit de nouveau, un peu rassérénée.

— Oh, Robin, j'ai oublié de te dire : la semaine prochaine, je suis invitée au bal « April in Paris ». On m'a envoyé deux invitations gratuites et elles coûtaient cent dollars chaque. Tu m'accompagneras ?

— Jamais de la vie.

— Mais il faut que j'y aille !

— Mon chou, si ça se trouve, je ne serai même pas ici la semaine prochaine.

— Où vas-tu ?

— Peut-être à Miami. Il faut que je commence à former une équipe pour la Convention avec Andy Parino. Il travaille là-bas dans notre station O and O.

— Qu'est-ce que c'est que ça O and O ?

— « Owned and Operated ». Chaque chaîne a le droit de posséder et de diriger cinq stations. Tu veux venir ? Tu connais Miami ?

— Mais Robin, je n'ai pas de vacances ! Je travaille tout l'été et tout l'hiver.

— Ce qui me fait penser qu'il faut que j'aille travailler, moi aussi. A ce soir, chérie. Et pour l'amour du ciel, enferme ton satané matou dans la salle de bains. La dernière fois, il n'a pas décollé de mes genoux pendant tout le dîner.

Elle éclata de rire.

— Il t'adore. Et moi... je t'aime, Robin !

Mais il avait déjà raccroché.

Amanda sauta dans un taxi et donna l'adresse du Lancer. Sa dernière séance avait duré trente-cinq minutes de plus que prévu. Cela signifiait beaucoup d'argent, mais aussi qu'elle n'aurait pas le temps de passer chez elle pour se changer. Elle qui voulait mettre sa nouvelle robe bleu pâle en soie sauvage ! Robin était rentré de Miami, et c'était leur dernière soirée avant son départ pour Los Angeles où devait se tenir la Convention démocrate.

Ce maudit Nick Longworth ! Elle voulait prendre dix jours de congé et accompagner Robin à Los Angeles. Cela aurait été tellement merveilleux ! Bien sûr, pendant les cinq jours de la Convention, elle ne l'aurait pas beaucoup vu. Mais ensuite, Andy Parino et lui prenaient quelques jours pour jouer au golf à Palm Springs. Robin avait lancé son invitation incidemment, mais du moins il l'*avait* invitée !

Nick s'était montré formel. Elle commençait à être l'un des mannequins les plus cotés. Cet automne, il comptait l'augmenter. Il avait pris pour elle des rendez-vous trop importants en juillet. Lorsqu'elle avait expliqué la chose à Robin, elle espérait qu'il allait s'exclamer : « Au diable tes rendez-vous ! Ton avenir... c'est moi. » Mais il s'était contenté de dire :

— Bien sûr, mon chou. J'oublie toujours combien il y a d'argent à gagner dans l'industrie du chiffon !

Et il était sincère.

Toutefois, Nick avait raison. Elle avait travaillé dur pour en arriver là. Elle avait besoin de gagner sa vie. Et si elle laissait filer plusieurs propositions importantes, ce n'était pas seulement de l'argent qu'elle perdait. Elle laissait le champ libre à une autre alors qu'elle était sur le point de se hisser au sommet.

Elle regarda sa montre. Elle avait dix minutes de retard et le taxi se traînait. Elle se renfonça sur le siège et alluma une cigarette. Inutile de s'énerver. N'importe comment, Andy Parino était probablement avec Robin. Il ne l'avait pas lâché un seul soir depuis qu'il était arrivé de Miami. Elle aimait bien Andy. Il était très séduisant ; en fait, il était probablement même mieux que Robin. Mais elle n'était pas plus émue par son physique que par celui des mannequins de mode masculins qui posaient parfois avec elle. Ils étaient très beaux, et après ? Tandis que rien que de penser à Robin, la tête lui tournait. Elle avait envie de sauter de ce maudit taxi et de se mettre à courir. Mais il faisait lourd et humide, et sa coiffure serait fichue.

Leur dernière soirée ! Non, elle ne devait pas voir les choses comme cela. Il ne serait absent que dix jours. Mais depuis qu'il avait été nommé directeur des Informations, il était tout le temps par monts et par vaux. Il s'était rendu deux fois en Europe. Elle se demandait si Andy allait rester toute la soirée avec eux. Les trois dernières fois, ils s'étaient retrouvés au Lancer, puis ils étaient allés dîner au restaurant italien, et elle n'avait pas eu Robin pour elle avant minuit. Et les trois fois, Robin avait bu toute la soirée. Mais il pouvait absorber n'importe quelle quantité d'alcool, cela ne semblait jamais affecter son comportement amoureux. Elle le préférait cependant quand il était sobre. Elle avait alors l'impression que c'était bien lui qui murmurait des petits mots tendres, plutôt qu'un effet de la vodka.

La lumière diffuse du bar la fit ciller.

— Par ici, mon chou !

Elle distingua la voix de Robin et se dirigea vers le box, au fond de la salle. Les deux hommes se levèrent. Andy lui sourit à sa manière franche et amicale. Mais lorsqu'elle vit le petit sourire lent de Robin et que leurs regards secrètement complices se croisèrent, plus rien n'exista pour elle, ni Andy, ni le bar, ni le bruit. Et il lui sembla que son cœur s'arrêtait pendant cette merveilleuse et fugitive seconde d'intimité que personne d'autre ne pouvait partager. Puis elle se retrouva assise à côté de lui, et il se remit à parler politique avec Andy. Et elle reprit conscience du bruit et de l'endroit. Elle le contempla pendant qu'il parlait. Elle avait envie de le toucher, mais elle s'enfonça dans son siège en se composant un visage à la Nick Longworth : léger sourire — traits immobiles — pas de rides.

Le serveur plaça un martini devant elle.

— C'est moi qui l'ai commandé, déclara Robin. Je suis sûr que cela te fera du bien. Ça doit être infernal de rester debout sous les projecteurs par un temps comme aujourd'hui.

Elle n'aimait pas le goût de l'alcool. Autrefois (avant Robin) elle demandait un coca en disant gentiment : « Je ne bois pas. » Mais son instinct l'avertissait que Robin ne resterait jamais avec une fille qui ne buvait pas. La plupart du temps, elle faisait durer son verre. Souvent elle en versait la moitié dans celui de Robin. Mais aujourd'hui, le martini lui parut frais et moelleux. Peut-être commençait-elle à y prendre goût.

Robin et Andy s'étaient remis à discuter de la nomination des candidats. Tout en parlant, Robin lui prit distraitement la main ce qui était sa façon de l'associer à la conversation qui roulait par-dessus sa tête.

— Eleanor Roosevelt va venir épauler Stevenson in extremis, mais il n'a aucune chance de passer, déclara Robin. C'est dommage. C'est un grand bonhomme.

— Tu n'aimes pas Kennedy ? interrogea Amanda.

(En fait, elle ne se souciait pas plus de l'un que de l'autre, mais elle sentait qu'elle devait manifester quelque intérêt.)

— Je l'ai rencontré. Il dégage un magnétisme extraordinaire. Et je compte d'ailleurs voter pour lui. Je disais simplement que c'est dommage que Stevenson soit battu. C'est très rare de voir en même temps deux types bien sur la scène politique. Ça s'est produit avec Wilkie, mais il se présentait contre Roosevelt. Qui sait ce qui se serait passé si Wilkie était né dix ans plus tard.

Puis ils se mirent à discuter de la nomination d'un vice-président. Elle entendait des noms, Seymington, Humphrey, Meyner... Elle sirotait son martini, et elle regardait le profil de Robin.

A neuf heures, ils allèrent dîner au restaurant italien. Mais quand, le repas terminé, Andy proposa d'aller boire un dernier verre au PJ's, Robin secoua la tête pour la plus grande joie d'Amanda :

— Je vais t'avoir pendant dix jours, vieux frère, et c'est ma dernière soirée avec ma petite amie.

Il se montra inhabituellement tendre cette nuit-là. Il passa la main dans ses cheveux dorés et la contempla d'un air ému :

— Ma jolie petite Amanda, tu es si belle, et nette, et lisse.

Il la serra contre lui et lui caressa la nuque. Et ils firent l'amour jusqu'à ce qu'ils retombent épuisés et apaisés. Puis il se leva d'un bond et la tira hors du lit :

— Viens ! On va prendre une douche ensemble.

Ils se mirent sous l'eau chaude. Et elle se moquait bien d'avoir les cheveux trempés et un rendez-vous le lendemain matin à dix heures. Elle se serrait contre son corps mouillé parce que, pour l'instant, c'était la seule chose qui comptait. Et quand il tourna le robinet d'eau froide, elle poussa un cri, mais il se mit à rire et la tint serrée fermement. Au bout d'un moment, elle s'était habituée et c'était merveilleux. Il l'embrassa pendant que l'eau ruisselait sur leurs visages. Puis ils s'enroulèrent tous les deux dans une grande serviette. Elle se tint debout devant lui et le regarda dans les yeux :

— Je t'aime, Robin.

Il se pencha et l'embrassa. Puis il baisa ses petits seins plats :

— J'aime ton corps, Amanda. Il est net, et dur, et merveilleux.

Il l'emporta dans la chambre et ils refirent l'amour. Puis, ils s'endormirent, enlacés.

Amanda se réveilla parce que Robin était couché sur son bras. Il faisait sombre et elle avait le bras engourdi. Elle se dégagea doucement. Robin remua légèrement mais sans se réveiller. Elle vit les yeux du chat siamois luire dans l'obscurité. Bonté divine, il avait réussi à pousser la porte. Il se faufila dans la pièce et s'installa sur le lit. Elle le prit délicatement et lui caressa la tête. Il ronronna de plaisir.

— Il faut que j'aille te remettre dans le salon, Slugs, chuchota-t-elle, Robin n'aime pas te trouver dans ses pattes quand il se réveille.

Elle se glissa hors du lit, le chat dans les bras. Robin bougea et sa main rencontra l'oreiller vide :

— Ne me laisse pas, hurla-t-il. Je t'en prie, ne me laisse pas !

Elle lâcha le chat tout surpris et courut s'allonger près de Robin.

— Je suis là, Robin. (Elle le serra contre elle. Il tremblait, les yeux grands ouverts dans le noir.) Robin (elle effleura son front moite), je suis là, je t'aime.

Il s'ébroua tel un homme qui sort de l'eau. Puis il la regarda en cillant comme s'il venait de se réveiller. Il sourit et l'attira contre lui :

— Qu'est-ce qui s'est passé ? (Elle le dévisagea, surprise.) Je veux dire, qu'est-ce que nous fichons assis dans le noir au beau milieu de la nuit ?

— Je mettais le chat dehors et j'avais soif, et puis tu t'es mis à crier...

— J'ai crié, moi ?

— Tu disais : « Ne me laisse pas. »

Pendant quelques instants, il y eut dans les yeux de Robin, quelque chose qui ressemblait à de la peur. Puis, brusquement, il sourit :

— Bon, eh bien que je ne t'y prenne plus à te tailler en douce.

Elle se serra contre lui. C'était la première fois qu'elle le voyait aussi vulnérable.

— Je ne te quitterai jamais, Robin. Je t'aime.

Il la repoussa et se mit à rire. Il avait entièrement retrouvé le contrôle de lui-même.

— Quitte-moi quand tu veux, mon chou. Mais pas au milieu de la nuit.

Elle le regarda avec curiosité :

— Mais pourquoi ?

— Je ne sais pas, fit-il songeur, je ne sais vraiment pas. (De nouveau, il sourit.) Mais tu m'as donné une idée. Moi aussi, j'ai soif. (Il lui expédia une petite claque sur les fesses.) Viens, allons boire une bière dans la cuisine.

Ils burent de la bière et ils refirent l'amour.

Les saisons se succédaient en se confondant pour Amanda. Le printemps avait amené Robin dans sa vie. Avec l'été, leurs relations s'étaient transformées en une gerbe de passion. Robin était allé à Los Angeles et à Chicago pour les Conventions. Et à chacun de ses retours, elle semblait le désirer plus que jamais. Son amour pour lui refusait de se stabiliser. Il s'élevait toujours plus haut vers une cime de fiévreuse infinité. Et elle était effrayée parce qu'elle savait que Robin était incapable de jamais ressentir pareille émotion. Le triomphe qu'il avait obtenu à la suite de son reportage sur la Convention n'était pas fait pour la rassurer. La nouvelle position de Robin lui apparaissait plutôt comme une menace. Tout ce qui l'éloignait d'elle était une menace. Si elle devait le perdre, elle perdrait sa raison de vivre. Elle souhaitait ardemment qu'il redevienne une petit journaliste aux Actualités Régionales.

En octobre, ils s'installèrent dans l'appartement de Robin pour regarder son premier *En Profondeur*. Gregory Austin l'appela pour le féliciter. Andy Parino l'appela de Miami pour le féliciter. Andy venait de rencontrer une jeune divorcée et était amoureux !

Robin éclata de rire :

— C'est normal. Avec toutes les filles qu'il y a à Miami, il fallait qu'un bon petit catholique comme toi tombe sur une divorcée !

— Maggie Steward, ce n'est pas la même chose, avait insisté Andy.

Bien sûr, il admettait que la question religieuse posait quelques problèmes, mais il semblait que l'obstacle principal venait de la dame elle-même. Elle ne voulait pas se marier. Andy l'avait engagée pour présenter un bref bulletin d'informations aux Actualités Régionales. De la sorte, comme il le disait, ils travaillaient au moins ensemble.

Amanda écoutait paisiblement. Ce fut peut-être à ce moment-là que son plan commença à germer dans son esprit. Il prit réellement forme quelques jours plus tard alors qu'elle se moquait du débit monocorde d'une fille qui faisait un flash publicitaire au cours de *Music-hall de Nuit*.

— Ne critique pas, protesta Robin. Ce n'est pas facile d'être naturel quand on a une caméra braquée sur soi.

— Qu'est-ce que tu crois que je fais toute la journée ?

Il l'attira contre lui :

— Toi, ma toute belle, tu poses cinquante fois pour la même photo jusqu'à ce que tu aies enfin l'air de l'ange que tu es. Et si ce n'est pas entièrement réussi, on peut toujours estomper et retoucher après coup.

Amanda médita là-dessus. Si elle réussissait un bon flash publicitaire, Robin éprouverait vraiment de la considération pour elle. Elle en parla à Nick Longworth qui éclata de rire :

— Ma chère petite, c'est une idée épatante, sauf que premièrement, tu ne sais pas parler. C'est déjà tout un art. Deuxièmement, tu ne peux pas te contenter d'être une des filles dans une scène de groupe. On n'utilise que des débutantes pour ce genre de travail. J'en ai trois d'engagées sur une marque de bière. La seule chose que tu pourrais faire, ce serait un grand produit de luxe. Et ce n'est pas facile à décrocher. Généralement, ils prennent une célébrité, style star d'Hollywood — capable à la fois de conférer du prestige au produit et de le faire vendre.

Le soir de Noël, ils décorèrent un sapin dans l'appartement d'Amanda. Robin lui offrit un bracelet-montre. C'était un bijou très fin et très beau mais sans le moindre diamant. Elle cacha sa déception. Elle lui avait offert un étui à cigarettes, une mince enveloppe en or sur laquelle était gravé un fac-similé de son écriture. Jerry s'arrêta pour boire un verre avant de courir chez lui, à Greenwich. Il apportait du Champagne et un jouet en caoutchouc pour Slugger.

Cette nuit, comme ils allaient se coucher, Slugger sauta sur le lit avec son jouet neuf. Amanda s'apprêta à aller l'enfermer dans la salle à manger.

— Laisse-le là, c'est Noël, intervint Robin. (Puis il ajouta :) Oh ! J'oubliais quelque chose.

Il prit sa veste qui traînait sur une chaise et tira un petit paquet plat.

— Joyeux Noël, Slugger !

Il jeta la boîte sur le lit. Amanda l'ouvrit. Les larmes lui vinrent aux yeux en voyant le petit collier de cuir noir. Il était garni de clochettes d'argent et d'une mince plaque d'argent avec le nom gravé. Elle se précipita dans les bras de Robin et l'étreignit :

— Tu *aimes*, Slugger !

Il rit :

— Bien sûr que je l'aime. Je déteste seulement qu'il me saute dessus en douce. Au moins, avec ces satanées clochettes, je l'entendrai venir !

Puis il la prit dans ses bras et l'embrassa, et ils n'entendirent même pas tinter les clochettes d'argent quand Slugger sauta dédaigneusement du lit et quitta la pièce.

9

En janvier le *New York Times* publia dans sa rubrique de télévision les modifications de programme pour février. Dan sourit avec une satisfaction béate en voyant que le *Christie Lane Show* figurait en tête. Il avait sué sang et eau durant l'été pour tirer de Christie un bout d'essai concluant. Quand Gregory l'eut visionné et lui eut donné le feu vert, Dan cessa de prendre des tranquillisants.

Ce soir-là, il allait fêter sa victoire. Ce projet lui fit penser à Ethel. Peut-être avait-il eu tort de l'affecter à l'émission de Christie Lane. Mais, que diable ! il fallait bien la rétribuer d'une manière ou d'une autre. Personne, absolument personne, ne valait cette nana au lit. Elle s'était jetée sur ce travail comme sur un trésor. Dan devinait que les vingt-cinq dollars d'augmentation l'intéressaient moins que l'occasion de rencontrer une nouvelle vedette de Hollywood chaque semaine. Eh quoi ! cette Ethel n'était qu'une aimable nymphomane et Dan ne pouvait certes pas se l'offrir plus de deux fois par semaine. Alors si elle voulait s'envoyer des acteurs célèbres à ses moments perdus pourquoi l'en empêcher ? Elle cesserait ainsi de le tanner pour qu'il l'invite au 21. Phénomène curieux, Christie Lane n'exerçait aucun attrait érotique sur Ethel. « Il m'horripile », disait-elle. « Il a la peau si blafarde qu'il me fait penser au ventre d'un poulet plumé. » A son insu, elle l'avait surnommé P.P.

Dan se laissa aller contre le dossier de son fauteuil et sourit d'un air radieux. Il n'avait plus qu'à attendre le mois de février, et alors il ferait un véritable tabac. Alwayso avait déjà accepté de le commanditer. Afin de présenter Christie comme « Monsieur Tout le Monde », Dan avait choisi une petite chanteuse sans prétention, un speaker tout aussi anodin, et chaque semaine une vedette invitée ajouterait du brio au spectacle. Il avait également embauché Artie Rylander, un réalisateur en vogue qui s'était fait un nom vers les années cinquante dans les Variétés en direct. Alwayso avait donné son accord et se chargeait de la partie publicitaire. De nouveau Dan jubila en constatant combien il avait de chance. Une belle fille pendant les flash publicitaires ferait un excellent contraste avec le côté familial et bon enfant du *Christie Lane Show*.

En ce moment même, tous les plus jolis mannequins de la ville assiégeaient sans doute le bureau de Jerry. Ce dernier entendait faire jouer un rôle muet à la démonstratrice, cependant qu'un « récitant » vanterait le produit. Mais, comme l'avait dit Jerry, il s'agissait d'engager la fille qui convenait et de ne plus en changer. C'était un choix délicat.

Dan sourit. Il avait passé des mois enfermé avec Christie Lane, ses deux inséparables, Sig et Howie, et Artie Rylander. Jerry, lui, n'avait qu'à regarder défiler dans son bureau les plus belles filles de New York. Il secoua la tête. Il aurait bien voulu avoir des problèmes de ce genre à résoudre.

Un problème se posait en effet à Jerry : Amanda. Avec ses traits scandinaves, ses pommettes hautes, sa lourde chevelure blonde, elle était parfaite pour les produits Alwayso. Depuis un an elle posait d'ailleurs pour leurs photos publicitaires. Jerry voulait qu'elle fasse également l'émission. Mais comment Robin le prendrait-il ?

Dirait-il : « Qu'est-ce que tu espères ? Me la soulever ? » Ou bien : « C'est chic de ta part, Jerry, je t'en remercie. »

Soudain Jerry se détesta. Bon sang ! Il s'agissait de savoir qui convenait le mieux et non ce qu'en penserait Robin ! Il considéra la photo de Mary et des gosses, posée sur son bureau. Eprouvait-il des sentiments anormaux envers Robin ? Hypothèse ridicule. Il ne s'agissait pas d'attirance sexuelle. Il l'aimait bien et se plaisait avec lui, c'est tout. Mais voilà..., pourquoi se plaisait-il tant en sa compagnie ? Parfois Robin le traitait avec la même cordialité désinvolte qu'il manifestait envers Carmen, la barmaid du Lancer. Parfois aussi, c'est à peine s'il lui adressait la parole. Puis de nouveau il était d'humeur sociable et il paraissait presque heureux de le voir. Pourtant Jerry soupçonnait que si, du jour au lendemain, il cessait d'appeler son ami et de passer au Lancer à cinq heures, Robin ne s'en apercevrait même pas.

Il appuya sur le bouton de l'interphone et demanda à sa secrétaire d'appeler Amanda. Quelques secondes plus tard, elle franchit le seuil de la porte. Seigneur Dieu ! Elle marchait avec la même souplesse que son sacré matou. Elle portait un manteau de léopard et ses cheveux blonds flottaient sur ses épaules. Un léopard ! Elle avait également un vison. Et Mary, la femme de Jerry, ne possédait qu'un manteau de loutre.

Elle s'assit dans le fauteuil en face de lui, sans se soucier de la lumière du jour qui la frappait de face. Il avait remarqué que certains mannequins plus âgés se détournaient prudemment de la fenêtre. Mais le visage d'Amanda ne présentait pas le moindre défaut et elle le savait.

— Tu y tiens vraiment à ce boulot ? questionna-t-il.

— Beaucoup.

Il l'observa avec curiosité. Voilà qu'elle se mettait à parler comme Robin : clair et net.

Il remarqua qu'elle jetait subrepticement un coup d'œil à sa montre. Naturellement son temps était précieux. Puis la montre elle-même attira son regard. Doux Jésus ! la plus petite qu'il eût jamais vue : un merveille de Vacheron. Mary l'avait admirée à la vitrine de Cartier. Mais elle coûtait plus de deux mille dollars avec les droits de douane.

— Tu as une bien belle montre, fit-il.

— Merci. (Elle sourit.) C'est Robin qui me l'a offerte pour Noël.

Il avait envoyé à Robin une caisse de vodka d'origine et Robin ne lui avait même pas adressé une carte de vœux.

Tout à coup, elle se pencha vers le bureau, le regard suppliant.

— Je tiens à faire cette émission, Jerry ! Je veux que Robin soit fier de moi. (Son regard devint encore plus implorant.) Jerry, je l'aime. Je ne peux pas vivre sans lui. Tu es son meilleur ami. Tu crois que j'ai une chance avec lui ? Cela fait presque un an que nous sommes ensemble et parfois il me semble ne pas le connaître beaucoup plus que le jour où nous nous sommes rencontrés. Il est tellement fantasque. Qu'est-ce que tu en penses, toi, Jerry ? Entre eux, les hommes se confient.

L'humeur de Jerry changea du tout au tout. Il éprouva une sympathie étrange pour Amanda. Etre amoureuse de Robin, ce devait être l'enfer pour une femme. Il se réjouit d'être un homme, simplement un ami de Robin.

— Jerry, je veux l'épouser. Je veux avoir des enfants de lui. (Son visage se fit grave.) Sais-tu à quoi je passe mes soirées les semaines où il est absent ? Je prends des cours de littérature à l'Ecole Nouvelle. J'ai terminé *Les Aventures de Monsieur Pickwick* et je me suis mise à Chaucer. Quand je me suis risquée à en parler à Robin il a éclaté de rire et m'a traitée de bas-bleu. Mais je persévérerai. Parfois je voudrais l'aimer moins. Même quand il a passé la nuit avec moi, dès qu'il me quitte le matin, je me sens perdue. Je serre contre moi la serviette dont il s'est servi, je me la passe sur le visage. Parfois je la plie et je la mets dans mon sac pour la toucher dans la journée et il me semble retrouver son odeur... Alors je tremble. Ça paraît stupide, Jerry, je le sais, mais il m'arrive de le faire lorsque nous devons nous retrouver le soir au Lancer. Chaque fois que j'entre dans ce bar je meurs de peur qu'il n'y soit pas. Parfois aussi quand il est assis près de moi et me sourit, je me dis : mon Dieu ! Faites que cet instant dure toujours. Cela m'épouvante parce que ça signifie sans doute que je crains de le perdre. (Elle pressa les mains contre ses yeux comme pour conjurer cette pensée.)

Jerry était bouleversé.

— Tu ne le perdras pas, Amanda, tu te défends comme un chef. Tu as réussi à le retenir pendant presque un an. C'est déjà un record. (Il lui tendit un contrat.) Je suis sûr que tu vas nous faire un flash publicitaire du tonnerre et nous sommes très heureux de t'engager pour notre émission.

Amanda semblait au bord des larmes. Elle saisit le stylo, se hâta de signer le contrat, et se leva. Lorsqu'elle lui tendit la main, elle avait retrouvé son contrôle.

Il la regarda quitter le bureau. Qui supposerait que cette merveilleuse créature vivait une histoire d'amour aussi déchirante ? Aimer Robin Stone devait, en effet, être une torture. Avec lui toute femme savait à coup sûr

73

qu'il lui échapperait sans cesse et qu'elle devait le perdre un jour ou l'autre. Les Amanda apparaîtraient et disparaîtraient, mais Jerry, lui, pourrait toujours retrouver Robin Stone au Lancer.

Deux semaines plus tard, Jerry alla consulter un psychiatre pour la première fois. Il faisait l'amour avec Mary si rarement que c'en était déconcertant. Elle y avait d'abord fait allusion d'un ton presque négligent :

— Hé, dis donc toi, entre ton travail en semaine et ton golf le week-end, tu m'as l'air d'oublier la femme de ta vie.

Il avait paru sincèrement surpris, comme s'il s'agissait d'un petit oubli.

— Pas une seule fois de tout l'été, avait-elle précisé gentiment. Nous voilà au milieu de septembre. Faudra-t-il attendre qu'il fasse trop froid pour le golf ?

Il s'était répandu en excuses. L'été n'était pas une période de vacances dans le métier, mais bien au contraire le moment du coup de feu car il fallait préparer la saison suivante. C'est même en septembre qu'il était le plus surmené.

En novembre, il s'en prit au trajet quotidien entre la maison et le travail. Le temps était trop incertain pour prendre la voiture. Il devait galoper tous les matins pour attraper le train et ne pas rater non plus celui du soir. Mais non, le temps qu'il passait au Lancer avec Robin n'y était pour rien. Il *travaillait tard*.

Pendant les fêtes de fin d'année, il se trouva de nouvelles excuses. Il menait une vie trop agitée. En janvier : il lui fallait discuter avec Alwayso. Il devait écrire le texte des émissions, choisir le produit qui serait présenté en premier : la laque pour les cheveux ou le vernis à ongles irisé ? Si Mary se contentait de tels prétextes, il n'en était pas tout à fait satisfait quant à lui, et un doute lancinant le tenaillait. Il était las, il faisait un temps affreux, et il traînait un rhume depuis des semaines. Parfois aussi il s'en prenait à Mary. Comment un bonhomme aurait-il éprouvé du désir pour une femme qui se mettait au lit le visage enduit d'une épaisse couche de crème et de gros bigoudis roses dans les cheveux ? Pour éviter les disputes, il se taisait, mais il y avait de l'électricité dans l'air à la maison. Et un soir, l'orage éclata.

Ce fut un mardi, une semaine après qu'il ait engagé Amanda. Il passa la journée à revoir le texte de la publicité. Tout marchait bien. Il était de bonne humeur. C'était une de ces rares journées au cours desquelles il ne se produit aucun incident fâcheux. Le temps lui-même était de la partie. Il prit le train de cinq heures dix et, en arrivant chez lui, il ressentit une bouffée de bonheur. Il avait neigé la veille à New York et les trottoirs étaient déjà couverts de petits tas de boue grise. Mais Greenwich avait l'aspect d'une carte de vœux de Noël : propre, immaculé. La lumière qui brillait aux fenêtres de la maison semblait lui offrir une hospitalité chaleureuse. Les gosses braillaient « Papa ! papa ! » avec un enthousiasme assourdissant. Il joua avec eux en y prenant plaisir, mais fut soulagé quand la bonne les emporta pour les mettre au lit. Il prépara deux cocktails avant que Mary le rejoigne au salon. Elle accepta son verre sans sourire. Il la félicita pour sa coiffure :

— Je me coiffe comme ça depuis plus d'un an, répliqua-t-elle.

Il refusa de se laisser gagner par la mauvaise humeur de sa femme et répondit d'un ton léger en levant son verre :

— Alors c'est que ça te va particulièrement bien ce soir.

Elle le regarda d'un air soupçonneux.

— Tu rentres à l'heure. Qu'est-ce qui t'arrive ? Robin t'a laissé tomber ce soir ?

Il fut tellement furieux qu'il en avala son martini de travers. Mary l'accusa de se troubler et il quitta la pièce en claquant la porte. Il commençait à se sentir réellement culpabilisé parce que Robin l'avait, en effet, laissé tomber ce soir-là, ou plutôt, voici ce qui s'était passé : Amanda l'avait prié de la laisser partir à quatre heures et demie parce qu'elle avait une séance à cinq heures. Il s'en était secrètement réjoui. Robin serait donc seul au Lancer. Aussitôt après le départ d'Amanda il avait appelé celui-ci pour lui proposer de le retrouver au bar à cinq heures.

Robin s'était mis à rire.

— Pour l'amour du ciel, Jerry ! Je suis à peine de retour à New York. Amanda m'a invité à dîner. Nous nous verrons demain.

Il avait rougi de colère, mais au bout de quelques minutes, il s'était consolé. En voilà une affaire ! Demain il verrait Robin, et aujourd'hui, il ferait une surprise à Mary en rentrant de bonne heure.

Bien sûr, il s'était réconcilié avec Mary. Elle l'avait rejoint dans la chambre à coucher avec un martini en guise de présent d'armistice. La soirée finie, elle avait évité de s'enduire de crème et de mettre ses gros bigoudis roses. Pourtant, une fois au lit, il resta impuissant. Cela ne lui était encore jamais arrivé. Quoiqu'ils ne fissent l'amour que très épisodiquement depuis des années, les rares fois où ils s'étaient trouvés ensemble ils avaient consommé leur union de manière satisfaisante. Mary lui tourna le dos et il comprit qu'elle pleurait. Oubliant sa propre angoisse, il fit des excuses à sa femme, mit cet accident sur le compte des apéritifs et du surmenage que lui imposait la future émission de Christie Lane. Le lendemain il consulta son médecin habituel et lui demanda des piqûres de vitamines B-12. Le docteur Anderson lui répondit qu'il n'en avait aucun besoin. Il finit par exposer son problème en bafouillant et le médecin lui recommanda le docteur Archie Gold.

Il quitta Anderson indigné. Il n'avait aucun besoin d'un psychiatre. Si jamais Robin se doutait qu'il avait envisagé cette solution, il ne lui accorderait plus une minute de son temps, il le considérerait avec dégoût, il serait fichu.

Les propos du docteur Anderson lui semblaient absurdes. D'après celui-ci, beaucoup de gens parfaitement sains et normaux consultaient des psychiatres quand ils se heurtaient à un « blocage ». Eh bien non ! Jerry, lui, n'irait jamais se fourvoyer chez ces gars-là !

Mais Mary vint à bout de sa résistance. Elle l'accueillait le soir en souriant, ne mettait plus jamais de bigoudis, se fardait les yeux plus habilement et se blottissait contre lui dans le lit. Deux fois encore il essaya, mais en vain. Dès lors il n'osa même plus y penser. Chaque soir il se déclarait épuisé et, à peine couché, il s'appliquait à respirer d'une manière régulière, comme s'il dormait. Mais il était bien éveillé et il entendait Mary se glisser sans bruit dans la salle de bains pour retirer son diaphragme et sangloter doucement.

Le docteur Archie Gold lui parut étonnamment jeune. Il s'attendait à voir un vieux zèbre avec de grosses lunettes, une barbichette et un accent allemand. Mais Gold était rasé de près et même plutôt séduisant. La première séance ne donna guère de résultats. Jerry était entré directement dans le vif du sujet :

— Je n'arrive à rien au lit avec ma femme, pourtant, je l'aime et aucune autre ne m'attire. D'après vous, que peut-on y faire ?

Les cinquante minutes s'écoulèrent sans qu'il s'en rendît compte. Il fut stupéfait quand le médecin lui proposa trois séances par semaine. Il avait cru que, quelle que fût la cause de son impuissance, une heure suffirait à l'en guérir. Trois séances par semaine ! C'était ridicule. Mais il pensa à Mary, à ses sanglots étouffés dans la salle de bains... Bon, d'accord : lundi, mercredi et vendredi.

La troisième séance fut entièrement consacrée à Robin Stone. Puis, petit à petit, Amanda se profila dans leurs entretiens.

A la fin de la seconde semaine, Jerry se sentit mieux. Un examen de conscience freudien intense et des recherches parmi les souvenirs de sa petite enfance lui apportèrent quelques révélations troublantes, mais pas aussi graves qu'il l'aurait craint : s'il avait des problèmes de personnalité, il n'était pas inverti ! Cela le débarrassait au moins d'un doute qui le tenaillait sans qu'il se l'avouât.

Ils parlèrent ensuite de son père : un immense gaillard très viril qui s'était désintéressé de lui quand il était petit. Puis il l'avait emmené avec lui aux matches de football. Or ce père ne cessait de chanter les louanges de Robin Stone. « Ça, c'est un type formidable ! clamait-il. Voilà un homme ! » Jerry se rappela un épisode précis : Robin avait forcé le blocus de la ligne de défense pour marquer un but. Son père s'était levé d'un bond. « Quel lascar ! Prends-en de la graine, fiston ! »

Stimulé par les questions du docteur Gold, Jerry se remémora des bribes d'événements qui avaient lésé son *ego*. Quand son père avait compris que Jerry ne dépasserait pas un mètre soixante-douze, il avait ricané : « Comment ai-je pu engendrer un gringalet pareil, moi qui mesure près d'un mètre quatre-vingt-douze ? Tu dois tenir de la famille de ta mère. Tous les Baldwin sont des avortons. »

Ainsi, Jerry commençait à entrevoir certaines choses. En recherchant l'amitié de Robin, il s'efforçait tout simplement de plaire à son père. Cette découverte le ravit.

— Qu'est-ce que vous pensez de mon diagnostic ? demanda-t-il au médecin.

Les yeux gris du docteur Gold restèrent presque aussi froids.

— Répondez vous-même à vos propres questions, dit-il.

— Mais alors pourquoi est-ce que je vous paie si vous ne me dites rien ? demanda Jerry.

— Je ne suis pas là pour vous donner les réponses, mais pour vous pousser à les chercher vous-même.

La semaine qui précéda la première du *Christie Lane Show*, Jerry se rendit tous les jours chez le docteur Gold, renonçant à déjeuner. Le médecin préférait le recevoir entre cinq et six, mais Jerry tenait à passer au Lancer. Il expliqua que c'était une détente après l'effort quotidien. Boire quelques verres avec Robin le remettait d'aplomb. Mais quand il restait trop longtemps au bar il ratait son train et alors il se sentait coupable envers Mary, ce qui gâchait son dîner.

Le lendemain, Jerry se montrait agressif envers le docteur. Il exigeait de savoir pourquoi il se sentait coupable, pourquoi il tenait tant à retrouver Robin au Lancer chaque soir tout en sachant qu'il en aurait des remords vis-à-vis de Mary.

— Cela ne peut pas durer ainsi, répétait-il. Je veux faire plaisir à Mary et en même temps je veux faire ce qui me plaît. Pourquoi ne suis-je pas comme Robin qui n'est pas tenaillé par sa conscience ? Il est libre lui.

— D'après ce que vous me dites de Robin Stone, je ne le crois pas tellement libre.

— Il est son propre maître. Amanda elle-même sent très bien qu'elle n'a aucune prise sur lui.

Jerry raconta alors au médecin ce qu'Amanda lui avait avoué au sujet de la serviette qu'elle trimbalait dans son sac toute la journée. Le docteur Gold perdit son impassibilité habituelle et dit en secouant la tête :

— En voilà encore une qui aurait besoin d'être soignée.

— Mais non, c'est simplement une grande sentimentale amoureuse ! Archie Gold fronça les sourcils.

— Ce n'est plus de l'amour, c'est de l'esclavage. Une fille aussi comblée que vous le dites devrait également se sentir épanouie dans ses relations avec l'homme qu'elle aime. Alors, pourquoi entretient-elle de tels phantasmes ? Imaginez ce qui lui arriverait s'il la lâchait...

— Comment pouvez-vous juger ainsi des gens que vous ne connaissez même pas ?

— Quand revient-il à New York votre ami Stone ? demanda le médecin.

— Demain. Pourquoi ?

— Si je vous retrouvais à ce bar, vous pourriez me présenter à Robin et à Amanda ?

Jerry réfléchit :

— Mais comment expliquer votre présence ? Je ne pourrai tout de même pas dire : Hé Robin ! mon psychiatre a envie de t'observer !

Le docteur Gold se mit à rire.

— Je peux parfaitement passer pour un de vos amis. Nous avons à peu près le même âge.

— Je pourrais dire que vous êtes un médecin, sans préciser votre spécialité.

— J'ai toutes sortes d'amis. Vous pourriez en avoir un qui serait psychiatre.

Jerry se sentit nerveux quand il vit le docteur Gold pénétrer dans le bar. Robin en était à son troisième verre et justement ce jour-là Amanda travaillait tard. Elle devait retrouver Robin directement au restaurant italien.

— Tiens, j'ai oublié de t'en parler ! s'exclama Jerry quand le médecin s'approcha. J'ai retrouvé un de mes vieux camarades de classe... (Il posa la main sur l'épaule du docteur.) Archie (ce diminutif inhabituel faillit lui rester en travers de la gorge), voilà mon ami Robin Stone. Robin, je te présente le docteur Archie Gold.

Robin jeta un coup d'œil distrait vers le nouveau venu. Ce soir-là,

il était d'humeur taciturne. Il s'absorba dans la contemplation de son verre
Le médecin ne fut guère plus loquace. Ses yeux gris et froids étudiaient
Robin. Jerry jacassait, mal à l'aise. Il fallait bien que quelqu'un entretînt
la conversation !

Tout à coup, Robin se tourna et demanda :

— Vous êtes chirurgien, Archie ?

— D'une certaine manière.

— Oui, il trifouille dans l'inconscient, intervint Jerry avec une désinvolture forcée. Tu ne le croirais pas, Robin, mais Archie est un réducteur
de têtes, comme les Indiens Jivaros. Nous nous sommes retrouvés par
hasard à une réception et nous avons renoué connaissance. Il m'a dit...

— Freudien ? interrogea Robin coupant la parole à son ami.

Le docteur Gold hocha la tête.

— Psychiatre ou psychanalyste ?

— Les deux.

— Bigre ! Ce sont des études très longues. Et ensuite on doit aller
soi-même en analyse pendant deux ans, n'est-ce pas ?

Archie acquiesça :

— Vous êtes courageux, déclara Robin. Il faut un drôle de cran pour
faire des études avec un prénom comme Archibald. Vous devez être très
sûr de vous.

Le docteur Gold éclata de rire :

— Pas tellement, puisque je me fais appeler Archie.

— Vous avez toujours eu cette vocation ?

— Plus ou moins. Au début, je voulais être neuro-chirurgien, mais
on tombe trop souvent sur des incurables. Alors, on leur donne des drogues
pour atténuer les symptômes. Tandis qu'en analyse... (Le regard du docteur
Gold s'anima.) On peut *guérir*. Voir un patient retrouver son équilibre, se
mettre à fonctionner normalement, utiliser pleinement ses possibilités, et
trouver sa place dans la société... rien ne donne plus de joie. L'analyse
permet toujours d'espérer de meilleurs lendemains.

Robin sourit :

— Je vois votre point faible, toubib.

— Mon point faible ?

— Vous aimez les gens. (Il laissa tomber un billet de banque sur le
comptoir.) Hé, Carmen ! (La barmaid arriva aussitôt.) Payez-vous là-dessus,
servez une autre tournée à mes amis, et gardez le reste. (Il tendit la main
au docteur Gold.) Désolé de vous quitter, mais j'ai rendez-vous avec ma
petite amie.

Et il quitta le bar.

Le regard de Jerry resta fixé sur la porte. La barmaid déposa deux
verres sur le comptoir.

— De la part de M. Stone. Un type bien, hein ?

Jerry se tourna vers le médecin.

— Alors ? questionna-t-il.

— Comme l'a dit la barmaid, répondit Archie en souriant, c'est un
type bien.

Jerry ne put dissimuler une sorte de fierté.

— Qu'est-ce que je vous avais dit. Vous lui avez tapé dans l'œil.

— Evidemment. J'y tenais. J'ai tout fait pour ça.

— Vous croyez qu'il a des problèmes, des complexes ?

— Je n'en sais rien. Apparemment, il paraît sûr de lui. Et il semble aussi tenir sincèrement à Amanda.

— Qu'est-ce qui vous permet de dire cela ? Il n'a pas parlé d'elle.

— Si. En partant, il a dit : « J'ai rendez-vous avec *ma* petite amie » — forme possessive — et non pas « avec *une* petite amie » ce qui aurait impliqué qu'elle n'avait pas d'importance à ses yeux, qu'elle n'était qu'une fille parmi beaucoup d'autres.

— Et d'après vous, il m'aime bien ?

— Non.

— *Non* ? s'exclama Jerry éperdu. Alors, je lui déplais ?

Le docteur Gold secoua la tête.

— Il ne se rend même pas compte de votre existence.

En régie il y avait foule. Jerry trouva un siège dans un coin. Le *Christie Lane Show* devait commencer dans un quart d'heure. En direct ! Une journée de fous. Même Amanda s'était laissé contaminer par l'affolement général. A la dernière répétition elle avait tenu la bombe de laque dans la mauvaise main en cachant la marque Alwayso.

Seuls Christie Lane et son « clan » semblaient échapper à la frénésie ambiante. Ils plaisantaient entre eux, Christie faisait le pitre, les deux autres allaient chercher des sandwiches. On aurait cru que ces préparatifs fiévreux les amusaient.

Le public était déjà là. Amanda avait dit que Robin regarderait l'émission chez lui. Bizarre ! Robin n'avait fait aucun commentaire, ni dans un sens ni dans l'autre, à propos de l'engagement d'Amanda. A plusieurs reprises Jerry avait été tenté de la questionner à ce sujet, mais il avait eu honte.

Danton Miller arriva, impeccable comme à l'accoutumée dans son complet noir. Harvey Phillips, le chef d'agence, entra en trombe :

— Tout est paré, Monsieur Moss. Amanda est là-haut en train de retoucher son maquillage. Je lui ai dit de rester en robe bleue pour la laque, et de mettre la verte pour le rouge à lèvres.

Jerry acquiesça d'un signe. Il n'y avait rien d'autre à faire qu'attendre.

Dan ordonna à l'ingénieur du son d'ouvrir les micros. Le speaker monta sur le plateau pour lancer la bonne vieille plaisanterie qui chauffe la salle :

— Y a-t-il parmi vous quelqu'un de New Jersey ? (Plusieurs mains se levèrent.) Eh bien ! il y a un autobus qui vous attend dehors.

Les rires fusèrent. Jerry consulta sa montre. Plus que cinq minutes.

Tout à coup il se demanda si l'émission allait tenir le coup. La réaction de l'assistance ne signifiait rien. En studio, les gens avalent n'importe quoi du moment que c'est gratuit. Demain, les critiques paraîtraient dans les journaux. Mais à la télévision, l'opinion des critiques ne compte guère. Seules les cotes importaient. Il faudrait attendre quinze jours pour savoir. Bien sûr il aurait un premier chiffre dès le lendemain. Mais c'était seulement après la deuxième semaine qu'on pourrait juger du résultat.

Plus que trois minutes. La porte s'ouvrit. Ethel entra discrètement.

Dan la salua d'un hochement de tête sans aménité. Seul Sig se leva pour lui offrir sa chaise. Mais Ethel la refusa d'un signe.

— J'ai amené un photographe, dit-elle. Il est en train de prendre des instantanés de Christie pour les distribuer aux journaux. (Elle se tourna vers Jerry.) Après l'émission, je lui ferai prendre Amanda et Christie ensemble.

Elle sortit de la cabine et passa derrière le plateau.

Plus qu'une minute.

Tout à coup, le silence absolu se fit en régie. Artie Rylander brandit un chronomètre. Il abaissa le bras. L'orchestre se mit à jouer. Le speaker cria : « *Christie Lane Show* ! » L'émission démarrait.

Jerry décida d'aller derrière le plateau. Il n'avait plus rien à faire dans la cabine. Sa place était auprès d'Amanda pour le cas où elle serait prise de trac à la dernière minute.

Assise devant la coiffeuse dans sa loge, elle se donnait un ultime coup de peigne. Le calme de son sourire le rassura.

— Ne t'inquiète pas, Jerry. Je saurai tenir la bombe de manière à ce qu'on voie l'étiquette. Assieds-toi, détends-toi tu as l'air d'une mère anxieuse.

— Ce n'est pas toi qui m'inquiètes, mon chou, mais toute l'émission. N'oublie pas que c'est *moi* qui ai conseillé de la commanditer. Tu as assisté à quelques répétitions ?

Elle fit une petite grimace.

— Pendant environ dix minutes... jusqu'à ce que Christie Lane se mette à miauler comme un matou en chaleur. (Elle frémit. Puis, voyant l'expression de Jerry, elle ajouta :) Ne te fie pas à moi. Physiquement, il est répugnant, mais il plaira sans doute au public.

La porte s'ouvrit et Ethel fit irruption. Amanda leva les yeux. Manifestement elle ne la reconnaissait pas. Ethel parcourut la loge du regard et sembla étonnée de n'y trouver qu'Amanda et Jerry. Puis elle sourit et tendit la main.

— Bonne chance, Amanda.

Amanda lui serra poliment la main et parut intriguée. Elle avait l'impression d'avoir déjà vu cette fille quelque part.

— Je suis Ethel Evans... nous nous sommes rencontrées au PJ's l'an dernier. Vous étiez avec Jerry et Robin Stone.

— Ah, oui, je me souviens, fit Amanda.

Elle se détourna et se mit à se vaporiser de la laque sur les cheveux.

Ethel s'assit sur la coiffeuse, occupant carrément toute la place.

— Le destin semble vouloir nous réunir, dit-elle.

Amanda recula. Jerry donna à Ethel une petite tape sur l'épaule.

— Descendez de là, Amanda n'y voit plus clair. Ce n'est pas le moment de renouer connaissance.

Ethel se releva avec bonne humeur.

— Vous allez être sensationnelle, Amanda. Ils vont tous vous applaudir à tours de bras. (Elle retira son manteau et, sans demander la permission, l'accrocha à une patère.) Il faut bien que je laisse ça quelque part. Bon, je suis venue ici pour deux raisons : primo, vous souhaiter bonne chance, ensuite vous dire que j'aimerais quelques photos de vous avec Christie Lane après l'émission.

Amanda interrogea du regard Jerry qui acquiesça de la tête.

— D'accord, mais j'espère que ce ne sera pas long.

— Oh, rien que trois ou quatre flashes. (Ethel se dirigea vers la porte.) Je vais là-bas pour voir le spectacle. Rassurez-vous, Amanda, vous allez sûrement faire sensation. Ah ! si j'étais aussi belle que vous, le monde m'appartiendrait !

Amanda fut prise de sympathie. Il y avait une honnêteté sincère dans la voix d'Ethel et de la nostalgie dans ses yeux.

— Ma tante m'a souvent répété qu'il ne suffit pas d'être belle pour être heureuse, fit-elle.

— Ma mère m'en disait autant. Foutaises ! J'ai un Q.I. de cent trente-six. Mais je voudrais bien être moitié aussi intelligente et avoir une jolie frimousse. Je parie que votre Jules qui est si futé serait d'accord avec moi. A propos, il ne vient pas voir l'émission ?

— Robin, *ici* ? (L'idée de Robin assis dans le studio parut tellement absurde à Amanda qu'elle ne put s'empêcher de rire.) Non, il regardera l'émission, de chez lui.

Dès qu'Ethel fut partie, Amanda perdit son assurance. Elle saisit la main de Jerry.

— J'espère qu'il sera fier de moi. Il t'a dit quelque chose ?

— Et à toi ?

— Il a ri en disant que si je voulais entrer dans ce cirque, c'était mon affaire. (Elle leva les yeux vers la grosse horloge accrochée au mur.) Il est temps que je descende. Voilà dix minutes que l'émission a commencé.

— Tu en as encore cinq devant toi, sinon plus.

— Mais je voudrais téléphoner à Robin pour lui rappeler de regarder. Tu le connais. Il serait capable de boire quelques verres, de s'allonger et de s'endormir.

Le seul téléphone du studio se trouvait près de la porte du plateau. Jerry attendit pendant qu'Amanda formait le numéro dans le couloir plein de courants d'air. La musique était assourdissante, les applaudissements crépitaient. L'émission semblait aller bon train. Amanda raccrocha et la pièce de monnaie retomba.

— Occupé, dit-elle. Et je passe dans quelques instants.

— Il faut que tu y ailles. Tu dois contourner le rideau pour gagner ta place.

— Une seconde, je vais encore essayer.

— Laisse tomber ! ordonna-t-il presque brutalement. Tu dois être en place quand la camera se tournera vers toi. Vas-y. Je l'appellerai de ta part.

Il attendit qu'elle eût disparu derrière le rideau du fond de la scène et reparu dans le décor conçu pour Alwayso. Puis il forma le numéro de Robin. Pas libre. Il refit le numéro jusqu'au moment où commença la publicité. « Le salaud ! » jura-t-il intérieurement. « Il sait ce que doit éprouver cette pauvre fille, pourquoi lui fait-il cela ? »

Il se glissa dans les coulisses juste à temps pour rassurer d'un sourire Amanda dont le visage s'éclaira. Persuadée qu'il avait parlé à Robin, elle se montra parfaitement décontractée quand la caméra se tourna vers elle.

Jerry la regarda sur l'écran du récepteur de contrôle. Photogénique comme un ange. Pas étonnant qu'elle se fît de tels cachets.

La publicité terminée, elle le rejoignit les jambes tremblantes.

— Je m'en suis bien tirée ? questionna-t-elle, haletante.

— Mieux que bien. Tu as été magnifique ! Maintenant, détends-toi cinq minutes, puis va te changer pour présenter le rouge à lèvres. Après tu seras libre.

— Qu'a dit Robin ?

— Je ne l'ai pas eu. Toujours pas libre.

Les yeux d'Amanda brillèrent d'un éclat inquiétant.

Il l'attrapa par les épaules et la poussa vers l'escalier. « Monte te changer et surtout ne pleure pas, ton maquillage serait fichu.

— Mais, Jerry...

— Mais quoi ? Il est chez lui. Au moins nous en sommes sûrs. Il te regardait probablement tout en téléphonant. C'était peut-être une communication urgente. On peut l'avoir appelé d'Europe. Il y a peut-être la guerre. Il est peut-être tombé une bombe atomique quelque part. Le *Christie Lane Show* n'est quand même pas l'événement le plus important au monde. A nous voir, on croirait que nous avons découvert le remède contre le cancer !

Bob Dixon était en scène et chantait son pot-pourri. Christie Lane arriva en se dandinant.

— Vous avez entendu ça. Tous ces applaudissements c'était pour moi. Je suis le champion ! (Il posa la main sur le bras d'Amanda.) Et toi, t'es la plus belle. Si tu sais bien te débrouiller, tonton Christie ira peut-être jusqu'à t'offrir un sandwich après l'émission.

— Doucement, fit Jerry, en repoussant la main de Christie. Vous n'avez pas encore enterré Berl ou Gleason. Et puis pourquoi « *Tonton Chritie* » ?

— Vous n'avez pas entendu ce que le grand Dan n'arrête pas de répéter sur tous les tons, ces derniers mois ? Je suis le symbole de la famille. Je rappelle à tout le monde son vieil oncle ou son mari. (Il tourna ses yeux bleus larmoyants vers Amanda.) Et toi, ma poulette, est-ce que je te rappelle quelqu'un de ta famille ? J'espère que non parce qu'avec les idées que j'ai en tête, ça serait de l'inceste. (Sans donner le temps à Amanda de répondre, il poursuivit :) Ça y est, notre vedette de cinéma a fini son numéro. Maintenant, regardez bien, vous allez voir un gars du métier, un vrai, lui donner une petite leçon. Il fila vers la scène.

Amanda resta médusée, comme si elle ne pouvait en croire ses yeux. Puis elle pivota sur elle-même et se dirigea vers le téléphone.

Jerry la retint.

— Ah, non ! Tu as exactement six minutes pour changer de robe et retoucher ton maquillage. Après l'émission, tu auras tout le temps de l'appeler. Et je te parie un dîner au 21 qu'il t'aura regardée. Je vous invite même tous les deux pour fêter ton succès.

— Non Jerry... je veux être seule avec lui ce soir. Je lui apporterai des hamburgers. (Elle regarda Christie Lane sur la scène et haussa les épaules.) Je suis peut-être folle, mais j'ai l'impression qu'il plaît au public. Elle fila dans sa loge.

Amanda réussit le second flash publicitaire avec la même aisance que le premier. Quand l'émission se termina un vent de folie souffla dans le studio. Tout le monde se congratulait. Les commanditaires, Danton Miller, et les auteurs entouraient Christie et lui serraient la main. Les flashes éclataient. Ethel saisit le bras d'Amanda. « Je voudrais une photo de vous avec Christie.

(Amanda courut vers le téléphone. Ethel la suivit.) Votre coup de fil ne peut pas vous attendre ? C'est extrêmement important ! » Amanda ne répondit pas et forma le numéro. Elle sentait qu'Ethel ne la quittait pas des yeux. Jerry vint auprès d'elle comme pour la protéger. Cette fois, ce n'était pas le signal occupé. Le téléphone sonna chez Robin, une fois, deux fois, trois fois. Au bout de la dixième sonnerie, Amanda raccrocha. La pièce de monnaie retomba. Elle refit le numéro et entendit le même signal monotone. Jerry et Ethel la regardaient. Elle remarqua même qu'Ethel esquissait un sourire de mépris. Elle se redressa. Elle était la petite amie de Robin Stone ! Elle n'allait pas se donner en spectacle. Il serait furieux. La nuit précédente, alors qu'il la tenait dans ses bras, et que leurs corps se pressaient l'un contre l'autre, il lui avait caressé les cheveux en disant : « Tu es exactement comme moi, mon ange : indomptable. Quoi qu'on nous fasse, même si nous en souffrons, c'est à l'intérieur et personne n'en sait rien. Nous ne pleurons pas sur l'épaule des autres, ni même en secret. C'est pour cela que nous sommes faits l'un pour l'autre. » Elle se répéta ces mots pendant que le téléphone continuait à sonner dans le vide. Elle raccrocha, reprit distraitement sa pièce de monnaie et se tourna vers Ethel et Jerry en souriant.

— Que je suis bête ! Cette émission m'a abrutie. J'avais complètement oublié... (Elle se tut pour se donner le temps d'imaginer un mensonge.)

— Toujours pas libre ? questionna Jerry bienveillant.

— Oui ! Et tu sais pourquoi ? Il m'a dit qu'il décrocherait pour que personne ne le dérange pendant l'émission, ça m'était sorti de la tête. (Elle se tourna vers Ethel.) Eh, bien ! allons-y. Prenons ces photos, puis je filerai chez lui comme convenu. Jerry, sois un ange, appelle Cadi-Cars et fais-moi envoyer une voiture avec chauffeur.

Elle s'en alla vers Christie Lane, posa entre lui et Bob Dixon en offrant à la caméra son plus beau sourire, puis se dégagea rapidement. Il y avait, Dieu merci, assez de monde autour de lui pour qu'il ne la vît pas s'éclipser.

Jerry avait commandé la voiture. Il se demandait ce qui s'était passé réellement au téléphone. Qu'elle eût oublié lui semblait bizarre. Mais elle souriait avec une telle sincérité ! Elle rayonnait.

Ethel aussi avait remarqué l'assurance d'Amanda. Quand elle pensait que cette fille allait rejoindre Robin Stone chez lui !

Dès qu'elle se trouva dans l'obscurité protectrice de la voiture, Amanda perdit son sourire. Elle se fit conduire chez elle. Huit dollars de perdus pour cette luxueuse voiture alors qu'il y avait tant de taxis dans les parages. Mais c'était la seule solution. La maîtresse de Robin était partie la tête haute, et c'est ce qu'il aurait voulu.

Robin l'appela joyeusement de bonne heure le lendemain matin.

— Salut, vedette !

Elle avait passé la moitié de la nuit à se demander si elle allait se décider à le haïr, ou bien s'il n'avait pas quelque excuse pour lui avoir fait faux-bond. Et tout en s'interrogeant, elle l'appelait de tout son être. Finalement elle s'était promis de lui battre froid. Mais en lui téléphonant de si bonne heure, il la prit par surprise.

— Où étais-tu hier soir ? interrogea-t-elle. (Mon Dieu ! ce n'était pas du tout l'attitude qu'elle avait décidée.)

— Je te regardais, dit-il du même ton enjoué.

— C'est faux ! (Encore pire ! Mais elle était incapable de se contenir.) Je t'ai appelé aussitôt après. Ça ne répondait plus.

— C'est absolument exact. Ce maudit téléphone a sonné à l'instant même où l'émission commençait. C'était Andy Parino qui m'appelait. J'ai préféré lui parler plutôt que de regarder les pitreries de Christie Lane. Quand Andy a raccroché, quelqu'un d'autre m'a appelé. Pour ne pas être dérangé pendant ta grande scène, j'ai coupé la ligne.

— Mais tu te doutais bien que j'allais rappeler aussitôt après.

— J'attendais ton appel, en effet. Malheureusement j'avais oublié de rebrancher l'appareil.

— Et pourquoi ne m'as-tu pas appelée ensuite ? s'exclama-t-elle. Même si tu avais oublié que tu avais débranché l'appareil, tu aurais pu m'appeler après. Tu n'as pas pensé que j'aurais envie d'être avec toi après l'émission.

— Je sais ce qui se passe à la fin d'une première. Le studio est en effervescence. J'étais convaincu que les commanditaires faisaient la roue autour de toi et j'ai même cru que tu étais allée arroser ton succès avec eux.

— Robin, gémit-elle, désespérée. C'est avec toi que je voulais être. Tu es mon homme, non ?

— Bien sûr. (Sa voix était toujours aussi légère.) Mais ça ne signifie pas que nous soyons rivés l'un à l'autre. Tu ne m'appartiens pas. Ni toi, ni ton temps.

— Et tu ne le souhaiterais pas ? demanda-t-elle. (De pis en pis, mais elle ne put s'empêcher de tendre cette perche.)

— Non, parce que je devrais t'appartenir moi aussi. C'est impossible.

— Mais Robin, je veux t'appartenir... totalement. Je veux te donner tout mon temps. Il n'y a que toi qui comptes pour moi. Je t'aime. Je sais que tu ne veux pas te marier, mais ça ne m'empêche pas d'être tienne dans tous les sens du mot !

— Je veux que tu sois ma petite amie mais non pas que tu m'appartiennes.

— Mais si je suis ta petite amie, je désire tout partager avec toi. Tu dois le savoir. Et quand tu ne peux pas être avec moi, je veux rester à la maison et t'attendre. Robin, je veux t'appartenir.

— Je ne voudrais pas te faire de mal. (Sa voix était devenue sèche.)

— Ne crains rien pour moi. En tout cas, je ne te ferai jamais de reproches, je le jure.

— Alors, disons plutôt que je n'ai pas envie de souffrir.

Il y eut un instant de silence.

— Qui est-ce qui t'a fait souffrir, Robin ? reprit-elle.

— Je ne comprends pas.

— Celui qui n'a jamais souffert ne peut pas craindre la douleur. C'est parce qu'on t'a fait du mal que de temps à autre tu dresses une porte d'acier entre nous.

— Non, Amanda. Personne ne m'a jamais fait souffrir. J'aimerais pouvoir te dire qu'une sirène m'a brisé le cœur quand j'étais à l'armée. Mais il ne m'est jamais arrivé rien de tel. J'ai eu des tas de maîtresses, j'aime les femmes et j'ai l'impression de tenir plus à toi que je n'ai jamais tenu à aucune.

— Alors pourquoi ne te donnes-tu qu'à moitié, et pourquoi m'obliges-tu à en faire autant ?

— Je ne sais pas. Vraiment je n'en sais rien. Peut-être par un besoin stupide d'auto-défense. Mon instinct me dit que sans la porte d'acier dont tu parles, je serais en danger (Il rit.) Et puis zut ! il est trop tôt pour nous farfouiller l'âme. Et d'ailleurs peut-être que je n'ai pas d'âme. Peut-être que si on ouvrait la porte d'acier on ne trouverait rien derrière.

— Robin, je ne te ferai jamais de peine. Je t'aimerai toujours.

— Mon chou, rien n'est éternel.

— Tu veux dire que tu me quitteras un jour ?

— Je peux mourir dans un accident d'avion, n'importe quoi peut arriver, un fou peut me tirer dessus...

Elle rit.

— La balle s'aplatirait en te heurtant !

— Amanda... (Sa voix était gaie, mais elle comprit qu'il parlait sérieusement.) Aime-moi, mais ne me consacre pas ta vie. On ne peut jamais retenir personne. Même ceux qui s'aiment doivent se quitter tôt ou tard.

— Où veux-tu en venir ? demanda-t-elle, prête à éclater en sanglots.

— J'essaie de t'expliquer ce que j'éprouve. Il y a certaines choses que nous savons tous : premièrement, on ne peut retenir personne ; deuxièmement, on doit tous mourir un jour. Nous le savons, mais nous feignons de l'ignorer. Peut-être croyons-nous qu'à force de ne pas y penser, ça n'arrivera jamais. Mais au fond de nous, nous savons que c'est inévitable. Il en va peut-être de même au sujet de la porte d'acier : tant qu'elle est là et que je peux la fermer à mon gré, rien ne pourra me blesser.

— As-tu jamais essayé de l'ouvrir ?

— C'est précisément ce que je suis en train de faire en ce moment, dit Robin d'une voix calme. Je l'ai entrebâillée parce que je tiens assez à toi pour souhaiter que tu me comprennes. Mais je la referme à l'instant même.

— Non Robin, ne fais pas ça ! Aime-moi sans arrière-pensée. Tu veux refermer cette porte sur tes sentiments. Tu nies cette partie de ta personnalité. Tu es capable d'amour... mais tu te refuses à l'admettre.

— Peut-être... de même que je refuse de penser à la mort. Ecoute, même si je dois plier bagage à quatre-vingt-dix ans, j'en serai bien mécontent. Mais, si je ne m'attache pas, je partirai peut-être avec moins de regrets.

Elle ne répondit pas. Robin ne lui en avait jamais autant dit et elle devinait qu'il s'efforçait de lui expliquer quelque chose d'autre encore.

— Amanda, reprit-il, je tiens vraiment à toi et je t'admire parce que je crois que toi aussi, tu as ta porte d'acier. Tu es belle, ambitieuse, indépendante. Je ne pourrais jamais aimer ni respecter une fille dont je serais la seule raison de vivre. On doit être un peu faits l'un pour l'autre ! Alors, alors, tout va bien ?

Elle s'obligea à rire gaiement :

— Tout va bien. Sauf que si tu me fais faux-bond ce soir... (Il rit à son tour :) Je te réduis en miettes.

— Je ne m'y risquerais pas. Il paraît que les belles du Sud ont une droite percutante.

— Du Sud ? Je ne t'ai jamais dit que je suis du Sud.

— Tu ne me dis jamais rien, ma belle Amanda. C'est peut-être ce qui fait ton charme. Mais quand il t'arrive de parler de temps à autre, je subodore un parfum de Georgie ou d'Alabama.

— Tu te trompes d'état. (Après un court instant de silence elle reprit :) Je ne t'ai jamais rien dit sur moi parce que tu ne m'as jamais interrogée, mais je veux que tu saches tout.

— Mon chou, rien n'est plus assommant qu'une femme sans mystère. Quand on connaît tous les détails de son passé on constate qu'elle n'en a plus. Rien qu'une longue confession ennuyeuse.

— Mais en réalité tu ne sais rien de moi. Tu n'es pas curieux ?

— Quand nous nous sommes rencontrés j'ai vu tout de suite que tu n'en étais pas à ton premier tour de piste...

— Robin !

— Ne prends pas ça mal. Je suis trop vieux pour m'intéresser aux vierges.

— Il n'y a pas eu tellement d'hommes dans ma vie, Robin.

— Attention ! ne m'enlève pas mes illusions. Les filles qui m'accrochent sont toutes dans le genre de Marie-Antoinette, Mme de Pompadour et même Lucrèce Borgia. Si tu me disais qu'il n'y a eu qu'un petit camarade de classe, tu gâcherais tout.

— Très bien. Alors, je peux te parler du dictateur sud-américain qui a tenté de se suicider pour moi ou du roi qui m'a offert de renoncer au trône pour m'épouser. En attendant, je ferai des steaks et de la salade pour ce soir. D'accord ?

Il rit. Elle se réjouit de l'avoir mis de bonne humeur.

— D'accord. J'apporterai du vin. A ce soir.

Elle raccrocha et se laissa retomber sur le lit. Elle ne pouvait pas continuer à jouer ainsi la comédie. Mais elle savait qu'elle y serait obligée jusqu'à ce que Robin soit en confiance. Petit à petit il perdrait sa réserve, et alors... Elle bondit hors du lit et alla ouvrir les robinets de la baignoire. Elle était en pleine forme. Aujourd'hui elle avait deux séances, mais ce serait quand même un jour merveilleux. Le plus beau de sa vie. Car elle croyait tenir enfin la clé de Robin Stone : se montrer détachée, n'exiger rien ; moins elle demanderait, plus il donnerait. Et bientôt il découvrirait qu'ils étaient faits l'un pour l'autre. Cela viendrait si progressivement qu'il ne s'en rendrait même pas compte.

Pour la première fois depuis qu'elle connaissait Robin, elle se sentit pleine d'assurance. Tout irait bien, elle en était convaincue.

10

Amanda resta d'humeur optimiste pendant toute la journée. Quand une séance de pose durait trop et la fatiguait, elle récapitulait sa conversation téléphonique avec Robin, ce qui lui faisait oublier la lumière aveuglante des projecteurs, son torticolis et sa douleur sourde dans le dos. Elle entendait confusément l'opérateur lui dire :

— Le regard est bon !

— Très bien, mon chou ! Reste comme ça !

La dernière séance se termina à quatre heures. Elle passa voir Nick Longworth dans son bureau :

— Le programme de demain va te plaire, lui lança-t-il. Onze heures du matin à *Vogue*. Et c'est ton vieux pote Ivan Greenberg qui fait les photos.

Elle fut enchantée. Si sa première séance n'était qu'à onze heures elle pourrait rester au lit jusqu'à neuf heures et préparer le petit déjeuner de Robin...

Il faisait exceptionnellement chaud pour un mois de février. Une brume flottait dans le ciel et l'air était épais à couper au couteau. Ce n'était peut-être pas particulièrement sain, mais il faisait treize degrés et elle pouvait marcher dans la rue sans frissonner. Et parce qu'elle était heureuse, c'était le plus beau jour du monde.

Elle rentra chez elle, nourrit Slugger, mit la table, fit la salade et prépara les steaks.

Quand elle était avec Robin, elle était incapable de manger et se contentait de chipoter dans son assiette. En un an ses repas avec Robin lui avaient fait perdre cinq kilos. Elle n'en pesait que quarante-huit pour un mètre soixante-huit. Mais cela contribuait à la rendre photogénique et ne nuisait en rien à son visage.

Elle alluma la télévison et se brancha sur la IBC. Robin aimait regarder Andy aux informations de dix-neuf heures. Quand ils étaient ensemble, elle se blottissait dans ses bras pendant qu'il suivait l'émission ou parfois elle s'asseyait à l'autre bout de la pièce pour admirer son profil. Mais ce soir, elle regarderait l'écran parce qu'elle voulait s'intéresser à tout ce qui concernait Robin.

Gregory Austin attendait aussi le journal de dix-neuf heures. Une fois de plus il était obligé de rendre justice à Robin Stone : Andy Parino convenait parfaitement. Curieux ! C'était Gregory qui avait donné à Robin l'idée de prendre les informations en main et ce diable de gaillard se révélait exceptionnel comme manager. Seulement c'était un fantôme, ses visites étaient plutôt rares. On supposerait volontiers qu'un homme qui voyageait autant aux frais de l'IBC passerait au moins dire bonjour à son retour. *En Profondeur* suscitait des critiques élogieuses et sa cote ne cessait de grimper. Robin aurait donc normalement dû se présenter de temps en temps, ne serait-ce que pour recevoir des félicitations, mais il restait invisible.

Danton Miller, quant à lui, ne manquait jamais de faire la roue et de solliciter des louanges. Dès la fin du *Christie Lane Show* cet idiot était déjà pendu à son téléphone. Son émission prouvait d'ailleurs qu'il ne fallait pas surestimer l'intelligence du public. Un ramassis d'imbéciles ! Le *Christie Lane Show* n'avait aucune valeur. Judith n'avait jamais été capable de le regarder jusqu'au bout. Dans les journaux du matin les critiques se montraient féroces mais les cotes étaient sensationnelles. Bien sûr il fallait quinze jours pour que les sondages donnent un résultat certain à l'échelon national.

Voilà à quoi pensait Gregory, assis dans son studio lambrissé. Il alluma le récepteur de télévision en couleurs encastré dans le mur. Ses émissions préférées étaient les vieux films en technicolor qui passaient tard dans la soirée. On ne faisait plus de vedettes comme Rita, Alice Faye ou Betty Grable. Parfois, quand il ne parvenait pas à dormir, il mettait le réfrigérateur à sac et contemplait les stars dont il avait été secrètement amoureux dans sa jeunesse.

Le poste de télévision en couleurs de même que le studio, il les devait à Judith qui lui en avait fait la surprise. Elle avait tout fait installer l'année précédente pendant leur séjour à Palm Beach. Gregory s'était étonné des nombreux coups de téléphone secrets de sa femme et aussi de ses multiples voyages à New York sous prétexte d'aller chez le dentiste. A leur retour de vacances elle lui avait offert ce studio. Il y avait même un ruban tendu devant la lourde porte de chêne. Il en avait été ému. Judith avait beaucoup de goût. Toute l'installation avait un caractère parfaitement masculin. Il savait qu'elle avait choisi chaque meuble et que chacun avait une histoire. La grosse mappemonde, par exemple, avait appartenu, dit-on, au président Wilson. Le bureau était ancien. Il ne savait pas de quelle époque d'ailleurs et ne s'en souciait guère, mais il était capable de dire à quelle date exacte *Amos et Andy* avaient fait leur première émission, et il montrait encore fièrement la paire d'écouteurs qu'il avait bricolés dans son enfance. Les antiquités, les tapis orientaux, les vases de l'époque Ming, c'était l'univers de Judith. Elle connaissait les goûts de son mari et ne cherchait pas à lui imposer les siens. Elle lui avait acheté des meubles anciens mais, Dieu merci ! c'était du solide, et non pas de ces machins efféminés à pieds fins comme on en fabriquait en France.

— Voilà ton domaine, lui avait-elle dit. Je n'y viendrai que lorsque tu m'inviteras.

Gregory avait froncé les sourcils. Il éprouvait vaguement l'impression d'une dissonance sans pouvoir en préciser la cause. Cela lui rappelait leur installation ici sept ans plus tôt, lorsqu'il avaient quitté leur appartement au dernier étage d'un immeuble de Park Avenue. Judith lui avait alors montré les deux grandes chambres séparées par une double cloison servant de placards.

— N'est-ce pas merveilleux Greg ? avait-elle dit. Désormais tu auras ta chambre et moi la mienne. Nous aurons aussi chacun notre salle de bains.

L'idée d'une salle de bains pour Monsieur et d'une autre pour Madame lui avait plu, mais il avait suggéré de transformer une des deux chambres en petit salon.

— J'aime dormir dans la même pièce que toi, Judith, avait-il protesté.

Elle s'était mise à rire :

— Ne crains rien, mon amour. Je continuerai à me blottir contre toi tous les soirs pendant que tu liras le *Wall Street Journal*. Mais après, je pourrai dormir. Je ne serai plus obligée de te réveiller dix fois par nuit pour t'empêcher de ronfler.

Elle avait eu raison. C'était une solution pratique. Pourtant au début il ne voulait pas croire qu'il ronflait. Puis un soir il mit un magnétophone auprès de son lit. Le lendemain matin les ronflements que lui révéla la bande magnétique le bouleversèrent. Il se précipita chez le médecin qui éclata de rire.

— C'est tout à fait normal, Greg. A partir de la quarantaine, tout le monde ronfle. Vous avez la chance de pouvoir vous offrir deux chambres à coucher. La civilisation ne nous offre guère d'autres moyens pour faire durer l'idylle chez les couples âgés.

Après lui avoir offert son coin, Judith avait progressivement pris possession de la bibliothèque. Elle y avait introduit de la fantaisie, modifié les couleurs, changé les rideaux et certains meubles. Désormais cette pièce déplaisait à Gregory. Il la jugeait trop semblable aux appartements luxueux du Waldorf Towers. Judith avait transféré dans son studio les photos dédicacées d'Eisenhower et de Bernard Baruch. Les portraits encadrés d'argent des parents de Judith trônaient à leur place sur le somptueux bureau de la bibliothèque. Et après ? Pourquoi n'étalerait-elle pas ainsi ceux qui lui étaient chers ? D'autant plus que c'étaient des gens chic. Sa sœur jumelle, par exemple, authentique princesse italienne par son mariage, méritait bien un cadre d'argent. De même que les petites princesses qu'elle avait mises au monde. Quant au portrait à l'huile du père de Judith, il faisait très bon effet au-dessus de la cheminée, quoique ce vieux zèbre eût l'air de faire de la publicité pour un vin de grand millésime. Pour sa part, Gregory ne possédait pas de portrait de son père. En Irlande du Nord, on ne faisait pas de portraits à exposer dans des cadres d'argent. Judith et sa secrétaire travaillaient dans cette pièce tous les matins. Appliquer le mot « travail » aux occupations de Judith faisait sourire Gregory. Mais c'était peut-être une forme de travail que de préparer des réceptions, présider des fêtes de charité et surtout se maintenir sur la liste des femmes les plus élégantes. Il rendait cette justice à sa femme : elle organisait si bien sa publicité personnelle que la plupart des gens croyaient qu'elle possédait déjà une fortune personnelle avant son mariage avec un certain Gregory Austin d'origine irlandaise, qui s'était fait lui-même à la force du poignet. Gregory s'en amusait. Bien sûr sa femme avait toujours fréquenté la meilleure société, les meilleures écoles et terminé ses études à l'étranger, mais sa famille n'avait pas un sou vaillant. Le retentissement provoqué par le mariage de sa sœur avec un prince avait rendu célèbres les deux jumelles. Parfois il semblait à Gregory que Judith s'imaginait qu'elle avait toujours été riche. Et puis après ? Voir ses amies entrer dans le monde tandis qu'elle peinait pour se maintenir au même niveau que les autres avait dû la mettre à rude épreuve. On l'avait rayée du Bottin Mondain newyorkais lorsqu'elle l'avait épousé, mais il l'avait introduite dans un autre milieu, celui qui renversait toutes les barrières sociales : le milieu des gens célèbres. Rien n'abolit davantage les différences sociales que le talent. Danny Kaye avait été présenté à la cour d'Angleterre, un politicien de haut vol pouvait dîner avec un roi. Et le PDG de la IBC était le bienvenu partout. Judith était une fille formidable et il était bougrement content d'avoir pu lui offrir la seule chose qui lui manquait pour mener la vie qui lui convenait. Désormais Judith faisait partie du Tout New York. Bien plus, c'était elle qui donnait le ton à la mode. Elle figurait souvent en première page de *Women's Wear*, le journal lu par toutes les femmes. Quoi qu'elle portât, les autres l'adoptaient. Gregory s'émerveillait encore qu'elle fût sienne. Elle lui semblait toujours aussi inaccessible. Il avait eu cette impression dès le jour de leur première rencontre et il l'éprouvait encore.

Sept heures moins deux. Gregory se dirigea vers le bar, se servit un scotch léger à l'eau de Seltz et prépara un vermouth à la glace pour Judith. Il se demanda comment elle pouvait boire ce truc qui avait un goût de vernis. Mais Judith prétendait que toutes les beautés célèbres d'Europe s'en tenaient au vin ou au vermouth. Il s'agissait évidemment de beautés quadragénaires. Etrange qu'une femme aussi belle que Judith se soucie de son âge au point d'en avoir des complexes.

Elle entra après avoir frappé un petit coup sur la porte. Ce rite était une plaisanterie qu'il acceptait volontiers car, en demandant ainsi la permission de pénétrer dans son studio, elle effaçait son remords d'avoir pris possession de la bibliothèque. Elle s'installa dans le fauteuil en face de lui. Comme chaque soir au même moment, il pensa : « Dieu qu'elle est belle ! » A quarante-six ans, elle en paraissait à peine trente-cinq. Il éprouva une bouffée d'orgueil et de bien-être. Il l'adorait ce foutu studio : peu à peu, il était entré dans leur vie. Même lorsqu'ils allaient au théâtre ou recevaient à dîner, c'est là qu'ils prenaient toujours l'apéritif ensemble en regardant les actualités de dix-neuf heures. Gregory Austin n'acceptait jamais rien avant cette émission et Judith avait docilement organisé leur vie mondaine autour de cet axe.

L'émission commença :

— *Informations à sept heures* vous souhaite une bonne soirée. En fin de programme, nous aurons le plaisir d'accueillir un visiteur inattendu en la personne de M. Robin Stone, directeur des Actualités de la IBC, le célèbre producteur et animateur de *En Profondeur*.

— Qu'est-ce que ça veut dire ! s'écria Gregory en se penchant vers le poste.

— Depuis quand Robin Stone passe-t-il au journal de dix-neuf heures ? interrogea Judith.

— Première nouvelle !

— Il est très bel homme, remarqua Judith. Mais quand je l'observe dans *En Profondeur*, j'ai l'impression qu'il s'efforce de ne rien laisser transparaître de lui-même devant la caméra. Comment est-il dans la vie ?

— Exactement comme sur l'écran. Tu l'as très bien décrit. Cet homme est une énigme. Superficiellement il a beaucoup de charme, mais il est toujours parfaitement impersonnel.

Une lueur d'intérêt éclaira le visage de Judith.

— Invitons-le à dîner un de ces soirs. J'aimerais faire sa connaissance.

— Tu ne parles pas sérieusement, fit Gregory en riant.

— Pourquoi pas ? Plusieurs de mes amies meurent d'envie de le connaître. On ne le voit jamais en public et il commence à devenir célèbre.

— Judith, tu connais mon principe : je ne fréquente jamais ceux avec qui je travaille.

— Quand nous sommes sur la côte nous allons pourtant à leurs réceptions.

— Uniquement parce que je sens que tu en as envie. D'ailleurs c'est différent. Ce sont eux qui nous reçoivent, nous ne les invitons pas chez nous. Notre petite fête du jour de l'An leur suffit, et c'est très bien comme cela. Ils ont l'impression d'être présentés à la Cour.

Elle lui tapota la main.

— Pour un homme qui a grandi dans la Dixième Avenue, tu es vraiment trop snob.

— Non. J'ai le sens des affaires. Personne ne se soucie moins que moi de dîners mondains ou de position sociale, mais je sais que les gens recherchent toujours ce qui est difficile à obtenir.

Elle rit.

— Gregory, tu n'es qu'un sale roublard !

— Bien sûr. D'ailleurs notre réception du jour de l'An n'est pas ouverte à tout le monde. Parmi les gens de la IBC bien peu réussissent à s'y faire inviter.

Elle sourit.

— Notre cocktail est tellement vieux jeu que c'est le dernier cri. Et c'est moi qui en ai eu l'idée. Sais-tu que d'après *Women's Wear Daily* c'est devenu un des événements mondains de l'année. Ernestine Carter lui a même consacré un article dans le *Times* anglais ?

— Cette année il y avait trop de personnalités du spectacle.

— Mais ils sont indispensables, mon chéri. Ce sont eux qui mettent de l'ambiance dans notre soirée. Et puis il n'est guère facile de rassembler les gens bien ce jour de l'année.

Il lui fit signe de se taire un instant et écouta une information qui l'intéressait. Judith ne dit rien jusqu'au début de la publicité.

— Quand pourrons-nous aller à Palm Beach ? reprit-elle. D'habitude nous partons fin janvier. Mais tu voulais absolument rester en ville jusqu'à la première de cet atroce *Christie Lane Show*.

— Je compte même rester quelques semaines de plus. Je crois que nous pouvons faire un véritable tabac. Mais vas-y, toi. Je te rejoindrai au plus tard le premier mars.

— Alors je partirai jeudi. La maison sera prête pour ton arrivée.

Il hocha distraitement la tête. Les informations recommençaient.

Judith regarda l'écran sans trop y prêter d'attention :

— Robin Stone devra donc attendre jusqu'au prochain jour de l'An...

— Et même davantage, fit Gregory en tendant son verre à sa femme pour qu'elle le remplisse de nouveau.

— Pourquoi cela ?

— Parce que si je le recevais je serais obligé d'inviter tous les autres directeurs. Réfléchis un peu ! Danton Miller n'est venu pour la première fois chez nous que cette année...

Il se pencha pour augmenter l'intensité du son.

Elle lui tendit son verre puis s'appuya sur son épaule.

— Greg, mon chéri, Danton Miller n'intéresse pas du tout mes amies mais elles tiennent à connaître Robin Stone.

Il lui tapota la main.

— Nous verrons. Nous avons un an devant nous... Il peut se passer tant de choses d'ici là.

De nouveau il se pencha en avant. Robin apparaissait en gros plan sur l'écran. Gregory comprit pourquoi il intéressait tant les amies de Judith : Il était sacrement beau garçon !

— Bonsoir... (La voix sèche retentit dans toute la pièce.) Parmi les informations de ces derniers jours une authentique aventure de piraterie nous a tous passionnés. Il s'agit de la saisie en haute mer du navire de croisière *Santa Maria* par vingt-quatre exilés politiques portugais et espagnols et six membres de l'équipage. Cette mutinerie était dirigée par Enrique Galvâo, ancien capitaine de l'armée portugaise. Voilà trois jours, le 31 janvier, l'amiral Smith est monté à bord de la *Santa Maria* à quelque trente miles au large de Pernambouc, au Brésil. Il a conféré avec Galvâo. Je viens d'apprendre que Galvâo consent à permettre aux passagers de quitter le navire aujourd'hui. Le président du Brésil, Janio Quadros, a promis l'asile politique à Galvâo et à ses vingt-neuf partisans. Il y avait des touristes américains à bord de la *Santa Maria*. Le reporter qui vous parle tient à obtenir une interview filmée d'Enrique Galvâo. Je pars ce soir-même pour le rencontrer. J'espère vous rapporter, pour l'émission *En Profondeur* cette interview avec Galvâo et peut-être des entretiens avec quelques-uns des passagers américains qui se trouvaient à bord du navire lorsqu'il fut saisi par les pirates. Bonne nuit et merci de votre attention.

D'un geste rageur, Gregory éteignit le poste.

— Quel culot ! Qu'est-ce qui lui permet de filer comme ça sans demander l'avis de personne ? Pourquoi ne m'en a-t-on pas parlé ? Voilà quelques semaines, il était à Londres. Je veux des émissions en direct, et non en différé. C'est notre meilleur argument de vente par rapport aux autres chaînes.

— Robin ne peut pas faire *En Profondeur* constamment en direct, Greg. C'est parce qu'il présente des gens célèbres dans le monde entier que son émission jouit d'un tel prestige. Personnellement, je trouve que c'est une idée passionnante de filmer Galvâo pour *En Profondeur*. Je serais heureuse de voir l'homme qui a le courage, à soixante-six ans, de s'emparer d'un paquebot de luxe transportant six cents passagers.

Mais Gregory avait déjà décroché le téléphone et demandé à la standardiste de l'IBC de lui dénicher Danton Miller. Elle rappela cinq minutes plus tard.

— Dan ! aboya Gregory rouge de colère. Je parie que vous ne savez pas ce qui se passe ! Vous êtes en train de vous prélasser au 21...

Dan l'interrompit tranquillement : « En effet, je me détendais sur un joli sofa du vestibule, en regardant nos informations de sept heures.

— Alors vous étiez au courant du départ de Robin pour le Brésil ?

— Pourquoi l'aurais-je été ? Il ne doit de comptes qu'à vous seul.

Gregory rougit encore plus.

— Mais nom de Dieu ! pourquoi ne m'a-t-il rien dit ?

— Peut-être a-t-il essayé de le faire. Vous n'étiez pas au bureau aujourd'hui. J'ai voulu vous joindre à plusieurs reprises dans l'après-midi pour vous communiquer les dernières nouvelles sur le *Christie Lane Show*. En province, la presse est excellente. J'ai posé le rapport sur votre bureau.

Gregory grimaça de colère.

— En effet, je me suis absenté cet après-midi. J'ai tout de même le droit de prendre une demi-journée de liberté par mois ! (Il venait d'acheter deux chevaux et était allé les voir à Westbury.) Alors quoi, bon sang ! Si je ne suis pas là un seul jour toute la chaîne part à vau-l'eau !

— Je ne pense pas que la IBC va s'effondrer parce qu'un lascar se tire au Brésil. Mais je trouve abusif que Robin Stone se serve des informations de sept heures pour sa publicité personnelle. Aucun directeur de service ne devrait se permettre de prendre une telle liberté. Malheureusement Robin n'est pas sous mes ordres. Puisqu'il ne pouvait pas vous joindre peut-être s'est-il servi de ce moyen pour vous prévenir. C'est plus rapide qu'un télégramme.

Gregory raccrocha d'un geste violent. Que Danton Miller se réjouisse de la situation transformait sa colère en une fureur aveugle. Il resta le regard fixe et les poings serrés. Judith lui offrit un troisième verre de scotch et lui sourit.

— Tu te conduis comme un enfant. Robin Stone tente un grand coup pour ta chaîne. Tous ceux qui ont regardé le journal télévisé attendront avec impatience l'interview de Galvâo. Maintenant, détends-toi. Bois. On nous attend au Colony à huit heures et quart pour dîner.

— Je suis prêt.

Elle lui caressa doucement la joue.

— Tu pourrais peut-être te donner un petit coup de rasoir électrique. Nous dînons avec l'ambassadeur Ragil et tu guignes trois de ses pur-sang arabes. Alors, sois gentil. Souris. Fais-moi ton fameux charme Austin.

Gregory se dérida.

— Que veux-tu, je suis le patron et j'ai une mentalité de patron, reconnut-il à contre-cœur. Mais tu as raison. Cette annonce est une excellente initiative publicitaire. Mais il s'agit de *ma* chaîne. Je l'ai créée, je l'ai développée. Je n'aime pas qu'un autre prenne des décisions sans me consulter.

— Tu n'aimes pas non plus que ton entraîneur achète des chevaux sans que tu les aies vus. Tu ne peux pas être partout à la fois.

— Tu as toujours raison, Judith, fit-il en souriant.

Elle sourit à son tour.

— Et j'espère qu'au prochain jour de l'An, Robin Stone aura mérité de figurer parmi nos invités...

En entendant les informations Amanda resta figée devant l'écran. Ce n'était pas vrai! D'une seconde à l'autre la sonnette retentirait et elle trouverait Robin sur le seuil de sa porte. Probablement était-il déjà en route, et elle le conduirait ensuite à l'aéroport.

Elle attendit dix minutes. A huit heures et quart, elle avait fumé six cigarettes. Elle l'appela chez lui. Le téléphone sonna en vain. Elle appela la IBC. Personne ne savait par quel vol partait M. Stone. On lui suggéra d'interroger la Pan Am.

A huit heures et demie le téléphone sonna. Elle se précipita si rapidement pour décrocher qu'elle se cogna la cheville contre la table.

— Ivan le Terrible à l'appareil.

Le visage d'Amanda se décomposa. Elle aimait bien Ivan Greenberg. mais des larmes de dépit coulèrent sur son visage.

— Tu m'entends, Mandy?

— Oui, dit-elle à voix basse.

— Excuse-moi, je te dérange peut-être?

— Non, mais je regardais la télévision.

Il éclata de rire.

— Je comprends. Maintenant que tu es une grande vedette de la télé il faut que tu surveilles la concurrence.

— Ivan, je t'adore mais je veux que ma ligne reste libre. J'attends un appel important.

— D'accord, ma colombe. Seulement j'ai entendu les informations de sept heures. Maintenant que ton grand homme est parti, j'espérais que tu consentirais à manger un hamburger avec moi.

— Libère ma ligne, Ivan, je t'en prie.

— Bonne nuit. Dors bien. Demain, tu poses à onze heures.

Elle raccrocha et resta l'œil fixé sur l'appareil. A neuf heures et quart, elle appela la Pan Am. Oui, il y avait bien un M. Robin Stone à bord de l'avion de neuf heures qui était déjà parti. Elle tomba dans un fauteuil et les larmes tracèrent des sillons noirs sur ses joues. Non seulement il ne lui restait plus de rimmel, mais ses faux cils se détachaient. Elle les enleva et les posa sur la petite table basse auprès d'elle.

Elle se leva lentement. Il lui fallait parler à quelqu'un. Voilà longtemps qu'Ivan lui servait de confident. Elle forma son numéro. Il répondit à la deuxième sonnerie, elle en soupira de soulagement.

— Ivan, j'ai envie d'un hamburger.

— Bravo ! J'étais sur le point de sortir. Rejoins-moi à l'Auberge du Tigre. C'est un nouveau bistrot au coin de la Cinquième Avenue et de la Cinquante-troisième Rue, tout près de chez toi.

— Non, achète les hamburgers et apporte-les ici.

— Je vois. La séance de torture.

— Je t'en prie, Ivan. J'ai des steaks et de la salade, si tu préfères.

— Non, ma colombe. Si tu restes chez toi tu vas piquer une crise de nerfs et demain tu auras les yeux gonflés. Tu poses pour moi, n'oublie pas. Quand M. Stone est parti pour Londres j'ai dû régler les éclairages pendant une heure le lendemain. Si tu veux un hamburger, tu l'auras à l'Auberge du Tigre. En public tu seras obligée de te dominer.

— Je suis affreuse. Il me faudrait une heure pour me maquiller les yeux.

— Tu n'as jamais entendu parler de lunettes noires ?

Elle n'eut pas le courage de discuter.

— D'accord, j'y serai dans un quart d'heure.

L'Auberge du Tigre connaissait une grande vogue. Presque toutes les tables étaient occupées. Au passage, Amanda avait reconnu quelques mannequins et plusieurs agents de publicité. Elle chipotait son hamburger en regardant Ivan sans rien dire, quêtant une réponse.

Il se gratta la tête.

— Je ne sais pas, fit-il. Il t'aime le matin, et le soir et il disparaît. Avec toutes les célébrités qui traînent à New York, il a fallu que tu choisisses un type comme Robin Stone. Ce garçon n'arrive même pas à ta hauteur. Qu'est-ce que c'est, après tout ? Un petit journaliste de télévision.

— Pas seulement. Il est directeur des Informations à la IBC.

Ivan haussa les épaules.

— La belle affaire ! Je parie que si je prononçais vos deux noms, à chaque table on saurait qui tu es mais on demanderait : « Robin *qui* ? » Quand tu entres dans un restaurant, tout le monde te reconnaît, tandis que ton Robin Stone...

Elle esquissa un petit sourire.

— Robin ne tient pas à être connu. Nous ne fréquentons même pas les endroits à la mode. Il raffole d'un certain restaurant italien et du Lancer. Parfois, je fais la cuisine.

— Bravo ! voilà une vie palpitante.

— La vie que j'aime, Ivan. Ecoute, je suis à New York depuis cinq ans. J'ai été partout. Mais rien ne m'intéresse sauf d'être avec lui. Je l'aime.

— Pourquoi ?

Elle traça les initiales de Robin sur la nappe de papier humide.

— Je voudrais bien le savoir.

— Il est mieux que les autres au lit ? Il a des trucs inédits ?

Elle détourna la tête et des larmes coulèrent au-dessous des lunettes noires.

— Allons, allons, Mandy. Il y a des gens qui te regardent.

— Ça m'est égal, je ne les connais pas.

— Mais eux te connaissent ! Ce mois-ci, tu figures sur deux couvertures de magazine. Tu as vraiment la cote. Réjouis-toi, et tires-en profit.

— Je m'en moque.

— Eh bien, tu as tort. Ton Robin Stone ne va sûrement pas payer ton loyer ni t'offrir des manteaux de fourrure. Gagner de l'argent ne signifie donc rien pour toi ? Tu as des parents riches ou d'autres ressources ?

— Non. Je vis de mon travail. Ma mère est morte. J'ai été élevée par une tante et maintenant c'est moi qui la fais vivre.

— Alors, pense aux choses sérieuses. Fais-toi un maximum cette année, parce que l'an prochain ce sera peut-être le tour d'une autre. Et si tu as la vedette, ne sois pas stupide, fais-toi payer en vedette et tu resteras alors célèbre pendant peut-être une dizaine d'années.

Les larmes continuaient à couler le long des joues d'Amanda.

— Ça ne me donnera pas Robin.

— A quoi joues-tu, minette ? A te détruire ? Ça t'amuse de rester à pleurer en pensant à lui ? Tu crois que c'est ainsi qu'il te reviendra ?

— Tu crois que je l'ai déjà perdu ?

— Je le souhaiterais, parce que ce garçon-là, il porte la poisse. Un type indifférent comme lui démolit tout ce qu'il touche.

— Non. C'est ma faute. Je le sais. Ce matin au téléphone je l'ai exaspéré.

— Mandy, tu es malade. Peut-être que rien n'est perdu. Et Robin vaut peut-être mieux que ça. Mais toi, tu n'es qu'une gourde.

— Pourquoi ? Parce que j'ai du chagrin ? Il y a de quoi. Après ce qu'il m'a fait !

— Qu'est-ce qu'il a fait ? Son boulot l'a obligé à partir sans te dire au revoir. La belle affaire ! Ça m'est arrivé à moi aussi, et souvent. Tu n'en as pas fait un plat parce que nous sommes amis.

— Mais l'amitié n'est pas l'amour.

— Alors l'amour bouzille tout, d'après toi ?

Elle parvint à sourire.

— Ecoute, reprit-il, Robin n'est peut-être pas un mauvais cheval, après tout. Je ne le connais que d'après ce que tu m'en dis. Mais toi, tu devrais te manier le train pour réussir dans ton métier. Rends-le fier de toi. C'est ainsi qu'on retient un homme.

— A t'entendre, Ivan, tout paraît si simple. D'ici cinq minutes, je m'imaginerai qu'il va m'envoyer un télégramme.

— Ça pourrait arriver. Mais tu aurais tort de te contenter de l'attendre. Arrange-toi plutôt pour qu'il croie que tu te donnes du bon temps.

— Ça lui donnera un prétexte pour me laisser tomber.

— D'après ce que tu me dis de lui, ce n'est pas le genre à chercher un prétexte. Il fait ce qui lui plaît. Essaie de paraître indifférente. Sors avec d'autres types en son absence.

— Avec qui ?

— Je ne loue pas de chevaliers servants, ma colombe. Tu connais sûrement un tas d'hommes.

Elle secoua la tête.

— Depuis un an je n'ai vu que Robin.

— Personne ne t'a fait des avances ?

— Personne à qui j'aie prêté attention, dit-elle avec un petit sourire. L'abominable Christie Lane par exemple. Mais ce n'était pas une véritable proposition. Il m'a seulement invitée à sortir avec lui.

— Tu pourrais trouver pire.

Elle scruta le visage d'Ivan. En voyant qu'il parlait sérieusement, elle fit la grimace.

— Qu'est-ce que tu lui reproches, à Christie Lane ? reprit-il.

— Tu as vu son émission ? Il n'a pas le moindre sex-appeal. C'est un minable.

— A vrai dire je ne le supplierais pas de poser pour *Esquire*. C'est le brave type banal dont le hasard a fait une vedette.

— La vedette de son propre show, un point c'est tout. As-tu lu l'article du *Times* ? Ses émissions ne dureront qu'un trimestre.

— En trois mois tu te ferais une belle publicité si tu te montrais avec lui.

— Je ne peux pas le supporter.

— Je ne te dis pas de coucher avec lui, simplement de laisser un peu de sa célébrité déteindre sur toi.

— Ce ne serait pas honnête vis-à-vis de lui.

Il lui releva le menton.

— Tu es une chic fille, et une brave gourde qui n'a pas encore une seule ride. Tu es même assez gourde pour croire que ça durera toujours. Mon chou, j'ai trente-huit ans et je peux encore m'envoyer toutes les gamines de dix-huit ans qui me font envie. Quand j'en aurai quarante-huit — sinon cinquante-huit — et la barbe grise, je le pourrai toujours. Mais *toi*, quand tu auras trente-huit ans, tu ne poseras plus que pour les robes de soirée, celles qui descendent jusqu'aux chevilles. Et encore si tu ne te laisses pas aller. Mais pour ce qui est du visage ou des mains, terminé. A ce moment-là, même un minus comme Christie Lane ne daignera plus te regarder. Mais, en attendant — peut-être pendant dix ans encore — tu peux avoir tout ce que tu veux.

— Sauf l'homme que j'aime.

Ivan soupira.

— Ecoute, tu es une fille bien. Je le sais. Sinon je ne perdrais pas mon temps avec toi alors que j'ai une masse de boulot à faire et trois souris qui n'attendent qu'un signe de moi. Regarde les choses en face. Robin n'est pas comme les autres. C'est une espèce de superbe robot. Défends-toi, minette. C'est ta seule chance.

Elle acquiesça distraitement tout en dessinant les initiales de Robin sur la table.

11

Jerry Moss fut, lui aussi, blessé par le départ de Robin. Ils s'étaient vus à déjeuner et Robin lui avait fixé rendez-vous à cinq heures au Lancer. Jerry avait attendu jusqu'à sept heures et n'avait compris ce qui s'était passé que parce que Mary, par hasard, avait entendu Robin au journal de sept heures.

Il eut le lendemain une longue conversation avec le docteur Gold. Non, le docteur Gold ne pensait pas que Robin fût méchant par plaisir. A son avis, la plupart des actes de Robin partaient d'un désir inconscient de n'avoir d'obligation envers personne. Robin n'exigeait rien de ses amis et, en retour, il souhaitait que l'on n'exigeât rien de lui.

Sa conversation avec Ivan avait réconforté Amanda. Elle était sortie de sa torpeur et, en allant participer au second *Christie Lane Show*, elle n'éprouvait plus qu'un légitime ressentiment. Les répétitions se déroulèrent dans le même climat d'agitation frénétique, mais toute anxiété avait disparu. Il régnait ce parfum de gaîté, de bon vouloir et de confiance qui imprègne l'atmosphère quand on pressent le succès.

Cette fois, quand Christie Lane l'invita à grignoter quelque chose après le spectacle, elle ne refusa pas. Ils allèrent au *Darny's Hideaway* avec « le clan » et Agnès, une danseuse du *Quartier Latin* qui était manifestement la petite amie de l'un d'entre eux. Amanda était assise à côté de Christie, mais quand il lui eût demandé « Qu'est-ce que tu prends, poupée ? » la conversation entre eux en resta là. Jack E. Leonard, Milton Berle et d'autres artistes vinrent féliciter Christie. Ces marques d'attention lui faisaient boire du petit lait et il s'essaya à échanger quelques bons mots avec eux. Mais quand il vit Milton Berle retourner s'asseoir à une des premières tables, il dit à Eddy Flynn :

— On nous a collés au poulailler.

La danseuse intervint d'une voix grêle :

— Non, Chris, je te jure. Si on t'a placé dans cette salle, c'est que t'es quelqu'un. On l'appelle « la Tanière ». Les caves endimanchés, on les expédie ailleurs. Ici, c'est le coin « dans le vent ».

— Qu'est-ce que t'y connais ? grogna Christie.

— Je le sais, dit-elle calmement en beurrant un morceau de pain. Je suis déjà venue ici avec un cave. Oh, bien avant de te connaître, mon chéri, se reprit-elle en caressant le bras d'Eddie. On nous a directement embarqués dans une autre salle. J'ai tout de suite repéré le coin chic, quand j'ai vu tous les gens connus installés où nous sommes. Mais ce brave gogo était du Minnesota et il n'y voyait que du feu. Il collectionnait les pochettes d'allumettes pour pouvoir les montrer chez lui et il était béat comme une moule.

— Possible... mais Berle a la table de devant. Et les sœurs McGuire ont l'autre.

— Marty Allen est placé le long du mur, fit remarquer Kenny Ditto.

— Peut-être... mais vers l'avant. Un jour, on m'y mettra à la première table, et puis un jour aussi j'irai au Club 21.

Amanda fut étonnée :

— Vous n'y êtes jamais allé ?

— Si, une fois, répondit Christie. Je sortais une poulette et la seule chose qui l'intéressait, c'était de dîner au 21. J'ai réservé par téléphone et pan, on nous a collés au premier, dans un coin. Comme dit Agnès, la petite avec qui j'étais n'y voyait que du feu. Elle aussi collectionnait les pochettes d'allumettes. Mais moi, je savais. (Il parut songeur.) Je veux qu'on parle de moi dans les journaux. Cette Ethel Evans se débrouille comme un manche. Eddie, dès demain, il nous faut un attaché de presse à nous. Renseigne-toi et dégotte-nous quelqu'un à cent dollars la semaine. Tout ce que je lui demande, c'est de faire citer mon nom trois fois par semaine. Rien de plus.

Cela dura tout le dîner. Christie Lane et son « clan » organisaient son avenir. La danseuse mangeait tout ce qui lui tombait sous la main. Amanda apprit que le vrai nom de Kenny Ditto était Kenneth Kenneth — mais que Christie lui avait trouvé ce pseudonyme, et que Kenny songeait à le faire légaliser. Kenny Ditto sonnait mieux pour un nom d'auteur, et il se remarquait davantage au générique de l'émission.

Amanda se sentait étrangement déplacée en leur compagnie, mais elle était satisfaite d'être laissée en paix.

Quand ils la ramenèrent chez elle, Christie resta dans la voiture et laissa Eddie la reconduire à sa porte.

Il lui cria :

— On se voit demain, poupée ? Il y a une première au Copa.

— Téléphonez-moi, fit-elle, avant de disparaître à l'intérieur de l'immeuble.

Il l'appela le lendemain matin et elle accepta de sortir avec lui. Cela valait toujours mieux que de rester à la maison à se ronger les sangs à cause de Robin. Ce soir-là, Christie débordait d'assurance. Au Copa, il était chez lui. On les avait placés à une table en bordure de piste. Elle était coincée entre Christie, « le clan » et le nouvel attaché de presse, un maigrichon qui travaillait pour une grande agence de publicité. Il expliquait qu'aucun chargé de presse sérieux n'accepterait de travailler à ce tarif mais si Christie payait comptant, il voulait bien, par sympathie, se charger de lui décrocher ses trois échos hebdomadaires.

Après le Copa, Christie voulut aller à la Brasserie, mais Amanda prétexta une séance de pose matinale. Le lendemain matin, Ivan l'appela pour la féliciter à propos d'un écho paru dans les potins de Ronnie Wolfe, où l'on saluait son idylle avec Christie comme l'événement du jour. « Te voilà devenue plus raisonnable » lui dit-il. Elle fut d'abord effrayée, mais après être restée trois jours de plus sans nouvelles de Robin, elle décida de revoir Christie. Une fois encore, ce fut une première dans une boîte de nuit, une fois encore, elle se retrouva coincée entre « le clan » et l'attaché de presse, avec, en prime, un couple de danseurs de second ordre qui les avaient attirés là dans l'espoir de passer dans l'émission de Christie.

Le soir du troisième *Christie Lane Show*, ce fut du délire. Le sondage bimensuel venait de paraître et Christie Lane était dans les vingt premiers ! Les commanditaires s'étaient dérangés, Danton Miller serrait la main de tout le monde, et tout le monde se congratulait. Alwayso donna sur-le-champ son accord à Dan pour le renouvellement de la série la saison prochaine. Un contrat de trente-neuf semaines. Après l'émission, Danton Miller offrit une petite soirée au 21 pour fêter ce succès. Christie laissa tomber « le clan » et accompagna Amanda. Jerry Moss vint avec sa femme. On les plaça à une table centrale au rez-de-chaussée, et si aucun des habitués ne connaissait Christie Lane, tous connaissaient Danton Miller et certains connaissaient même Jerry Moss. A un moment de la soirée, Danton Miller, par politesse, engagea la conversation avec Amanda. Il la complimenta et lui dit qu'elle était excellente dans le flash publicitaire.

— J'ai l'habitude d'être photographiée, fit-elle modestement. Mais je suis fière d'arriver à tenir le bâton de rouge à lèvres sans trembler comme une feuille.

— Vous n'avez jamais fait de cinéma ou de théâtre ?

— Non, je suis seulement mannequin.

Il parut songeur :

— Il me semble avoir déjà entendu parler de vous.

— Peut-être dans les magazines ?

Soudain il fit claquer ses doigts :

— Robin Stone ! Votre nom n'a-t-il pas été associé au sien ?

— Il nous est arrivé de sortir ensemble, dit-elle prudemment.

— Où diable est-il donc passé ? Et quand va-t-il revenir ?

— Il est parti pour le Brésil.

Elle s'aperçut que Jerry s'était arrêté de parler et écoutait leur conversation.

— La bobine qu'il nous a envoyée du Brésil date de plus d'une semaine. Depuis, il nous en a envoyé une de France. Il a vu de Gaulle. (Il secoua la tête, les yeux au ciel.) Maintenant j'apprends qu'il est à Londres.

Elle porta son verre à ses lèvres et demeura sans expression :

— J'imagine qu'il réalise là-bas des reportages extraordinaires.

Danton sourit :

— Les résultats ne sont pas mauvais et pour une émission d'actualités, c'est du bon travail. Mais notre grand héros, c'est votre nouvelle conquête, conclut-il. (Il regarda Christie en souriant.)

Sa nouvelle conquête ! Amanda eut soudain l'impression qu'elle allait se trouver mal. Par bonheur, la soirée ne s'éternisa pas. Dan avait sa voiture et on la déposa chez elle en premier. Deux jours plus tard, un papier sur Christie Lane parut dans un journal du soir. Il était intitulé « Monsieur Tout le Monde ». La photo d'Amanda s'y étalait sur trois colonnes avec pour légende : « Monsieur Tout le Monde ne sort pas avec n'importe qui : il sort la cover-girl numéro un ! » D'après l'article, Christie aurait déclaré : « Ça ne fait pas longtemps qu'on se connaît, seulement quelques semaines, mais je suis vraiment mordu. » De dégoût, elle jeta le journal à terre. Et quand Ivan l'appela pour lui dire « Bien joué, ma colombe ! » elle lui raccrocha au nez.

Elle relut l'article. C'était horrible — horrible. A regarder le visage vide et inexpressif de Christie Lane, elle sentit la nausée l'envahir. Jusqu'à présent ils avaient toujours été entourés d'une bande de faire-valoir, de cabots et de lèche-bottes. Mais qu'adviendrait-il, si jamais ils se trouvaient en tête à tête ?

Sur ces entrefaites, le téléphone sonna et la voix d'un Christie Lane jubilant se mit à mugir :

— Alors poulette, t'as vu ce ramdam dans les journaux ? Eh bien, ce n'est qu'un début. Christie est la vedette qui monte, qui monte, qui monte... Ce soir, on fête ça. Rien que nous deux. J'ai demandé à Danton de nous retenir une bonne table au 21 pour boire un verre et ensuite on ira dîner à l'El Morocco. Danton s'en occupe — et on sera bien placé, pas au rayon des caves.

— Désolée, Christie, lui répondit-elle, mais j'ai une séance de pose qui finira tard ce soir et un rendez-vous de bonne heure demain matin.

— Envoie tout ça promener ! Tu sors avec le nouveau Roi...

— Je ne peux pas décommander mes rendez-vous. J'ai besoin de gagner ma vie.

— T'inquiète pas, poupée. Je te rembourse ce que tu vas perdre. Ça fait combien ?

Elle réfléchit rapidement. Elle n'avait rien le lendemain matin et son dernier rendez-vous était à cinq heures.

— Eh bien, trois heures ce soir et deux demain.

— D'accord. Total ?

Elle pouvait l'entendre mâchonner un de ses abominables petits cigares. Elle fit le compte.

— Entre trois cent soixante-quinze et quatre cents dollars.

Il émit un sifflement :

— Tu gagnes tant que ça ?

— Soixante-quinze dollars de l'heure.

— Eh bien, dis donc, tu t'emmerdes pas !

Elle lui claqua le récepteur au nez.

Deux minutes plus tard, il rappelait.

— Faut pas m'en vouloir, poupée. C'était juste façon de parler. Je veux dire, tu m'as un peu assis sur le cul. Aggie, la poule d'Eddie, elle pose pour les romans photo — eh ben on la paye dix dollars l'heure, quinze quand elle est en maillot de bain, et vingt quand elle montre ses nichons.

— Je ne pose pas pour ce genre de photos.

— Je ferais peut-être bien d'affranchir Aggie. Si on paye ce prix-là aux mannequins, pourquoi est-ce qu'elle se casse le tronc à poser pour des clopinettes ?

— Christie, il faut que je sorte, je suis déjà en retard...

— Bien sûr. Ecoute, poulette, pour un paquet pareil, t'as besoin d'être en forme. On fera une virée une autre fois. Mais il faut que j'aille à ce truc du 21 — il y a une rédactrice de *Life* qui vient prendre un verre avec moi. Dommage que tu puisses pas venir, t'aurais profité de la réclame, si *Life* se décide à faire un article sur moi.

— Je suis désolée, Christie.

Elle raccrocha et résolut de ne jamais plus sortir avec lui. Jamais plus !

Ce fut alors qu'Ivan l'appela :

— J'espère que tu as lu le journal *en entier*. Au moins cette histoire avec Christie Lane te permet de sauver la face, mon petit chat!

— Que veux-tu dire ?

— Je pensais que le mannequin américain numéro un s'intéressait en premier lieu à la page mondaine — quoi, tu n'as pas vu ?

— Non !

Elle se mit à feuilleter nerveusement les pages du journal.

— Page vingt-sept. Je reste en ligne pendant que tu t'ouvres les veines.

Le sourire familier de Robin l'arrêta pile. Il avait le bras passé autour des épaules d'une certaine baronne Ericka von Gratz.

— Tu es toujours là, ma colombe ?

— Ça t'amuse d'être sadique, Ivan ?

— Non, Amanda, fit-il d'un ton grave. Je veux seulement te mettre en face de la réalité. Si tu as besoin de moi, je suis à la maison.

Elle raccrocha lentement, les yeux sur le journal. La baronne Ericka von Gratz était séduisante. Robin avait l'air détendu. Elle lut l'article :

« La baronne Ericka von Gratz n'avait pas reparu à Londres depuis la mort de son mari, le baron Kurt von Gratz. Ceux d'entre nous qui regrettaient ce couple bien connu seront heureux d'apprendre que la baronne a mis un terme à son deuil depuis l'arrivée de Robin Stone, un journaliste de la Télévision Américaine. Le baron avait trouvé la mort sur le circuit de Monte-Carlo et l'on avait pu craindre un temps que la baronne ne surmonterait pas son chagrin. Mais depuis dix jours elle s'est montrée au théâtre et à plusieurs reprises à des soupers en tête-à-tête avec M. Stone. Le couple est maintenant parti pour la Suisse avec les Ramey Blacktons, et séjournera dans leur chalet. Ski ou idylle — on ne sait — mais chacun se réjouira d'apprendre que notre délicieuse Ericka a retrouvé le sourire. »

Elle parcourut un autre journal et y trouva un nouveau cliché de Robin en compagnie de la baronne. Elle se jeta sur son lit en sanglotant. Elle bourra l'oreiller de coups de poing, comme si elle avait devant elle le visage souriant de Robin. Puis, changeant brusquement d'humeur, elle se rassit. Miséricorde, elle avait une séance à trois heures pour Halston :

elle faisait les chapeaux de sa collection d'été. Elle courut chercher des glaçons qu'elle enveloppa dans une serviette avant de se les appliquer sur les yeux. Puis elle ouvrit le robinet d'eau chaude pour se faire des compresses : en alternant le chaud et le froid sur ses yeux pendant une demi-heure, il n'y paraîtrait plus. Elle devait aller à ce rendez-vous — elle n'allait pas rater une séance à cause de Robin. A coup sûr, lui ne se languissait pas loin d'elle !

Changeant encore brusquement d'humeur, elle composa le numéro de Christie Lane. Il décrocha aussitôt :

— Justement, ma poulette, je partais pour entrer dans les ordres. Tu me rattrapes par le pan de ma chemise.

— J'ai décommandé mon dernier rendez-vous.

— Ecoute, je plaisantais quand j'ai dit que je te dédommagerais. Je n'ai pas les moyens de cracher un tel paquet. (Il était dans ses petits souliers.)

— Je ne vous demande pas de me rembourser. J'ai décidé que je me surmenais trop.

Sa voix changea immédiatement :

— Du tonnerre ! Alors ça marche ! Rendez-vous au 21 à six heures et demie. C'est l'heure où la môme de *Life* doit se pointer.

La soirée se passa mieux que prévu. Le personnel avait manifestement été arrosé par Danton Miller. Leur table — en bas, en plein milieu — était des mieux placées. Amanda s'obligea à boire un scotch pour rendre la soirée plus supportable. La journaliste de *Life* était charmante. Elle expliqua qu'on l'avait envoyée en éclaireuse en vue d'une éventuelle interview. Elle ferait son rapport et, si la rédaction décidait que cela en valait la peine, on désignerait quelqu'un pour rédiger l'article.

Christie eut un rire mitigé.

— On aura tout vu !... un examen avant une interview ! On est drôlement snob dans votre boîte.

Cette humiliation inattendue le désarçonnait. Amanda comprit alors qu'une grande part de son cabotinage cachait en fait un manque de confiance en soi. Elle eut pitié et lui prit la main.

L'envoyée de *Life* fut elle aussi touchée par sa réaction. Elle s'efforça de rire avec naturel :

— Nous procédons toujours ainsi, M. Lane. La semaine dernière, par exemple, j'ai pris contact avec un important sénateur et, en fin de compte, la rédaction n'a pas donné suite.

Christie retrouva un peu de son assurance. Il insista pour qu'elle les accompagne au El Morocco. Amanda comprit qu'il tenait dur comme fer à cet article. Il parla de ses humbles débuts à la journaliste, raconta ses périodes de vache enragée, évoqua les bouis-bouis où il s'était d'abord produit. A la surprise d'Amanda, la jeune femme parut intéressée. Elle se mit à prendre des notes et l'enthousiasme de Christie grimpa en flèche. Il prit la taille d'Amanda et dit à la journaliste en clignant de l'œil :

— Vous vous rendez compte, un tocard comme moi qui soulève une cover-girl dont tout le monde rêve !

Après le dîner, Amanda se fit raccompagner la première. Elle referma avec lassitude la porte de son appartement. Elle était épuisée. Elle dut faire un effort pour se déshabiller. Elle n'avait qu'une idée : se mettre au lit et dormir. Une fois démaquillée, elle se mit machinalement à brosser comme chaque soir son opulente chevelure blonde. En regardant sa brosse, elle eut un choc : les cheveux y restaient accrochés par paquets. Il fallait absolument qu'elle cesse d'utiliser la laque Alwayso. Jerry avait beau la porter aux nues, c'était un poison pour ses cheveux. Elle jeta la bombe à la poubelle. Enfin, elle se mit au lit et remercia le ciel d'être à ce point fourbue — au moins, la pensée de Robin et de sa baronne ne la tiendrait pas éveillée.

Les quatre soirs suivants, elle sortit avec Christie, flanqué d'un rédacteur de *Life* et de son photographe. Mais elle ne pouvait oublier Robin Stone. A la fin de la semaine, le reportage pour *Life* était terminé. Il y avait de bonnes chances pour qu'ils le sortent. Mais, comme l'avait dit la journaliste, on n'en serait certain qu'une fois l'article sous presse. Ils prirent les derniers clichés d'elle durant les flashes publicitaires de l'émission.

Christie était en coulisses avec elle quand ils partirent.

— C'est dans la poche ! fit-il en lui prenant la taille. Ce soir, on va fêter ça pour de bon. Et puis il y a encore une bien meilleure raison : le dernier sondage vient de sortir. Je suis dans les dix premiers ! T'entends ça, poupée ? Il y a quinze jours, j'étais le dix-neuvième. Cette semaine, je passe en huitième position. Plus que sept concurrents à sauter ! Ça s'arrose. Et puis, il y a autre chose : tous les deux, on n'a jamais été vraiment en tête à tête. Ce soir, toi et moi, on va au Danny's Hideaway, rien que nous deux.

Quand on les conduisit à la table numéro un, Christie manifesta une joie enfantine. On eût dit que le *New York Times* avait publié les sondages en première page. Le restaurant tout entier paraissait au courant. Tout le monde, y compris Cliff, l'attaché de presse, s'arrêtait à leur table pour féliciter Christie. Il nageait dans sa gloire toute neuve. Il interpellait d'autres artistes, et à plusieurs reprises il l'abandonna pour aller faire le tour des tables. Puis il commanda des steaks pour tous les deux. Elle se tenait droite sur sa chaise et picorait du bout des lèvres, tandis qu'il dévorait avec enthousiasme, un coude sur la table et le nez dans son assiette. Quand il eut fini, il mit deux doigts dans sa bouche pour extirper un bout de viande coincé entre ses molaires.

Son regard s'arrêta sur le steak d'Amanda à peine entamé.

— Ta viande n'est pas bonne ?

— Si mais j'ai assez mangé. Je vais demander un petit sac en plastique.

— Tu as un chien ?

— Un chat.

— J'ai horreur des chats. (Il sourit.) Est-ce qu'il saute sur ton lit, la nuit ?

— Oui. Il vient se pelotonner contre moi.

— Alors ce soir, nous irons chez moi. (Il regarda sa robe. C'était un fourreau garni de perles, qu'elle avait mis pour l'émission.) On passera chez toi, comme ça tu pourras donner à manger à ton chat et te changer.

— Me changer, pourquoi ?

Il eut un sourire gêné :

— Voyons, ma poulette, de quoi ça aura l'air si demain matin, tu te balades comme ça dans le hall de l'Astor ?

— Je n'ai pas du tout l'intention de me balader dans le hall de l'Astor. Demain matin, je serai dans mon lit.

— Ah ! Tu préfères rentrer chez toi après ?

— Je veux rentrer chez moi tout de suite.

— Et quand c'est qu'on va baiser, alors ?

Elle piqua un fard :

— Chris, je ne voudrais pas être obligée de me lever et de vous planter là, mais si vous vous exprimez encore de cette façon, c'est ce que je ferai.

— Allons, allons poupée, tu sais bien que c'est des mots qui m'échappent. Mais je vais faire attention. Merde, j'ai grandi à la va comme j'te pousse, moi, j'ai appris ces mots-là à l'âge où la plupart des gosses en sont aux rondes enfantines. Je te propose un truc : chaque fois que je dirai un gros mot, je te refilerai un dollar. Non, disons 25 cents. A un dollar pièce, avec mon vocabulaire, tu pourrais vivre de tes rentes.

Elle esquissa un sourire. Il essayait d'être gentil. Ce n'était pas sa faute si physiquement elle éprouvait pour lui une telle répulsion, mais elle avait hâte d'être loin de lui.

— Chris, je veux rentrer. Seule. J'ai la migraine, la journée a été longue.

— Bien sûr, t'es restée debout à tenir ce gros bâton de rouge. Moi, j'ai juste chanté, dansé et joué quelques sketches.

— Oui mais vous êtes doué, vous avez fait ça toute votre vie. Moi, je me panique dès que je vois approcher ces trois caméras. Après avoir affronté le public, je suis vidée littéralement. Vous, vous êtes né pour cela.

— Peut-être. On va remettre la partie de pattes en l'air à.... pardon — on fera l'amour demain. Non, demain j'ai un gala, alors après-demain. On prend rendez-vous ?

— Je ne sais pas...

— Ben quoi ?

— Cela me paraît un peu précipité.

— Depuis le temps qu'on sort ensemble...

— Trois semaines et quatre jours. (Il y avait quatre semaines et quatre jours que Robin était parti.)

— Hé bé... pour tenir des comptes comme ça, faut que ça te travaille... Alors quand ? A moins que t'en pinces encore pour Robin Stone ?

Elle sentit qu'elle se troublait. La question l'avait prise au dépourvu. Il eut l'air content de lui :

— C'est que j'ai mené ma petite enquête...

— Ce n'est un secret pour personne que je suis sortie avec Robin Stone. C'est un très grand ami à moi. Un ami de longue date. Je le connais depuis plus d'un an.

— Alors, t'en pinces pas pour lui ?

— Qui vous a parlé de ça ?

— Ethel Evans.

Elle demeura silencieuse. Elle n'avait pas imaginé qu'Ethel fût si perspicace. Tout à l'heure, quand Ethel était en coulisse, elle s'était comportée comme s'il n'y avait pour Amanda que Christie Lane au monde.

Christie se méprit sur son silence.

— Ethel Evans, tu sais bien, la bonne femme de la publicité, celle qui a une grande gueule et des grosses miches. De l'Atlantique au Pacifique, elle s'est farci tout le monde et elle s'en vante. Bon Dieu, tu l'as pas vue ce soir ? Le rentre-dedans qu'elle a fait à notre invité ? Elle tient à mériter son titre : « La baiseuse de célébrités. »

— C'est peut-être à des gens comme vous qu'elle doit sa mauvaise réputation.

— Ça veut dire quoi ?

— Vous l'affublez d'un surnom et vous jasez sur son compte. Après tout, qui me dit qu'il ne s'est rien passé entre vous ?

— Moi non, mais tous les gars que je connais y sont passés — les grosses vedettes, bien entendu.

— Ce ne sont que des ragots.

— Monte pas sur tes grands chevaux pour défendre cette espèce de salope ! Tu devrais entendre un peu comment elle t'arrange.

— Reconduisez-moi ! dit-elle sèchement.

— Merde, poupée, je te demande pardon. (Il prit sa main et, regardant Amanda avec ferveur, la posa à plat sur sa poitrine.) J'ai le béguin pour toi, Mandy — c'est la première fois que je dis un truc comme ça et que je le pense. J'ai vraiment le béguin pour toi. Et ça pourrait être pour la vie.

Elle vit ses grands yeux bleus suppliants. Son visage franc et banal était vulnérable. Ce soir, à l'antenne, c'est intentionnellement qu'il avait chanté « Mandy », la chanson qu'Al Johnson avait rendue célèbre. En arrivant au passage « Mandy, il y a un pasteur à côté... » il s'était tourné vers les coulisses où elle se trouvait et l'avait regardée droit dans les yeux. L'équipe technique avait cru devenir folle, il avait fallu changer tous les cadrages prévus. Elle ne voulait pas le blesser, elle ne connaissait que trop cette souffrance depuis le temps qu'elle vivait avec. Elle lui tapota la main.

— Ecoutez, Chris, vous allez devenir une grande vedette, l'avenir s'annonce merveilleux pour vous. Vous aurez toutes les filles que vous voudrez, des braves filles, des beautés...

— Je n'en veux pas. C'est toi que je veux.

— Chris, nous venons à peine de nous rencontrer Vous ne pouvez pas m'aimer : vous ne me *connaissez* pas.

— Ma poulette, j'ai roulé ma bosse. J'ai tout connu, les petites boîtes sordides et les filles bon marché. Toute ma vie, j'ai rêvé mieux. C'est pourquoi je ne suis toujours pas marié. J'ai sauté des pouffiasses quand ça me démangeait, mais je n'ai jamais eu le moindre sentiment pour aucune. Tu vois ce que je veux dire ? Et tout à coup, vlan ! Il m'arrive cette émission... et puis toi ! Dans le même colis. Pour la première fois, je touche le gros lot. Je fais un tabac et je déniche une vraie dame. Oh, j'en ai vu des femmes du monde, des gonzesses de la haute, dans les galas auxquels j'ai participé... je sais de quoi je parle. Elles avaient toutes des dents de cheval et des œufs au plat dans leur porte-doudounes. Toi, t'es un joli petit lot — et c'est toi que je veux.

Elle blêmit en songeant à sa malheureuse poitrine. Mais qu'importe ? Il ne le saurait jamais. Elle le regarda d'un air candide :

— Je vous aime bien, Chris. Mais je ne suis pas amoureuse de vous.

— Ça me suffit. Je serai patient. Promets-moi seulement une chose : laisse-moi tenter ma chance. Sors avec moi, voyons-nous, et peut-être qu'un jour t'auras envie de coucher avec moi. Et si ça marche, ce sera pour un bout de temps. Peut-être même qu'on se mariera. (Il refusa d'entendre ses objections.) Attends de voir... je ne te demande rien d'autre.

Elle savait ce qu'il éprouvait. Et si le laisser espérer pouvait le rendre heureux, pourquoi le lui refuser ? Ce soir au moins, il se mettrait au lit avec son rêve. Il pouvait devenir une grande vedette — plus il grimperait, moins elle tiendrait de place dans sa vie.

Ils s'embrassèrent en se quittant, devant chez elle. En entrant dans son appartement, elle trouva un télégramme glissé sous la porte. Elle le ramassa, l'ouvrit machinalement — sans doute une invitation pour l'inauguration d'une nouvelle discothèque.

ARRIVEE IDLEWILD DEUX HEURES DU MATIN
VOL T.W.A. 3. SI TU ES VRAIMENT MA PETITE AMIE
LOUE UNE VOITURE ET ATTENDS-MOI.

ROBIN.

Elle regarda sa montre. Minuit moins le quart. Grâce à Dieu, elle avait encore le temps. Elle se précipita au téléphone et retint la voiture. Elle ne comprendrait jamais Robin. Il n'aurait pas dépensé un centime pour lui dire au revoir de loin et il envoyait un télégramme pour annoncer son retour. Elle pouvait prendre deux minutes pour se refaire une beauté et changer de robe — il fallait qu'elle se présente à lui sous son meilleur jour. Elle chantait en se passant du démaquillant sur la figure. Et, pour la première fois, depuis quatre semaines et quatre jours, elle ne ressentait plus la moindre fatigue.

Elle attendait à la porte 7. L'avion venait d'atterrir. Les passagers commencèrent à débarquer. Elle vit tout de suite Robin. Il était différent des autres hommes. Les autres marchaient. Robin, lui, semblait voguer à travers la foule. Il laissa tomber son attached-case et la prit dans ses bras.

— Comment va la nouvelle vedette du petit écran ? demanda-t-il.

— Tout émoustillée d'être en présence du plus grand reporter du monde.

Elle répondait sur le même ton et se jura de ne pas parler de la baronne.

Il mit son bras autour de son épaule et ils marchèrent vers la voiture.

— Je ne comprends pas, dit-elle. Je te croyais à Londres et ton télégramme est de Los Angeles.

— J'ai pris la route du pôle et ai fait une escale de quelques jours à Los Angeles.

Il fouilla dans sa poche et lui tendit un petit paquet :

— Un cadeau pour toi. J'ai oublié de le déclarer. Me voilà contrebandier.

Dans la voiture, elle se pelotonna contre lui et ouvrit le paquet.

C'était une très belle boîte à cigarettes ancienne en Wedgwood. Elle en savait le prix élevé, mais elle eût préféré quelque chose de moins coûteux et de plus personnel.

— J'espère que tu fumes toujours ?

Il rit, tira de sa poche un paquet tout cabossé de cigarettes anglaises et lui en offrit une.

Elle aspira une bouffée mais la force du tabac lui coupa la respiration. Il lui reprit la cigarette et l'embrassa doucement sur les lèvres.

— Je t'ai manqué ?

— C'est que... tu es parti en me laissant deux steaks sur les bras. Je n'ai pas su s'il valait mieux te regretter ou te tuer. (Il la regarda d'un air absent, comme s'il cherchait à se souvenir.) Tu aurais pu au moins m'appeler et me dire « mon chou, retire les steaks du feu, je ne peux pas venir ».

— Je ne l'ai pas fait ?

Il semblait sincèrement surpris.

— N'y pensons plus. Le chat s'est régalé.

— Mais tu savais que j'étais parti.

Il paraissait vaguement mal à l'aise.

— Eh bien je l'ai appris en regardant la télé. Mais, Robin, tu as été absent si longtemps.

Il passa son bras sur ses épaules et l'attira plus près.

— Bon. Maintenant je suis revenu. Fatiguée ?

Elle se blottit contre lui.

— Pour toi, jamais.

Il l'embrassa longuement et profondément. Son regard était caressant et il toucha son visage avec les mains, comme un aveugle qui cherche à voir.

— Mon Amanda chérie. Tu es belle.

— Robin, pendant ton absence, je suis sortie avec Christie Lane. (Il parut faire un effort pour mettre un visage sous ce nom. Elle ajouta :) La vedette de l'émission.

— Ah oui. On dit qu'elle marche très bien. J'ai vu les cotes.

— Mon nom a été associé au sien dans les journaux.

— Ça a fait grimper tes tarifs de mannequin ?

Il souriait amicalement. Elle haussa les épaules :

— Je me débrouille pas mal.

— Parfait.

Elle le regarda :

— Les gens... enfin, certains s'imaginent que je suis sa maîtresse. Je voulais que tu saches que ce ne sont que des ragots. Je ne voudrais pas que tu te fasses des idées à ce sujet.

— Des idées ? pourquoi ?

— Je craignais... (il alluma une autre cigarette). Je vois que j'avais tort de m'inquiéter.

Il se mit à rire :

— Tu es connue. Les gens connus font parler d'eux dans les journaux.

— Et ça ne t'ennuie pas que je sois sortie avec Christie ?

— Je ne vois pas pourquoi cela m'ennuierait. Moi-même à Londres, je ne peux pas dire que j'ai vécu en ermite.

Elle s'écarta de lui et se tourna vers la vitre, regardant la nuit sombre et les voitures qui les croisaient. Il allongea le bras pour prendre sa main. Elle la retira.

— Robin, est-ce que tu cherches à me faire de la peine ?

— Non. (Il paraissait de bonne foi.) Pas plus que tu ne cherches à me chagriner.

— Mais je suis ta petite amie, n'est-ce pas ?

— Sans aucun doute. (Et toujours ce sacré sourire !) Mais Amanda, je n'ai jamais dit que je voulais te tenir en laisse.

— Tu veux dire que ça t'est égal que je sois sortie avec lui et que ça te serait égal que je continue ?

— Bien sûr.

— Et si je couchais avec lui ?

— C'est ton affaire.

— Ça ne te ferait rien ?

— Si tu venais me le dire — oui, ça me ferait quelque chose.

— Alors tu préférerais que je ne te le dise pas ?

— Très bien : Amanda, est-ce que tu couches avec lui ?

— Non. Mais il me l'a demandé. Il parle même de m'épouser.

— A toi de voir...

— Robin, dis au chauffeur de s'arrêter chez moi d'abord.

— Pourquoi ?

— Je veux rentrer... seule.

Il la prit dans ses bras.

— Chérie, tu as fait tout le trajet d'Idlewild pour venir au-devant de moi. Qu'est-ce qui ne va plus ?

— Robin, tu ne comprends donc pas que...

D'un baiser, il mit un terme à ses explications.

Ils passèrent la nuit dans les bras l'un de l'autre. De Christie Lane, il ne fut plus question. C'était comme si Robin n'était jamais parti, comme au début de leur liaison, comme chaque fois qu'ils se retrouvaient seuls, dans un lit : brûlant, ardent et tendre.

Plus tard, tandis qu'ils se reposaient en grillant une cigarette dans une paisible intimité, elle dit :

— Qu'est-ce que c'est que cette baronne ?

La question lui avait échappé. Elle le regretta aussitôt.

Sans se troubler il répondit :

— Une pute.

— Non, Robin, j'ai lu les journaux, elle est baronne.

— Oh le titre est authentique, mais ça ne l'empêche pas d'être une putain. Une de ces mômes qui ont grandi pendant la guerre. A douze ans, elle se tapait des soldats américains pour une barre de chocolat. Ensuite, elle a épousé le baron, un impuissant doublé d'un voyeur. Ericka connaissait la musique. Ce n'est pas une mauvaise fille, elle a hérité d'un titre honorifique, pour la première fois de sa vie elle a de l'argent, et elle aime s'envoyer en l'air. Je l'ai rencontrée dans une partouze.

Elle se redressa dans le noir :

— Une partouze ?

— Elles sont très courues, à Londres. Il paraît que ça prend bien aussi, à Los Angeles.

— Et ces choses-là te plaisent ?

Il eut un sourire amusé :

— Ça n'a rien de déplaisant. C'est mieux que la télévision : ils n'ont que deux chaînes là-bas.

— Robin, sois sérieux !

— Je parle sérieusement. Connais-tu Ike Ryan ? (Ce nom lui disait quelque chose. Elle se rappela soudain : c'était un producteur de films américains qui vivait en Italie et en France et faisait beaucoup parler de lui.) Il te plaira sûrement. Je l'ai rencontré à Londres. Je n'avais pas le moral. Le mauvais temps me déprimait, et il m'a invité à une de ses petites soirées. Il y avait là trois actrices italiennes, la baronne, Ike et moi. Le thème du jour était : « Ces dames au bain turc. »

— Et tu as participé ?

— Bien sûr, pourquoi pas ? D'abord, j'ai regardé les filles s'amuser entre elles, puis Ike et moi, nous nous sommes allongés et le harem s'est occupé de nous. Ericka était la plus experte — on peut faire confiance aux Allemands pour perfectionner les techniques — c'est pourquoi je me la suis mise de côté. Mais Ike est vraiment un type épatant. Il doit venir à Los Angeles pour monter sa propre maison de production. Il va mettre de l'animation dans la ville.

— Avec des partouzes ?

— Non, des films. C'est un joueur de poker et il a beaucoup de classe. De plus il est joli garçon. Les femmes l'adorent.

— Je le trouve répugnant.

— Pourquoi ?

— Parce que, enfin... faire des choses pareilles !

Il rit :

— Et moi, je te répugne ?

— Non. Toi, tu te conduis comme un vilain petit garçon qui se croit très affranchi. Mais cet Ike Ryan qui va chercher des trucs comme ça...

— Chérie, ça se faisait déjà du temps des Grecs.

— Et tu voudrais me faire rencontrer ce type-là ? Tu voudrais que je me montre en sa compagnie ? Si l'on me voyait entre vous deux, tout le monde penserait que je suis ce genre de fille. Ça te plairait ?

Il se tourna vers elle et la regarda avec beaucoup de sérieux :

— Non, Amanda, je te le promets : je ne t'obligerai jamais à sortir avec Ike Ryan.

Puis il se leva, prit un somnifère avec de la bière :

— Je marche encore à l'heure européenne. Je me sens fourbu. Tu en veux un ?

— Non. Il faut que je me lève à dix heures.

Il revint au lit et la prit dans ses bras :

— Amanda, ma toute belle, c'est bon d'être avec toi. Ne me réveille pas en te levant, j'aurai un après-midi chargé — le courrier qui m'attend, des rendez-vous — et j'ai besoin de dormir un peu.

Le matin venu, elle s'habilla et quitta l'appartement sans s'attarder. Elle était fatiguée et son travail s'en ressentit. Ses cheveux continuaient

à tomber. Elle appela Nick pour lui demander l'adresse d'un dermatologue.
Il rit :

— Tu perds ton plumage, petite ! C'est les nerfs.

— C'est possible, dit-elle. Robin est revenu.

— Appelle ton médecin, réclame-lui des piqûres de B-12 ou autres
vitamines — et puis, pour l'amour du ciel, ne passe pas toutes tes nuits à
faire l'amour.

— Je n'ai pas de médecin. (Elle rit.) Je n'en ai jamais eu besoin.
Tu en connais un bon ?

— Amanda, mon trésor, tu es si jeune et bien portante que c'en est
écœurant. J'ai six médecins. Un pour la gorge et les oreilles, un pour ma
prostate, un autre pour ma vertèbre déplacée. Tu veux un conseil : évite-
les tous. Dors bien cette nuit et quand ce fameux article paraîtra dans *Life*
tous tes soucis s'évanouiront.

Il avait probablement raison. A trois heures, son travail terminé, elle
rentra chez elle pour y faire un somme. Slugger sauta sur le lit et vint se
blottir dans ses bras. Elle mit un baiser sur sa tête fauve.

— Il ne fait pas nuit, mon petit cœur. On se repose seulement. (Il
ronronna de contentement.) Tu es le seul mâle digne de confiance, mon
Sluggy, mais Robin est revenu et ce soir, quand il sera là, ne m'en veux
pas trop si je t'enferme dans le salon.

Elle eut le sentiment d'avoir dormi. Elle se redressa brusquement. Il
faisait nuit. Elle chercha à s'orienter. Quel jour était-on ? Soudain tout lui
revint. Elle alluma l'électricité. Neuf heures. Slugger sauta du lit et miaula
pour réclamer son dîner.

Neuf heures ! Et Robin n'était pas là. Elle reprit sa ligne. Aucun
appel. Elle composa le numéro de Robin, laissa sonner dix fois et
raccrocha. Elle ne put fermer l'œil du reste de la nuit. Slugger, sentant
qu'il se passait quelque chose, resta blotti contre elle.

Le lendemain, elle attendit jusqu'à six heures et l'appela. Peut-être
était-il malade ? Il décrocha : il allait très bien. Simplement il avait eu à
liquider tout ce qui s'était accumulé pendant son absence. Il la rappellerait
le lendemain.

Le matin suivant, en feuilletant les journaux, elle tomba sur son nom.

Ike Ryan et Robin Stone étaient hier au El Morocco en compagnie de deux ravissantes actrices italiennes au nom trop compliqué
pour que notre reporter s'en souvienne, mais jamais il n'oubliera ni
leurs visages ni leurs... appâts !

Elle jeta le journal par terre. Il l'avait laissée tomber parce qu'il savait
qu'Ike Ryan allait arriver. Pourquoi avait-elle été lui dire qu'elle ne
voulait pas être vue en sa compagnie ?

Le soir même, elle sortit avec Christie. Ils allèrent au Danny's. Elle
était très calme et Christie grommelait parce qu'on les avait placés à une
petite table le long du mur. Une des deux premières tables était occupée
par des personnalités d'Hollywood. L'autre était vide, avec un carton
RESERVE bien en évidence.

— Ça doit encore être pour un de ces farceurs d'Hollywood, grogna-t-il,
en fixant la table avec des yeux d'envie. On se demande pourquoi tout

le monde se laisse snober par ces mecs-là ! Je suis sûrement plus connu que la plupart des vedettes de Hollywood.

Elle essaya de le réconforter. Ils n'allaient pas être deux à se morfondre :

— Christie, cette table est très bien. J'aime beaucoup mieux être au milieu. D'ici, on voit tout le monde.

— N'importe où, j'ai droit à la meilleure table !

— Elle le devient automatiquement, du moment que vous y êtes.

Il la regarda, les yeux écarquillés.

— Tu le penses vraiment ?

— L'important, c'est que vous le pensiez, vous !

Il sourit et commanda le dîner. Il eut vite retrouvé sa bonne humeur.

— L'article de *Life* va paraître, annonça-t-il. (Il la regarda avec passion.) Mandy, il y a maintenant quelque chose que je désire plus au monde que cet article. Comment te le prouver ? Je t'aime. Je me fais l'effet d'un collégien idiot à rester là à te tenir la main. J'ai réfléchi. Comment peux-tu arriver à m'aimer, si tu ne couches pas avec moi ? Il n'y a pas deux solutions. Eddie voulait me faire croire que t'étais folle de Robin Stone. Mais j'ai lu le journal, ce matin...

— Chris, puisque vous abordez ce sujet, je dois vous dire...

Elle s'arrêta, les yeux rivés sur les quatre nouveaux arrivants que l'on installait à la première table. Danny en personne les pilotait. Deux filles ravissantes et deux hommes. L'un des deux était Robin.

Elle eut un éblouissement, comme si elle avait reçu un coup sur la tête. Robin offrait du feu à l'une des filles et il avait pour elle son sourire si particulier. L'autre homme devait être Ike Ryan.

— Me dire quoi, poupée ?

Chris la regardait. Elle savait qu'il lui fallait répondre, mais elle ne pouvait détacher son regard de Robin. Elle le vit se pencher, embrasser la fille sur le bout du nez, puis rire.

— Oh, regarde à qui on a donné ma table, fit Chris. Un soir, j'ai jeté un œil sur son émission, — je voulais voir à quoi ressemblait la concurrence. Je te le dis franchement : je n'ai pas pu tenir le coup plus de dix minutes. Il dégoisait sur Cuba et toutes ces conneries avec un guignol qu'était de son avis. Tu parles d'un bintz. Tu connais sa cote par rapport à la mienne ?

— Il est dans les vingt-cinq premiers, ce qui est très bon pour une émission d'actualités.

Elle se demandait pourquoi elle prenait sa défense.

— Bientôt je serai le numéro un, tu verras. Tout le monde me traite comme si ça y était... sauf toi.

— Je... je vous aime beaucoup.

— Alors prouve-le ou boucle-la.

— Je veux rentrer.

Elle se sentait vraiment mal. Robin buvait les paroles de la fille, son visage penché sur elle.

— Ecoute, poupée, on va pas se disputer. Je t'aime mais faut qu'on couche.

— Ramenez-moi à la maison.

Il la regarda d'un air bizarre :

— Si je te raccompagne, ce sera la dernière fois. Je sais quand j'ai mon compte !

Elle le regarda signer l'addition. Ils allaient être obligés de passer devant la table de Robin. En sortant Chris s'arrêtait à presque toutes les tables, saluant bruyamment les convives. Elle savait que Robin la verrait. Quand ils arrivèrent à hauteur de sa table, il se leva. Il ne semblait nullement gêné. Il paraissait même content de la voir. Il félicita Chris pour son émission et fit les présentations. Les filles s'appelaient toutes les deux Francesca Quelque Chose — des starlettes italiennes — et l'homme était bien Ike Ryan. Elle fut étonnée quand Ike se leva à son tour. C'était un gaillard d'un mètre quatre-vingts aux cheveux noirs et aux yeux bleus. Avec son teint bronzé, son air viril et ses traits agréables, il ne correspondait nullement avec ce qu'elle avait imaginé.

— Voici donc la fameuse Amanda ? (Il se tourna vers les deux filles et leur parla en italien. Elles hochèrent la tête et sourirent à la nouvelle venue.) Je viens de leur expliquer quelle importante personnalité vous êtes, Amanda.

— Parlez-leur de moi, intervint Christie.

Ike s'esclaffa :

— Pas la peine. Elles vous connaissent. Elles n'ont pas décollé de la télé depuis leur arrivée.

Cela parut durer un siècle, mais finalement ils prirent congé. Amanda se retourna une dernière fois sur Robin, dans l'espoir de lire un signe dans son regard, mais il avait repris sa conversation et la fille souriait. Manifestement elle comprenait un peu l'anglais.

Christie, l'air renfrogné, héla un taxi. Soudain, elle prit son bras.

— Allons chez vous, Christie.

Il se mit à déborder d'une joie pathétique :

— Oh, ma poulette !... mais, dis-donc, et ta robe du soir ? Tu veux qu'on passe chez toi pour que tu te changes ?

— Non, je rentrerai... après.

— Pas question. Je me ferai une raison pour le chat. Allons chez toi. Je n'ai pas à sortir demain. Je peux donc rester et tu te lèveras à l'heure qui te plaira.

Elle sentit sa peau se hérisser :

— Non, j'attends un photographe de bonne heure, demain matin. Il n'est que dix heures et demie. Si je ne reste que quelques heures, ça ira.

— Mais je veux passer toute la nuit avec toi... te tenir dans mes bras.

Elle se raidit contre la nausée. Elle avait choisi l'Astor comme un moindre mal. Elle pourrait au moins s'en aller quand ce serait fini.

— C'est comme ça ! fit-elle avec calme.

— Poupée, du moment que t'acceptes, je le prendrai comme ça vient ! Mes aïeux, c'que tu vas être heureuse ! Je suis assez fortiche... enfin, tu verras.

Elle aurait juré que tous les gens qui se trouvaient dans le hall de l'Astor tandis qu'elle se dirigeait vers l'ascenseur étaient au courant de ses intentions. Même le chauffeur, quand elle était descendue du taxi, lui avait jeté un regard de mépris. Et pourtant combien de fois avait-elle traversé avec désinvolture le hall de l'immeuble de Robin, et même gratifié au passage le portier d'un joyeux « Bonjour ! » Et cela paraissait alors si naturel et merveilleux.

Non. Il ne fallait pas penser à Robin. Surtout pas en ce moment.

Elle entra dans la salle de bains et retira tous ses vêtements. Elle regarda ses petits seins plats et s'avança bravement dans la chambre à coucher. Allongé sur le lit en caleçon, il parcourait la chronique hippique. Sa mâchoire en tomba de déception. « Pas de nichons ! » Elle soutint froidement son regard. Il rit et lui tendit les bras.

— Ça prouve bien que toutes les femmes chic sont des planches à pain. Encore heureux que t'aies pas des dents de cheval. Allez viens ! Tu ne seras pas déçue par la taille de l'engin. Regarde ce que ce bon vieux Chris...

Elle subit son étreinte dans le noir. Allongée sur le dos, elle le sentait se démener sur elle. Il s'efforçait de lui donner du plaisir. Hélas, quand bien même il s'escrimerait pendant des heures, il ne se passerait rien. Il ne parviendrait jamais à lui faire éprouver quelque chose — jamais. Elle le supplia de conclure. Brusquement, il s'écarta et s'abattit à son côté en gémissant. Quelques minutes passèrent puis il dit :

— T'en fais pas, poupée, je me suis retiré à temps. T'as rien à craindre.

Elle demeura immobile. Il la prit dans ses bras. Il avait le corps moite de sueur.

— Je suis pas arrivé à te faire décoller, hein ? dit-il.

— Chris, je... (Elle s'arrêta.)

— Ne t'en fais pas. Laisse-moi reprendre mon souffle, et on remet ça !

— Non, Chris. C'était formidable. J'étais seulement un peu tendue, c'est tout. La prochaine fois, je prendrai mes précautions, ne vous en faites pas.

— Ecoute, je suis décidé. On va se marier. A la fin de la saison. J'ai un contrat de six semaines pour Las Vegas cet été, avec un gros cachet. On se mariera là-bas. Tu te paieras du bon temps, ce sera notre lune de miel. Alors, ne mets rien : si t'es enceinte, tant mieux, on se mariera plus tôt.

— Non, je ne veux pas avoir d'enfant avant qu'on soit mariés. Je ne veux pas que les gens puissent penser que vous régularisez à cause de cela.

— Ecoute, poupée, j'ai quarante-sept ans. Un âge qui cadre avec le tien. Tout le monde croit que j'ai que quarante. Eddie et Kenny eux-mêmes ne sont pas au courant. Mais puisque tu vas m'épouser, je tiens à t'affranchir. J'ai toujours été économe. Depuis quinze ans, je me fais en moyenne vingt à vingt-cinq briques. Bon an mal an, j'en ai toujours mis la moitié de côté. A soixante ans, j'en aurai cinq cents à mon compte. Il y a une vingtaine d'années, j'ai fait la connaissance d'un type à Chicago, un conseiller fiscal de première. J'ai réussi à tirer son môme d'une sale affaire, oh rien de grave, un petit accident d'auto. Mais j'avais des relations : j'ai pu faire écraser le coup. Le père du môme, ce Lou Goldberg, m'en a été si reconnaissant qu'il m'a servi de père, de mère, d'avocat, de conseiller fiscal, de tout. Il m'a annoncé carrément que j'étais un artiste de second plan mais que, si je l'écoutais, je deviendrais un civil de première. Il s'est mis à me retenir la moitié de ce que je gagnais — à l'époque je me faisais tout au plus deux gros billets par semaine — et il l'a placé. Maintenant j'ai un solide portefeuille — des trucs genre IBM qui doublent la mise. A présent que je ramasse gros, Lou continue à en placer la moitié, et si mon nouveau succès dure, ce n'est pas cinq cents millions que j'aurai, mais le double. Et de la façon dont il investit, j'aurai un revenu de six mille dollars par mois net d'impôts, sans même toucher au capital. Ce sera pour notre gosse. Maintenant que je t'ai, ça va être formidable. Et je veux qu'on ait un enfant tout de suite pour qu'à soixante ans je puisse l'emmener au foot et le voir aller au collège, moi qui n'y ai jamais mis les pieds. Surtout le dis à personne, mais je n'ai jamais dépassé le cours élémentaire. A douze ans je vendais des esquimaux à l'entr'acte. Notre gosse, au moins il manquera de rien !

Elle restait sans réaction. Qu'avait-elle fait là ? Ce pauvre idiot...

Elle sauta du lit, passa dans la salle de bains et se rhabilla. Quand elle en sortit, Chris enfilait ses vêtements.

— Ne vous dérangez pas, lui dit-elle. Je trouverai bien un taxi.

Elle avait hâte de partir. Elle ne pouvait plus supporter ses yeux langoureux.

— Il n'est pas tard. Je te raccompagne et puis j'irai faire un tour au Stage Deli. Eddie et Kenny doivent y être. Je prendrai un café avec eux et on bavardera. Je suis si heureux que je pourrai pas dormir. J'ai envie de le dire au monde entier.

Elle lui laissa tenir sa main pendant le trajet de retour. Il l'embrassa à la porte de l'ascenseur. Puis elle rentra dans son appartement, courut à la salle de bains et vomit.

Robin l'appela le lendemain matin. Il ne souffla mot des Italiennes. Il partait l'après-midi même pour Los Angeles en compagnie d'Ike Ryan. Il voulait faire un numéro de *En Profondeur* sur Ike. Il pensait que ce serait plus intéressant filmé en extérieur. Dans le bureau d'Ike, sur le plateau. De là, il s'envolerait pour Londres par la route du pôle et ne savait pas quand il rentrerait. Elle s'abstint de lui parler de la baronne ou de la starlette italienne et lui s'abstint de prononcer le nom de Christie Lane.

12

Le matin du premier mai, Amanda ouvrit les yeux un quart d'heure avant la sonnerie du service du réveil. Le lendemain, *Life* serait en vente dans tous les kiosques, mais on pouvait habituellement trouver *Time* et *Life* à l'hôtel Plaza un jour plus tôt. Elle s'habilla à la hâte. Depuis six semaines, elle balançait entre la curiosité et l'appréhension. Tout le monde attendait cet article. Christie pensait qu'il allait lui rapporter une notoriété internationale. Nick Longworth était prêt à faire passer son heure de pose à cent dollars.

Elle prit un taxi et se précipita dans le hall du Plaza. Au comptoir de la presse, la célèbre couverture glacée rouge vif frappa son regard. Elle déposa quelques pièces dans la soucoupe et alla rapidement s'asseoir dans un fauteuil confortable près de la cour des Palmiers.

L'article couvrait dix pages, avec un titre en gros caractères : LE PHENOMENE CHRISTIE LANE. Elle figurait sur quatre photos aux côtés de Christie et il y en avait une d'elle seule, posant pour Ivan à Central Park dans une robe de mousseline. Ce n'était pas un ventilateur qui faisait voltiger sa robe ; jamais elle n'oublierait le froid qu'il faisait ce jour-là. Elle fut agréablement surprise, à la lecture, de constater que le rédacteur faisait preuve d'une sensibilité inhabituelle. Il décrivait fidèlement la façon dont elle avait dû affronter la bise de mars, sans sourciller. « Le métier de mannequin exige un certain courage », écrivait-il. Tout ce qui la concernait était du même ton élogieux. Pour le reste, l'article dépeignait Christie comme un homme du peuple et faisait discrètement allusion à ses fautes de syntaxe, à son cabotinage, à l'intérêt exclusif qu'il portait à sa gloire naissante. (Jusque-là, tout va bien, pensait-elle.) Elle poursuivit sa lecture.

« Pour parfaire son image de marque, Christie Lane s'est choisi une compagne digne de partager son vedettariat. Une ravissante cover-girl — Amanda. Ce n'est pas seulement la femme qu'il aime. C'est un symbole. La preuve que la page des boîtes de nuit de second ordre est définitivement tournée. Car la classe d'Amanda est incontestable. Et, à les voir ensemble, le couple qu'ils forment n'est pas si incongru qu'on pourrait le penser. Christie Lane apprécie l'élégance de sa délicieuse compagne. Et la charmante Amanda apprécie peut-être en Christie Lane son côté vrai. Quand on pose en plein air par moins dix degrés, avec sur le dos une robe de mousseline et un sourire de commande aux lèvres, on est d'autant plus sensible à l'authenticité d'un homme comme Christie Lane. Qui sait si Amanda ne souhaite pas fuir l'univers factice des photos de mode qui habille juin en janvier pour reprendre pied dans le monde réel auprès de cet homme sans détour ? »

Elle referma le magazine. Cette dernière phrase ! Comment Robin la prendrait-il ? Elle sortit et marcha au soleil. Elle avait beau sortir avec Christie et partager de temps à autre son lit, elle ne savait pratiquement rien de lui. Jamais ils ne se retrouvaient seul à seule, hormis pendant les heures pénibles qu'elle passait à l'Astor. Christie consacrait deux soirées par semaine à ses auteurs, il participait à des galas, donnait des inter-views — ce qui absorbait son temps et faisait partie de ses obligations de vedette. Néanmoins, il projetait de l'épouser quand ils seraient à Las Vegas ! Elle l'avait laissé dire... l'été paraissait si loin. Mais voilà qu'on était en mai.

Il lui fallait rompre avec Christie Lane ! Elle n'avait continué à le voir que parce qu'elle était seule et soupirait après Robin. Jamais elle ne pourrait aimer un autre homme que lui. Mais au moins, elle faisait le bon-heur de Christie...

L'article de *Life* eut un grand retentissement. Amanda connut des heures de gloire, surtout à la fin des émissions, quand les chasseurs d'auto-graphes se pressaient à l'entrée des artistes en l'appelant par son nom. Mais Robin ne donna pas signe de vie jusqu'au dimanche avant le *Decoration Day*. Elle venait de raccrocher au nez de Christie. Il devait participer au gala chez Grossinger pour un cachet fabuleux. Il voulait qu'elle vienne avec lui mais elle avait refusé.

— Mais viens donc, suppliait-il. On va bien se marrer. Même Aggie laisse tomber le *Quartier Latin*.

— Je ne peux pas me permettre de perdre de l'argent. Et puis je ne suis pas Aggie... je ne suis pas un toutou qu'on promène partout.

— Qu'est-ce tu racontes ? On se marie cet été.

— Si on se marie, et alors seulement, j'irai avec vous partout où vous jouerez. Pour l'instant, je reste à New York où je fais mon métier de man-nequin. Je ne fais pas encore partie de votre caravane.

— Oh là là ! toi et tes idées de grandeur. Fallait que je tombe amou-reux d'une princesse !

Il raccrocha, agacé mais pas fâché.

Après avoir reposé le récepteur, elle examina la situation. Pourquoi n'avait-elle pas dit tout simplement : « Je ne vous épouserai jamais » ? Parce qu'elle avait peur. Peur de ce qui se passerait si un jour Robin dis-paraissait pour de bon. Elle s'en irait à vau-l'eau. Elle avait essayé une fois de rompre avec Christie, lui avait déclaré qu'elle ne le reverrait plus. La brouille avait duré cinq jours... Il l'empêchait, au moins, de devenir complètement folle. Il y avait toujours ou l'inauguration d'une boîte, ou un gala et il valait mieux sortir avec Christie Lane que de rester seule.

Le téléphone sonna. Elle décrocha sans hâte, pensant que Christie la rappelait pour la supplier une dernière fois. La voix au timbre clair la fit vaciller de surprise.

— Bonjour, grande vedette.

— Robin ! Oh, Robin ! Où es-tu ?

— Je débarque. J'étais parti faire les comptes rendus du procès Eichmann. Je viens de lire dans l'avion l'article où l'on parle de toi. En feuilletant les derniers numéros de *Life* vlan ! voilà que je tombe sur toi.

— Qu'est-ce que tu en as pensé ?

Elle s'efforçait de prendre un ton détaché.

— Formidable, fit-il avec enthousiasme. Ça te rend presque aussi désirable que tu l'es pour de bon.

Sa gorge se noua — mais elle poursuivit d'une voix légère :

— On pourrait croire que je t'ai manqué.

— C'est un fait.

Elle écoutait à peine. Elle organisait leur soirée. Il était cinq heures, trop tard pour se faire un shampooing, elle mettrait une perruque. Elle espérait qu'ils resteraient à la maison. Dieu merci, c'était dimanche. Jerry était à la campagne et ne risquait pas de se manifester. Elle avait des steaks dans le réfrigérateur mais était à court de vodka.

Il demandait :

— Tu es toujours aussi belle ?

— Viens en juger.

— Bonne idée. Retrouvons-nous au Lancer demain à sept heures.

Elle fut si désappointée qu'elle en resta muette.

Il prit son silence pour une hésitation, et dit d'un ton badin :

— Christie Lane m'aurait-il évincé ?

— Non. Mais il m'a demandé de l'épouser.

— Ce n'est pas un mauvais parti. Son émission va durer des années.

— Est-ce que cela t'ennuierait Robin si j'épousais Christie Lane ?

— Bien sûr. Je détesterais te perdre. Mais pour ce qui est du mariage, je ne peux pas m'aligner.

— Pourquoi pas ?

— Ecoute, mon chou, l'unique justification du mariage, ce sont les enfants, et je n'en veux pas.

— Pourquoi ?

— C'est une trop grosse responsabilité.

— Dans quel sens ?

— Ecoute, Amanda — j'ai besoin d'avoir mes coudées franches, de pouvoir attraper ma valise et filer. Avec une petite amie, c'est possible, avec une femme, à la rigueur. Mais on ne peut pas faire ça à un gosse. Je serais un père impossible.

Elle tremblait. Le mariage était un sujet qu'il avait toujours refusé d'aborder. Et voilà qu'ils en discutaient.

— Oh, Robin, je crois que tu ferais un père merveilleux.

— Un père doit rester auprès de ses gosses.

— Le tien t'a abandonné ?

— Non. Il faisait ses huit heures par jour. Et Kitty était une excellente mère : nous avions nurse et cuisinière, mais elle était toujours là. Et c'est comme ça que cela doit se passer.

— Alors, je ne comprends pas. Qu'est-ce qui te fait croire que tu filerais ?

— Mon métier, mon chou, répondit-il avec force. Et, bien que ça ne me soit jamais arrivé, je sais que si j'étais un enfant et que mon père n'était pas là, j'en mourrais — je le sais. Ne me demande pas pourquoi. C'est comme ça.

— Robin, rien ne nous oblige à avoir des enfants tout de suite.

— Alors, pourquoi se marier ?

— Pour être ensemble.

— Nous sommes ensemble, sauf quand j'ai besoin d'être seul. Comme ce soir. Mon bureau disparaît sous le courrier. J'ai bien envie de tout mettre à la corbeille. Je devrais le faire... (Il y eut un instant de silence.) C'est fait. On me renverra bien un double des factures et je ne pense pas qu'on me coupera l'électricité pour un mois de retard.

— Parfait, le courrier est expédié. Alors on peut se voir ce soir ?

— Amanda, c'est pour cela que je ne veux pas me marier. Ce soir, je *désire* être seul. (Sa voix se fit subitement plus gentille.) Comprends-tu maintenant, Amanda ? Je ne suis pas fait pour le mariage. J'aime la façon dont je vis.

— Et aussi les petites parties qu'organise Ike Ryan.

— Ike Ryan — qu'est-ce que tu vas chercher là ? Je ne l'ai pas vu depuis des siècles, celui-là, et je l'avais même complètement oublié.

— Et la baronne ? Tu ne vas pas me dire que son nom t'est sorti de la tête ?

Elle savait qu'elle se sabordait mais elle ne pouvait pas se retenir.

— Amanda chérie, ce qu'il y a également d'insupportable dans le mariage, ce sont les explications. Je ne t'en dois pas et tu ne m'en dois pas non plus. Maintenant, pour demain, es-tu libre ?

— Je me rendrai libre, fit-elle d'un ton maussade.

— Bravo.

— Vas-tu rester quelque temps ? Ou reprends-tu un avion pour Dieu sait où ?

— Mon petit, je suis si fatigué des voyages que je voudrais bien ne plus jamais repartir. En tout cas, je ne bouge plus d'ici avant l'automne.

— Merveilleux ! (Sa mélancolie s'était évaporée.) L'émission s'arrête dans quinze jours.

— Tiens, ça me rappelle que Jerry Moss m'a invité pour le week-end du quatre juillet à Greenwich. Ils ont une grande maison avec une piscine. Ça te plairait de venir ?

— J'en serais ravie, Robin.

— Parfait. A demain soir.

Elle resta sans bouger un long moment. Elle ne put presque pas fermer l'œil de la nuit. Le lendemain matin, elle appela Jerry Moss à neuf heures.

— Jerry, il faut que je te parle. C'est urgent.

— On se verra sans doute au Lancer. J'ai rendez-vous là-bas avec Robin, à cinq heures.

— Je n'y serai pas avant sept heures. Mais j'ai besoin de te voir seul à seule. C'est très important.

— A déjeuner ?

— Non, j'ai une séance de pose à midi. Est-ce que je peux venir à ton bureau ? A dix heures, par exemple ?

— Accordé ! J'aurai même une tasse de café à t'offrir.

Elle s'assit en face de Jerry, de l'autre côté de son bureau, et but son café à petites gorgées. Elle lui parla de ses relations avec Chris en présentant les choses comme s'il ne s'était rien passé entre eux. Dans un sens, ce n'était pas un mensonge. Il n'y avait pas entre eux de véritable intimité. Elle s'était simplement allongée, avait serré les dents et s'était soumise à son plaisir. Puis elle ajouta :

— C'est pour cette raison qu'il fallait que je te voie, Jerry. Toi seul peux m'aider.

Il parut surpris :

— Moi ?

— Si je vais à Las Vegas avec Chris, il faudra que je l'épouse. Si je refuse d'y aller, je le perds.

Jerry hocha la tête :

— Le choix est simple. Mieux vaut tenir que courir.

— Je veux courir une dernière fois ma chance. Robin sera ici tout l'été. Il m'a invitée à passer le quatre juillet chez toi.

Jerry demeura silencieux. Enfin, il dit :

— Va à Las Vegas, mon chou..., épouse Chris. Tu as déjà perdu trop de temps avec Robin.

— Pourquoi ? Il t'a dit des choses que j'ignore ?

— Non, mais écoute... Tu as entendu parler d'Ike Ryan ?

— Je connais toute l'histoire. Mais Robin a cessé de le fréquenter... et de participer à ce genre de choses.

Jerry eut un sourire :

— J'ai un ami psychiatre. Quand Robin m'a raconté ce qu'ils faisaient, Ike et lui, j'en ai touché un mot à cet ami. A son avis, Robin hait les femmes.

— C'est ridicule ! s'écria-t-elle. Ton ami ne connaît même pas Robin. Comment peut-il affirmer une chose pareille ?

— Il l'a *rencontré.*

— Tu voudrais me faire croire que Robin est pédéraste ? (Cette fois, elle était vraiment furieuse.)

— Non. Je dis qu'en tant qu'individus, Robin aime les hommes. Il est certes porté sur les femmes, mais seulement pour la bagatelle — en fait il ne les aime pas. Il leur est profondément hostile.

— Et tu crois que c'est vrai, toi ?

— Oui. Mais je crois que Robin a de l'affection pour toi, dans la mesure où il est capable d'en avoir pour une femme. N'empêche qu'il te poussera à bout afin que ce soit toi qui rompes.

— Jerry... (Elle le suppliait des yeux.) Aide-moi !

— Comment cela ?

— Empêche-moi de partir à Las Vegas avec Christie. Dis-lui que je suis sous contrat pour les émissions d'été, que je dois rester ici pour faire les flashes publicitaires en direct.

Il la regarda bien en face :

— Pars à Las Vegas, Amanda. Christie Lane t'offre un avenir, une vie régulière, des enfants — tout ce qu'on peut souhaiter.

— Jerry, implora-t-elle. Laisse-moi tenter ma chance une dernière fois avec Robin.

— Je te croyais plus de classe, Amanda. On ne mise pas sur deux tableaux. Si je tenais à ce point-là à quelqu'un, je lancerais les dés et jouerais mon va-tout ! Renonce à Christie Lane et mise sur Robin. Ce faisant, tu rates l'occasion de faire un beau mariage qui t'apporte la sécurité. Tu aurais trente-cinq ans, tu n'aurais pas le droit de prendre ce risque. Mais tu es jeune et tu dois avoir de l'argent de côté.

— Je ne peux pas.

Jerry haussa les épaules.

— Cesse de te ruiner chez les grands couturiers. Bon sang, Mary s'achète à Greenwich des robes à quarante-cinq dollars.

— Mary ne gagne pas cent dollars de l'heure. Et n'oublie pas que, pour l'émission, je fournis ma garde-robe. Etre bien habillée fait partie de mon métier. Et j'ai une peur noire de me trouver un jour dans le besoin, Jerry, peur de rester sans le sou.

— Dans mon pays une fille qui a deux amoureux ne risque pas de rester seule. Et une fille qui se fait cent dollars de l'heure ne peut pas avoir de soucis d'argent.

Elle se tordit les mains :

— Jerry, as-tu jamais été pauvre ? Je veux dire vraiment pauvre. Moi, si. J'ai connu la misère. Chaque fois que Chris me parle de Miami, des bouis-bouis dans lesquels il a joué, des grands hôtels dans lesquels il s'était juré de mener un jour grand train, j'en suis malade. Je suis née à Miami, dans un hospice de charité. Ma mère était finlandaise et travaillait comme femme de chambre dans un de ces hôtels de luxe. Elle a dû être jolie. Je ne me la rappelle qu'amaigrie et fatiguée. Un des riches clients de cet hôtel a dû la trouver à son goût. Je n'ai jamais connu mon père. Je sais seulement que c'était un de ces richards qui ont les moyens de passer l'hiver à Miami et peuvent se permettre d'engrosser une petite femme de chambre. Après ma naissance, nous sommes allées vivre dans ce qu'on appelle « le ghetto noir » parce que la seule personne qui s'était conduite correctement avec ma mère était une Noire qui travaillait dans le même hôtel. Elle habitait une cabane goudronnée — on passe devant pour se rendre à l'aéroport. C'est cette femme — elle s'appelait Rose — qui a conduit ma mère à l'hospice quand je suis venue au monde. Après, nous avons vécu avec elle. Je l'appelais Tante Rose. C'est la meilleure des femmes que j'aie jamais connues. Plus tard, quand ma mère travaillait la nuit, Tante Rose rentrait me préparer le dîner, me demander si j'avais été sage à l'école, et me faire réciter mes prières. Ma mère est morte quand j'avais six ans. Tante Rose a payé l'enterrement et m'a élevée comme si j'étais sa fille. Elle a travaillé pour moi, pour m'habiller, payer mes études. Puis elle m'a mise dans l'autocar de New York avec cinquante dollars en poche, toutes ses économies.

Amanda s'interrompit et ses larmes se mirent à couler.

— Je suis sûr que tu les lui as rendus, fit-il

— Au début, je lui envoyais cinquante dollars par semaine. Mais toute une vie ne suffirait pas à la rembourser de son amour. Il y a un an et demi, Tante Rose a eu une attaque. Je me suis précipitée en Floride — c'était juste avant ma rencontre avec Robin — et je l'ai fait admettre à l'hôpital. Ça n'a pas été facile. Ils n'étaient pas très chauds pour prendre une vieille Noire malade comme pensionnaire. Mais je suis tombée sur un médecin sympathique qui m'a aidée à lui obtenir une chambre particulière. Naturellement, elle n'avait pas d'assurance-maladie, rien. Elle y est restée six semaines. Cela m'a coûté quatre mille dollars, infirmières et soins compris. Essaye d'expliquer ça au percepteur. C'est une parente, une personne à charge ? m'a-t-on demandé. « Non, simplement un être cher. » Ils considèrent qu'elle peut vivre avec les cent quinze dollars par mois de la Sécurité Sociale, et aller à l'hospice. Nous n'avons aucun lien légal — je n'ai pas été adoptée. Et quand ces fonctionnaires sans cœur voient entrer quelqu'un comme moi, ils se disent : « Une mannequin à cent dollars de l'heure, elle gagne plus en une journée que moi dans toute ma semaine. »

— Où est-elle à présent ?

— J'y arrive. A sa sortie de l'hôpital, je ne pouvais pas la laisser seule. J'ai cherché quelqu'un pour s'occuper d'elle mais je n'ai pas trouvé. Alors je l'ai ramenée ici et je l'ai installée dans une maison de repos à Long Island. Cela coûtait cent dollars par semaine. C'était parfait. J'allais la voir toutes les semaines. Mais il y a huit mois elle a eu une attaque généralisée. J'ai dû la faire entrer dans une clinique où elle est sous surveillance médicale constante. Maintenant, je paye deux cent cinquante dollars par semaine.

— Tu continues à y aller chaque semaine ?

Elle secoua la tête :

— C'est trop pénible. Elle ne se rend même pas compte que je suis là. Je vais la voir une fois par mois et le jour de l'An. Les premiers temps, après mon arrivée à New York, je lui téléphonais toujours la veille du Premier de l'An. Une année, je n'ai pas pu, les circuits étaient encombrés et j'ai cru devenir folle. Alors elle m'a dit : « Mon enfant, désormais tu me téléphoneras le jour de l'An. Je ne veux pas que tu te gâches la soirée à essayer d'obtenir un numéro de téléphone. » (Amanda se redressa sur son siège.) Depuis mon enfance, Jerry, je connais le pouvoir de l'argent. Son argent a permis à mon père inconnu de rentrer chez lui et de continuer à vivre sans me connaître. Le manque d'argent a empêché ma mère de lutter et de se défendre. Et la seule chose qui puisse donner à Tante Rose encore un peu de bien-être, c'est l'argent. Tu comprends, Jerry ? Je ne peux pas me payer le luxe de jouer le tout pour le tout. J'ai besoin de protéger mes arrières. Mais j'ai tout de même le droit d'essayer de faire mon bonheur avec le seul homme que j'aime au monde ! Tant qu'il me reste une chance avec Robin, je ne peux pas épouser Christie.

Jerry avait installé un petit bar dans son bureau. Il alla y préparer deux scotchs. Il lui tendit son verre :

— Amanda, cet été nous souhaitons faire nos spots publicitaires en direct, et je t'ordonne donc de rester en ville. (Il fit tinter son verre contre le sien.) Tu peux compter sur moi. Buvons au week-end du Quatre Juillet et à un long et merveilleux été. On va se donner du bon temps !

Elle eut un pâle sourire :

— Je l'espère... parce qu'à l'automne, il faudra bien que je me décide.

L'été touchait à sa fin. Elle avait passé toutes ses nuits avec Robin. Ils étaient allés quelquefois en week-end chez les Hampton. Pour le Labor Day, ils étaient restés à New York. Ils s'étaient promenés dans les petits rues de Greenwich Village. Ils étaient restés assis des heures dans un café de Cornelia Street.

Maintenant on était en octobre. La saison avait recommencé. Le *Christie Lane Show* était diffusé à nouveau. *En Profondeur* entamait sa seconde année. Christie la pressait de fixer une date pour leur mariage et Robin était reparti pour un de ses voyages sporadiques. C'était comme s'il n'y avait jamais eu d'été. Malgré ses bonnes résolutions, elle savait qu'elle allait continuer à faire patienter Christie, tandis qu'elle continuerait à espérer Robin. Elle perdit les quelques kilos qu'elle avait pris pendant l'été — quand Robin était là, elle se portait mieux. Elle n'arrivait pas à se décider. Elle attendait.

Par une bizarrerie du sort, ce furent les commanditaires qui forcèrent sa décision. A partir du 15 janvier, Alwayso tournait l'émission en Californie pour le reste de la saison.

— On arrivera là comme mari et femme, répétait sans arrêt Christie. On s'arrêtera à Chicago pour se marier.

— Je ne me marierai jamais en voyage. Si je vais en Californie, on se mariera là-bas, lui répondait-elle.

Le transfert de l'émission en Californie avait été décidé au cours de la semaine précédant Noël. Robin était à Londres. La veille de Noël, Amanda prit un verre au Lancer avec Jerry. Jerry n'était pas non plus très heureux d'aller en Californie. C'était une longue absence en perspective...

Tous deux regardaient tristement le bar, son petit arbre de Noël, la neige artificielle, et les branches de houx collées sur le miroir. Leurs regards se croisèrent. Elle leva son verre.

— Joyeux Noël, Jerry.

— Tu as l'air lessivée, Amanda.

— Lessivée et écartelée.

Il lui prit la main :

— Ecoute, mon chou. Tu ne peux pas continuer ce petit jeu-là. Pose la question à Robin, le jour de l'An.

— Pourquoi ce jour-là ? Comment savoir si je le verrai ?

— Chris est bien invité à la réception de Mme Austin ?

Elle ne put s'empêcher de sourire :

— Un peu ! Il ne parle que de cela. On pourrait croire qu'il est invité à une présentation officielle à Buckingham Palace.

— Dans un sens, c'est un peu ça. C'est rare que Judith Austin invite des collaborateurs de la IBC. Cette année semble faire exception. Danton Miller était très étonné que Robin soit aussi sur la liste. J'ai appris qu'il rentrait le 31 décembre. Il m'a dit qu'il allait fêter deux fois la nouvelle année à cause des fuseaux horaires. Robin sera chez Mme Austin. Il n'oserait pas lui faire cet affront.

— Et moi qu'est-ce que je vais faire ? questionna-t-elle. Marcher droit sur lui en disant : c'est maintenant ou jamais Robin !

— Quelque chose d'approchant.

124

— Je ne peux pas. Je n'irai pas à cette réception.

— Pourquoi ? Chris ne te l'a pas demandé ?

— Bien sûr que si. Mais je consacre toujours le premier janvier à Tante Rose. Je ne l'ai pas dit à Chris. Il ne sait rien d'elle. Je prétexterai une migraine.

— Mais tu as dit qu'elle ne te reconnaît même plus, Amanda.

— Je sais, mais je m'assieds près d'elle, je la fais manger, et le Premier de l'An, c'est notre jour à nous.

— Comment peut-elle savoir si c'est le premier janvier ou le deux ?

— Moi, je le sais.

— Ecoute : va à cette réception, Amanda. Pose carrément la question à Robin. Et qu'il te réponde clairement oui ou non. Si c'est non, tu tires un trait sur lui. Deux ans d'attente, ça suffit, même pour Robin. Tu iras voir ta tante le lendemain.

Elle parut songeuse. Puis elle hocha la tête.

— Entendu. Je ferai comme tu dis. (Elle croisa les doigts.) Buvons à 1962. Ou je perds ou je lui arrache un aveu. Tiens, ça rime ! Prenons un vodka-martini, Jerry, comme Robin les aime, et où qu'il soit, souhaitons un joyeux Noël à cet ignoble individu.

13

L'invitation à la réception du jour de l'An chez les Austin portait :
« Cocktail de quatre à sept. » Chris voulait venir chercher Amanda à trois
heures et demie. Elle dut insister pour retarder leur rendez-vous d'une
heure.

— Mais pourquoi ? On est invité à quatre heures.

— Cela signifie qu'il n'y aura personne avant cinq heures. Et les gens
importants n'arriveront qu'à six heures.

Il se résigna en maugréant :

— Va savoir que c'est comme ça dans la haute ? J'ai vraiment besoin
d'une femme comme toi.

A trois heures, elle avait déjà essayé six tenues différentes. Sa robe
noire la mettait en valeur — elle pouvait la porter avec un rang de perles
et la montre en or de Robin. Curieux, cette montre, tout le monde avait
l'air de l'admirer, peut-être parce qu'elle était minuscule. Nick Longworth
prétendait qu'elle coûtait les yeux de la tête. Mais Chris lui avait offert
pour Noël un bracelet à breloques en or massif. Elle le détestait,
cependant il fallait bien qu'elle le porte. Il avait fait graver dessus :
« Mandy et Chris. » Il pesait le poids d'un âne mort et cliquetait à chaque
mouvement. Impossible de l'assortir avec la robe noire.

Elle sortit le tailleur Chanel. C'était une copie point pour point de
chez Ohrbach. Même le tissu venait de chez Chanel. Mais Judith Austin ne
s'y tromperait pas. Elle possédait probablement l'original. Enfin, elle n'allait
pas là-bas pour épater Mme Austin. Et Jerry avait dit vrai. Au Journal
télévisé de midi, on avait passé un flash de Robin débarquant le matin
même à six heures à Idlewild.

Son plan était prêt. Elle n'aurait pas de mal à semer Christie au cours
de la réception. Elle irait droit à Robin et lui dirait : « J'ai à te parler.

C'est urgent. » Elle s'arrangerait pour le retrouver plus tard, quand elle aurait largué Christie. Tout serait réglé le soir même, d'une manière ou de l'autre. Chris la croyait prête à partir pour la côte. Mais Jerry lui avait remis un contrat qu'elle n'était pas obligée de signer avant la fin de la semaine. Il fallait qu'elle réussisse ! Au cours des dernières semaines, l'idée qu'elle se faisait de Christie avait évolué. Ce n'était pas uniquement un brave corniaud. Il savait parfois se montrer redoutable, surtout pour les questions d'argent. L'autre soir, ses yeux de poisson frit étaient devenus d'un gris d'acier quand il lui avait dit :

— Tu perds pas le Nord, poupée. Lou Goldberg m'a affranchi. Bien combinées, tes petites hésitations sur la date du mariage.

— Je ne comprends pas.

— Tu veux m'épouser en Californie. Là-bas les mariages se font sous le régime de la communauté. Si on divorce, tu me piques la moitié de ce que j'ai.

Comme l'idée ne lui en était jamais venue, son visage exprima une réelle stupéfaction :

— Si je vous épouse, ce sera pour la vie.

— Un peu que j'y compte. (Il avait souri.) Et tout ce que j'ai sera à toi dès qu'on aura un gosse.

Lou Goldberg était venu à New York pour les fêtes. C'était un charmant sexagénaire. Elle avait essayé d'être aimable mais elle n'était pas très bonne comédienne, et rien n'avait échappé au regard perçant de Lou, ni sa façon condescendante de « laisser » Chris lui prendre la main, ni l'absence de spontanéité de ses marques d'affection.

Aujourd'hui, c'est avec Tante Rose qu'elle *aurait dû* être. Le jour de l'An, il y avait toujours beaucoup de monde en visite à la clinique. On oublierait peut-être de faire manger Tante Rose, en pensant qu'elle était là pour s'occuper d'elle. Elle téléphonerait de chez les Austin, pour s'en assurer.

Une vingtaine de personnes à peine étaient déjà là quand ils arrivèrent chez les Austin. Le luxe sobre et douillet de l'hôtel particulier était impressionnant. Un maître d'hôtel prit leurs manteaux et les conduisit dans un vaste salon. Amanda reconnut un sénateur, plusieurs personnalités mondaines, quelques acteurs de cinéma, et une grande vedette de la CBS (à laquelle, disait-on, la IBC faisait des avances). Elle aperçut également Danton Miller et, dans un angle de la pièce, en pleine conversation avec Mme Austin, Ike Ryan. Amanda le reconnut tout de suite. Depuis quelques mois, Ike Ryan faisait des étincelles à Hollywood. Les magazines ne tarissaient pas sur ses exploits. Sa première superproduction allait bientôt sortir. On avait commencé à en parler lorsqu'il avait engagé une des plus belles stars de Hollywood pour le rôle principal. Du coup, la belle avait quitté son mari pour se jeter à corps perdu dans les bras d'Ike Ryan. Mais dès la fin du tournage, il l'avait laissée tomber pour une petite starlette à qui il avait promis un rôle dans son prochain film. La star abandonnée avait pris des somnifères. Un coup de téléphone à son mari bafoué l'avait sauvée à temps. Quelques semaines plus tard, la jeune starlette avait aussi tâté des barbituriques. A la dernière seconde, elle avait appelé Ike qui l'avait tirée de là. Le nom de Ike faisait les beaux jours de la presse. Il proclamait qu'il était venu à Hollywood en producteur et non en séducteur. Il se déclarait blasé en ce domaine. Il avait épousé à Newark une camarade de cours. Ils étaient divorcés depuis cinq ans. A l'heure actuelle, il n'avait qu'une passion : son métier. Bien sûr il tombait amoureux — tous les jours. Mais pas pour longtemps.

C'était un beau garçon, athlétique. Sa mère était juive. Son père, un modeste boxeur irlandais. Ike en avait parlé dans ses interviewes, prétendant qu'il avait pris en chacun ce qu'il avait de meilleur. Amanda lui donnait la quarantaine. Il était bronzé et ses cheveux noirs commençaient à grisonner aux tempes. Son nez, court et camus, donnait un air enfantin à son visage aux mâchoires carrées. Judith Austin semblait suspendue à ses lèvres.

Amanda en fut surprise. Judith Austin représentait tout ce qu'Amanda voulait être. Svelte et élégante, ses cheveux longs cendrés étaient ramenés en chignon sur sa nuque, et elle portait une « robe d'intérieur » en velours. Amanda l'avait vue dans *Vogue* et savait qu'elle coûtait douze cents dollars. Elle remarqua que Mme Austin portait peu de bijoux : une perle à chaque oreille, rien de plus. C'est alors que son regard fut attiré par l'énorme solitaire taillé en poire qu'elle portait au doigt. Il pesait au moins trente carats.

Elle et Chris restaient plantés là, seuls au milieu de tous ces gens. Danton Miller les aperçut et vint gentiment leur dire quelques mots. Chris s'accrocha à lui et les deux hommes furent bientôt en pleine discussion professionnelle.

Amanda promena son regard sur la pièce. La maison était splendide. Que Tante Rose serait heureuse de la voir dans cet endroit ! Cela lui fit brusquement repenser à la clinique. Elle s'excusa et demanda au maître d'hôtel d'où elle pouvait téléphoner. Il la conduisit dans la bibliothèque et referma la porte. Elle regarda autour d'elle, intimidée par l'aspect impressionnant de la pièce. Elle s'approcha du bureau et le caressa du bout des doigts : un meuble français probablement. L'appareil téléphonique comportait toute une série de boutons mais l'encart où le numéro aurait dû être inscrit était vide. Il ne figurait pas dans l'annuaire, naturellement. Il y avait un portrait de Judith dans un cadre d'argent. Elle l'examina de plus près. Il était signé « Consuelo » de cette écriture renversée qui caractérise les femmes de la haute société. Evidemment, c'était sa sœur jumelle : la princesse. Elle composa le numéro de la clinique. Occupé. Elle s'assit, ouvrit le coffret d'argent posé sur le bureau et alluma une cigarette. Un second cadre d'argent contenait les portraits des deux petites princesses, à l'âge d'environ dix et douze ans. Ce devait être des jeunes filles à présent, de ravissantes « débutantes » qui n'avaient jamais connu de soucis. Elle appela à nouveau la clinique : toujours occupé.

La porte s'ouvrit. C'était Ike Ryan. Il sourit :
— Je vous ai vue filer. Dès que j'ai pu m'échapper, je vous ai cherchée. Je suis Ike Ryan. Nous nous sommes rencontrés au Danny's Hideaway, l'année dernière.

Elle prit un air indifférent pour lui faire croire qu'elle n'en gardait aucun souvenir. Puis elle dit, d'un ton détaché :

— Je suis venue ici téléphoner, mais mon numéro est occupé.

Il fit un geste :

— Tout comme moi. Vous permettez ? (Sans attendre sa réponse, il décrocha le combiné et se mit à composer le numéro. Entre deux chiffres, il s'interrompit et se tourna vers elle :) Vous êtes libre après ? (Elle secoua négativement la tête. Il revint à son cadran.) Alors, je passe ce coup de fil. Avec ce rigolo qui vous accompagne, ça a l'air sérieux. Vous étiez déjà ensemble, quand nous nous sommes rencontrés au Danny's.

— Je fais les spots publicitaires du *Christie Lane Show*.

Elle se demanda si Robin lui avait seulement parlé d'elle.

Le numéro qu'il appelait répondit.

— Joy ? Salut, ma colombe ! On dîne ensemble ? A neuf heures ? Je t'envoie ma voiture. On a le choix entre trois réceptions et la Charcuterie de la Sixième Avenue. On verra selon l'humeur. Quoi ? Bien sûr... Sinon je ne me serais pas arrêté en pleine discussion d'affaires pour t'appeler. D'accord, mon ange ! (Il raccrocha et se tourna vers Amanda.) Vous voyez ce que vous perdez ? (Elle se força à sourire. Il la regarda droit dans les yeux.) Vous me plaisez. D'habitude, les nénettes me sautent dessus.

— Je ne suis pas une « nénette ». J'ai un contrat pour aller en Californie tourner des flashes publicitaires et le « rigolo » qui m'a amenée est très amoureux de moi.

Il sourit :

— Où descendrez-vous là-bas ?

— Au Beverly Hills. Si j'y vais...

— Si vous y allez ? Je croyais que vous aviez un contrat.

— J'en ai un. Je ne l'ai pas encore signé.

— Quel est le *efsher* ?

— *Efsher* ?

Il sourit :

— C'est un mot yiddish. Ma mère l'employait toujours. C'est intraduisible, mais je vais essayer de vous donner un exemple. Voyons... Tenez, par exemple : ma sœur était un monstre avant que je lui fasse refaire le nez, ce qui lui a permis de se décrocher un mari. Jusque-là, elle faisait tapisserie. Un jour, elle part en week-end avec une bande de copines, toutes aussi moches qu'elle, — vous voyez le genre. Non. Vous ne pouvez pas. Des pucelles juives ayant coiffé Sainte Catherine. Hystériques ! Loupées. Des cas désespérés. Ma sœur était du lot. Donc, ce week-end je vois ma sœur en train de fourrer dans sa valise des vieux jeans, sa raquette de tennis, un maillot de bain. Et maman lui dit : « Quoi ? Pas de jolies robes ? » Ma sœur lui répond : « Ecoute, maman, je suis déjà allée dans ces trucs-là. Il n'y a jamais un célibataire. Alors cette fois-ci, je me relaxe. Je jouerai au tennis. J'y vais pour me détendre, pas pour chasser le gibier. » Alors ma mère est allée décrocher la plus belle robe de ma sœur et l'a flanquée dans sa valise, en disant : « Emporte-la toujours, *efsher*. »

Amanda rit. Elle commençait à trouver Ike Ryaan sympathique.

— Pigé ? reprit-il. *Efsher* signifie « au cas où ». Une possibilité, un vague espoir. Quel est votre *efsher*, mon ange ? (Puis, comme s'il sentait son changement d'attitude.) Ecoutez, vous voulez réfléchir pour ce soir ? Je peux toujours annuler le rendez-vous que je viens de prendre.

— Je n'annule jamais mes rendez-vous.

— Moi non plus, quand *j'y tiens*. (Il la regarda attentivement. Puis il sourit.) Viens sur la côte, mon ange. Je crois qu'on a un avenir ensemble.

Après son départ, la pièce lui parut soudain très vide. Elle réalisa qu'il était plus de six heures. Robin devait être arrivé. Elle fit rapidement le numéro de la clinique. Toujours occupé. Elle vérifia son maquillage avant de partir. Elle essaierait plus tard.

Le grand salon s'était rempli et la réception s'étendait maintenant au petit et à la salle à manger. Amanda parcourut toutes les salles, scrutant chaque visage, mais Robin n'était pas là. Elle retrouva Chris, planté au même endroit, toujours en conversation avec Danton Miller. Danton parut soulagé de la revoir et s'éclipsa sur-le-champ.

— Bon sang, où t'étais fourrée ? interrogea Chris, dès qu'ils furent seuls.

— Je me recoiffais, lui répondit-elle avec froideur.

— T'as disparu pendant vingt minutes. Dan Miller s'est sacrifié pour me tenir le crachoir.

— Eh bien, pour une aussi grande vedette, où sont vos admirateurs ?

Chris regarda tous les gens connus qui étaient dans la pièce.

— C'est drôle, soupira-t-il. Je connais tous les gens que je vois, mais je ne vois personne que je connais. Partons, ma poulette. C'est pas mon milieu.

— Oh, Chris, ayez au moins l'air de vous amuser.

— Pourquoi ? Y a une loi qu'oblige à trouver ça drôle ? On nous a invités — mais Eddie Flynn aussi nous a invités à sa soirée. Dans sa suite à l'Edison. Y aura des pépées du Copa. Il a organisé ça pour Aggie, parce qu'elle abandonne le *Quartier Latin* pour suivre Eddie sur la côte. Au moins, c'est le genre de fiesta où l'on peut s'en payer une tranche.

Elle se tourna vers la porte. Son cœur se mit à battre. Non, c'était quelqu'un de grand, mais ce n'était pas lui.

A huit heures et quart, Amanda rendit les armes et permit à Chris de la traîner chez Eddie. Les filles du Copa et du *Quartier Latin* étaient reparties faire leur numéro. Amanda s'assit sur un sofa et se mit à boire du scotch. Chris était très à son aise. Il aimait ce genre de réunions. Il lui apporta des sandwiches au pastrami.

— Tiens, poulette, c'est meilleur que les amuse-gueule des Austin.

Elle refusa et se versa un autre scotch.

— Tu ferais mieux de bouffer, lui dit-il en s'empiffrant. J'en suis à mon troisième sandwich. J'ai plus envie de dîner.

— Je n'ai pas faim.

Agnès la rejoignit sur le sofa.

— C'est comme ça que vous autres mannequins vous gardez la ligne. T'as tort. Le corned-beef est du tonnerre.

— Je n'ai pas faim, c'est tout, fit Amanda.

Sous l'effet du scotch, elle se sentit tout à coup engourdie et se mit à bâiller. Agnès la regarda avec sympathie :

— T'as trop réveillonné hier soir ?

131

— Non, pas spécialement. Chris passait en attraction. C'était très calme. Enfin, si on peut appeler calme la grande salle des fêtes du Waldorf.

— L'année dernière, Eddie et moi, on était avec Chris au *Fontainebleau*. Oh, personne de nous n'y habitait. Chris passait en attraction. C'était avant que l'émission démarre. Tu veux que je te dise une chose ? Eddie et moi on se marrait bien mieux avant notre réussite à la télévision. Enfin — on rigolait, quoi. Les fêtes, ça devrait être ça.

— Je n'aime pas les réveillons ni les fêtes, dit Amanda.

A onze heures du soir, elle était ivre. Chris voulait aller prendre un café quelque part, mais finalement il consentit à la ramener chez elle.

Il fit attendre le taxi le temps de la reconduire à sa porte. Elle avait fini par obtenir de lui cette marque de courtoisie, mais il continuait de trouver cela ridicule :

— Tu dois prendre ton pied à entendre le compteur tourner.

— Ike Ryan a une voiture et un chauffeur, fit-elle.

— De location, grogna-t-il.

— Ça lui économise des taxis...

— C'est pas demain la veille que je paierai huit dollars de l'heure pour qu'un chauffeur se les roule en écoutant la radio. (Il l'embrassa en vitesse, le compteur tournait.) Oublie pas, poupée, que quand j'aurai soixante ans, on aura fait notre beurre. Un type comme Ike Ryan pourrait bien se retrouver dans la mouise.

Elle trébucha en entrant dans son appartement. Elle se sentait le cœur barbouillé et en proie à un mal de tête monumental. Elle reprit sa ligne. Un seul message. De la clinique. Il fallait s'y attendre. Les infirmières s'inquiétaient de leurs vingt dollars d'étrennes habituelles.

Mais rien de Robin ! Il fallait en prendre son parti ! Plus de... quel était ce mot ? — *efsher*. Oui, plus d'*efsher*. Elle irait en Californie ! Elle *épouserait* Chris ! Soudain elle se raidit : une évidence nouvelle la frappait. Le coup la laissa sans forces. La Californie ! Qui irait voir Tante Rose ? Elle y allait tous les mois mais chaque fois à un jour et à une heure différents, de façon à surveiller le service. Si elle partait, on négligerait Tante Rose. Comment n'y avait-elle pas pensé ? Parce que jusqu'à la minute présente, elle n'avait jamais vraiment cru qu'elle partirait. Elle ne s'était même pas souciée de sous-louer son appartement. Elle avait toujours espéré en Robin.

Elle réfléchit un moment, puis, cédant à une impulsion, appela Jerry chez lui. Elle eut sa femme au bout du fil. Amanda s'excusa de téléphoner si tard mais expliqua que c'était urgent.

— Jerry, je ne peux pas aller en Californie.

Il exulta :

— Ça a marché, hein ? Je te l'avais bien dit qu'il fallait l'attaquer bille en tête.

— Il n'est pas venu, fit-elle lentement.

— Mais alors, pourquoi ne peux-tu aller en Californie ?

— Ça n'a rien à voir avec Robin, répondit-elle d'un ton las. Jerry, je viens d'y penser. J'étais si préoccupée par mes problèmes, par Robin, par Chris, que j'ai oublié Tante Rose. Je ne peux pas partir. Qui irait la voir ?

— Il y a sûrement de très bonnes cliniques sur la côte.

— Mais comment l'emmener ?

— Demande à Chris de louer un avion-taxi. Emmenez une infirmière avec vous.

— Je ne lui ai jamais parlé de Tante Rose. Je ne sais pas quelle sera sa réaction.

— Ecoute Amanda. Chris a eu des débuts difficiles. Il ne t'en respectera que deux fois plus. Et il sera ravi d'avoir l'occasion de t'aider.

— Oh Jerry, si Chris fait ça, je me forcerai à l'aimer. Je serai gentille avec lui. Je le rendrai heureux. Je vais l'appeler tout de suite.

Le numéro de Christie ne répondait pas. Il devait donc être au Copa, ou à *La Scène* ou au Lindy's ou au Toots Shor. Elle les essaya tous, et le trouva enfin au Toots Shor.

— Chris, pouvez-vous venir ? Je voudrais vous parler.

— Poulette, je suis au Toots, et Ronnie Wolfe vient de s'installer à notre table. Je veux qu'il parle de moi dans sa chronique.

— Il faut que je vous voie.

— Bon sang, tout le monde est là. L'ambiance est du tonnerre. Saute dans un taxi et ramène-toi.

— Chris, je ne peux pas vous parler au milieu de tous ces gens. C'est important. Il s'agit de nous, de notre avenir.

— Bon Dieu ! On a été ensemble toute la soirée. Chez les Austin, t'étais comme une bûche. Tu pouvais me parler, à ce moment-là. Du tête à tête, on en a eu tant qu'on en voulait. Les invités se tenaient à trois kilomètres de nous.

— Est-ce que vous venez, Chris ?

— J'arrive, d'ici disons une demi-heure, poupée.

— Non. (Le scotch faisait son effet. Elle se sentait partir.) Tout de suite. Avant que je m'effondre. C'est très important. Venez vite !

— D'accord. Je rapplique.

— Dépêchez-vous !

— Je peux quand même prendre le temps de faire pipi ?

Elle raccrocha puis se déshabilla. Il voudrait sûrement coucher avec elle. Eh bien, s'il faisait transporter Tante Rose dans une bonne clinique de Los Angeles, il pourrait dormir avec elle toutes les nuits. Elle essaierait même de se dégeler.

Elle passa une robe de chambre, se donna un coup de peigne, arrangea son maquillage, et mit son diaphragme.

Chris arriva enfin. Il enleva son veston, la prit dans ses bras et commença à l'embrasser.

— Plus tard, Chris. Je veux vous parler.

— D'accord, causons, mais après... Tirant sur la fermeture, il ouvrit sa robe de chambre. Mais il n'alla pas plus loin. Bon, t'as gagné. Je ferai pas l'amour à un morceau de bois. Pour le plaisir que ça procure, autant ouvrir *Playboy* et s'exciter dessus.

Elle referma son vêtement et s'avança dans la pièce :

— Asseyez-vous, Chris. J'ai beaucoup de choses à vous dire.

Il ne bougea pas de son siège avant la fin du récit. Elle lui raconta tout, sans rien omettre. Il écarquillait les yeux au fur et à mesure. Enfin, il hocha la tête d'un air de commisération.

— Pauvre gosse, t'en as bavé autant que moi.

Les yeux d'Amanda se mouillèrent de larmes :

— Alors, vous allez m'aider, Chris ?

— Je vois pas ce que je peux faire, poupée ?

— Emmener Tante Rose en Californie.

— Tu rigoles ? Tu sais ce que ça coûterait ? On peut pas prendre l'avion avec un vieux débris malade.

— Ne traitez pas Tante Rose de vieux débris !

— Bon, bon ! Même si elle était blanche comme neige, on nous laisserait pas prendre l'avion avec quelqu'un qui a eu une attaque.

— Vous pourriez louer un avion particulier.

— C'est ça, pour quelques milliers de tickets !

— Eh bien... vous en avez les moyens.

Il la regarda fixement. Puis il se leva et se mit à arpenter la pièce. Il allait et venait et virevoltait, le doigt pointé sur elle.

— T'es complètement dingue ! J'ai un cousin, un cousin germain. Un jour, il a voulu m'emprunter deux mille dollars pour acheter de la marchandise pour son affaire. Je l'ai envoyé paître. Tu sais pourquoi ? Parce que je suis comme toi. Personne n'a jamais rien fait pour aider le petit Chris. Mes parents étaient fauchés, eux aussi. Mon vieux était cabot. Il a trompé ma mère. Elle l'a trompé. Ils ont rompu et se sont remariés — aucun n'a voulu de moi. A douze ans, il a fallu que je me démerde tout seul. J'ai un demi-frère. Je lui refile pas un flèche. Je sais bien que s'il était à ma place, il en ferait autant.

— Alors, vous refusez ?

— Un peu ! La prochaine fois tu me demanderas de la ramener chez nous sur un brancard, après qu'on sera mariés.

— Si elle va mieux, pourquoi pas ?

— Parce que si je laisse pas ma famille me ponctionner... je vais pas non plus jeter mon fric par les fenêtres pour une vieille... dame que j'ai jamais vue. Ça peut aller chercher dans les dix mille dollars, ce truc-là.

— En effet, dit-elle d'un ton glacial.

— Tu sais ce qu'il faut que j'abatte comme boulot pour ramasser dix mille dollars ?

— C'est ce que vous touchez comme prime, chaque semaine.

Ses yeux se rétrécirent :

— Où t'es allée pêcher ça ?

— Tout le monde sait que les commanditaires vous versent une prime de dix mille dollars. Vous l'avez fait publier dans tous les journaux.

— D'accord, mais le fisc m'en prend soixante-dix pour cent. Tu vois ce que je voulais dire. Pour que je me mette dix mille tickets à gauche, il faut d'abord que j'aie ramassé une fortune.

— Très bien, Chris. Partez, je vous en prie.

Il traversa la pièce et la prit aux épaules :

— Amanda, ma poulette, je t'aime. Je suis pas un mégoteur. Tiens, pour notre gosse, s'il avait un truc qui clochait, je balancerais à la seconde dix mille dollars au spécialiste. Tout ce que je possède sera pour toi et pour le môme. Mais pas pour la famille. A plus forte raison pour quelqu'un qu'est même pas de la famille !

— Je considère Tante Rose comme ma mère.

— Bon Dieu de merde ! explosa-t-il. Fallait que ça m'arrive, à moi. Je croyais m'être dégoté la poule la plus distinguée du monde. Et voilà que, mine de rien, tu me balances une négresse dans les gencives — pas même en bonne santé par-dessus le marché, sans quoi on pourrait au moins la faire passer pour la bonne ! Ben mon colon ! quand tu disais que tu voulais me causer, c'était pas du bidon !

— Sortez, Chris !

— Je m'en vais, mais te fais pas de mourron. Va pas te fourrer dans la tête que je t'aime plus. Je t'adore et j'ai les idées larges. Je m'imaginais que t'étais une fille de bonne famille. J'avais un peu honte de mes origines. Et tu m'annonces froidement que t'es une bâtarde et que c'est une bonniche noire qui t'a élevée. Mais je m'en bats l'œil. Royalement ! Je t'aime quand même et je veux t'épouser. Mais je te balancerai jamais ma saleté de famille dans les pattes et je me laisserai pas imposer la tienne. Quand nous serons mariés, on dépensera que pour *notre* môme. Encore un mot, Mandy... (Il s'interrompit.) Bon Dieu, même ce nom maintenant me paraît tordu. Pourvu que tu te fourres pas dans le crâne d'appeler notre fils Rastus ! A partir de maintenant, plus personne ne t'appellera Mandy. Ton nom, c'est *Amanda*. C'est ta tante qui t'a collé ce nom-là ?

— Non, répondit-elle calmement. Mon vrai prénom, c'est Rose. Nick Longworth m'a rebaptisée quand j'ai commencé à poser. Rose Jones n'était pas assez reluisant. A son idée, Amanda faisait anglais — le style Noël Coward et tout le tremblement !

— C'était vrai jusqu'à ce que j'entende parler de la chère vieille tante Rose. Ecoute, ma poulette, j'ai partagé ma loge avec des mecs de couleur. C'est des potes. Les choses changeront peut-être un jour, je l'espère. Mais je n'ai pas les épaules assez larges pour mener la croisade à moi tout seul. Qu'un autre commence, je le suivrai. Toute ma vie, j'ai été à deux doigts de réussir . J'ai joué sur toutes les scènes miteuses de la terre. Des tas de types ont fait la même chose et n'en sont jamais sortis. Moi, si ! Ce succès je te l'offre ! Mais à toi seule ! Pas à ta tante, ni à mon cousin, ni à mon demi-frangin, — rien qu'à nous. (Il ramassa sa veste et marcha vers la porte.) On tire un trait, d'accord ? Cette conversation n'a jamais eu lieu. Pour moi, Tante Rose n'existe pas. T'es Amanda, le mannequin vedette — voilà ce qu'on a convenu ensemble et on redémarre main dans la main.

Il claqua la porte derrière lui.

Elle demeura prostrée quelques minutes. Puis elle se leva et se versa à boire. Elle ne pouvait pas jeter la pierre à Chris. Tout cela ne prouvait qu'une chose : l'amour était un luxe hors de sa portée. Personne ne s'en souciait vraiment. Les gens n'avaient qu'un but : leur propre réussite. Elle ne reverrait jamais plus Christie Lane, ni Robin Stone ! Elle lâcherait l'émission, demanderait à Nick de lui trouver davantage de séances, quitte même à baisser ses prix. Elle n'éprouvait à présent plus aucun remords vis-à-vis de Christie. Elle travaillerait, prendrait soin de Tante Rose, et épouserait le premier brave garçon venu afin d'avoir un enfant à qui elle pourrait donner un bon départ dans la vie. Elle prit un somnifère, remonta le réveil, et mit sa ligne aux abonnés absents.

La sonnerie retentit à neuf heures. La tête lui faisait mal. Elle décrocha le téléphone pour savoir si on l'avait appelée, puis, changeant d'idée, raccrocha. S'il y avait des messages, ce ne pouvaient être que des ennuis.

Elle se rendit à Queens en taxi. Le petit hall de la clinique était à moitié vide. Quelques vieilles en fauteuil roulant regardaient la télévision. Une femme jouait avec un puzzle d'enfant. Une autre était assise le regard dans le vide. Un infirmier enlevait de son support un arbre de Noël nettement défraîchi.

Elle prit l'ascenseur et appuya sur le bouton du troisième. Jamais elle ne s'annonçait. Il vallait mieux arriver à l'improviste.

Elle ouvrit la porte de la chambre. Le matelas était replié sur le lit.

Miss Stevenson, la surveillante, arriva sur-le-champ. Elle semblait contrariée :

— Nous vous avons appelée hier soir.

— J'ai essayé d'appeler, moi aussi. C'était occupé. Pourquoi avez-vous déplacé Tante Rose ? (Elle fut tout à coup prise de panique.) Va-t-elle plus mal ?

— Elle est morte.

Amanda poussa un cri. Puis elle se jeta sur l'infirmière et s'accrocha à elle.

— Qu'est-ce qui s'est passé ? Comment est-ce arrivé ? s'écria-t-elle.

— A six heures, quand on lui a apporté son dîner, elle s'est brusquement assise. Elle avait les yeux brillants. Elle a dit : « Où est ma petite Rosie ? » Nous lui avons répondu que vous alliez venir. Elle s'est recouchée et a souri. Elle a dit : « Je mangerai avec ma petite Rosie. Je n'aime pas manger seule. Quand elle rentrera de l'école, nous dînerons... »

Amanda se mit à pleurer :

— Elle se croyait autrefois. Mais elle m'aurait reconnue.

Miss Stevenson haussa les épaules :

— Quand nous avons vu que vous ne veniez pas, nous avons essayé de l'alimenter. Mais elle disait toujours : « J'attends mon enfant. » Alors, à huit heures, nous sommes revenues : elle était assise, telle que nous l'avions laissée. Elle était morte. Nous avons appelé chez vous...

— Où est-elle ?

— A la morgue.

— A la morgue !

— On ne pouvait pas la garder ici. (Amanda courut vers l'ascenseur, Miss Stevenson sur les talons.) Je vais vous donner l'adresse. Vous pourrez prendre vos dispositions là-bas pour les obsèques.

Elle commanda la cérémonie et l'incinération. Puis elle rentra chez elle, décrocha le téléphone et dormit.

Quand Jerry l'appela le lendemain matin, elle lui raconta ce qui était arrivé.

Jerry s'efforça de dissimuler le soulagement qui perçait dans sa voix, mais il lui assura que tout était pour le mieux.

— A présent, tu peux partir tranquille.

— Oui, Jerry. A présent je peux aller en Californie.

Ce soir-là, elle but une pleine bouteille de scotch. Puis elle se regarda dans la glace. « C'est comme ça. Maintenant, tu n'appartiens plus à personne ! Il n'y a plus personne qui se soucie de toi. Ce monde est pourri ! »

Elle se jeta sur son lit et sanglota. « Oh, Robin, Robin, où étais-tu donc ? Quelle espèce d'homme es-tu ? A cette réception, je t'ai attendu pendant que Tante Rose m'attendait. Ma place était auprès d'elle. Elle m'aurait reconnue, elle serait morte dans mes bras, en sachant que quelqu'un l'aimait. »

Elle enfouit son visage dans l'oreiller. « Je te hais, Robin Stone ! Je t'attendais pendant que Tante Rose mourait et toi, où étais-tu ? Oh ! Mon Dieu... où étais-tu ? »

Il avait assisté à un match. Il était rentré chez lui à sept heures du matin, s'était couché et avait dormi jusqu'à midi. A son réveil, il prit deux œufs durs et une bière dans le réfrigérateur, s'installa dans la salle de séjour, ouvrit la télévision et s'allongea sur le divan. Il manœuvra le sélecteur et passa les différentes chaînes en revue. Il s'arrêta sur la IBC. C'était l'heure de la parade précédant le match de football. Il y avait la fanfare habituelle, les chars, l'interview de Miss Fleur d'Oranger ou quelque chose du même genre. Ces filles se ressemblaient toutes : membres fuselés, teint bronzé, elles devaient avoir été sevrées au double jus d'orange. Celle-ci paraissait même avoir bu du jus d'orange au sein maternel. De petites dents blanches, des cheveux proprets, un sourire timide. Voilà, elle aura eu un jour de gloire, sa semaine de popularité locale, et trois pages de coupures de presse dans un album pour montrer plus tard à ses enfants.

Il regardait la fille sans y prêter grand intérêt. Elle disait qu'elle rêvait d'avoir des tas d'enfants. Bon Dieu, ce serait merveilleux, si un jour l'une d'elles disait : « Oh moi, je veux seulement baiser ! » Il plaignit la pauvre fille qui l'interviewait. On ne la voyait que de dos mais elle avait une bonne voix. Il aperçut une seconde son profil quand elle annonça :

— Ici, Maggie Stewart qui vous a présenté Dodie Castle, Miss Fleur d'Oranger 1962. Et maintenant, à vous, Andy Parino.

Andy annonça qu'il allait interviewer une vieille gloire du football. Robin passa sur la CBS pour voir le match, puis sur la NBC. Il était nerveux. Il se brancha sur le canal 11, regarda un vieux film et s'assoupit. Quand il se réveilla, il éteignit le poste, se mit à composer le numéro d'Amanda, s'arrêta entre deux chiffres et raccrocha. Elle était probablement sortie et, de toutes façons, il désirait tempérer un peu leurs rapports. Il était fatigué... Le temps à Londres avait été épouvantable, cette Anglaise avait un tempérament du tonnerre et, quand il l'avait mise en présence de la baronne, elle était entrée dans la ronde d'emblée. Ike Ryan lui avait inculqué le goût des orgies. Ma foi, des orgies... tout au plus des expériences collectives. Ike Ryan avait une théorie sur la façon d'amener une fille à y prendre part. La faire d'abord coucher avec vous. Puis avec un ami en votre présence. Puis avec une fille. Dès lors, elle est dressée. Une fois qu'elle a tâté au grand jeu, elle ne peut plus faire de manières ; les comédies du genre « Envoyez-moi des fleurs ! », c'est terminé. Vous l'avez réduite à ce qu'est toute femme, une fois dépouillée de ses grands airs : une putain.

Peut-être devrait-il appliquer ce traitement à Amanda. Cela mettrait un terme définitif à ses idées de mariage. Mais quelque chose en lui s'y opposait. Il savait qu'elle y consentirait, qu'elle accepterait tout pour le garder.

Mais, contrairement à la baronne ou à l'Anglaise, Amanda en resterait marquée. Et il ne voulait pas la blesser. Dans les débuts, il s'était senti si bien avec elle. Mais ces derniers temps, elle avait un peu tendance à tirer sur la ficelle. Il valait mieux rompre. Il lui avait donné mille raisons de le faire — il préférait toujours que ce soit sa partenaire qui le quitte : au moins sa fierté était sauve. Cette affaire avec Christie Lane allait peut-être aboutir.

Il décrocha le téléphone et demanda le réseau intérieur de la IBC. Il eut Andy en régie et lui souhaita la bonne année.

— Comment est-elle, Miss Fleur d'Oranger ? questionna-t-il.

— Poitrine de poulet et genoux cagneux !

— Elle passait très bien à l'image.

— Grâce à Maggie.

— Maggie ?

— Maggie Stewart, tu n'as dû voir qu'un bout de sa nuque. Elle est formidable !

Robin sourit :

— Est-ce qu'il n'y aurait pas un petit quelque chose entre vous deux ?

— Effectivement. J'aimerais d'ailleurs te la présenter. Pourquoi ne descends-tu pas pour quelques jours ? Des vacances ne te feront pas de mal. Il y a un terrain de golf magnifique.

— Je n'ai jamais besoin de vacances. Je prends les choses comme elles viennent. Je débarque d'Europe avec des reportages sensationnels. Maintenant j'ai envie de faire un peu de direct. Ecoute, vieux, ne va pas épouser cette fille avant que je l'aie emballée.

— Je l'épouserais demain, si elle était d'accord.

— Andy, je te parie tout ce que tu veux que c'est encore une Marie-couche-toi-là !

Le ton d'Andy se fit sec :

— Ne plaisante pas sur Maggie !

— Bonne année, pauvre cloche ! fit Robin, et il raccrocha.

Il alluma une cigarette. Il se souvenait de toutes ces nuits où Andy et lui arpentaient les trottoirs de la Soixante-dix-neuvième rue, s'arrêtant dans chaque bar, levant des filles, se les repassant au milieu de la soirée...

Il mit son manteau et sortit. La nuit était froide et claire. Il descendit la Troisième Avenue tout du long, jusqu'à la Qaurante-Deuxième Rue. Il coupa à travers la ville pour atteindre Broadway. L'enfilade des cinémas et des pizzerias brillait devant ses yeux.

Passant devant un cinéma, il prit un billet et entra. Un spectateur quitta la rangée voisine pour venir s'asseoir à côté de lui. Au bout de quelques minutes, il sentit un manteau posé négligemment sur sa jambe, puis une main grimpa le long de sa cuisse. Il se leva et changea de place. Cinq minutes plus tard, une grosse négresse à perruque blonde vint se nicher contre lui.

— Tu veux passer un bon moment, chéri ? Je pose mon manteau sur tes genoux et je te fais un jeu de mains comme t'en as jamais vu. Cinq dollars.

Il changea encore une fois de place. Cette fois, il avait à côté de lui deux gamines. L'une d'elles soudain lui murmura :

— Donnez-moi dix dollars !

Il la regarda comme si elle était folle : elle n'avait pas plus de quinze ans. Sa camarade avait le même âge. Il fit comme s'il n'avait pas entendu.

— Donnez-moi dix dollars ou j'ameute la salle en criant que vous essayez de me peloter. Je suis mineure — vous aurez des ennuis.

Il se leva et quitta la salle en vitesse. Dehors il marcha un peu, puis entra dans une cafeteria ouverte toute la nuit pour y prendre un café. Il mit la main à sa poche. Nom de Dieu ! Son portefeuille avait disparu. Qui l'avait pris ? La tapette au manteau ? La tapineuse ? Les petites traînées ? Il remonta son col et rentra chez lui.

14

La clientèle du Polo Bar à l'hôtel Beverly Hills commençait à se clair-semer. Mais l'endroit était encore trop bruyant pour un appel interurbain. Jerry se résigna à aller téléphoner de sa chambre. Dieu sait combien il détes-tait cette ville. L'émission cependant avait conquis la seconde place à l'indice d'audience. L'idée de la diffuser à partir de la Côte, pendant la seconde moitié de la saison, s'était révélée payante. Mais il restait trois mois à tirer au pays de l'éternel été, des palmiers, et de la solitude.

Une fois dans sa chambre, il demanda son préavis pour Mary. Par bonheur, il devait s'occuper du programme d'été et il lui fallait rentrer pour hâter certaines décisions. Une semaine entière à New York ! Il retrouverait avec plaisir même son train de banlieue.

Le standard le rappela. Les circuits pour Greenwich étaient saturés. Il annula la communication. Il avait rendez-vous avec Amanda et Christie au Chasen. Ce soir, par exception, Amanda avait accepté de sortir. Elle était toujours fatiguée, ces derniers temps. Sa chambre était au bout du couloir et chaque soir, avec une régularité d'horloge, l'écriteau « Prière de ne pas déranger » apparaissait sur sa porte à huit heures et demie. En fait, elle travaillait beaucoup : elle était devenue le mannequin le plus demandé. Christie Lane vomissait la Californie. Il prétendait qu'à dix heures et demie tout y était fermé. Il passait ses nuits à jouer au gin-rummy avec Eddie Flynn et Kenny Ditto, dans une grande villa qu'ils avaient louée. Il avait boudé pendant des semaines, parce qu'Amanda avait refusé de se marier le jour de la Saint-Valentin. Elle ne voulait pas d'un mariage expédié entre deux jour-nées de travail. Elle voulait avoir une vraie lune de miel. Christie avait fini par accepter. Ils envisageaient maintenant de se marier le lendemain de la dernière émission de la saison.

Le comportement d'Amanda intriguait Jerry. Elle consacrait à Christie la soirée qui suivait l'émission et peut-être une ou deux autres par semaine.

Mais elle refusait de se montrer à Hollywood et ne voulait aller ni au Cocoanut Grove ni à aucune première dont Christie raffolait. Il en était réduit à écrémer Hollywood en compagnie de Kenny, d'Eddie et de sa danseuse. Chaque soir, ils finissaient par atterrir au drugstore du Beverly Wilshire dans l'espoir d'y retrouver des artistes ou d'autres newyorkais exilés en mal de commérages autour d'un café à la mode de chez eux. Chris prétendait que c'était la première et la dernière fois qu'il mettait les pieds en Californie ! Il y finirait la saison, mais il avait prévenu les commanditaires que l'année prochaine il ne ferait pas une émission en dehors de New York. Jerry l'appuyait — il était aussi esseulé que Christie.

Mais Amanda ne paraissait pas du tout regretter New York. Jamais elle n'avait été plus séduisante, et les producteurs de cinéma commençaient à tourner autour d'elle. Sa façon d'être avait changé, comme si le climat californien avait opéré une mutation chimique dans sa personnalité. Elle souriait toujours volontiers, mais Jerry trouvait que leurs relations n'étaient plus les mêmes qu'autrefois. On eût dit qu'ils n'avaient jamais été que des étrangers l'un pour l'autre, ou presque. Il avait renoncé à l'inviter à dîner. Elle répondait invariablement : « Ça me ferait plaisir, Jerry, mais je suis fatiguée et j'ai demain une journée très chargée. » Peut-être l'avait-elle chassé de son cœur, en même temps que Robin. Jamais elle ne prononçait son nom, ni ne demandait de ses nouvelles.

Jerry regarda sa montre : neuf heures moins le quart. Christie et Amanda devaient être furieux. Il appela le Chasen. Christie vint à l'appareil aussitôt :

— Bon Dieu, qu'est-ce que tu fous ?
— J'attends un appel de New York. Je serai un peu en retard.
— Alors annulons. Je vais faire un tour au Schwab.
(Christie paraissait à cran.)
— Allons, ce n'est pas comme si vous étiez seul. Amanda est avec vous.
— Elle m'a laissé en rade.
— Comment cela ?
— Elle m'a prévenu il y a une heure. Elle a une angine. Sans doute le brouillard. Elle a pris un somnifère et s'est couchée. Je suis planté là tout seul. Bon Dieu, quel trou ! Les gens ne sortent que le samedi. Et si t'es pas du cinéma, on te traite comme si tu n'existais pas. Tiens, Alfie et sa bande viennent d'entrer.
— Alfie ?
— T'es pas dans le coup, Jerry. Alfred Knight.
— Oh, l'acteur anglais.
— Bon sang ! On jurerait qu'il est grand d'Espagne, à voir toutes les courbettes qu'on lui fait. Ça vaut le spectacle. J'avais réservé une table. Tu sais où on m'a placé ? Dans un coin. Mais le gars Alfred qui se pointe seulement maintenant, on lui donne la grande table du devant, la place d'honneur. C'est un peu fort de café ! Je hais non seulement ce patelin mais aussi tous ses habitants.
— Ne vous laissez pas abattre ! fit Jerry en riant. On sera en juin avant de s'en rendre compte.
— J'en ai ma claque !

Jerry raccrocha, s'assit sur son lit et alluma une autre cigarette. Peut-être Amanda accepterait-elle de dîner avec lui, s'il se faisait servir dans sa chambre. Il l'appela.

Elle déclina poliment son invitation.

— Je ne peux rien avaler, Jerry. Ma gorge me fait mal et j'ai un ganglion au cou. Je dois couver quelque chose et l'émission est dans deux jours. Il faut que je sois en forme — ce serait catastrophique si je manquais.

Il raccrocha, vaguement déconcerté.

Il eut soudain une impression de claustration et d'isolement. Il ouvrit la porte-fenêtre donnant sur le jardin particulier attenant à sa chambre. Amanda raffolait du sien. Elle trouvait merveilleux d'y rester allongée le soir à contempler les étoiles. Il s'avança sur sa terrasse. Dans le silence de la nuit le chant des cigales paraissait plus intense. Le jardin d'Amanda était trois fenêtres plus loin. Sa solitude lui devint tout à coup insupportable. Il fallait qu'il parle à quelqu'un. Amanda ne dormait peut-être pas encore. Il n'irait pas sonner à sa porte, il risquait de la déranger, mais les somnifères n'agissent pas toujours, il le savait par expérience. Il alla au fond de son jardin, pour voir s'il y avait encore de la lumière chez elle. Par malchance, chaque jardin était entouré d'une haute palissade. Il essaya la porte du fond : elle résista un peu mais finit par s'ouvrir. Il prit le sentier qui menait chez elle.

Soudain, il entendit qu'on ouvrait une autre porte. D'un bond, il plongea derrière un palmier géant. C'était Amanda. Elle franchit sa porte et regarda de tous côtés avec précaution. Elle était vêtue d'un pantalon et d'un chandail souple. Elle prit la direction des bungalows. Par curiosité, il la suivit. Arrivée devant un bungalow, elle s'arrêta pour jeter un coup d'œil autour d'elle. Jerry se savait dissimulé par l'obscurité et par l'épaisseur de la végétation. Elle frappa à la porte. Ike Ryan vint ouvrir.

— Bon Dieu, mon trésor, qu'est-ce que tu fabriquais ?

— J'ai attendu par précaution, au cas où Chris rappellerait. Je viens seulement de couper ma ligne.

— Quand te décideras-tu à balancer ce con ?

— Dès que l'émission sera terminée. Autant finir la saison sans histoires.

La porte se referma. Par la fenêtre, Jerry les vit s'embrasser dans l'obscurité.

Il se fit servir à dîner dans sa chambre et essaya de regarder la télévision. Mais ses pensées étaient ailleurs : dans le bungalow de l'autre côté du chemin. A deux heures du matin, il entendit grincer la porte du jardin d'Amanda. Pas étonnant qu'elle soit toujours trop fatiguée pour sortir... un ganglion !

Le ganglion était bien réel. Ike l'avait remarqué aussi. En rentrant dans sa chambre, Amanda s'examina devant son miroir. Son maquillage avait tourné. Ike n'était pas le plus prévenant des amants mais au moins il s'occupait d'elle. Il la poussait à rompre avec Christie. Quand elle lui avait expliqué que l'émission était sa source principale de revenus, il avait répondu :

— Ecoute, mon ange, tu ne seras jamais sans le sou, tant que tu seras avec moi.

Mais ce n'était pas vraiment une demande en mariage. Enfin, elle allait laisser traîner les choses jusqu'en juin et puis elle lui poserait franchement la question. S'il refusait de l'épouser, elle se marierait avec Chris. Cela n'avait pas une telle importance : l'un ou l'autre ! Subitement, elle ressentit une grande fatigue : elle eut l'impression de se vider de tout son sang. Elle avait pris des amphétamines, ce qui l'avait remontée. Bien sûr, l'action des amphétamines lui coupait l'appétit, mais elle se forçait à s'alimenter. Ce soir pourtant c'est à peine si elle avait pu toucher à son dîner. De petites gerçures étaient apparues sur ses gencives et son palais. Elle avait probablement besoin d'une piqûre de pénicilline, ou d'une bonne nuit de sommeil. Elle se mit au lit.

Le lendemain matin, elle se sentit plus mal. Quand elle se brossa les dents, ses gencives se mirent à saigner. Elle prit peur. Ce devrait être une forme d'infection. Elle appela Jerry. Oui, il connaissait un médecin, mais d'après les symptômes, cela ressemblait à de la fatigue générale. Peut-être des gonocoques, ajouta-t-il.

— Mon Dieu, Jerry, où aurais-je pu attraper ça ?

— Je le vois mal, fit-il avec froideur. Puisque tu gardes la chambre tous les soirs.

Elle perçut une pointe de sarcasme dans sa voix :

— Je crois que je ferais mieux de voir un médecin.

— Attends jusqu'à demain, après l'émission. Entre-temps gargarise-toi avec de l'eau oxygénée additionnée d'eau. J'ai eu ça une fois, ce n'est pas grave.

Et il raccrocha.

Elle prit deux amphétamines avant de partir au travail. La drogue lui donna un coup de fouet, mais son cœur battait la chamade. Le photographe la mena en voiture à Malibu. Elle attendit en maillot de bain que tout fût installé. Le soleil la matraquait, mais elle chaussa les skis nautiques et se força à tenir le coup. Les clichés furent dans la boîte dès le premier essai. Par mesure de précaution, le photographe en demanda un second. En rechaussant les skis, elle eut l'impression de marcher dans du coton. Le canot se mit en mouvement. Le photographe était derrière, dans le sien. Elle plia les genoux, s'agrippa à la corde puis se redressa quand le canot prit de la vitesse. Subitement, tout lui parut osciller — le soleil sombrait dans la mer et elle sentit la douce fraîcheur de l'océan se refermer sur elle.

Quand elle rouvrit les yeux, elle était sur la plage, roulée dans une couverture. Tout le monde la regardait d'un air consterné.

— J'ai eu un étourdissement, dit-elle.

Elle passa le reste de la journée et la nuit au lit. A son réveil, le lendemain matin, elle avait bonne mine et sa bouche semblait aller mieux, mais ses jambes étaient marbrées de noir et bleu. Elle avait dû se meurtrir en tombant. Dans l'eau, les skis avaient probablement heurté ses jambes. Dieu merci, elle pouvait porter une robe longue pour l'émission.

Le jour suivant, elle se sentit plus mal. Les aphtes étaient réapparus, mais c'étaient surtout ses meurtrissures qui l'inquiétaient. Elles s'étaient transformées en un alarmant réseau de taches violettes recouvrant ses jambes des chevilles aux cuisses. Quand Christie l'appela, elle en parla.

— Mon vieux, c'est toi qui tiens à faire ce métier de dingues ! répliqua-t-il. Statistiquement parlant, tu devrais déjà être morte de pneumonie depuis deux ans. Poser en robe d'été quand il gèle ! T'es crevée. Et n'importe qui aurait des bleus, après une chute en ski nautique.

— Chris, trouve-moi un médecin.

— Voyons, ma poulette, j'ai rendez-vous avec mes auteurs dans dix minutes. Après je fais une conférence de presse. Il doit bien y avoir un toubib en cheville avec ton fichu hôtel de luxe.

Le médecin de l'hôtel était parti en visite. A présent, elle était dans tous ses états. Elle annula ses rendez-vous de l'après-midi. Elle devait poser en tenue de tennis, mais le maquillage ne parviendrait pas à dissimuler ses jambes. Elle sommeillait quand Ike Ryan appela. Au début, elle fut évasive, puis elle lui dit la vérité.

— Ne bouge pas, mon lapin. J'arrive avec le meilleur toubib de Los Angeles.

Moins de vingt minutes plus tard, Ike fit son entrée, flanqué d'un homme entre deux âges muni de la trousse habituelle.

— Voici le docteur Aronson. Je vous laisse. Mais j'attends dans le couloir, à deux pas d'ici. S'il se permet des privautés, tu cries ! (Le clin d'œil qu'il fit au médecin prouvait qu'ils étaient de vieux amis.)

Le docteur Aronson l'examina avec ce détachement impersonnel des hommes de l'art. Il écouta son cœur, prit son pouls, et approuva d'un hochement de tête. Elle se sentit rassurée. Le calme du médecin la persuadait que son état n'inspirait pas d'inquiétudes. Il inspecta avec une lampe l'intérieur de sa bouche.

— Depuis combien de temps avez-vous ces lésions ?

— Quelques jours. Mais ce sont mes jambes qui m'inquiètent.

Il palpa son cou et hocha la tête. Son visage ne changea pas d'expression lorsqu'il vit ses jambes aux taches violacées.

Elle lui raconta sa chute à ski nautique :

— Vous croyez que ça vient de là ? interrogea-t-elle.

— Il m'est difficile de vous le dire. Ces troubles n'ont probablement pas tous la même origine, mais j'aimerais vous mettre en observation à l'hôpital pendant quelques jours. A quand remonte votre dernier bilan hématologique ?

— On ne m'en a jamais fait. (Elle eut peur tout à coup.) Docteur, est-ce que j'ai vraiment quelque chose de grave ?

Il sourit :

— Je ne pense pas. Ce n'est probablement qu'une anémie à la mode d'autrefois. Vous autres jeunes personnes qui vous préoccupez de votre ligne, vous manquez de globules. Mais je veux éliminer certaines possibilités.

— Quoi, par exemple ?

— Eh bien, la mononucléose, entre autres. C'est une maladie très fréquente par ici. Vous en présentez certains symptômes : la fatigue, les hématomes, les maux de tête.

— Ne pourrait-on me faire ces examens à votre cabinet ? J'ai peur de l'hôpital.

— Si vous préférez. Je vais donner l'adresse à Ike et nous nous arrangerons pour les faire demain.

Elle le suivit des yeux jusqu'à la porte. Elle se sentait mieux. Elle alla dans la salle de bains et se coiffa. Elle était laide à faire peur et Ike allait être là d'une seconde à l'autre. Elle se mit un peu de rouge à lèvres, un peu de mascara, puis regagna son lit.

En entrant dans la chambre, Ike arborait un grand sourire :

— Fais ta valise, fourres-y tes plus belles chemises de nuit, et sois prête à mon retour. Je descends à la librairie t'acheter tous les derniers best-sellers.

— Où m'emmènes-tu ?

— A l'hôpital — et pas de discussion. Ecoute, mon lapin, le toubib pense que tu fais peut-être une mononucléose. Si c'est vrai, tu risques de contaminer tout l'hôtel — on ne te servira même plus dans ta chambre. De plus, il te prescrit le repos complet, voire quelques transfusions pour te remettre sur pied.

— Mais aller à l'hôpital... Ike... je n'ai jamais été malade.

— Tu n'es pas malade, mais Hollywood c'est comme ça, mon trésor. On y fait tout en grand. Et si tu es la petite amie d'Ike Ryan, tu ne vas pas te traîner chez un médecin pour te faire faire des analyses. Tu te couches, comme une duchesse. J'ai retenu la plus grande chambre d'angle. Ecoute, pendant quelques jours, tu te laisses faire. Je paierai la note. Ma main au feu qu'une fille comme toi n'a pas d'assurance-maladie.

— Non. Je me suis toujours bien portée.

— Parfait ! Sois prête quand je reviens. Tu laisses un mot disant que tu es allée à San Francisco pour un boulot. Et que tu rentreras à temps pour l'émission.

Jerry attendait au Lancer. En ce moment, il aurait dû être à Los Angeles en train d'assister à la répétition de Christie Lane, mais il avait décidé de rester dix jours à New York plutôt qu'une semaine. A Los Angeles, il était deux heures de l'après-midi, la « corrida » devait tout juste commencer. Il sirota son martini et fit signe à Robin qui venait d'entrer.

A son second martini, il sut qu'il allait rater son train. Robin lui parlait du nouveau magazine d'actualités auquel il songeait quand le barman vint prévenir Jerry qu'on le demandait au téléphone. Il fut surpris :

— Moi ? Je n'ai dit à personne que je serais ici.

Robin sourit :

— Ta femme te suit probablement à la trace.

C'était Christie Lane :

— Dis donc, Jerry, je t'ai appelé à ton bureau mais t'étais parti. J'ai appelé chez toi et ta bonne femme m'a dit d'essayer ici. Bon sang, je suis content de t'avoir au bout du fil. Amanda ne fait pas l'émission ce soir. On a dû la remplacer au pied levé par un mannequin qui fera l'affaire. Mais je pense que tu devrais marquer le coup.

— Où est-elle ?

— J'y comprends rien. L'autre jour, elle disparaît. En laissant juste un mot pour dire qu'elle allait à Frisco pour un boulot. Et puis, ce matin, elle appelle et annonce tranquillement qu'elle fait pas l'émission. A neuf heures du matin par-dessus le marché ! Et tu sais où elle est ? A l'hôpital.

— A l'hôpital ?

— T'inquiète pas, elle a rien. J'enfile un imper sur mon pyjama, je me précipite. Et je la trouve installée dans une grande chambre ensoleillée, avec des fleurs partout, bien maquillée, la mine splendide. Elle prétend qu'elle fait de l'anémie et qu'elle sortira de là que tout à fait guérie.

— Voyons, si elle y est, c'est qu'elle en a besoin, Christie. On n'admet pas les gens dans les hôpitaux sans raisons.

— A Hollywood ? tu rigoles ! La moitié des greluches de cette ville s'y pointent pour ce qu'elles appellent de la dépression nerveuse. En réalité, c'est pour dormir tout leur saoul histoire de se mettre en beauté. Ecoute, j'ai vu Mandy... elle a jamais été en meilleure forme.

— Je serai là-bas à la fin de la semaine, Christie. Et surtout ne vous inquiétez pas pour Amanda. Je suis sûr que ce n'est pas grave.

— Je suis pas inquiet — je suis fou de rage. Même si elle passe que pendant les spots publicitaires, elle fait tout de même partie du spectacle. Et on laisse pas tomber un spectacle sous prétexte de se reposer. Je sais que ça fait vieux jeu, mais je suis monté sur scène avec quarante de fièvre. J'ai chanté, avec un mal de gorge à en crever. J'admets pas qu'on prenne ce métier à la rigolade. C'est un boulot que j'aime. Il représente toute ma vie. Et elle doit le respecter. Si elle s'imagine qu'on peut se décommander pour une émission, comme elle se décommande parfois pour ses séances de photo, notre mariage risque de mal tourner. Tu vois ce que je veux dire ?

— Je lui parlerai dès mon retour.

Il raccrocha et retourna au bar. Il raconta toute l'affaire à Robin qui l'écouta attentivement.

— Ce n'est pas son genre d'aller à l'hôpital pour un oui ou pour un non, fit-il remarquer.

— Il y a du Ike Ryan là-dessous, grommela Jerry.

— Ike ? Qu'est-ce qu'il a à voir là-dedans ?

Sans réfléchir, Jerry lui raconta les visites secrètes d'Amanda au bungalow d'Ike Ryan.

— Si tu veux mon avis, poursuivit-il, le mal de gorge n'était qu'un prétexte. Je te parie tout ce que tu veux qu'il l'a engrossée et qu'elle est allée là pour se faire avorter. Qu'en penses-tu ?

Robin fronça les sourcils :

— Je pense que tu es un sale petit mouchard !

Il jeta un billet sur le comptoir et sortit.

Au retour de Jerry sur la côte, Amanda était toujours à l'hôpital. Bien calée sur ses oreillers, bien maquillée, elle avait une mine superbe. Mais Jerry sursauta à la vue du flacon de sang et de l'aiguille plantée dans son bras. Elle vit sa surprise et sourit :

— N'aie pas peur ! J'absorbe seulement ma ration de jus de tomate.

— Pourquoi une transfusion ? demanda-t-il en s'asseyant sur le rebord d'une chaise.

— Afin d'être plus vite debout pour l'émission.

La porte s'ouvrit soudain et Ike fit son entrée dans la pièce :

— Salut, mon lapin, je te rapporte tes commissions et un nouveau bouquin.

Il regarda Jerry avec curiosité tandis qu'Amanda faisait les présentations. Puis il lui tendit la main :

— J'ai beaucoup entendu parler de vous. Amanda m'a dit que vous aviez été très chic avec elle.

— On se connaît depuis longtemps, marmonna Jerry. (L'énergie de l'autre le subjuguait. S'efforçant de retrouver un peu de son autorité, il reprit :) Tout ça est très joli et je sais qu'Amanda apprécie qu'on s'occupe d'elle, mais elle a des obligations envers moi, et surtout elle se doit de faire l'émission. (Il se tourna vers elle.) Quand comptes-tu sortir d'ici ?

— Le docteur pense qu'à la fin de la semaine...

— Elle sortira quand elle sera complètement rétablie, coupa Ike.

Jerry se leva :

— Dans ce cas nous devrions peut-être la remplacer pour le reste de la saison. (Bon Dieu, il s'en voulait à mort de se conduire ainsi.)

— Non, supplia Amanda. Jerry, je t'en prie. Je reviens la semaine prochaine... peut-être même celle-ci.

Elle lança à Ike un regard implorant.

Il haussa les épaules :

— Comme tu voudras, mon lapin. Ecoute, j'ai quelques coups de fil à passer. Je vais descendre les donner dans le hall. Salut, l'ami ! (Il regarda Jerry d'un air glacial.)

Dès qu'ils furent seuls, l'attitude de Jerry changea du tout au tout. Sa voix était sincère et amicale :

— Ecoute, Amanda, tu devrais peut-être abandonner l'émission. Ce type a l'air fou de toi.

— Il ne m'a pas demandé de l'épouser...

— Tu recommences ton petit jeu ? grogna-t-il.

Les traits d'Amanda se durcirent :

— Ecoute, Jerry, pour l'instant, Ike s'intéresse à moi parce qu'il sait que Chris s'y intéresse aussi. Mais si je suis sans travail et sans Chris, du jour au lendemain, je peux très bien perdre tout attrait à ses yeux.

— D'où te viennent tant de confiance et de foi ?

— Je tiens ça de naissance, répliqua-t-elle froidement. (Puis son regard s'adoucit.) Jerry, je vais revenir. Je me sens déjà en grande forme. Je crois que j'avais besoin de me reposer. Depuis six ans, je mène un train d'enfer. Rends-toi compte, je n'ai jamais pris de vacances.

Il lui tapota les cheveux :

— Ne t'inquiète pas, mon chou. Ce boulot est à toi pour la vie. Je te rappelle demain.

Il sortit de la chambre. Dans le hall, Ike Ryan l'attendait.

— Entrez là, mon vieux, lui dit-il en lui montrant la petite salle d'attente.

— Je dois retourner à mon bureau.

— Pas avant que je vous aie dit deux mots. Vous êtes un fameux ami. Vous trouvez qu'elle n'a pas assez d'ennuis comme ça ? Il faut encore que vous veniez avec des menaces !

— De l'anémie, ce n'est pas tragique.

— Elle *croit* que c'est l'anémie. (Ike le fixa droit dans les yeux.) Je vais vous affranchir. Personne n'est au courant, sauf le docteur Aronson et moi. Et personne ne doit savoir. Surtout pas Amanda. Elle a une leucémie.

Jerry se laissa tomber sur le canapé. Il voulut prendre une cigarette, ses mains tremblaient. Puis il releva la tête, en quête d'un espoir :

— On dit que certains leucémiques peuvent continuer à vivre longtemps.

148

— Pas au stade où elle en est.

— Combien de temps lui reste-t-il ?

— Peut-être quelques minutes. Peut-être six mois.

Jerry se détourna, mais il fut incapable de se retenir. Il avait honte, mais il éclata en sanglots. Ike s'assit près de lui et lui posa la main sur l'épaule :

— Ecoutez, on essaye sur elle un nouveau traitement. Je l'ai fait venir par avion. Il coûte mille dollars la piqûre. On a commencé il y a deux jours, et sa numération globulaire a remonté. Il est encore trop tôt pour espérer, mais si ça marche...

— Vous voulez dire qu'il lui reste une chance ?

— Une chance de sortir d'ici sur ses deux jambes plutôt que les pieds devant. Une chance de sursis — six mois peut-être — et qui sait ? D'ici là, on aura peut-être inventé un médicament, ou découvert une autre drogue-miracle.

— Que puis-je faire ? interrogea Jerry.

— D'abord, la boucler. Ensuite, empêcher Christie Lane de lui casser les oreilles avec son grand air « l'émission d'abord ! » Enfin lui dire que sa place l'attend.

— C'est déjà fait.

Ike secoua la tête :

— Le plus épouvantable, c'est que, si le remède agit, le docteur dit que ça va être dramatique. Elle peut être sur pied dans une semaine à peu près. Mais personne ne sait pour combien de temps. Pourquoi faut-il, bon sang, qu'elle tienne à travailler ? Ses jours sont comptés.

— Parce qu'elle s'imagine que vous risquez peut-être de l'épouser — mais seulement si elle travaille et si elle est indépendante.

— Oh, Cré nom de Dieu ! (Ike Ryan se leva et alla à la fenêtre.)

Jerry se dirigea vers la porte :

— Mais puisque vous dites qu'elle en a tout au plus pour six mois, ne vous tracassez pas pour ça. Laissez-la travailler. Cette histoire d'anémie lui paraîtra plus vraisemblable.

Ike se retourna, et ils se serrèrent la main solennellement.

— Si vous le répétez à qui que ce soit, je vous casse la figure, menaça Ike.

Jerry promit, tout en sachant qu'il allait rompre son serment. Il devait prévenir Robin. Il restait si peu de temps à Amanda. Et Robin était le seul être qui comptait vraiment pour elle. Elle aimait bien Ike, c'était évident, mais jamais elle ne le regardait comme il l'avait vue regarder Robin. Il patienterait quelques jours cependant, le temps de la voir réagir à ce nouveau remède.

Ike Ryan regagna la chambre d'Amanda à pas lents. Arrivé devant chez elle, il se redressa, se composa un visage souriant, poussa la porte, et entra. Une infirmière débranchait la perfusion.

— Ce soir, j'apporte du champagne et de nouveaux bouquins, mais maintenant, je dois retourner au travail. (Sur le seuil, il se retourna.) A propos, ma colombe, il y a une chose que je voulais te demander, mais chaque fois j'oublie. Veux-tu m'épouser ? Tu n'es pas obligée de me répondre avant dix bonnes minutes. Je t'appellerai en arrivant au studio.

Le nouveau traitement agissait. En moins d'une semaine, la numération globulaire d'Amanda redevint normale. Elle était en rémission. Ike jubilait, mais le docteur le prévint : si son état s'améliorait, elle n'était pas guérie pour autant.

— Mais, pour le moment, elle peut mener une vie normale, n'est-ce pas ? lui demanda Ike.

— Qu'elle fasse tout ce qu'elle veut. Dieu sait combien de temps cette amélioration va durer, répondit le médecin. Mais il faut qu'elle passe chaque semaine à mon cabinet pour se faire faire une prise de sang. Nous devons surveiller sa numération globulaire.

— Chaque semaine ? Elle va se douter de quelque chose.

— Non, son moral est excellent et elle n'a aucune idée de la gravité de son état.

Ike vint la chercher à l'hôpital :

— J'ai loué un palais dans Canyon Drive. Tu vas voir un peu la maison. J'ai emménagé hier. Il y a tout — même un cuisinier et un maître d'hôtel. Quand veux-tu qu'on se marie, mon trésor ?

— Quand j'aurai terminé l'émission.

— Tu plaisantes ? Il y a encore plus de six semaines.

— Si Christie était au courant, nos relations de travail deviendraient intenables.

— Qui t'oblige à travailler avec lui ? Laisse tomber cette foutue émission !

— Ce ne serait pas bien vis-à-vis de Jerry. Il m'a donné ce travail quand j'en avais besoin. Les filles qu'ils ont essayées en mon absence ne font pas l'affaire. Tout le monde est tellement content que je reprenne ma place demain.

— Je crois quand même que tu devrais attendre au moins une semaine.

— Ike, j'ai eu presque trois semaines d'arrêt. Je me sens en pleine forme. La joie disparut soudain de ses yeux. Mais le docteur Aronson veut qu'on me fasse une prise de sang toutes les semaines. Pourquoi ?

Il haussa les épaules :

— Pour s'assurer sans doute que tu ne perds pas toute cette belle santé.

— Eh bien, je mangerai du foie tous les jours, je me suis documentée sur le sang — sur tout ce qui peut me faire du bien.

— Ne commence pas à jouer au médecin, maintenant.

Elle lui prit le bras, tandis que le chauffeur emportait sa valise :

— Ike, je me sens tellement soulagée ! Je peux te l'avouer à présent. J'ai eu très peur en arrivant ici. Je n'avais jamais été malade et quand je me suis vue au lit, le premier jour, j'ai pensé : « Quel malheur ce serait de tout quitter déjà... de mourir sans même avoir d'enfant. » Je suis si contente d'aller mieux. Je sais ce que c'est que d'être malheureuse... de souffrir. C'est pourquoi je veux aller jusqu'au bout de mon travail.

Ike la déposa à son hôtel. En arrivant à son bureau, il appela Jerry :

— Débrouillez-vous pour lui faire quitter cette émission. Elle s'imagine qu'elle se doit de finir la saison. Il lui reste si peu de temps, je ne veux pas qu'elle en gaspille une heure — encore moins six semaines. Et si c'est moi qui l'y oblige, elle risque de se douter de quelque chose. Trouvez une solution !

Jerry considéra la nappe de brouillard qui cachait le ciel, et le pâle soleil qui cherchait à la percer. Cela ne ressemblait ni au soleil qui brillait à

Greenwich l'été, ni aux rayons flamboyants de leur soleil orange d'automne. Amanda ne reverrait plus jamais ces soleils, ni la froide clarté de l'hiver. Ses yeux s'emplirent de larmes.

Il décrocha le téléphone. La secrétaire de Robin lui fit répondre que M. Stone était en conférence.

— Dites à sa secrétaire de l'arracher à sa conférence, cria Jerry à la standardiste. C'est urgent !

Au bout de quelques minutes, Robin vint au bout du fil :

— Qu'est-ce qu'il y a, Jerry ?

— Assieds-toi Robin.

— Viens au fait. J'ai dix personnes qui m'attendent à ma réunion.

— Amanda a une leucémie.

Il y eut un terrible silence. Puis Robin dit :

— Elle le sait ?

— Nous sommes trois à être au courant : le médecin, Ike Ryan et moi. Tu es le quatrième. Elle participera même à l'émission de demain. Mais on ne lui donne pas plus de six mois à vivre. J'ai pensé qu'il fallait que tu saches.

— Merci, Jerry.

Il raccrocha.

Amanda passa agréablement la première journée de son retour à l'hôtel. Son appartement était rempli de fleurs. Des roses à la douzaine, commandées par Ike, des glaïeuls offerts par l'hôtel, une plante en pot, don de l'équipe, et quelques fleurs bon marché expédiées par Christie. Il avait écrit sur sa carte : « Je fais des photos — je te rappellerai à six heures. Affectueusement Christie. »

A quatre heures, un garçon lui apporta une pomme de terre en robe des champs, fourrée de caviar et couverte de crème fraîche. Un mot l'accompagnait. « Pour tenir le coup jusqu'à ce que je rentre dîner. Tendrement Ike. »

Ce luxe la ravit, et elle mangea la pomme de terre. Mais elle se dit qu'il lui faudrait surveiller sa ligne. Elle avait pris près de trois kilos à l'hôpital. Le téléphone sonna à six heures. Elle décrocha sans enthousiasme. Ce devait être Christie.

— Hello, star, comment vas-tu ? (La voix pétillait à l'autre bout du fil.)

Pendant un instant, elle eut le souffle coupé. C'était Robin. Comme ça. Sans explication pour son long silence. Enfin, elle retrouva sa voix :

— Je viens de sortir de l'hôpital.

— Qu'est-ce que tu avais ?

— De l'anémie. Je vais bien maintenant. Jerry ne t'a rien dit ?

— Je ne l'ai pas vu, je n'étais pas là. Ecoute, mon chou, j'ai à faire à Los Angeles, et je prends l'avion dimanche. Je serai là-bas vers cinq heures. Tu crois que tu pourrais sacrifier une soirée à un vieil ami ?

— J'en serais enchantée, Robin.

— Parfait. On dînera ensemble. A dimanche.

Elle raccrocha et se laissa aller contre son oreiller. Inutile de se monter la tête. Il ne venait sans doute que pour quelques jours, et il s'imaginait que cette bonne vieille Amanda était là à l'attendre. Alors il l'avait appelée. Pourquoi pas ? Elle, c'était du sûr — plutôt que de se chercher une compagne en téléphonant à droite et à gauche.

Après tout, Hollywood n'était pas son terrain de chasse. Il n'y connaissait pas grand monde, et il ne devait pas avoir envie de perdre une nuit. Eh bien, elle le verrait — il pouvait compter là-dessus — et elle lui montrerait ce qu'on éprouve quand c'est l'autre qui marque les points. Mais comment s'y prendre ? Lui poser un lapin ? Le faire attendre tout seul au Chasen ?

Elle y réfléchit pendant une heure. Soudain, elle sut ce qu'elle allait faire — ce serait merveilleux ! Dire qu'il allait falloir attendre jusqu'à dimanche !

15

Robin se présenta à la réception du Berverly Hills à cinq heures. L'employé lui tendit une enveloppe. Il y avait dedans un mot rapidement griffonné de la main d'Amanda.

    Cher Robin,
    C'est mon anniversaire et Ike Ryan reçoit quelques amis. Je dois être là-bas très tôt : c'est moi, l'invitée d'honneur. Je ne peux pas t'attendre.

    Lorsqu'il fut installé dans son appartement, il relut la lettre d'Amanda. Elle portait un numéro de téléphone et une adresse dans Canyon Drive. Sa première idée fut de l'appeler et de lui faire dire qu'il l'attendait à l'hôtel. Il avait horreur des cocktails. Mais il changea brusquement d'avis. A partir de maintenant, il ferait tout ce que voudrait Amanda. Il fourragea dans sa poche pour y tâter le petit anneau d'or. S'ils pouvaient quitter cette réunion assez tôt, ils s'envoleraient vers Tijuana pour s'y marier. Il appela le portier et demanda un taxi.
    L'allée du Canyon Nord était un véritable « labyrinthe » de voitures en stationnement. Il paya le chauffeur et remonta l'allée. Les maisons d'Hollywood sont d'apparence trompeuse. La façade paraît toujours modeste. Mais lorsqu'on entre, il y a derrière une explosion de splendeur incroyable. La maison d'Ike ne faisait pas exception. Le vestibule, entièrement revêtu de marbre, était bondé. Dans la salle de séjour monumentale, autour de l'énorme bar de rigueur, les invités s'agglutinaient sur trois rangs. Des portes de verre ouvraient sur un patio où s'étalait une piscine aux dimensions olympiques. Il y avait même un court de tennis. Il se sentit légèrement désorienté. Il n'était pas préparé à la scène de grande figuration sur laquelle il tombait. Il eut un sourire ironique. Voilà l'idée qu'Ike se faisait d'une

153

petite réception. Il reconnut des visages familiers, des célébrités du grand écran. Il y avait là rassemblé un potentiel monétaire suffisant pour subvenir aux besoins d'un petit pays : acteurs, producteurs, directeurs artistiques, metteurs en scène, et même les scénaristes les plus cotés et l'assortiment habituel de jolies filles.

Soudain, Amanda traversa la pièce pour venir à sa rencontre. Il avait oublié combien elle était ravissante. La mort ne pouvait pas s'être logée dans ce mince et merveilleux corps.

— Robin ! (Elle se pendit à son cou. Il fut surpris de cet étalage public d'affection.) Robin, tu es là ! Je suis si heureuse de te voir ! Oh, mais tu ne connais pas grand monde ici. (Elle relâcha son étreinte, lui prit la main et cria :) Hé ! Taisez-vous, tous ! (Le silence se fit dans la pièce.) Je vous présente Robin Stone. Il vient tout droit de New York. Vous n'ignorez pas qui est Robin Stone. (C'était dit sur un ton de raillerie.) Comme vous devez le savoir, c'est la vedette de *En Profondeur* ! (Elle prit un regard innocent.) Personne ici ne paraît impressionné, mais c'est quelqu'un de très important à New York.

Quelques personnes firent mine de le reconnaître par un léger hochement de tête, puis retournèrent à leur conversation. L'impassibilité de Robin dissimulait la surprise que lui causait cet étrange comportement. Mais Amanda se contenta de hausser les épaules :

— Voilà comment Hollywood t'accueille, fit-elle d'un ton léger. Ils refusent encore d'admettre que la télévison s'est définitivement implantée. Quant aux informations, ils ne les écoutent que dans leur voiture en se rendant au studio, et seulement quand elles viennent s'intercaler au milieu d'un programme de variétés. Alors pardonne-leur, mon ange, s'ils ne te reconnaissent pas et ne se prosternent pas devant toi. Paul Newman, Gregory Peck, Elizabeth Taylor, ce sont les seuls mots de passe dans cette ville.

Elle l'emmena au bar prendre un verre. Ike Ryan l'accueillit chaleureusement, puis traversa la pièce pour aller saluer un metteur en scène qui venait d'entrer. Amanda tendit un verre à Robin :

— Ta marque favorite d'eau glacée, garantie d'importation.

Le silence s'établit brusquement. Un murmure s'enfla et grandit à l'apparition d'un beau jeune homme.

— Oh ! regarde ! s'écria Amanda. Ike a réussi à faire venir le Grand Dipper en personne ! (Ses yeux brillèrent en voyant Ike guider le séduisant jeune homme bronzé vers le bar.)

— Tu connais ce beau gosse ? demanda Ike avec un sourire ironique.

Amanda sourit, intimidée :

— Oh, Ike, tout le monde connaît Dip Nelson ! Je suis très flattée de vous voir ici, M. Nelson. Ike m'a fait projeter votre dernier film quand j'étais à l'hôpital.

Dip parut quelque peu gêné. Robin l'était aussi. Il se demandait ce que pouvait bien avoir Amanda. Elle reprit :

— Dip, je vous présente Robin Stone, un vieil ami. Il me tient quasiment lieu de famille, n'est-ce pas Robin ?

Dip serra la main de Robin, puis des femmes se groupèrent autour de lui, et il fut littéralement emporté de l'autre côté de la pièce.

— Pauvre Dip, avec toutes ces femmes, il n'a aucune chance de s'en sortir, fit Amanda.

Ike sourit :

— Le Grand Dipper sait se défendre tout seul. Pas de talent, mais du muscle, des fossettes et de l'allure. Il est en tête du box-office en ce moment, et il n'y a que cela qui compte.

Amanda poussa Ike du coude :

— Chéri, à propos de box-office... regarde qui vient d'entrer !

Robin suivit des yeux Amanda et Ike qui s'avançaient vers un homme mince et séduisant — Alfred Knight, l'acteur anglais qui avait mis Hollywood dans sa poche. Robin fouilla du regard la cohue, cherchant Chris Lane. Il l'aperçut à l'autre bout de la pièce, dans un coin. Le pauvre Chris n'avait pas seulement l'air dépaysé — bientôt il lui faudrait un programme pour suivre la pièce. Il se croyait toujours fiancé à Amanda. Robin termina sa vodka, s'en fit servir une autre, et resta au bar. La soirée s'annonçait très divertissante.

Les garçons envoyés par le traiteur se mirent à disposer les tables autour de la piscine. Et brusquement, il vint à l'esprit de Robin que l'anniversaire d'Amanda devait être en février. Ou en janvier ? Dans ces eaux-là, en tout cas. Il se rappelait l'avoir célébré par une tempête de neige.

Il attaquait son quatrième verre de vodka quand un roulement de tambour sonore se fit entendre. Amanda se tenait debout, au milieu de la pièce.

— Ecoutez tous ! Je... Nous... avons une nouvelle à vous apprendre. (Elle étendit la main. Elle portait un gros diamant au doigt.) Ike m'a offert ça aujourd'hui, mais ce n'est pas un cadeau d'anniversaire. En réalité ce n'est pas du tout mon anniversaire, c'est notre manière à nous de vous annoncer nos fiançailles !

Tout le monde se mit à parler en même temps. Christie Lane avait l'air d'un animal qu'on vient d'empaler. Il se tenait debout sans mot dire, le regard fixe. L'un des invités courut au piano et joua la marche nuptiale de *Lohengrin*. Peu à peu les groupes se reformèrent, et chacun reprit sa conversation et son verre. Pendant un instant, d'un côté à l'autre de la pièce, les yeux d'Amanda rencontrèrent ceux de Robin. Ils se regardèrent longuement ; une sombre lueur de triomphe illuminait ceux d'Amanda. Il leva son verre et lui porta un toast silencieux. Puis elle se détourna et se laissa entraîner par Alfred Knight vers un autre coin de la pièce. Robin vit Ike se diriger vers le fumoir. Il posa son verre et le suivit.

Ike sourit à l'approche de Robin.

— Eh bien, tu voudras bien admettre qu'en fait de surprises, je suis inépuisable.

— Je voudrais te dire deux mots, vieux.

— Quoi ? Tu ne me félicites pas ?

— Où pouvons-nous aller ? Ce ne sera pas long.

Ike fit signe à un garçon d'apporter à boire, puis conduisit Robin près de la piscine qui était déserte :

— Allez, accouche ! Qu'est-ce qui ne va pas ?

— Amanda.

— C'est vrai. Autrefois il y a eu quelque chose entre vous. (Ike avala sa dose de bourbon sec et regarda le verre plein de Robin :) Tu ne veux pas boire à la santé du fiancé ?

— Je suis au courant pour Amanda, dit Robin calmement.

Ike fronça les sourcils :

— Au courant de quoi ?

— Jerry Moss est un ami à moi.

— Je tuerai cette petite ordure. Je lui avais dit de fermer sa gueule.

— Ne joue pas au dur. Jerry a cru bien faire. Je suis venu ici pour demander à Amanda de m'épouser.

— Elle n'a pas besoin de ta pitié, s'écria Ike.

— C'est cela que tu lui offres ?

— C'est toi qui le dis. Pas moi.

— Ike, nous avons fait ensemble les mêmes conneries. Et je ne crache pas dessus. J'aime ça aussi. Mais Amanda ne suivra pas la course. Elle ne peut pas — surtout maintenant.

Ike eut un sourire glacial :

— Si je ne t'aimais pas autant, je te casserais la gueule. Pour quelle espèce de salaud me prends-tu ?

— Je me fous de l'espèce, mais tu es un salaud. Je ne veux pas qu'on fasse souffrir Amanda.

Ike le regarda avec curiosité :

— Tu l'aimes donc ?

— Je tiens à elle. Je tiens à la rendre heureuse le temps qu'il lui reste à vivre.

Ike hocha la tête :

— Alors nous sommes deux sur les rangs.

— Tu crois ?

Ike se pencha par-dessus la table :

— Ecoute, ce n'est pas le moment de plaisanter. C'est l'heure de la vérité. L'aimes-tu vraiment ? Si tu me dis que tu l'aimes, je l'envoie chercher et je te donne ta chance. Que le meilleur gagne. Mais si tu viens ici jouer les bienfaiteurs, laisse tomber. Elle n'a que faire de ta charité — quand le moment viendra, je crois que je suis mieux placé pour lui donner tout ce dont elle a besoin.

— Très bien, mon vieux. Puisque tu veux jouer au jeu de la vérité (le visage de Robin était sévère), est-ce que tu l'aimes, *toi* ? Il me semble que tu n'as pas répondu à cette question ?

Ike se leva et fixa l'eau sombre :

— Bien sûr que je ne l'aime pas, dit-il à mi-voix. Mais toi non plus.

— C'est bien ce que je pensais depuis le début. Alors pourquoi l'épouses-tu ?

— Et pourquoi pas ?

— Si tu veux mon avis, elle va t'enchaîner, elle t'empêchera de faire ce qui te plaît.

Ike sourit :

— Elle peut servir ma popularité.

— Je ne saisis pas.

— Tu n'as peut-être pas lu les journaux. Le mois dernier, ma femme — mon ex-femme, nous sommes divorcés depuis cinq ans — s'est suicidée. Dieu merci, elle a fait cela dans le Wisconsin. Elle était allée voir mon fils pour les vacances de Pâques. C'est là-bas qu'il fait ses études. Elle a pris des somnifères — un plein flacon — et elle a laissé un mot pour dire qu'elle ne pouvait plus vivre sans moi. Une chance que Joey soit bien mon fils. Il a subtilisé le mot et m'a fait appeler. Avec un peu de fric et autres graissages de pattes, nous avons fait passer sa mort pour accidentelle. (Ike soupira.) Il y avait cinq ans que je n'avais pas vu cette conne. Je ne l'ai jamais aimée — nous étions ensemble à l'école et elle s'est donnée à moi en dernière année. On s'est mariés, seulement elle n'a pas évolué avec moi. Elle m'a toujours tanné pour que je vende des cravates chez son oncle. J'ai tenu le coup jusqu'à ce que Joey ait douze ans — et puis j'ai levé le pied. Je lui ai envoyé tout l'argent dont une bonne femme peut avoir besoin. Bon Dieu, j'ai même consenti à ce que sa pension alimentaire ne lui soit pas supprimée au cas où elle se remarierait. Et la voilà qui passe son temps dans ses souvenirs et qui un beau jour décide de revenir à moi en se supprimant. Si tu avais vu cette lettre — elle faisait de moi le pire dégueulasse qui ait jamais existé. Joey et moi nous l'avons brûlée. Mais le bruit a couru par ici qu'elle s'était suicidée. Aussitôt il y a eu deux nanas hystériques qui ont essayé d'en faire autant. Je ne sais pas ce qu'elles ont toutes avec leurs somnifères. Je ne suis pas un amant tellement extraordinaire. Du coup, un magazine à scandale m'a pris à partie : « Pour Ike Ryan, les femmes se donnent la mort. » C'est la faute de ce métier de dingues ; il n'y a pas d'hommes ici. Elles se jetteraient sur un bouton de porte, s'il portait un pantalon. Ce soir, une bonne moitié des grandes stars sont avec leur petit coiffeur pédé. En tout cas, ma réputation ne fait pas de moi un personnage sympathique. Une presse favorable peut me servir. Quand Amanda ne sera plus, les gens me verront sous un jour différent. Ils verront que j'ai rendu heureux les derniers mois d'une fille condamnée — que je l'ai fait vivre sur un grand pied. Je vais lui offrir le plus grand tourbillon de fêtes qu'une fille ait jamais pu rêver. Et quand on refermera le couvercle sur son joli petit corps, elle sera au moins partie en beauté.

Robin se taisait, stupéfié. Finalement, il dit d'un ton rageur :

— Tu veux te servir d'elle, salaud ! Tu veux te servir d'elle !

— Disons que j'ai besoin d'elle, mais elle a encore deux fois plus besoin de moi. (Ike s'avança vers lui, les traits durcis.) Ecoute, je t'ai vu agir. Tu as de l'eau glacée dans les veines. Alors ne t'érige pas en juge de mes actions. Elle me plaît et je vais la rendre heureuse. Je louerai des avions, je l'emmènerai autour du monde. Je la couvrirai de diamants. Qu'est-ce que tu peux faire pour elle ? La baiser ? Ça, je le peux aussi. Bien que Dieu seul sait pendant combien de temps elle en aura encore la force. Mais peux-tu lui assurer un départ en beauté comme celui que je lui offre ? Je connais son passé, et je pense que maintenant elle mérite de vivre sur un grand pied. Tu peux faire mieux, le journaliste ?

Robin se leva. Ses yeux étaient aussi durs que ceux d'Ike. Les deux hommes se faisaient face.

— Non, je n'en ai pas les moyens. Mais tiens-t'en à ton programme. Et prends garde que ce ne soient pas des paroles en l'air. Parce qu'alors je te retrouverai — où que tu sois — et je te réglerai ton compte.

Dans un silence chargé de menace, leurs regards se soutinrent un long moment. Ike lui tendit la main :

— Marché conclu.

Il fit demi-tour et rentra dans la maison. Robin s'était refusé à lui serrer la main. Il se laissa tomber sur une chaise-longue et but à petits coups. Il se sentait déchiré et vide. Ike ne tenait pas à Amanda. Il tenait à sa réputation. Mais quelle différence : Seul le résultat comptait. Il regarda sa montre. Il était encore tôt. Il pouvait prendre l'avion de minuit,

— Trop tard pour un bain de soleil !

Il leva les yeux. Dip Nelson était devant lui.

Robin eut un sourire ironique :

— J'aurais bien besoin d'un rayon de soleil.

Dip alluma une cigarette :

— Quelle corrida ! Vous arrivez de New York ? (Robin acquiesça.) C'est ce que je pensais. Vous êtes de la partie ?

— Non. Dieu merci.

Il examina Robin d'un œil interrogateur :

— Laissez-moi deviner. Un parent de la fiancée... ?

— Eloigné. (Puis Robin ajouta :) Accessoirement, vous pouvez me compter parmi vos admirateurs. J'ai vu quelques-uns de vos films. Vous êtes un excellent cavalier.

Dip le regarda de travers :

— Vous vous foutez de moi ?

— Pas du tout.

— Alors, à quoi rime cette remarque ? Et mon jeu ?

— Il est plutôt minable, fit Robin en souriant.

L'espace d'un instant, Dip oscilla entre la colère et les coups. Puis il éclata de rire et lui tendit la main :

— Vous au moins, vous ne mâchez pas vos mots !

— Je ne crois pas que le jeu importe tellement. C'est la présence de l'acteur qui compte dans un film et, à en juger par la réception qu'on vous a faite ici, cette présence, vous l'avez, c'est indiscutable.

Dip haussa les épaules :

— Comme vous le dites, j'ai fait des trucs à cheval pendant des années. Une connerie de western après l'autre, et puis tout d'un coup, ils sont à la mode et me voilà vedette. Mais c'est mon nouveau film qui provoque tout l'intérêt qu'on me porte. Il sort à New York la semaine prochaine. J'y joue une sorte d'anti-héros de Madison Avenue. Petite cravate, costume gris anthracite, exactement votre genre. Dites-donc, c'est ça votre partie ?

— En un sens, oui.

— Oh, oh ! Voilà Bébé qui rapplique. Tirons-nous d'ici !

— Qui est-ce, Bébé ?

— La femme d'un grand producteur. Venez. Vous avez envie de vous tailler de cette réception ?

— Ma parole ! Vous lisez dans mes pensées !

— Suivez-moi !

Dip se dirigea vers les cabines. Ils se faufilèrent dans le vestiaire plongé dans l'obscurité :

— Attention, ne bougez plus. Elle est trop bourrée pour venir jusqu'ici.

Ils restèrent immobiles dans l'ombre silencieuse, pendant que la femme du producteur titubante faisait le tour de la piscine, en appelant Dip. Finalement elle renonça et rentra dans la maison.

Dip donna du jeu à son col :

— Mon vieux, il n'y a rien de pire qu'une gonzesse en chaleur à l'âge de la ménopause. Ecoutez, entre nous, le vedettariat ne doit pas empêcher de garder les pieds sur terre. Je suis l'homme d'une seule femme. Oh, il peut m'arriver de baiser pour décrocher un rôle, mais je ne cavale pas après une nana comme Bébé, comme le font ici certains gigolos. (Il frissonna.) Il n'y a rien de pire : la quarantaine et une silhouette de vingt ans tant qu'on ne les a pas au pieu. Alors là, c'est de la gelée. On enfonce dans tout ce qu'on touche : cuisses molles, ventre flasque, nichons pendants.

— A vous entendre, on pourrait croire que vous parlez d'expérience.

— C'était ou monter des chevaux toute ma vie, ou monter Claire Hall la durée d'un film. J'ai monté Claire, et je suis devenu vedette. Bon, la voie est libre. On peut sortir en passant par la haie. (Il conduisit Robin à la Cadillac la plus longue qu'il eût jamais vue.) Elle vous plaît ? demanda Dip, plein de fierté.

— Elle est impressionnante.

— Faite sur commande. La seule décapotable en or du pays. Et c'est pas du toc — la peinture est à 22 carats et le cuir en chevreau doré. Ça fait partie de l'image que je suis en train de créer. L'homme en or massif : cheveux d'or, voiture en or. Le cuir à lui tout seul me coûte une brique.

La voiture ralentit au bout de l'allée. Dip descendit Sunset Boulevard.

— Vous avez quelque chose de particulier à faire ?

Robin sourit :

— Seulement prendre l'avion de minuit pour retourner à New York.

— Un type comme vous doit sûrement se sentir dépaysé dans cette ville.

— Sûrement !

— Il faut vous comporter en vainqueur, alors vous êtes partout en sécurité, même à Bombay. C'est ma vieille qui m'a appris cela. Elle est morte à la Maison de Retraite du Cinéma.

— C'est navrant.

Dip le rassura de la main.

— Vous savez, elle n'avait jamais eu la vie aussi belle. Je n'étais pas encore « arrivé », alors on n'a pas eu le choix. Mais c'est un grand machin ! Ils ont leurs cottages individuels, ils s'asseyent dehors, et ils parlent boutique. Elle était figurante. Mon vieux doublait Fred Thomson et Tom Mix : un cascadeur du feu de Dieu. C'était avant ma naissance. Il m'a appris à monter à cheval. Il s'est tué au cours d'un tournage et ma mère a dû m'élever. Elle n'était pas jeune. Et j'étais un gosse instable. On dit que ce sont toujours les plus brillants. Vous ne me croirez pas : Je ne suis jamais allé au lycée.

— Vous ne vous en portez pas plus mal !

— Quelquefois, ça me gêne, quand je ne suis pas sûr de mes mots. Les scénarios, ça va : ils sont écrits... mais ces sacrées interviewes... Je sais que je massacre l'anglais, parce que des fois les journalistes croient que je me fous de leur gueule, et ils me disent d'arrêter de jouer les cow-boys.

— Vous pouvez tourner au prochain croisement et me déposer au Beverly Hills, si ce n'est pas un trop grand détour, fit Robin.

— Qu'est-ce qui vous presse ? Il n'est que sept heures. A moins que vous ayez des projets ?

— Non mais vous devez avoir à faire, j'en suis sûr.

Dip sourit :

— Vous tombez juste ! On va aller chercher ma petite amie — elle chante dans une boîte sur le Strip. Vous allez voir : elle n'a que dix-neuf ans, mais elle est femme de la tête aux pieds.

— Je ne vais pas vous déranger ?

— Non. Et en plus je veux que vous vous rappeliez votre seule soirée à Hollywood. Je sais ce que vous avez dû éprouver à cette réception. Ça m'est arrivé une fois d'être comme ça en dehors du coup. Et personne ne m'est venu en aide. C'était tellement désagréable que je suis allé parler au pianiste. Je suis resté si longtemps debout à côté de lui que quelqu'un m'a demandé de chanter. On croyait que je faisais partie de l'orchestre. Quand je vous ai vu ce soir, j'ai pensé : « Voilà un mec paumé et moi, Dip Nelson, je suis Monsieur Caïd, un peu que je suis dans la course ! » Et je me suis dit que je me conduirais pas comme tous ces gars à la coule quand je n'étais rien. En plus, je ne tenais pas du tout à faire le mariole à la réception de cette salope d'Amanda. Il fallait que je fasse une apparition pour Ike Ryan. Comme ça, je me suis montré et je suis parti. Mais au moins je vais vous offrir une chouette virée.

— Vous avez déjà fait plus que votre devoir. Vous n'avez aucune raison de me distraire pendant tout le reste de la soirée. C'est trop d'obligeance.

— Bah ! Qu'est-ce que ça peut foutre ? De toutes façons, il faudra bien que je poireaute tout seul pendant que Pauli chante. Elle passe dans cette boîte à la godille, mais elle pousse la chansonnette mieux que Garland ou que n'importe qui. Elle arrivera, vous verrez. Il faut d'abord que je lui donne un peu de classe. Elle est trop « nature ». Elle était vierge, quand je l'ai rencontrée. Il n'y a que moi dans sa vie. Mais on ne pourra se marier que quand j'aurai trois gros succès dans la poche. Je suis la sensation du jour mais avec un seul film. Les deux suivants décideront de tout. S'ils font un malheur, je pourrai épouser Pauli. Aucun studio ne pourra m'en empêcher. En attendant je peux commencer à la polir. Ne croyez pas que je cherche à l'excuser d'avance, elle est bourrée de talent et elle a un cœur d'or. Vous verrez. Elle vous plaira. (Il gara la voiture près d'un petit restaurant.) Elle ne gagne que soixante-quinze dollars par semaine, mais au moins on lui laisse chanter ce qu'elle veut et elle n'a pas à descendre dans la salle avec les clients.

Le patron accueillit Dip chaleureusement et le conduisit à une table avec banquette le long du mur. La salle n'était remplie qu'à moitié. Les hommes étaient en polo et la plupart des filles en pantalon. Une vingtaine de personnes, au bar, buvaient surtout de la bière.

— Elle reprend dans une dizaine de minutes, après elle viendra nous rejoindre. (Et voyant Robin regarder sa montre :) Vous êtes sûr de n'avoir pas de rendez-vous ce soir ?

— Non. Il faut seulement que je règle mon hôtel.

— Je vous conduirai à l'aéroport.

— Oh, ce n'est pas nécessaire.

Dip eut un sourire épanoui.

— Quand je fais quelque chose, mon pote, je le fais jusqu'au bout. Dites qu'est-ce que vous faites à New York — vous avez parlé d'une agence de publicité, hein ?

— Non. Je suis à la IBC.

— Moi, à la télé je regarde que les films. Je m'imagine qu'ils peuvent toujours m'apprendre quelque chose. Qu'est-ce que vous faites à la IBC ?

— Les informations.

— Vous êtes reporter ou quelque chose comme ça ? Vous écrivez ?

— Quelquefois.

— Je parie que vous êtes allé au lycée.

Robin sourit :

— Ça se voit ?

— Ouais. Vous vous défendez pas mal. Mais au lycée, on perd son temps, à moins qu'on veuille être avocat ou docteur. Moi, je veux devenir une idole du cinéma ! Bon Dieu, je m'y vois déjà et j'y pense nuit et jour. Je veux pouvoir dire à tout le monde d'aller se faire foutre !

— Et Pauli ?

— On restera ensemble, mon vieux. Et, quand on sera mariés, si elle veut s'occuper de son intérieur et abandonner le métier, je la pousserai pas. Elle est bourrée de talent. Mais elle n'a qu'une idée : m'épouser et avoir plein d'enfants. Mais vous, je suppose que vous avez une femme et des gosses ?

— Non.

— Seulement une fille avec qui vous vivez ?

— Même pas.

Dip l'examina soudain.

— Comment ça se fait ? Vous êtes pas pédé, des fois ?

Robin éclata de rire :

— J'adore les femmes.

— Alors, qu'est-ce qui vous retient ? A votre âge, vous devriez être marié et avoir des mômes. Moi, par exemple, je n'ai que vingt-six ans... (Le sourire ironique de Robin l'arrêta.) D'accord... j'en ai trente et un. Mais je peux passer pour vingt-six ans, non ?

— Sous les projecteurs.

— Bon, ça va. Quel âge avez-vous ?

— Quarante au mois d'août.

— Et jamais marié ?

— Non.

— Pas de petite amie attitrée ?

— J'en avais une. Elle s'est fiancée.

Dip hocha la tête avec compassion ;

— Ça vous en a fichu un coup, je parie. C'est dur de se dégotter une vraie nana — surtout ici. Elles ne pensent toutes qu'à tirer le gros lot.

— Pas vous ?

Dip parut blessé :

— Vous avez bougrement raison. Moi aussi. Mais est-ce que je vous ai snobé sur un seul truc ? Je fais mon numéro quand il s'agit de ma carrière, mais quand je suis avec des gens que j'aime bien, je m'écrase.

— Et vous m'aimez bien ?

— Ouais, je crois. Mais au fait, je ne sais même pas votre nom.

— Robin Stone.

Dip le regarda d'un œil soupçonneux.

— Vous êtes bien sûr que vous n'êtes pas de la pédale ? Si vous en êtes, Pauli le verra à la seconde. Elle repère les tantes à un kilomètre.

(Il donna subitement un coup sur le bras de Robin.) La voilà qui arrive. Vous allez voir ce talent : un vrai feu d'artifice.

Robin se pencha en avant, tandis que la mince jeune fille venait se placer dans la lumière du projecteur. Elle avait les cheveux roux et bouclés et il pensa, en voyant les taches de rousseur de ses épaules, que ce devait être naturel. Le nez était court et comiquement retroussé. La bouche, large, les yeux, immenses et bleutés d'innocence. Mais quand elle se mit à chanter il fut déçu. La voix était juste mais ordinaire. Une pâle imitation de Garland et Lena. Il avait entendu chanter une bonne centaine de filles comme Pauli, à cela près qu'elles étaient plus jolies. Elle ne retint son attention que dans une imitation de Carol Channing. Là elle montrait de la vivacité — elle avait un réel sens du comique. Son numéro se termina sous des applaudissements peu fournis et les coups de sifflet enthousiastes de Dip. Il donna une énorme bourrade dans le dos à Robin :

— Alors, je vous demande un peu : elle est pas belle ? Quelle classe elle a ! Elle fera un tabac au Waldorf dès qu'elle entrera en scène.

Les deux hommes se levèrent à son approche.

— Voici ma fiancée : Pauli. Pauli, je te présente Robin.

Elle esquissa un sourire et s'assit. Puis elle examina Robin avec curiosité.

— Il arrive de New York, s'empressa d'ajouter Dip.

— Dis donc Dip, ton attaché de presse a demandé que tu l'appelles en arrivant, fit Pauli sans écouter.

Dip se leva :

— Je vous laisse discuter le coup. Robin travaille à la IBC.

Il quitta la table. Pauli le suivit du regard. Puis elle se retourna vers Robin :

— Qu'est-ce que vous fabriquez avec Dip ?

— On s'est rencontré à une soirée.

Elle fronça les sourcils :

— Qu'est-ce qu'un mec versé dans la mécanique peut bien avoir à faire avec Dip ?

— La mécanique ?

— Il n'a pas dit que vous travailliez à I.B.M. ?

— IBC. International Broadcasting.

— Mais alors, dites donc, vous auriez pas un moyen de me faire participer à l'émission de Chris Lane ?

Décidément, elle ne lui plaisait pas. Mais il devait bien ça à Dip.

— Oui, je pourrais arranger ça.

Ses yeux s'allumèrent :

— Sans blague... vous pourriez ? (Puis, soupçonneuse :) Qu'est-ce que vous faites à la IBC ?

— Les informations.

— Comme Huntley et Brinkley ?

— En quelque sorte.

— Comment ça se fait que j'ai jamais entendu parler de vous ? Je regarde souvent les actualités de sept heures. Je sais qui est Walter Cronkite, mais vous je connais pas.

Il sourit :

— Vous gâchez ma soirée.

— Et comment vous ferez pour me mettre sur le show de Christie Lane ?

— Je peux lui demander.

Elle l'examinait sans grande confiance. Puis calculant que peut-être il disait vrai, les yeux immenses s'adoucirent :

— Si vous lui demandez... enfin, si vous pouvez arranger ça, je... je ferais n'importe quoi pour passer dans cette émission.

— N'importe quoi ? Robin souriait en soutenant son regard.

Elle ne sourcilla pas :

— Oui, si c'est ça que vous voulez.

— Et vous, qu'est-ce que vous voulez ?

— Me tirer de cet infect boui-boui.

— Dip pourrait arranger ça.

Elle haussa les épaules :

— Ecoutez, vous venez de le rencontrer. Vous n'êtes pas cul et chemise avec lui, puisque je l'ai jamais entendu parler de vous avant.

— Vous tapez dans le mille !

— Eh bien, de vous à moi — elle baissa le ton — c'est pas Laurence Olivier. D'accord, il est beau, mais il a aucun talent. Jusqu'à maintenant il a eu de la veine.

— D'après ce que m'a raconté Dip, j'avais cru comprendre que vous n'aviez pas d'autre ambition que vous marier et avoir des enfants.

Elle repoussa cette idée de la main avec dégoût :

— Est-ce qu'une fille sensée resterait ici à chanter trois fois par soirée pour ces paumés, si elle avait pas dans l'idée de devenir quelqu'un ? Je sais, moi, que j'ai ce qu'il faut pour arriver.

— Et Dip, qu'est-ce qu'il vient faire là-dedans ?

— J'en pince pour lui. C'est vrai. Il a été le premier. Parole d'honneur ! J'étais pucelle quand on s'est rencontrés. Mais je connais Dip. Il ne vit et ne respire que pour sa carrière. Il ne resterait pas deux minutes avec une fille qui penserait à faire son chemin. Il veut être le caïd partout. Alors je le laisse croire que je ne suis rien. Le plus souvent, je reste assise à l'écouter raconter comment tout marche merveilleusement pour lui. Mais je bous intérieurement, parce que je sais que c'est moi qui suis quelqu'un. Lui, il grimpe à cause de son physique. C'est bien tout ce qu'il a. Mais rien dans le crâne !

— Il veut vous aider. Il me l'a dit.

— Bien sûr, il cause, il cause. Mais les mots, ça coûte rien. Alors, pour le *Christie Lane Show*, vous pouvez arranger ça ?

— Si je le fais, vous m'en serez reconnaissante ?

— Monsieur... vous êtes marié, sans doute ?

— Peut-être.

— Eh bien, vous me mettez sur le show de Christie Lane et quand vous voudrez, où vous voudrez, vous n'avez qu'à claquer les doigts et je rapplique. Je paierai ma dette — j'ai un grand sens de l'honneur. (Il prit une cigarette. Elle s'empara des allumettes et la lui alluma.) Alors, c'est convenu ?

Il sourit :

— Sais-tu, petite salope, fit-il sans élever la voix, que ce serait presque un service à rendre à Dip ?

— Je ne comprends pas.

Avec un sourire tranquille, il reprit sur le même ton :

— Sur un point tu as raison : Dip n'a rien dans le crâne, sinon il te verrait telle que tu es. Il te prend pour un ange. Mais tu n'es qu'une putain. Même pas une putain... une petite conne grossière et sans talent.

Il se leva, le sourire aux lèvres. Son impassibilité parut l'exaspérer :

— Si vous croyez que j'ai peur que vous disiez tout ça à Dip, vous vous gourrez. Ouvrez seulement votre sale gueule et je lui dirai que vous m'avez fait du gringue.

— Tu diras à Dip qu'on m'a appelé au téléphone.

Il posa sur la table un billet de dix dollars.

— C'est pour quoi faire ? questionna-t-elle.

— Je crois que le tarif habituel pour une call-girl, c'est cent. Prends donc ça comme un petit acompte. Je crois que tu es sur la bonne voie.

Il sortit du club.

16

Christie Lane termina son émission la première semaine de juin. Il s'envola pour New York le lendemain.

Le quatre juillet, Amanda et Ike se marièrent à Las Vegas. Toutes les revues de spectacle publièrent sur leur couverture des photos du mariage. On y voyait Amanda et Ike en compagnie de plusieurs vedettes qui se produisaient sur des scènes de Las Vegas. Ils s'envolaient pour l'Europe où ils passeraient leur lune de miel.

Chris tint une veillée funèbre dans son appartement de l'Astor. Eddie, Kenny et Agnès y assistaient. Il allait et venait en vociférant.

— Nom de Dieu, gémit-il, si seulement je pouvais me saouler, mais j'aime pas picoler !

— Allons faire un tour en ville, suggéra Eddie.

— J'ai été tout ce qu'il y a de plus régulier avec elle, ne cessait de répéter Chris. Je l'ai même aidée à trouver un endroit où laisser son maudit chat en pension.

— Je me demande ce qu'il va devenir, ce chat, fit Agnès.

— J'espère qu'il crèvera — c'était la seule chose à laquelle elle tenait vraiment.

— Je parie que sitôt rentrée d'Europe, elle l'enverra chercher, protesta-t-elle.

— On s'en balance ! rugit Chris.

— C'est toi qui as amené la conversation sur le tapis !

— J'ai été on ne peut plus régulier avec elle, répéta Chris. Pourquoi a-t-elle fait ça ? Regardez-moi ! Je suis tout de même mieux qu'Ike Ryan.

— Quoi ? (C'était Agnès.)

Chris comme un ouragan se retourna vers elle :

— Tu le trouves beau ?

— Il est bandant ! répliqua-t-elle d'un air sombre.

Eddie lui décocha un regard meurtrier :

— Dis donc, Aggie, tu cherches à te faire remplacer ? C'est pas le moment de débloquer.

— N'empêche qu'il est bandant ! fit-elle avec obstination.

— Ecoute, Chris, intervint Kenny, veux-tu qu'on réserve une table au Copa ? Je connais des mecs à la direction. Ils viennent d'engager trois nouvelles danseuses. Y en a une formidable qui n'a que dix-neuf ans. Je suis sûr que tu lui plairais. C'est vraiment une chouette pépée.

Chris décocha dans la table basse un coup de pied si violent qu'elle s'écroula :

— Chouette pépée, chouette pépée ! J'en avais une chouette de pépée, une fille du tonnerre ! Bordel de Dieu ! elle me fusillait du regard chaque fois que je disais devant elle un mot pas comme il faut. Et voilà que c'est devenu la pire salope que j'aie jamais rencontrée. La dernière roulure de boui-boui n'aurait pas agi comme elle. J'en ai marre de jouer les braves petits gars et je veux plus entendre parler de « chouettes pépées ». Je veux une pouffiasse. Je la traiterai comme une pouffiasse et personne n'en souffrira. Trouvez-moi la plus atroce pouffiasse de la ville, une vraie tapineuse.

— On demande Miss Ethel Evans ! lança Eddie parodiant un groom.

Chris fit claquer ses doigts :

— Exactement ça !

Eddie se mit à rire.

— Voyons, je blaguais. Ecoute, Chris, si tu veux une pouffiasse, qu'au moins elle soit jolie. Il y a ici une pépée de San Francisco...

— Je veux ni une jolie pouffiasse, ni une pépée de San Francisco. Je veux Ethel Evans.

— Mais c'est un monstre, protesta Kenny.

— Je cherche pas une reine de beauté, je veux une fille qui baise. Trouvez-moi Ethel ! (Il fronça les sourcils.) Si on me voit avec une pouffiasse comme elle, les gens la boucleront. Ils se diront que je devais pas tellement tenir à Amanda, puisque je peux me contenter d'une nana comme Ethel. Trouvez-la moi !

Eddie appela Jerry Moss à Greenwich. Jerry soupira et promit de faire de son mieux. Il dénicha Ethel à Fire Island.

— C'est une blague ? demanda-t-elle.

— Non. Christie Lane a demandé *personnellement* à vous voir.

— Il a une façon singulière de faire ses propositions.

— Ethel, vous vous êtes tapé tous les invités d'honneur de son show.

— J'en ai raté quelques-uns. Vous oubliez que l'émission s'est faite sur la Côte, la deuxième moitié de la saison.

— Ils ne retourneront pas sur la Côte, l'année prochaine.

— Formidable ! Je vais m'acheter un nouveau diaphragme.

— Ethel, notre grand homme est malheureux. C'est *vous* qu'il veut.

— Mais moi je ne veux pas de lui.

— Je vous demande de rentrer à New York.

Sa voix devint coupante :

— C'est un ordre ?

— Disons que c'est une *prière*.

— Je refuse.

— Alors, je vais être contraint d'appeler Danton Miller pour lui dire de vous virer de l'émission. (Jerry se faisait horreur, mais il lui fallait tenter un dernier effort.)

Elle eut un rire déplaisant :

— Je peux toujours manipuler Danton comme je veux.

— Pas contre le commanditaire de l'émission. Et que cela vous plaise ou non, c'est ce que je suis !

— Vraiment ? Je vous prenais pour la bonne à tout faire de Robin Stone.

Il conserva son calme :

— Je ne veux pas entrer avec vous dans des considérations personnelles.

— Oh, excusez-moi. Ce sont des considérations tout à fait impersonnelles qui vous font m'appeler pour me dire de descendre en ville coucher avec Chris Lane.

— Mettez là-dessus tous les commentaires que vous voudrez. Votre réputation n'est pas surfaite. D'ailleurs ce n'est pas mon boulot de m'entretenir avec vous au téléphone un jour de fête, le quatre juillet. Je le fais parce que je suis mêlé au *Christie Lane Show*. Vous n'avez évidemment pas l'esprit d'équipe.

— Oh, arrêtez votre bla-bla ! Je vous le dis tout net : je ne suis pas une call-girl. Quand je me tape un mec, c'est qu'il me plaît. En un an et demi, Chris Lane ne m'a pas regardée deux fois — Dieu soit loué ! Et voilà que tout d'un coup je suis Elizabeth Taylor. Qu'est-ce qui se passe ?

— Amanda a épousé Ike Ryan aujourd'hui.

Il y eut un silence. Puis elle partit à rire :

— Dites donc, votre ami Robin Stone doit être bouleversé, lui aussi. Pourquoi est-ce que je ne vais pas le consoler, *lui* ? J'irais même à la nage.

— Alors, vous venez ?

Elle poussa un soupir :

— D'accord. Où vais-je le trouver, cet amant de cœur ?

— A l'Astor.

Elle pouffa de rire :

— C'est marrant ! Toute ma vie, j'ai attendu l'instant où je rencontrerais quelqu'un qui habite vraiment l'Astor.

Christie était seul quand elle arriva :

— Non, mais t'es ravagée ? fit-il. T'es en pantalon.

— Vous ne vous attendiez tout de même pas à ce que je m'amène à poil, non ?

Il ne sourit pas.

— Non, mais toute la bande est au Copa. Je suis resté pour t'emmener là-bas les rejoindre.

Elle le regarda avec des yeux ronds :

— Le Copa ?

— Allons-y ! ordonna-t-il. On va prendre un taxi et passer chez toi. Je veux que tu te changes : tu mettras une robe.

Chez elle, il resta assis dans le salon à feuilleter un magazine tandis qu'elle s'habillait.

Dans le taxi, il se serra contre la paroi, à l'autre bout de la banquette, morose et silencieux. Mais dès qu'ils entrèrent au Copa, il changea du tout au tout. Il lui adressa un large sourire, lui prit le bras et la présenta à tous les gens qu'ils rencontrèrent, avec un air de propriétaire. Il lui tint la main pendant le spectacle et lui alluma même sa cigarette. Elle demeura insensible à tout. Elle avait déjà vu le spectacle, elle était fatiguée, et avait hâte d'en finir avec cette soirée.

Il était près de trois heures quand ils rentrèrent à l'Astor. Elle n'avait jamais passé une soirée aussi lugubre. Le Copa, puis le bar du Copa, la Brasserie et un arrêt à la Charcuterie du Théâtre. Maintenant ils étaient seuls. Elle se déshabilla en silence. Il était déjà nu et l'attendait, couché sur le lit. Elle le regarda et en eut la nausée. Elle trouvait à cette nudité quelque chose de répugnant. Comment Amanda avait-elle pu ? Passer d'un homme comme Robin Stone à cette lavette !

Elle s'approcha du lit, complètement nue. Il ne put dissimuler son étonnement en voyant ses énormes seins, si bien formés.

— Eh ! poupée, pour une mocheté, t'es pas mal foutue. (Il attrapa ses fesses.) Tu vois, si tu perdais un peu de ton derrière, t'aurais presque une belle silhouette.

Elle s'écarta. Il avait les mains moites. Elle ne voulait pas qu'il la touche :

— Vous avez de la crème à raser ? demanda-t-elle.

— Bien sûr, pourquoi ?

Elle alla dans la salle de bains, revint avec le tube. Elle étala la crème à raser sur ses mains.

— Maintenant, allonge-toi, caïd.

En moins de cinq minutes, il haletait et gémissait. Elle passa sans bruit dans la salle de bains et s'habilla rapidement. Quand elle revint dans la chambre, il était étendu immobile, les yeux clos.

— Salut, Chris !

Elle ne partit pas assez vite. Il allongea le bras et lui prit la main :

— Poupée, jamais on m'avait fait ça comme ça. Mais c'est pas juste, parce que toi, qu'est-ce que t'as eu ? Je t'ai même pas touchée.

— Ça va, dit-elle doucement. Je sais que tu avais le cafard, ce soir. Je voulais seulement te faire oublier, te rendre heureux.

Il l'attira vers le lit. Puis il la regarda fixement :

— Tu sais, c'est la chose la plus gentille qu'on m'ait jamais dite. Vrai, ça me touche. Je sais que t'as fait tout ce trajet depuis Fire Island, ce soir. Je peux pas faire quelque chose pour toi ?

Elle brûlait de lui dire :

— Oubliez-moi et fichez-moi la paix ! Mais elle se contenta de sourire.

Il l'attira dans ses bras :

— Embrassons-nous !

Il avait les lèvres douces et molles. Elle arriva à se dégager sans montrer sa répugnance. Puis elle se pencha, baisa son front moite, et se précipita hors de l'appartement sans même réclamer le prix de son taxi.

Il l'appela le lendemain matin et l'invita à dîner. Comme elle n'avait rien de mieux à faire, elle accepta. Il la sortit tous les soirs, pendant quinze jours. Les échos commençaient à accoupler leurs deux noms. Il l'invita à aller avec eux à Atlantic City, où il devait animer le Club des Cinq Cents. Elle commençait à se réjouir de la publicité personnelle inattendue qu'elle tirait du fait d'être la « petite amie » de Christie Lane. Elle n'avait jamais été la « petite amie » de personne. Alors, elle continua. Sa photo avec Chris parut dans un journal du matin, on les montrait assis ensemble dans les coulisses, et l'on parlait d'éventuelles fiançailles.

Jerry Moss sentit croître une légère appréhension. Il appela Christie à Atlantic City.

— Christie, ce n'est pas sérieux, cette fille ?

— Bien sûr que non. Ecoute, Jerry. Dan a déjà mis sur pied les deux premiers shows de la saison prochaine. Qui allez-vous prendre pour remplacer... (Il s'arrêta.)

— On prendra une fille différente chaque semaine, dit Jerry. Mais je veux vous parler au sujet d'Ethel.

— Ouais ?

— Vous connaissez sa réputation.

— Et alors ?

— Vous trouvez que c'est malin de l'avoir emmenée à Atlantic City ? Les journaux publient des échos sur vous deux. Ethel ne cadre pas avec l'image qu'on se fait de vous. Le public désire vous voir avec une fille bien, une belle fille.

— Ecoute, casse-burnes, j'ai été avec une fille bien, une belle fille. Le public était peut-être content, mais moi, j'en ai pris pour mon grade. Le public, il était pas là pour tenir mon cierge, la nuit du mariage d'Amanda. Mais Ethel Evans, elle, était avec moi.

— Tous les gens de la corporation sont au courant pour Ethel, fit Jerry, reprenant son argumentation. Jusqu'à présent le public ne sait rien. Mais après ces rumeurs de fiançailles dans les journaux, il va vouloir en savoir davantage. Et de quoi cela aura l'air quand ils apprendront que l'idole des familles sort avec une traînée !

— Ne dis pas ça ! dit brutalement Chris. Elle n'a jamais pris un sou à un mec.

— Chris, vous n'y pensez pas sérieusement ? Vous partez pour Las Vegas dans quelques semaines. Vous n'allez pas l'emmener là-bas au moins ?

— L'avion coûte trop cher. C'est pas comme pour Atlantic City ; on avait loué une voiture et on s'est tous entassés dedans.

— Alors, en ce qui la concerne, ce n'est pas sérieux ?

— Bien sûr que non. Mais y a une chose de certaine : elle est là quand j'ai besoin d'elle. Elle est chouette avec moi. Elle ment pas. Elle a été avec personne d'autre depuis que j'ai commencé à la sortir. Et elle est d'accord avec tout ce que je fais. Avec Ethel, je me détends. (Il s'interrompit, comme si quelque chose lui revenait en mémoire. Puis il partit à rire.) Emmener Ethel à Las Vegas ! C'est comme si on emportait un sandwich au thon au Danny's Hideaway !

Ethel avait passé un morne été. Elle travaillait à une émission de variétés destinée à faire découvrir de jeunes talents. Elle n'aimait pas les groupes de guitaristes. Et même les vedettes invitées étaient axées sur la jeunesse. Elle fut soulagée de voir arriver la Fête du Travail. Quand Christie

Lane rentra à New York, elle fut presque contente de le retrouver. Elle ne le quitta pas de tout le mois de septembre. L'émission ne reprenait pas avant octobre et il avait presque toutes ses soirées libres. Kenny, Eddie et Agnès l'ennuyaient à mourir. Elle détestait le bar du Copa, les restaurants chinois (toujours meilleur marché), mais par-dessus tout elle abhorrait les courses. Il ne lui avait jamais offert de parier pour elle et par ennui elle avait misé deux dollars de sa poche et avait gagné une fois soixante cents. Elle répugnait à tout contact physique avec lui, mais à son grand soulagement elle eut vite fait de se rendre compte qu'il manquait de tempérament. Deux fois par semaine le satisfaisaient amplement. Ensuite, il s'allongeait pour lire les résultats des courses.

Elle comptait vraiment les jours avant le retour de l'émission et l'arrivée de nouvelles vedettes. Elle enverrait alors balader Christie et son clan.

Une semaine avant la première émission, deux magazines de télévision publièrent des échos dans lesquels on parlait de Christie et d'Ethel Evans.

Jerry, assis dans son bureau, regardait les photos du couple souriant. Bon Dieu, ils étaient vraiment comme les deux doigts de la main ! Maintenant, il lui fallait agir. L'affaire allait trop loin. Il prit rendez-vous avec Danton Miller pour déjeuner.

Dan commença par en rire :

— Allons, Jerry, tu te fais des idées ! Le grand public n'a jamais entendu parler d'Ethel.

Jerry fit claquer ses doigts :

— Dan, c'est sérieux. Tom Carruther est anabaptiste, et c'est aussi un de nos commanditaires. Il a élevé des objections contre les chanteurs de rock que nous avions engagés cet été pour l'émission de remplacement. Jusqu'à présent, il considère Ethel comme une personne de tout repos. Il l'a même invitée à dîner avec Mme Carruther. Si un seul de ces magazines à scandales se met à fouiller dans le passé d'Ethel, nous sommes cuits ! Elle a une copine sur la Côte qui a gardé toutes ses lettres dans lesquelles elle donne ses impressions sur les performances sexuelles des vedettes. La fille les a fait ronéotyper et les refile à qui veut les voir. Si ces lettres viennent à être imprimées ! Soit dit en passant, Dan, tu fais toi aussi l'objet de commentaires. (Le sourire de Dan s'évanouit.) Ecoute, Dan, je ne suis pas pudibond. Ce genre de publicité peut être valable pour un chanteur de swing, mais pas pour notre « troubadour ». Il s'adresse à un public familial. Carruther veut même essayer une heure d'antenne moins tardive la saison prochaine pour que les enfants puissent le voir. Il veut garder Christie Lane à vie. Avec cette émission, vous tenez une mine d'or. Et nous ne pouvons pas laisser Ethel nous barrer la route. C'est un trop grand risque à courir.

Dan se versa une seconde tasse de café. Jerry Moss avait raison. Une presse scandaleuse, et les commanditaires d'émissions du genre *Christie Lane* retireraient leur participation. Ils avaient accepté l'histoire d'amour d'Amanda parce qu'elle correspondait au rêve à la Walter Mitty de tous les Pierre, Paul ou Jacques du commun. Un type simple qui sort avec la plus belle fille du monde. Du moment que Christie pouvait le faire, tout était possible. Il redonnait espoir aux gens. Quand Amanda l'avait planté là pour le prestigieux Ike Ryan, le public ne l'en avait aimé que davantage. Et voilà que maintenant il s'attachait à Ethel Evans, parce qu'elle ne sortait pas de l'ordinaire. Jerry avait raison. Ils étaient en mauvaise posture.

Le déjeuner se termina avec des brûlures d'estomac et sa promesse d'intervenir et de mettre un terme immédiatement aux relations Ethel Evans-Christie Lane.

Dan réfléchit à cette situation pendant plusieurs jours. Il savait qu'il devrait retirer Ethel de l'émission. Bon sang, qu'avait-elle bien pu dire de lui dans la lettre qui le concernait ? Il appela le Service de la Publicité. On lui dit qu'il pouvait la joindre à l'institut de beauté. L'institut de beauté ! C'est un chirurgien esthétique dont elle aurait besoin. Il nota le numéro de téléphone et obtint la communication.

— Salut ! fit-elle joyeusement.

— Est-ce que par hasard ce serait férié aujourd'hui ? Pourquoi cet après-midi de congé sans autorisation ?

Elle partit à rire.

— Je me range à présent, et il faut que je sois belle. Ce soir, c'est le grand soir.

— Ce soir ? (Il se souvint tout à coup. Le Prix de la Personnalité d'Or de la Télévision. La IBC avait retenu une table. Avec l'Emmy, c'était l'événement le plus marquant pour la T.V.) Vous y allez ? demanda-t-il. (C'était une question stupide. Bien sûr, qu'elle y allait !)

— Et vous ? rétorqua-t-elle.

— Il le faut bien. Chris va peut-être avoir un prix, Robin Stone aussi, et Gregory Austin sera sur l'estrade.

— Je suppose que je vous verrai alors — nous serons probablement assis à la même table. Mais, au fait, Dan, pourquoi m'appelez-vous ?

— Je voulais peut-être vous demander de m'accompagner, fit-il.

Ce n'était pas le moment de lui mettre le marché en main. Il fallait qu'il la voie en personne.

Elle eut un rire déplaisant :

— Arrêtez votre charre ! J'ai les cheveux mouillés, et il faut que je retourne sous le casque. Pourquoi m'avez-vous appelée ?

— Je vous en parlerai demain.

— Demain, c'est le jour de l'émission. Je serai occupée et Carruther donne une petite soirée après le show.

— Vous vous garderez bien d'y aller ! dit-il.

Il savait qu'il intervenait mal à propos mais c'en était trop.

— Répétez ça, pour voir !

— Ce soir, ce sera votre dernière sortie en public ou en privé avec Chris.

Elle garda le silence un instant. Puis elle dit :

— Vous êtes jaloux ?

— C'est un ordre officiel.

— De qui ?

— De moi. Le *Christie Lane Show* appartient à la IBC. Il est de mon devoir de le sauvegarder. Disons tout simplement que votre personnalité ne convient pas à une émission familiale. Aussi, à partir de ce soir, je désire que vous laissiez tomber Chris.

— Et si je ne le fais pas ?

— Alors, vous êtes virée de la IBC. (Elle se taisait.) Vous m'entendez, Ethel ?

Elle répondit d'une voix dure :

— D'accord, mon joli. Bien sûr que vous pouvez me faire vider. Mais peut-être bien que je m'en fiche. La IBC n'est pas la seule chaîne au monde. Il y a encore la CBS, la NBC, et l'ABC.

— Pas si j'ébruite la raison pour laquelle on vous vire.

— D'après vous, il est illégal de baiser Christie Lane ou des directeurs de télévision ?

— Non, ce qui est illégal, c'est d'envoyer par la poste des écrits pornographiques. Il est tombé entre mes mains des copies de lettres que vous avez envoyées à une amie à Los Angeles, et dans lesquelles vous donnez des détails graphiques et cliniques sur votre vie sexuelle.

Elle essaya de crâner :

— Parfait. Si je ne travaille plus, j'aurai plus de temps à consacrer à Christie.

Il éclata de rire :

— Pour autant que je sache, la générosité n'est pas la vertu principale de Christie Lane. Mais peut-être le connaissez-vous sous un autre angle. Après tout, j'oublie à quel point vous êtes unis. Il va peut-être vous installer dans vos meubles et vous verser une pension.

— Espèce de fumier ! siffla-t-elle entre ses dents.

— Ecoutez. Si vous lâchez Christie, vous gardez votre boulot et je veillerai à ce qu'on vous mette sur une autre émission.

— Je vous fais une proposition, dit-elle. Si vous me mettez sur l'émission de Robin Stone, Christie Lane n'arrivera même pas à me joindre au téléphone.

Dan était perplexe :

— Nous lui avons déjà offert, il y a quelque temps, de lui affecter quelqu'un, mais il a refusé. Laissez-moi voir ce que je peux faire. Je vais essayer de vous imposer. Sinon, il y a d'autres émissions.

— J'ai dit : l'émission de Robin Stone.

— Je crains fort que vous ne soyez pas en position de donner des ordres. J'*essaierai* de vous décrocher Robin Stone. Mais n'oubliez pas que ce soir, c'est la dernière fois que vous voyez Christie Lane. Si vous vous pointez demain pendant son émission vous prenez la porte !

Ce soir-là, elle se vêtit avec soin. Elle portait maintenant les cheveux longs et s'était fait ajouter des reflets auburn. La robe verte était parfaite, décolletée assez bas et mettait sa poitrine en valeur. Ses hanches étaient encore trop épaisses, mais la jupe ample les dissimulait. Elle s'examina dans le miroir et fut satisfaite. Elle n'était pas Amanda, mais si elle pensait à ne pas sourire, — ce qui découvrait ce maudit espace entre ses deux incisives — elle n'était pas mal. Pas mal du tout...

La grande salle de bal du Waldorf était comble. Chris l'escortait et lançait d'une voix sonore des salutations à chaque table qu'ils dépassaient. L'estrade était impressionnante ; un vrai faisceau de directeurs de toutes les chaînes de télévision, quelques vedettes de Broadway, le maire, et un distributeur de films. Ethel reconnut Gregory Austin et sa ravissante épouse au centre de l'estrade. Un journaliste lui parlait. Elle penchait la tête vers lui, comme si elle lui donnait audience, et non comme si elle l'écoutait. Ethel suivit Chris à la table de la IBC juste en face de l'estrade. Dan Miller était déjà assis. Il était avec une brune d'une trentaine d'années. Dan avait le chic pour dégotter la fille appropriée à la soirée. Comme s'il téléphonait à un agent pour dire : « Envoyez-moi quelqu'un, genre femme du monde, robe noire, perles, pas d'avantages trop marqués. » Près d'elle, il y avait deux sièges vides. Etaient-ils pour Robin Stone ? Probablement. Tous les autres étaient pris. Il allait donc être assis à côté d'elle. Elle ne s'était pas attendue à pareille aubaine.

Il arriva tard avec une fille exquise. Inger Gustar, une nouvelle actrice allemande. Ethel prit une cigarette. Christie ne fit pas un geste mais, à son grand étonnement, Robin lui présenta son briquet.

— J'admire votre goût, fit-elle à mi-voix. J'ai vu son film la semaine dernière. Elle ne sait pas jouer mais cela n'a aucune importance. (Comme il ne répondait pas, Ethel insista :) C'est sérieux, ou juste une nouvelle expérience ? (Elle s'efforçait de prendre un ton de raillerie.)

Il sourit :
— Mangez votre pamplemousse.
— Je n'aime pas les pamplemousses.
— C'est bon pour vous, fit-il sans la regarder.
— Je n'aime pas toujours ce qui est bon pour moi.

L'orchestre se mit à jouer. Tout à coup, Robin se leva.
— D'accord, Ethel. Essayons !

Elle rougit de bonheur. L'avait-il enfin remarquée ? Peut-être que la robe verte et le roux de ses cheveux y avaient contribué plus qu'elle ne pensait. Il dansa pendant quelques minutes en silence. Elle se serrait contre lui. Il s'écarta et la regarda. Son visage était vide d'expression et ses lèvres remuaient à peine. Mais les paroles sonnaient claires et froides :

— Ecoutez, pauvre idiote, ne savez-vous donc pas que peut-être pour la première fois de votre vie vous avez la chance de vous en sortir avec la bague au doigt ? Je fais confiance à votre cervelle, — servez-vous-en et gagnez la coupe.

— Peut-être qu'une alliance, ce n'est pas ce qui m'intéresse.
— Ce qui signifie ?
— Que Christie Lane ne réussit pas à m'émouvoir.

Il rejeta sa tête en arrière et se mit à rire :
— Vous préférez choisir. Votre audace me plaît, en tout cas.
— Chez vous, tout me plaît, fit-elle d'une voix douce et pénétrante.

Elle sentit son corps se raidir. Sans la regarder, il dit :
— Je regrette. Je ne joue pas à ce jeu-là.
— Pourquoi ?

Il s'écarta et la regarda :
— Parce que moi aussi, j'aime choisir.

Elle le regarda fixement :
— Pourquoi me détestez-vous ?

— Je ne vous déteste pas. Disons que jusqu'à présent la seule chose que j'aie remarquée en vous, c'est votre vivacité d'esprit et vos nerfs d'acier. Mais maintenant je commence à douter. Vous avez Christie Lane, ne le jetez pas aux orties. Bien sûr, ce n'est pas Sinatra, mais son émission marche. Il durera très très longtemps.

— Robin, dites-moi une chose. Pourquoi m'avez-vous invitée à danser ?

— Parce que la soirée va être longue et que je ne suis pas disposé à subir dix ou douze assauts voilés de votre part. J'ai pensé qu'il fallait mettre tout de suite les choses au point. Ma réponse est « non ».

Elle regarda la jeune Allemande qui dansait non loin d'eux :

— Non, pour ce soir, dit-elle en souriant.

— Non, pour tous les soirs.

— Pourquoi ?

— Je dois le dire en toute franchise ?

— Oui. (Elle sourit en évitant de montrer ses dents.)

— Je serais incapable de bander pour vous, ma petite. C'est aussi simple que ça.

Son visage se raidit :

— Je ne savais pas que vous aviez des problèmes. C'est donc ça votre point faible.

Il sourit :

— Ça le serait avec vous.

— C'est peut-être pour ça qu'Amanda vous a plaqué pour Ike Ryan. Le grand Robin Stone, tout en charme et en paroles, ne passe pas aux actes. Elle vous trompait même avec Chris.

Il s'arrêta de danser et prit son bras :

— Nous ferions mieux de retourner à la table.

Elle eut un sourire mauvais et refusa de bouger :

— J'ai trouvé où le bât blesse, Monsieur Stone ?

— Je ne suis pas froissé, mon chou. J'estime simplement que vous êtes mal placée pour déblatérer sur Amanda.

Une fois encore il essaya de lui faire quitter la piste, mais elle le força à reprendre l'attitude de la danse :

— Robin, donnez-moi ma chance ! Essayez-moi juste une fois ! Sans engagement ! Dès que vous claquez les doigts, je rapplique. Et je suis une assurance de tout repos. Vous serez satisfait — et vous ne perdrez plus jamais la tête pour une fille comme Amanda.

Il la regarda avec un sourire étrange :

— Et je parierais que vous avez une santé de cheval.

— Je n'ai jamais été malade de ma vie.

Il hocha la tête :

— Ça se voit.

Elle le regarda calmement :

— Alors ?

— Ethel (il soupira presque) retournez à votre tandem initial avec Chris Lane.

— Je ne peux pas. (Elle secoua la tête.) Ça ne dépend pas de moi. J'ai reçu l'ordre de rompre.

Il parut sincèrement intéressé :

— De qui ?

— Danton Miller. Bien sûr, ça lui est commode de me sauter quand il veut, mais cet après-midi il m'a informée que je devais renoncer à Chris — il paraît qu'on fait trop de publicité autour de nous. Je ne cadre pas avec l'idéal familial qu'il représente. Et, si je ne m'exécute pas, il me vire.

174

— Qu'allez-vous faire ?

Bon. Elle avait au moins capté son intérêt. C'était peut-être la bonne tactique : ne pas l'attaquer de front, provoquer sa sympathie. Pourquoi pas ? Elle avait essayé tout le reste. Elle voulut verser quelques larmes, mais rien ne vint. Elle dit :

— Qu'est-ce que je peux faire ? en le regardant d'un air de chien battu.

— Vous ne m'aurez pas en jouant les Shirley Temple. Si vous êtes une putain, conduisez-vous comme une putain. Ne jouez pas à la pauvre môme qui mendie de la sympathie. (Il eut un sourire ironique en la regardant.) Vous avez joué un jeu d'homme, à la manière des hommes. Je vous soutiendrai contre Danton Miller à n'importe quel moment.

Elle le regarda avec curiosité :

— Vous pensez que je devrais me battre contre Dan Miller ? (Elle secoua la tête.) Je n'ai pas la moindre chance, — à moins que vous ne me donniez quelque chose à faire dans votre émission. Vous dites que je suis futée — oublions les histoires de fesses pour l'instant. Donnez-moi ma chance, Robin. Je peux faire beaucoup pour votre émission. Je peux vous amener une publicité importante.

— Pas question, coupa-t-il. Je ne suis pas un acteur.

— Mais laissez-moi être affectée à votre émission. Je taperai à la machine. Je ferai ce que vous voudrez.

— Non.

— Pourquoi ? fit-elle d'un ton suppliant.

— Parce que je ne donne jamais rien par charité, pitié ou sympathie.

— Et l'amitié ? Qu'est-ce que vous en faites ?

— Nous ne sommes pas amis.

— Je serai votre amie. Je ferai n'importe quoi pour vous, dites-moi seulement quoi.

— Eh bien ! pour le moment, il n'y a rien que je désire plus au monde que d'en finir avec cette danse.

Elle s'écarta et fixa sur lui un regard haineux :

— Robin Stone, j'espère que vous pourrirez en enfer !

Il rit de bon cœur, la prit par le bras et la conduisit hors de la piste.

— C'est ça, mon petit, reprenez vos esprits. Je vous aime mieux ainsi.

Ils étaient arrivés à la table. Il la remercia pour la danse avec un sourire aimable.

La soirée fut longue et ennuyeuse. Chris fut désigné comme la personnalité la plus remarquée des émissions nouvelles. Le *En Profondeur* de Robin obtint le prix des meilleures Actualités. Dès que les discours eurent pris fin, le rideau s'ouvrit à l'autre extrémité de la pièce, l'orchestre entonna un air de fanfare, et tous les assistants grognèrent dans leur for intérieur en tournant leurs chaises pour regarder le spectacle.

Robin prit la main de la jeune Allemande et ils s'esquivèrent au moment où l'on éteignait les lumières. Mais Chris resta à la table avec le personnel de la IBC et regarda le show.

Ethel contemplait les deux chaises vides. Qui était-il donc pour s'arroger le droit de sortir ? Même Danton Miller restait assis à regarder ce spectacle fastidieux. Chris n'aurait pas osé partir, et Chris était deux fois plus important que Robin Stone. En y réfléchissant, Chris était même plus important que Dan Miller. On pouvait renvoyer Dan à tout instant et en ce moment la faveur dont il jouissait, il la devait à Chris. Comment se permettait-il de menacer Ethel ? Aussi longtemps qu'elle garderait Chris, elle serait plus forte que Danton Miller. Et au-dessus de Robin Stone. Brusquement elle réalisa que Chris était son seul atout. Elle avait trente et un ans. Elle ne pouvait pas continuer à s'envoyer toutes les célébrités qui passaient. Dans quelques années, ils ne voudraient plus d'elle.

Assise dans l'obscurité, elle oubliait les rires polis du public tandis qu'une nouvelle idée germait lentement dans sa tête. Pourquoi plaquer Chris ? Dormir avec lui, c'était une chose — mais devenir Mme Christie Lane ! La hardiesse de cette perspective l'accablait. La lutte serait longue et difficile. Il fallait qu'elle amène doucement Chris à cette idée. Après elle les enverrait tous se faire foutre. Dan, Robin, le monde entier. Madame Christie Lane ! Madame Télé ! Madame *Puissance* !

Il était trois heures du matin, quand ils arrivèrent à l'Astor. Chris lui avait offert de la déposer chez elle :

— Je dois être à ma répétition demain à onze heures, poupée.

— Laisse-moi dormir chez toi. Nous n'avons pas besoin de coucher ensemble. Je veux rester avec toi, Chris.

Son visage franc se craquela dans un sourire :

— Mais bien sûr, ma poulette. Je pensais que tu serais plus à ton aise chez toi pour te changer et tout, parce que toi aussi, faut que tu sois à la répétition demain matin.

— C'est là le problème — je n'y serai pas.

Il se tourna vers elle dans l'obscurité du taxi :

— Qu'est-ce que tu racontes ?

— Je te le dirai en haut.

Elle se déshabilla en silence et se glissa au lit avec lui. Il regardait les nouvelles hippiques. Son gros ventre dépassait par-dessus son caleçon. Il avait un cigare fiché entre les dents. Il lui désigna du geste le lit jumeau :

— Couche-toi là, ma poulette. Pas de java, ce soir !

— Je veux seulement me serrer contre toi, Chris.

Elle passa ses bras autour de son corps flasque.

Il l'examina :

— Dis donc, tu te conduis de façon bizarre. Qu'est-ce qu'il y a ?

Elle fondit en larmes. Elle s'étonna même de la facilité avec laquelle elle y arrivait. Elle pensa à l'humiliation que lui avait infligée Robin Stone et, des larmes elle passa aux sanglots étouffés.

— Poulette... Bon sang, qu'est-ce qui se passe ? Je t'ai fait quelque chose ? Réponds !

— Oh non, Chris. C'est que c'est la dernière nuit que nous passons ensemble !

Elle sanglotait pour de bon à présent. Pour toutes les fois où on l'avait repoussée, pour tous les hommes avec qui elle n'avait couché qu'une seule nuit, pour tout l'amour qu'elle n'avait jamais eu.

— Mais de quoi parles-tu, bon Dieu ?

Il l'entoura de ses bras et essaya maladroitement de lui caresser la joue. Seigneur, elle détestait même son odeur d'eau de Cologne bon marché et de sueur. Mais elle pensa à Robin sur la piste de danse et à la jeune Allemande qu'à présent il tenait probablement entre ses bras, et le volume de ses sanglots enfla.

— Poupée, dis quelque chose. Je peux pas supporter de te voir comme ça. T'es la fille la plus solide du monde. Je le disais à Kenny l'autre jour : « Cette Ethel... j'y ai dit, elle tuerait pour moi. » Alors qu'est-ce que c'est que cette histoire de dernière nuit ensemble ?

Elle le regarda avec un visage inondé de larmes :

— Chris, qu'est-ce que je représente pour toi ?

Il lui caressa les cheveux en regardant le plafond, perplexe :

— Je sais pas, ma poulette. J'y ai jamais réfléchi. Je t'aime bien. On se paye du bon temps. T'es une bonne copine...

Elle se remit à sangloter. Ce porc — lui aussi la rejetait !

— Comprends-moi, cocotte... je voudrais pour rien au monde retomber amoureux. Une fois, c'est suffisant. Mais y a pas d'autre fille dans ma vie. Tu resteras avec moi aussi longtemps que tu voudras. Comme Kenny et Eddie. Alors qu'est-ce que t'as à déconner à propos de notre dernière nuit ?

Elle se détourna et regarda droit devant elle :

— Chris, tu connais mon passé ? (Il rougit.) Voilà ce que j'ai, sanglota-t-elle. Mais ce n'est pas vraiment moi. C'est celle que tu connais qui est la vraie Ethel à présent. Tu crains d'autres blessures à cause d'Amanda — à moi, ça m'est arrivé. Un garçon, à l'Université. Nous étions fiancés. J'étais vierge, et il m'a laissée tomber. J'ai eu tellement mal que j'ai décidé de m'envoyer tous les bonshommes de la terre pour être à égalité avec lui. Je le haïssais. Je haïssais sa vie. Je me haïssais moi-même. Jusqu'à ton arrivée — là, j'ai été nettoyée intérieurement, comme par une purge. J'avais rencontré un véritable être humain auquel je tenais vraiment. J'ai commencé à prendre goût à moi-même et la véritable Ethel Evans a émergé. Tout le passé était une façade. Avec toi, ma vraie personnalité s'est révélée.

— Je comprends, ma poulette, et il m'arrive même d'oublier ton passé. Alors, pourquoi tant d'histoires ? Est-ce que je te pose des questions ?

— Non, Chris, mais... avant de te rencontrer, je... j'allais avec Danton Miller.

Il s'assit dans un sursaut :

— Merde, lui aussi ! T'en as pas raté un seul ?

— Chris, Dan avait vraiment le béguin. Il était jaloux de tous ceux qui m'approchaient. Il m'a mise sur ton émission pour avoir l'œil sur moi. Il était blême quand Jerry a arrangé notre rendez-vous. Il s'imaginait qu'il y en avait pour une nuit. Il n'a pas cru que je pourrais tomber vraiment amoureuse de toi. A présent, il est jaloux.

— Qu'il aille se faire foutre !

— Par moi. C'est ça qu'il veut.

— Tu rigoles ?

— Non. Il m'a appelée aujourd'hui pour me dire qu'il ne fallait plus que je te voie. Qu'il me veut pour lui tout seul. Je l'ai envoyé paître. Il m'a dit de rompre avec toi ce soir. Je ne dois pas remettre les pieds sur le plateau, ou bien il me fait virer de la IBC. Si je te plaque, je peux rester. Il m'affectera à d'autres émissions, avec de l'augmentation. Mais je ne peux pas m'y résoudre, Chris... Je ne peux pas vivre sans toi.

— Je parlerai à Dan demain.

— Il prétendra que ce n'est pas vrai et tu te feras un ennemi. Il dit que c'est lui qui t'a fait et qu'il peut te casser les reins.

Chris serra les dents. Ethel se rendit compte qu'elle faisait fausse route. Chris était encore peu sûr de lui. Pardieu, il avait peur de Dan Miller.

— Il ne peut rien contre toi, Chris, t'es le plus fort. Mais il peut se débarrasser de moi. J'ai écrit un tas de lettres idiotes à une fille que je croyais mon amie au sujet de mes histoires d'amour et il paraît que Dan a des copies de ces lettres.

— Y a des bonnes femmes qui peuvent pas fermer leur gueule, toi, c'est ta machine à écrire... Pourquoi foutre, t'es allée écrire des lettres ? Tu risques d'attirer des ennuis aux mecs aussi.

— Je sais, et peut-être Dieu me punit-il. Mais comment pouvais-je savoir qu'Yvonne ferait faire des copies ? Pourquoi la punition de Dieu ne se retourne-t-elle pas contre elle ? J'ai écrit ça sur l'inspiration du moment, pour plaisanter. Enfin, c'est le passé. Pour l'instant, c'est le présent qui me tracasse.

— D'accord, alors tu quittes l'émission.

— Et après ?

— Tu peux retrouver du boulot à la CBS, à la NBC, n'importe quelle autre chaîne.

— Non, Dan me fera virer. Je suis foutue.

— Je vais te trouver du travail, moi, et tout de suite.

— Chris, il est trois heures et demie du matin.

— On s'en fout ! (Il saisit le téléphone, demanda un numéro. Au bout d'un certain nombre de sonneries, Ethel entendit répondre une voix noyée de sommeil.) Herbie ? C'est Chris Lane. Je sais qu'il est tard, mais écoute, vieux, je suis un homme qui suit ses impulsions. Il m'a semblé l'autre jour à t'entendre que tu donnerais n'importe quoi pour le seul prestige de voir ton agence s'occuper de mon service de presse. C'est dans la poche. On commence demain.

La voix en staccato d'Herbie caquetait dans le récepteur. Il était transporté. Il ferait des prodiges. Il viendrait le lendemain à onze heures à la répétition.

— Attends, Herbie. Y a quelques stipulations au contrat. Je te paierai trois cents dollars par semaine — peu m'importe le tarif officiel. T'as un bureau minable à Broadway, une agence pour comiques-troupiers et danseurs à la gomme. Mais si tu as Christie Lane, tu te places parmi les premiers. Et je peux même éventuellement refiler du boulot à tes tocards de clients. Seulement, y a une condition qui va avec : tu engages Ethel Evans. Bien sûr, elle est à la IBC, mais je veux qu'elle laisse tomber pour se consacrer entièrement à ma publicité. Seulement, c'est toi qui la payes. Combien... cent par semaine ? (Il regarda Ethel qui secouait la tête avec frénésie.) C'est des clopinettes, Herbie, cent vingt-cinq ? (Elle secoua la tête à nouveau.) Attends une minute, Herbie. (Il se tourna vers Ethel.) Qu'est-ce qu'il te faut ? L'opéra ?

— J'ai un salaire de base de cent cinquante à la IBC, plus vingt-cinq de boni pour ton émission, ça fait cent soixante-quinze.

— Herbie, cent soixante-quinze et on fait l'affaire. Ça te laisse que cent vingt-cinq, mais pense au prestige, mon petit. Oui, je me mets à ta place. D'accord, cent cinquante. (Il négligea le coup de coude qu'elle lui envoyait dans les côtes.) Bon, elle sera à ton bureau à dix heures demain matin.

— Ce qui veut dire que, malgré tout ton piston, je vais être diminuée ?

— Le gars a raison, tu peux pas gagner plus que lui dans l'affaire. Mais calme-toi. A la IBC tu devais travailler sur plusieurs émissions. Avec Herbie, tu bosses que pour moi, et avec cent cinquante dollars tu peux vivre.

Ethel était furieuse. Elle connaissait Herbie... il allait la faire pointer et l'horaire serait meurtrier. Son travail à la IBC était auréolé de prestige. Herbie dirigeait une affaire de paumés. Tout était réparé, mais à présent elle était coincée.

— Chris, je viens de signer mon arrêt de mort, tu sais ?

— Pourquoi ? je viens de te trouver un nouveau boulot.

— A la IBC j'avais des avantages accessoires : l'assurance maladie, de beaux bureaux avec l'air conditionné.

— Ouais, mais tu me gardes. C'est pas ce que tu voulais ?

Elle se blottit contre lui :

— Tu le sais bien. J'abandonne la IBC pour toi. J'aurais pu rester, faire d'autres émissions. Mais j'y renonce pour travailler chez Herbie Shine. Mais toi, qu'est-ce que tu fais pour moi ?

— Non, mais ça va plus ! Je viens de te trouver du travail !

— Je veux être ta petite amie.

— Bon Dieu, c'est un secret pour personne.

— Officiellement, je veux dire. Ne pourrions-nous, au moins, annoncer nos fiançailles ?

Il posa le journal de courses :

— Pas question ! Je t'épouserai jamais, Ethel. Si des fois je me mariais, je veux une fille convenable. Je veux avoir des enfants. Ta minette, c'est comme le tunnel Lincoln : tout le monde y est passé.

— Et je suppose qu'Amanda était une fille convenable...

— C'était une pute, mais je la croyais convenable. Toi, au moins, je te connais.

— Et tu ne crois pas qu'une fille peut changer ?

— Peut-être. On verra.

Il ramassa la feuille des courses :

— Chris, donne-moi ma chance, je t'en supplie !

— Est-ce que je te chasse de mon lit ? Je t'emmène partout... où je sors, pas vrai ?

Elle lui jeta les bras au cou :

— Oh Chris, non seulement, je t'adore, mais je t'idolâtre. Tu es mon Dieu, mon Seigneur, mon roi. Tu es ma vie !

Elle rampa jusqu'au pied du lit et commença à faire courir sa langue sur ses orteils. Cela lui donnait la nausée, mais elle essayait de s'imaginer que c'était une des vedettes de cinéma qu'elle avait adorées.

Il se mit à rire :

— Hé, c'est bon. On m'avait jamais fait ça.

— Allonge-toi, je veux faire l'amour avec chaque millimètre de ton corps. Pour te montrer combien je t'idolâtre et t'adore. Et jamais je ne cesserai, quoi que tu fasses. Je t'aimerai éternellement. Je t'aime tant...

179

Elle se mit à gémir et à lui faire l'amour. Un peu plus tard, étendu à bout de souffle et trempé de sueur, il lui dit :

— Mais poupée, c'est pas juste. Tu m'as rendu fou. Bordel, jusque dans les doigts de pied. Mais toi, t'as rien eu en retour.

— Tu n'es pas fou ? J'ai joui deux fois, rien qu'à te donner du plaisir.

— Tu rigoles ?

— Chris, tu ne comprends donc pas ? Je t'aime. Tu m'excites. Et je jouis rien qu'à te toucher.

Il lui entoura les épaules du bras et lui caressa les cheveux :

— Là, tu m'en bouches un coin ! Tu es sûrement siphonnée, mais j'aime ça.

Il rota fortement et reprit son journal de courses :

— Hé, il est plus de quatre heures et demain je travaille. Va dormir dans l'autre lit. Il faut que tu te lèves de bonne heure pour prendre congé de Dan et te rendre chez Herbie. Va dormir, ma poulette.

Elle se mit dans l'autre lit et lui tourna le dos. Tout en serrant les dents, elle dit :

— Je t'aime, Chris.

Il se leva pour aller à la salle de bains. En passant, il lui tapota les fesses.

— Je t'aime aussi, poupée. Seulement faut pas oublier que j'ai quarante-deux ans et une grande carrière qui m'attend. Y a que ça qui compte pour moi.

Puis, laissant la porte ouverte, il s'assit sur le siège et lâcha un pet explosif. Elle se mit la tête sous les couvertures. Le porc ! Et elle devait ramper devant lui. Mais elle aurait sa revanche. Elle l'épouserait ! Elle y mettrait le temps qu'il faudrait. Et alors elle pourrait envoyer tout le monde se faire foutre. Et lui le premier !

Ethel arracha la feuille de sa machine à écrire et la jeta sur le bureau d'Herbie Shine. Elle resta là, les sourcils froncés, pendant que le petit homme chauve la lisait avec soin.

— Ça va, dit-il lentement. Mais vous ne donnez pas l'adresse du restaurant.

— Herbie, c'est la règle générale dans les journaux. Ou bien le nom *Chez Lario* accroche, ou bien c'est râpé. Les journalistes n'indiquent jamais l'adresse.

— Mais cette boîte n'est pas sur une route fréquentée. Il faut que le public le sache.

— S'ils faisaient une soirée d'inauguration avec quelques célébrités et tous les chroniqueurs, la presse entière en parlerait. Mais ils sont comme tous vos clients, trop radins pour faire les choses comme il le faut.

— Sur ce point, vous avez raison. Particulièrement mon gros client, M. Christie Lane. Plus pingre encore que tous les autres réunis. *Chez Lario* est une petite boîte. Ils n'ont pas les moyens de régaler tout le monde pendant une soirée. Il vaut mieux essayer d'y amener des gens de la IBC et aussi Christie Lane.

— Ecoutez. Chris vous paye de sa poche. Il a détesté le dernier restaurant dont vous vous êtes occupé, dans la Douzième Rue, où vous m'avez forcée à le traîner. Ça lui a coûté trois dollars de taxi à l'aller et au retour. J'en ai entendu parler pendant des jours.

— Il a aussi oublié les serveurs, fit Herbie.

— Chris s'imagine que tout est compris dans l'addition.

— Chacun sait qu'on doit laisser un pourboire au maître d'hôtel et au garçon.

— Pas Chris.

— Alors, pourquoi ne le lui dites-vous pas ?

— Je ne suis pas un « guide des bonnes manières ». (Elle enfila son manteau.)

— Il n'est que quatre heures. Vous vous croyez dans une banque ? Vous n'êtes arrivée qu'à dix heures et quart, ce matin

— Quand j'étais à la IBC, j'arrivais souvent à dix heures et demie et je partais quand je voulais. Il m'arrivait aussi d'être là à neuf heures et de partir à six heures. Ecoutez, Herbie, je fais bien mon boulot. Je finis ce que j'ai en train, et je décide de mes horaires. Bientôt, vous allez me demander de pointer !

— Je ne suis pas la IBC. J'ai trois employés. Nous avons en tout douze poulains. Vous gagnez plus que les deux autres, et vous travaillez moitié moins de temps que moi.

— Alors mettez-moi à la porte !

Il la regarda avec un vilain sourire :

— Je le voudrais bien. Et vous le savez. Mais nous avons tous les deux besoin de Christie Lane. Et vous ne partirez pas à quatre heures.

— Vous m'avez bien regardée ?

— D'accord. Je vous diminuerai.

— Alors, je reste. Mais ce soir, quand j'arriverai à la grande première d'Ike Ryan décoiffée, Chris va me poser des questions. Et je lui toucherai un mot du chouette boulot qu'il m'a dégotté.

— Allez vous faire coiffer, salope !

Elle sourit et sortit de la pièce. Il vit onduler ses larges hanches et comme tout le monde, il se demanda ce que Chris Lane pouvait bien lui trouver.

Ethel savait qu'un tas de gens se posaient la même question. Elle était assise au bar du Copa, essayant de sourire aux plaisanteries vieilles comme le monde d'Eddie et de Kenny. Elle détestait Chris plus que jamais ce soir-là. Tous les gens de quelque importance étaient à la réception que donnait Ike Ryan pour la première de son spectacle. Si Chris et Amanda étaient à couteaux tirés, rien ne les empêchait d'aller chez Sardi où se trouvaient les autres invités. Mais Chris n'était pas à son aise chez Sardi, où on ne lui donnait qu'une table dans le fond. C'était un salaud, un fieffé égoïste. Elle regarda sa robe. Elle l'avait depuis deux ans. Quand elle avait insinué qu'il lui faudrait une nouvelle robe pour la première il avait froncé les sourcils :

— Qu'est-ce que c'est que cette comédie ? Je paye tes repas, t'as un loyer raisonnable. Avec cent cinquante dollars par semaine, tu devrais être habillée comme une gravure de mode. D'ailleurs Lou Goldberg vient de me faire reprendre de la rente.

Lou Goldberg était la clé de tout. Il arrivait la semaine suivante. Elle devait le charmer et le convaincre qu'elle était la femme rêvée pour

Chris. Elle ouvrit son poudrier et se remit du rouge à lèvres. Il fallait qu'elle fasse recouvrir ses dents. Elle avait fait des pieds et des mains pour se faire offrir un manteau de vison pour Noël mais Chris avait fait la sourde oreille. Eh bien ! elle attendrait que Lou Goldberg vienne en ville. Alors, elle jouerait le grand jeu.

Elle avait les nerfs à vif, pendant que le dentiste lui faisait une piqûre de novocaïne dans la gencive, bien qu'elle sût que cela ne lui ferait pas mal. Elle se détendit et sentit aussitôt la rigidité de la pierre gagner sa lèvre, sa bouche, son nez même. Elle avait gagné ! On allait lui poser une jaquette sur les dents de devant. Et elle le devait à Lou Goldberg. Elle s'appuya en arrière et ferma les yeux, tandis que le dentiste approchait avec la roulette. Elle entendit le bourdonnement contre ses dents. Elle ne sentait rien. Elle essayait de ne pas penser que deux dents parfaitement saines allaient être réduites à l'état de chicots. Mais il le fallait pour faire disparaître ce maudit espace.

Elle pensa à Lou Goldberg. La soirée qu'ils avaient passée ensemble avait réussi au-delà de ses plus folles espérances. Elle l'avait préparée. Elle était exprès restée tard au bureau et s'était précipitée chez Dinty Moore en manteau d'opossum et robe de laine bleue.

— Je suis désolée, je n'ai pas eu le temps de rentrer à la maison pour me changer, avait-elle dit en s'excusant, mais M. Shine est un véritable esclavagiste. J'aurais pourtant voulu me montrer à vous sous mon meilleur jour, Monsieur Goldberg. Chris m'a tellement parlé de vous que j'ai presque l'impression de vous connaître.

C'était un bel homme. Grand, les cheveux grisonnants, plus âgé que Chris. Seulement il était mince et marchait comme un jeune homme. Cela n'avait pas été facile. Au début Lou Goldberg était soupçonneux et se tenait sur ses gardes. Elle joua l'ingénuité et la chaleur humaine. Toute sa conversation avait été centrée sur Chris, sa carrière, son talent, combien elle admirait son comportement à l'égard du succès, la chance qu'il avait d'être conseillé par Lou Goldberg, comment il avait évité de se forger de toutes pièces une personnalité pour la galerie, comme le font certains artistes.

— Tout le monde aime Chris à présent, avait-elle dit. On l'aimerait même s'il n'était pas célèbre, parce qu'il est *gentil*. Et je crois qu'il ne manquera jamais de travail. Mais c'est plus tard qu'un homme a besoin de sécurité. S'il est malade, qui s'en occupe, en dehors de sa famille ? Et il a de la chance d'avoir trouvé en vous une famille, monsieur Goldberg.

Elle avait vu Lou Goldberg fondre devant ses yeux. Sa réserve s'évanouissait, et il la regardait avec un intérêt chaleureux. Il se mit alors à lui poser des questions — des questions personnelles. C'était une marque d'intérêt. Elle se montra simple et directe. Ses parents étaient polonais, de braves gens, élevés dans la crainte de Dieu et qui allaient à l'église tous les dimanches. Oui, ils vivaient encore. Ils habitaient Hamtramck. Elle faillit s'étouffer en expliquant qu'elle leur envoyait cinquante dollars par semaine. Et Lou avait tout avalé. Bon Dieu, si elle leur avait envoyé seulement cinquante dollars par mois, son père aurait pu prendre sa retraite !

Lou Goldberg approuvait, rayonnant.

— J'aime cela. La plupart des filles ne pensent pas à leur famille. L'argent qu'elles ont, elles le dépensent pour se le mettre sur le dos.

— C'est parce qu'elles veulent faire de l'effet, dit-elle. J'osais à peine me présenter à vous dans cette tenue, et puis j'ai pensé que vous n'y attacheriez pas d'importance, étant donné tout ce que Chris m'avait raconté sur vous. Vous savez évaluer les gens au premier coup d'œil. Il dit que vous pouvez repérer un truqueur à un kilomètre.

— J'y arrive généralement, acquiesça-t-il, ravi. Et vous êtes une vraie jeune fille.

— Merci, fit-elle avec modestie. Toute ma vie a changé, quand j'ai rencontré Chris. Je n'ai pas toujours été comme ça. J'ai fait des bêtises. Mais j'étais jeune et je voulais me sentir belle. (Elle se mit à rire.) Je sais que je ne le serai jamais, mais qu'importe à présent. Si Chris m'aime, je ne demande rien d'autre.

Lou avait allongé le bras et lui avait tapoté la main :

— Vous êtes tout à fait charmante, ma chère.

Ethel avait montré ses dents de devant :

— Pas avec ça...

— Mais cela peut s'arranger, avait dit Lou. Les dentistes font des merveilles, de nos jours.

Elle avait hoché la tête :

— Mais ça coûte au moins trois cents dollars.

Lou avait regardé Chris de façon significative. Chris avait regardé ailleurs. Ethel, feignant de croire la discussion close était retournée à son hamburger.

— Chris, je veux que vous fassiez arranger les dents d'Ethel, avait dit Lou.

— Oh moi, elle me convient parfaitement comme ça !

— C'est pour son bien. Si elle ne se sent pas belle...

Et c'est ainsi que les choses s'étaient arrangées. Lou avait libellé le chèque lui-même.

— Je me rembourserai sur votre compte, Chris, avait-il dit en tendant le chèque à Ethel.

Puis il avait éclaté de rire :

— Vous savez, j'ai appris à ce garçon à être économe, mais parfois il dépasse les bornes. Sérieusement, Chris, vous devriez vous faire faire de nouveaux costumes.

— J'en ai trois neufs. Je m'en sers à la télé. Et j'ai trouvé une combine qui va peut-être marcher. Un tailleur en ville m'a dit qu'il me ferait tous mes costumes contre un carton publicitaire. Dan Miller ne veut pas qu'on travaille en cheville avec qui que ce soit, mais j'insisterai quand je rediscuterai mon contrat pour l'année prochaine.

— Vous pouvez les déduire de vos impôts, insista Lou.

— Bien sûr, mais si je peux les avoir pour rien, c'est encore mieux.

Chris voulait tout avoir à l'œil. Ethel avait la tête en arrière, le visage engourdi. La roulette du dentiste ronflait à vide. Elle y était arrivée ! Une fois qu'elle avait eu la confiance de Lou Goldberg, l'attitude de Chris avait changé du tout au tout. Il pensait vraiment qu'elle était née une seconde fois. Comme il l'avait déclaré :

— Je me sens comme le bon Dieu, je t'ai recréée. D'une putain j'ai fait une dame.

Elle avait souri et lui avait pris la main... Dieu, comme elle aurait aimé gifler ce visage suffisant et imbécile... Maintenant, on lui arrangeait les dents et elle les aurait à temps pour le dîner au Waldorf. Certes, elle était encore loin d'avoir la situation en main. Quelques chroniques de journaux avaient bien laissé entendre qu'ils étaient fiancés, mais il se refusait toujours à penser mariage. Elle avait envisagé de se faire engrosser, mais il ne s'était pas laissé battre sur ce terrain-là. Il n'attendait pas qu'elle mette un diaphragme. Les rares fois où il était sorti de son rôle passif, il avait utilisé une capote. Le plus souvent il s'allongeait et se confiait à ses soins experts ! Il croyait vraiment qu'elle jouissait rien qu'à son contact... Enfin au moins elle avait ses dents et le soutien de Lou Goldberg. C'était un bon début. Et elle s'achèterait une nouvelle robe pour le dîner.

Le dîner au Waldorf était exactement semblable à tous les autres dîners au Waldorf. Dan Miller arriva, flanqué de la réplique exacte de la fille « vieux jeu » de la précédente soirée. Seulement, celle-ci avait les cheveux platine. Il y avait deux sièges vides à leur table... mais Robin Stone n'apparut pas. Ethel regretta d'avoir acheté cette robe. Le seul événement de la soirée fut sa présentation à Mme Gregory Austin. Cela s'était passé au vestiaire où ils attendaient leurs manteaux. Ethel avait été déférente à souhait, et Mme Austin aimable à souhait en félicitant Chris pour son émission.

Chris s'en grisait encore en se déshabillant cette nuit-là :

— T'as entendu Gregory Austin en personne venir me dire que je suis le plus grand ? Rien ne l'y obligeait. Il s'est déplacé spécialement pour venir me causer. Il aurait pu me faire un petit signe de tête. Habituellement, il garde ses distances avec les vedettes, — c'est connu. Bon Dieu, j'oublierai jamais sa réception du Jour de l'An. Il m'a salué de loin une fois, en se demandant qui je pouvais bien être. (Chris tomba lourdement sur le lit, nu comme un ver.) Allez, mon chou, viens rendre la vie à Popaul. Après tout, c'est un honneur pour toi de pouvoir satisfaire le Roi.

Elle ne réagit pas et se déshabilla lentement. Chris regardait complaisamment au plafond.

— Tu sais quoi ? Le Roi, c'est pas suffisant. Il y a trop de rois : le roi d'Angleterre, de Grèce, de Suède, de... enfin des tas. Mais y a qu'un Chris Lane. Il faut que je trouve un surnom.

— Tu peux toujours essayer Dieu pour voir.

— Non, ce serait sacrilège. (Il y réfléchit.) Hé, qu'est-ce que tu penses de « fantastique ». C'est ça : le « fantastique Christie Lane ». Commence donc à mettre ça avec mon nom dans les journaux : je suis génial. Avais-tu remarqué que Mme Austin m'a dit qu'elle adorait mes émissions ? C'est parce que je suis le plus grand...

— Elle penserait que tu es le plus radin, si elle savait comment je travaille pour Herbie Shine et les heures que je fais.

— Elle serait encore plus choquée si t'étais une femme entretenue, grommela-t-il. Y a rien de déshonorant dans le fait de travailler.

— Ha ! Tout le monde sait que tu couches avec moi. Les gens pensent que tu es trop radin pour entretenir qui que ce soit.

— Personne ne dit que je suis radin.

— J'en suis la preuve vivante. Je suis ta petite amie depuis bientôt cinq mois. Quand on se moque de mes vêtements, ce n'est pas de moi qu'on rit, c'est de toi ! (En le voyant rougir, elle se dit qu'elle était peut-être allée un peu loin. Elle reprit d'un ton radouci :) Ecoute, peu m'importe que tu me donnes quelque chose ou non. Mais c'est cet Herbie Shine. Il ne cesse de me lancer des piques, il me laisse entendre que tu es pingre, ou bien alors tu ne me ferais pas travailler dans un bureau comme le sien. C'est un bureau minable, Chris. Ce n'est pas lui qui devrait s'occuper de toi. Tu devrais être chez Cully et Hayes !

— A mille dollars par semaine ?

— Tu peux te permettre ça !

— C'est jeter l'argent par les fenêtres. Ils vous invitent à toutes les soirées chics, mais jamais une ligne dans les journaux. Herbie, au moins, m'obtient quelques échos.

— Mais Herbie est incapable de te décrocher un reportage.

— Le service de presse de la IBC s'en occupe. D'Herbie j'attends qu'une chose : qu'on parle de moi dans les journaux.

— Tu payes Herbie trois cents dollars par semaine, pour qu'on cite ton nom dans les journaux.

— En fait : cent cinquante. Les cent cinquante autres sont pour ton salaire.

— C'est ce que tu t'imagines. Je travaille pour lui sur dix autres affaires. Et c'est toi qui payes !

— Le salaud ! fit-il entre ses dents.

— Chris. Engage-moi et balance Herbie.

Il eut un sourire mauvais :

— Tu veux dire que je devrais te payer trois cents dollars par semaine. Ça ne fait pas mon affaire. Actuellement, vous êtes deux, Herbie et toi, à vous occuper de ma publicité.

— Herbie ne lève pas le petit doigt pour toi. Il te fait aller dans ses restaurants dégueulasses : c'est de cette façon qu'il fait citer ton nom dans les journaux. Et il touche aussi quelque chose du restaurant. Ecoute, Chris, paye-moi deux cents dollars — cent dollars de moins qu'Herbie. Et je ferai le même boulot. Je connais tous les chroniqueurs — je peux placer les articles dont tu as besoin. Et je serai libre d'être avec toi quand ça te chante et de me plier à ton horaire. La semaine dernière, au Copa, j'ai dû te quitter à deux heures du matin parce qu'Herbie m'envoyait tôt le lendemain matin voir un de ses clients. Ainsi, je pourrais rester tout le temps, et Herbie ne prendrait plus ton argent en se moquant de toi, dès que tu as le dos tourné.

Il fronça les sourcils :

— Cette sale petite crapule. (Il resta silencieux et, soudain, sourit.) D'accord poupée, tu t'es dégotté un engagement. J'ai payé Herbie jusqu'à la fin de la semaine. Touche ton chèque vendredi et envoie Herbie se faire voir. Dis-lui que Chris en a décidé ainsi.

Elle se jeta sur lui et lui couvrit le visage de baisers :

— Oh, Chris, je t'aime, tu es mon maître, ma vie.

— Allez, maintenant, en piste. Fais le bonheur du fantastique Christie Lane !

Une fois Chris satisfait, il s'installa avec son journal de courses et elle parcourut la presse du matin. En feuilletant le *Daily News*, elle s'arrêta à la page trois. Il y avait une grande photo d'Amanda qu'on emportait à l'hôpital sur une civière. Ike lui tenait la main. Même sur une civière, Amanda était belle. Elle lut l'article avec soin. Au cours d'une soirée, Amanda s'était effondrée. On diagnostiquait une hémorragie interne résultant d'un ulcère. Son état était jugé « satisfaisant ». Ethel cacha soigneusement le journal. Chris n'avait pas parlé d'Amanda depuis fort longtemps. Elle était sûre qu'il n'y pensait plus. Elle se demanda ce que Robin avait éprouvé quand Amanda avait épousé Ike. Puis elle pensa aux deux chaises vides à leur table, ce soir. Elle avait admiré son audace. Comment avait-il l'aplomb de ne pas se montrer ?

17

Robin avait eu l'intention de venir. Il avait dit à Tina, la nouvelle gloire des Films Century, d'être prête à huit heures. Il avait même commandé une voiture. Il était content d'avoir assisté à la première de ce film, la semaine précédente. Généralement, il fuyait ce genre de manifestations, mais il s'était remis à son livre et y avait travaillé toutes les nuits depuis plusieurs semaines. Il était d'humeur à prendre un peu de détente. Et Dieu avait créé Tina St. Claire dans ce but précis. C'était une belle idiote sans cervelle, venue à New York pour le lancement d'un film. Elle n'y tenait qu'un petit rôle mais les vedettes n'étant pas disponibles, Tina St. Claire, une starlette de Georgie aux avantages prometteurs, avait accepté la corvée de faire la grande tournée des premières. Et pour une corvée, c'en était une : San Francisco, Houston, Dallas, Saint Louis, Philadelphie et finalement New York. La maison de production lui avait fourni un attaché de presse, une garde-robe empruntée au studio et un appartement au Saint Regis qu'elle avait à peine eu le temps d'apercevoir. En trois jours, on l'avait vue sept fois à la télévision, elle avait participé à dix émissions radiophoniques, avait été interviewée pour quatre journaux et on l'avait déléguée dans un grand magasin pour y dédicacer le disque du film. (Ce qui l'avait mise à plat plus au moral qu'au physique : elle y était restée deux heures et personne n'était venu demander le moindre autographe.) Tout cela pour aboutir à la première et à la réception d'inauguration qui avait suivi et où l'attaché de presse lui avait remis son billet de retour (classe touriste) pour Los Angeles, en lui enjoignant d'avoir à quitter l'hôtel le lendemain.

Elle en avait eu le cœur brisé. Après deux bourbon-coca, elle avait fait la connaissance de Robin et lui avait raconté ses misères :

— Ouais, j'ai pas eu une minute à moi et maintenant je dois rentrer tambour battant. Pour faire quoi ? Attendre qu'une autre panouille se présente ! C'est la première fois que je viens à New York et je vous jure que j'ai absolument rien vu.

— Restez, proposa Robin. Je vous ferai visiter.

— Comment ? Je peux pas payer cet hôtel. Je n'ai que dix dollars d'argent liquide et mon billet de retour. Je me fais cent vingt-cinq dollars la semaine. Vous ne me croirez pas. Ma sœur qui est serveuse à Chicago gagne plus que moi !

Encore deux bourbon-coca et elle quittait le Saint Regis pour s'installer chez lui. Pendant une semaine Robin vécut au milieu du mascara, du fard à paupières et du fond de teint. Jamais il n'aurait cru qu'une fille qui paraissait si fraîche et naturelle pouvait se mettre tant de choses sur la figure. Elle avait plus de pinceaux qu'un artiste peintre. Il avait dû emporter son manuscrit au bureau. Tina prétendait que c'était à sa table de travail qu'elle disposait de la meilleure lumière pour mettre ses faux cils. Il finit par découvrir qu'il aimait travailler au bureau. De cinq à sept, il coupait le téléphone et abattait de la besogne.

Il enleva la page de la machine et regarda sa montre. Sept heures et quart. Il était temps de se préparer. Tina partait dans quatre jours et il pourrait retravailler le soir chez lui. C'était une fille formidable, mais il ne regrettait pas que son séjour touchât à sa fin. Elle était son égale sur tous les points. Insatiable au lit, elle ne posait pas de questions, n'exigeait rien.

Il rangea son manuscrit et alluma une cigarette. Il n'avait pas envie d'aller au Waldorf. Mais c'était la fête de charité de Mme Austin et il devait au moins y faire une apparition. Enfin, il attraperait le bras de Tina, et ils s'éclipseraient après les discours. Il avait promis de l'emmener au El Morocco. Ce n'était pas son endroit de prédilection, mais il devait bien cela à sa nymphette ! Il lui fallait se raser au bureau parce que Tina avait aussi pris ses quartiers dans la salle de bains. Elle y entreposait ses crèmes pour la nuit et son sac de toilette. Il brancha son rasoir et alluma la télévision pour les actualités de sept heures.

Il venait de finir de se raser quand Andy Parino apparut. Il parlait avec fougue d'une nouvelle soucoupe volante qu'on aurait vue. Robin écoutait sans beaucoup d'intérêt jusqu'au moment où on passa les images de la soucoupe. Elles étaient floues, mais par Dieu, cela avait l'air vrai. Il s'approcha de l'appareil — on aurait juré voir des hublots sur ce fichu engin.

— Le Pentagone affirme que c'est un ballon-sonde. (La voix d'Andy se teintait d'ironie.) Si c'est vrai, pourquoi avoir envoyé sur place un émissaire du Projet Bluebook avec mission d'enquêter ? Avons-nous la présomption de croire que, dans le vaste univers, notre planète est la *seule* habitée ? Alors que même notre soleil n'a pas la force des autres soleils. C'est une céphéide, une étoile inférieure dans la galaxie. Pourquoi une planète d'un autre système solaire ne recèlerait-elle pas une humanité vivante en avance sur nous peut-être de vingt millions d'années ? Il est temps d'engager une véritable recherche — et d'en livrer ouvertement les conclusions au public.

Robin était fasciné. Il devait parler à Andy.

Il se faisait tard, mais tant pis, ils arriveraient au Waldorf à huit heures trente. Il obtint Andy sur la ligne intérieure et le complimenta pour l'image de la soucoupe. Puis il demanda plus de détails.

— C'est exactement comme je l'ai dit sur l'antenne, fit Andy.

— Ton texte était excellent, mon coco. Qui l'a écrit ?

Il y eut un instant de silence, puis Andy répondit :

— Maggie Stewart. (Et comme Robin restait coi, il ajouta :) Tu te rappelles, je t'en ai parlé.

— Ça m'a l'air d'être une fille bien.

— Je n'arrive toujours pas à la décider à m'épouser.

— C'est ce que je dis, c'est une fille bien. Quel temps fait-il par chez vous ?

— Vingt et un degrés, pas un nuage !

— Il fait moins un ici, et on dirait qu'il va pleuvoir.

— A ta place, Robin, si j'étais directeur des actualités, j'irais chercher mes informations dans des endroits chauds en hiver et dans des endroits froids en été.

— Si je le pouvais !

— Bon, je dois me dépêcher. Maggie doit être en train de m'attendre au Gold Coast. C'est un bar qui donne directement sur la baie. On voit tous les yachts appareiller. Mon vieux, c'est formidable. Tu t'assieds près de la fenêtre et tu contemples la lune et l'eau.

— Tu as bien de la veine ! (Dans la voix de Robin perçait une pointe d'envie.) Il faut que je me passe une cravate noire au cou et que j'aille au Waldorf.

— Tu es fou. On ne vit qu'une fois. Pourquoi ne viendrais-tu pas passer quelques jours histoire de décrocher un peu.

— Je voudrais bien.

— Bon, je te quitte. Le gars qui a vu la soucoupe dîne avec nous. Ce n'est pas un plaisantin. Il enseigne les maths dans un collège, il a pu nous donner la vitesse approximative de l'engin. Ça pourrait faire une bonne émission, peut-être pour un dimanche après-midi.

— Attends, dit Robin. Ça ferait un *En Profondeur* formidable. On réunirait votre prof de maths et d'autres témoins accrédités venant d'autres coins du pays, tout ça avec des photos. On inviterait aussi quelques types du Pentagone et on les mitraillerait de questions.

— Tu veux que je t'envoie tous les éléments ?

— Non. Je vais descendre. Je veux parler à ce professeur.

— Quand arriveras-tu ici ?

— Ce soir.

Il y eut un instant de silence. Puis Andy s'exclama :

— Ce soir ?

Robin se mit à rire.

— Je suis ton conseil. J'ai besoin de quelques jours de soleil.

— Parfait. Je vais te réserver un appartement au Diplomate. C'est près de chez moi et il y a là un formidable terrain de golf. J'envoie une voiture te chercher.

— Alors, à minuit et demie.

— Non, Robin. Tu verras une grande limousine noire vide. Je t'ai dit que j'avais rendez-vous avec Maggie.

Robin éclata de rire :

— Salaud ! Vous créchez ensemble ?

— Quand tu verras Maggie, il ne te viendra pas à l'idée de poser une question pareille. Nous ne vivons même pas dans le même immeuble.

— Okay, Andy. A demain matin.

Il était huit heures et quart quand Robin pénétra dans son appartement. Tina l'attendait en robe du soir, ses longs cheveux roux relevés à la grecque.

— Chéri (elle dansait autour de lui) tu devineras jamais. Le studio m'a fait dire qu'on m'accordait une semaine de plus avant de rentrer. C'est pas beau, ça ? Mais il est tard, mon trésor. J'ai préparé ton smoking sur le lit. Et la voiture attend.

Il alla dans la chambre, y prit une valise. Tina le suivait.

— Il faut que j'aille à Miami, dit-il.

— Quand ?

— Ce soir. Tu veux venir ?

Elle fit la moue :

— Trésor, je vis à Los Angeles. Los Angeles, c'est Miami avec du brouillard. (Elle le regarda avec stupeur aller au téléphone et réserver sa place dans l'avion.) Robin, tu peux pas t'envoler comme ça. Et le grand dîner de ton patron, qu'est-ce que t'en fais ?

— J'enverrai un télégramme demain avec une excuse valable.

Il ramassa son sac, prit son manteau et se dirigea vers la porte. Il jeta quelques billets sur la table.

— Tiens, voilà cent dollars.

— Quand reviens-tu ?

— Dans quatre ou cinq jours.

Elle sourit :

— Alors je serai encore là.

— Il vaut mieux pas.

Elle le regarda, stupéfaite :

— Je croyais que tu m'aimais bien.

— Mon chou, imaginons qu'on s'est rencontrés pendant une croisière aux Caraïbes. Nous arrivons à la première escale et tu descends.

— Qu'est-ce que tu ferais si je décidais de rester sur le bateau ?

— Je te jetterais par-dessus bord.

— Tu ferais pas ça !

Il eut un sourire ironique :

— Mais si, bien sûr. C'est mon bateau. (Il l'embrassa sur le front.) Quatre jours — et puis dehors !

Elle le regardait encore, les yeux écarquillés, quand il quitta l'appartement.

La voiture l'attendait à l'aéroport. L'appartement à l'hôtel était en ordre : il y avait même de la glace et une bouteille de vodka. Et un mot : *Appelle-moi demain matin. Dors bien. Andy.*

Il envoya chercher les journaux de Miami. Il se déshabilla, se versa une boisson légère, et s'installa confortablement dans son lit. La photo d'une fille souriant en page deux attira son regard — Amanda ! C'était l'une de ses photos de mode, avec la tête rejetée en arrière et les cheveux agités par le ventilateur. Le titre annonçait : « NOTRE REINE DE BEAUTE MALADE. » Il lut rapidement l'article et appela Ike Ryan à Los Angeles.

— C'est sérieux ? interrogea Robin quand il eut Ike au bout du fil.

— Avec elle, chaque maudite seconde est sérieuse. Elle vit en sursis depuis mai dernier.

— Mais je veux dire...

Robin s'interrompit.

— Non, ce n'est pas la fin. Vois-tu, j'ai appris à vivre avec la mort. Je meurs un peu chaque jour. Tu sais ce qu'on éprouve, Robin, en voyant une fille superbe — cette satanée maladie la rend encore plus belle. Sa peau est transparente, comme de la porcelaine. Je l'observe. Je vois quand elle est fatiguée et feint de ne pas l'être. Je peux lire aussi une sorte d'angoisse dans ses yeux. Elle sait qu'il n'est pas naturel d'être épuisée à ce point-là. Je lui raconte des craques. Je prétends être fatigué moi aussi. Je mets ça sur le compte de la Californie, du changement d'air, du brouillard, de tout. Oh, quel enfer ! Grâce à Dieu, elle reprend des forces. On lui a transfusé un litre de sang. Demain, on essaye un nouveau médicament. Le docteur pense qu'il agira, et qu'avec un peu de chance elle peut avoir encore quelques mois de sursis.

— Ike, elle tient le coup depuis avril — ça fait huit mois de plus que ce qu'on avait prédit au début.

— Je sais et je me dis qu'elle va avoir encore une autre rémission. Mais ces damnées cellules de leucémie se fortifient contre le remède. Il arrive un jour où, quand on les a tous essayés, aucun remède n'agit plus et c'est la fin.

— Ike, elle ne se doute pas, n'est-ce pas ?

— Oui et non. Elle a des soupçons. Il faudrait qu'elle soit idiote pour ne pas en avoir avec une analyse de sang toutes les semaines. Et une ponction de la moelle tous les mois. On lui en a fait une devant moi une fois : j'ai cru m'évanouir — ils vous enfoncent une aiguille dans l'os. Elle n'a pas sourcillé. Après, je lui ai demandé si c'était douloureux, eh bien, le croirais-tu, elle s'est contentée de sourire et d'acquiescer avec la tête. Quand elle me demande pourquoi il faut lui faire des examens toutes les semaines, j'essaye de m'en sortir en disant que je veux une femme solide et qu'il ne faut rien laisser au hasard. Mais elle pose des questions par-ci, par-là. Je l'ai suprise à lire les articles médicaux des journaux. Dans son for intérieur, elle sait que ça ne va pas du tout, mais elle ne veut pas y croire. Et elle est toujours souriante, elle s'inquiète pour moi. Je vais te dire une chose, Robin, cette fille m'a beaucoup appris. Elle a plus de courage que qui que ce soit. Je ne savais pas vraiment ce que cela voulait dire avant de rencontrer Amanda. Elle meurt de peur et ne le montre jamais. Sais-tu ce qu'elle m'a dit ce soir ? Elle m'a regardé et m'a dit : « Oh, mon pauvre Ike, quel fardeau je suis pour toi. Tu voulais aller à Palm

Springs. » (La voix d'Ike se brisa.) Je l'aime, Robin. Quand je me suis embarqué dans cette histoire, je ne l'aimais pas. J'agissais pour des raisons personnelles et sordidement égoïstes. Je pensais qu'elle en avait pour six mois, et puis qu'elle se coucherait tranquillement et mourrait. Je projetais de lui faire mener la grande vie tant qu'elle serait de ce monde — de l'enterrer royalement et de ramasser tous les compliments. Je voyais ça comme un spectacle pour une durée limitée. Ça ne te donne pas envie de vomir ? Mon vieux, toutes ces petites salopes que j'ai trimballées avec moi doivent bien rire à présent. Pour la première fois, dans ma chienne de vie, je suis vraiment amoureux, Robin. Je donnerais jusqu'à mon dernier sou pour pouvoir la guérir. (Ike sanglotait carrément.)

— Est-ce que je peux faire quelque chose ? (Robin se sentait désemparé d'entendre pleurer un homme comme Ike. Il ne trouvait rien à dire.)

— Bon Dieu, dit Ike, je n'ai pas pleuré depuis la mort de ma mère. Pardonne-moi de me laisser aller avec toi. C'est la première fois que je peux en parler à quelqu'un. Personne n'est au courant, sauf toi, moi, Jerry et le docteur. Et je dois jouer la comédie pour Amanda. J'en avais trop sur le cœur. Excuse-moi.

— Ike. Je suis à l'hôtel Diplomate, à Miami Beach. Tu peux m'appeler tous les soirs, si tu veux. On parlera.

— Non. Ce soir, ça m'a soulagé, mais ça suffit. Je peux tout supporter, sauf quand elle me demande de lui faire un enfant. Elle voudrait tant avoir un gosse. Si tu la voyais avec ce chat. Elle lui parle. Elle le pouponne.

— C'est un chat très bien, dit Robin.

Il y eut un silence. La voix d'Ike reprit d'un ton grave :

— Robin, dis-moi une chose. Toi et moi, on a connu des filles à la pelle, de vraies traînées. Qu'est-ce que tu paries qu'elles vivront jusqu'à cent ans ? Mais cette gosse qui n'a jamais eu de chance, qui n'a jamais fait de mal à personne ?... Pourquoi ?

— C'est comme si on jouait aux dés, je suppose, fit Robin lentement. L'affamé qui joue ses économies tombe sur l'as. S'il arrivait à Paul Getty de ramasser le dé, il ferait probablement dix passes à la file.

— Non, il doit y avoir autre chose. Je ne suis pas croyant mais ces huit derniers mois m'ont fait réfléchir. Je ne veux pas dire que je vais me précipiter dans une église ou dans une synagogue mais il ne peut pas ne pas y avoir un sens à la destinée. Elle n'a que vingt-cinq ans, Robin. Vingt-cinq ans ! J'ai vingt ans de plus qu'elle. Qu'est-ce que j'ai fait dans ma vie pour avoir droit au double de son temps ? Je n'arrive pas à imaginer que peut-être dans un an d'ici elle sera partie, en ne laissant derrière elle que quelques 18 × 24 pour preuve de son existence. Pourquoi faut-il qu'elle s'en aille, quand il y a en elle tant de beauté, tant de vie qui ne demande qu'à s'épanouir, tant d'amour à donner ?

— Peut-être que ce qu'elle a fait pour toi ces derniers mois suffit déjà à justifier son existence. Il y a beaucoup de gens qui passent dans ce monde et n'y laissent aucune trace.

— En tout cas, je sais une chose. Je vais lui faire le plus beau Noël qu'elle ait jamais eu. Robin — je veux que tu viennes. Il le faut ! Je veux faire un Noël à tout casser.

Robin resta silencieux. Il avait horreur de la maladie — et voir Amanda en sachant...

Ike perçut son hésitation.

— Je suis peut-être égoïste, dit-il. Tu voulais peut-être le passer dans ta famille. C'est que je veux lui donner toutes les joies possibles, faire que chaque seconde compte.

— Je serai là, promit Robin.

MAGGIE

18

A deux heures du matin, Maggie Stewart était encore éveillée. Elle avait fumé tout un paquet de cigarettes. Pendant trois heures, elle était allée et venue du living à la petite terrasse qui donnait sur la baie. Elle aimait la vue sur la baie — l'océan était énorme et vide, mais la baie pétillait de vie. De grands yachts la bordaient d'un pointillé, et leurs feux tremblotants projetaient sur l'eau noire des reflets atténués. Elle envia ceux qui y dormaient, comme dans un grand berceau dont les vagues lèchent les flancs. Elle serra si fort le rebord de la terrasse que ses jointures devinrent blanches.

Robin Stone était ici ! Dans cette ville. Demain ils allaient se retrouver face à face. Que dirait-elle ? Et lui, qu'allait-il dire ? Chose étrange, ses pensées la ramenaient à Hudson. Pour la première fois depuis bientôt un an et demi, elle laissait son esprit vagabonder. Depuis longtemps, ou plutôt depuis le lendemain de son mariage avec Hudson, elle avait appris qu'il vaut mieux feindre d'ignorer le malheur. Le fait d'y penser l'alimentait plutôt. Cette nuit, pour la première fois, elle permettait à l'image de Hudson Stewart de refaire surface. Elle voyait son visage, son expression souriante, puis peu à peu amère — et cet horrible rictus à la fin. Ce sourire terrible, c'est ce qu'elle avait vu de lui en dernier, avant de sombrer dans le néant. Elle paraissait si lointaine l'époque où elle vivait dans cette grande maison et où elle était Mme Hudson Stewart III. Pourquoi pardonnait-on n'importe quoi aux hommes, alors que les femmes étaient tenues de suivre les règles établies ?

Elle avait épousé Hudson à l'âge de vingt et un ans. Officiellement, leur union avait duré trois ans. Il lui était difficile de se rappeler ce qu'elle avait éprouvé au début. Elle voulait être actrice. Un rêve qui avait pris racine dans son enfance, la première fois qu'elle avait vu sur l'écran Rita Hayworth. Il s'était cristallisé le jour où elle avait assisté à sa première véritable représentation au *Forrest Theater*. Les acteurs en chair et en os sur la scène rendaient pâle et irréel tout ce qui se projetait sur les écrans. Voilà ce qu'elle serait plus tard. Sa résolution prise, à l'âge de douze ans, elle l'annonça au dîner. Ses parents sourirent et repoussèrent cette idée comme une nouvelle lubie d'adolescente. Mais elle s'était inscrite à un groupe de théâtre d'amateurs tout en continuant le lycée et, au lieu d'aller danser, elle consacrait ses week-ends à l'étude de Tchékov. Le drame avait éclaté quand elle avait annoncé qu'elle n'avait pas l'intention d'entrer à l'université : elle voulait aller à New York tenter sa chance au théâtre. Sa mère avait éclaté en sanglots convulsifs.

— Maggie, tu as été acceptée à Vassar, gémit-elle. Tu sais les sacrifices que j'ai faits pour t'envoyer à cette université.

— Je ne veux pas y aller. Je veux devenir comédienne.

— La vie est chère à New York. Il se passera peut-être un an ou plus avant que tu ne trouves un engagement. Comment feras-tu pour vivre ?

— Cet argent que tu as mis de côté pour Vassar, donne-m'en seulement la moitié !

— Ça jamais ! Je ne te donnerai pas un sou pour aller à New York couchailler avec des acteurs et de sales vieux producteurs répugnants. Maggie, les filles convenables ne vont pas à New York !

— Grace Kelly y est bien allée et c'était une fille convenable.

Sa mère demeura inflexible :

— Une exception sur un million. Et elle avait de la fortune. Maggie, moi, je n'ai jamais eu la chance d'aller à l'Université. Ton père a dû travailler pour faire son chemin. Nous avons rêvé d'envoyer notre fille dans la meilleure école. Je t'en suplie, va à Vassar, et quand tu auras ton diplôme, si tu veux encore aller à New York, eh bien ! tu n'auras jamais que vingt et un ans.

C'est ainsi qu'elle était entrée à Vassar. Elle avait rencontré Hudson en dernière année. Elle le trouvait assez séduisant, mais sa mère s'était littéralement emballée.

— Oh ! Maggie, c'est exactement ce que j'ai toujours rêvé. Une des meilleures familles de Philadelphie et une fortune colossale... Si seulement les Stewart veulent bien de nous. Après tout, nous sommes des gens respectables et ton père est médecin.

— Je ne suis sortie que deux fois avec lui, Mère, et je désire toujours aller à New York.

— New York ! (Le ton de sa mère monta à l'aigu.) Ecoute, ma petite. Sors-toi ces idées-là de la tête. J'ai dû économiser pour t'envoyer à Vassar. Quand tu m'as dit que tu partageais ta chambre avec Lucy Fenton, j'ai tout de suite su que tout irait bien. Grâce à Lucy, tu ne pouvais que rencontrer les garçons qu'il fallait.

— Je pars à New York.

— De quoi vivras-tu ?

— Je trouverai un emploi, et puis j'essaierai de faire du théâtre.

— Et quel genre de travail espères-tu trouver, petite sotte ? Tu ne sais pas taper à la machine. Tu n'as reçu aucune formation. Je n'aurais jamais dû te laisser faire partie de ce groupe de théâtre, mais je pensais que cette idée te passerait. Et ne crois pas que je n'aie pas remarqué ton air béat devant ce jeune homme, un étranger probablement.

— Adam est né ici, à Philadelphie !

— Alors, c'est qu'il avait besoin d'un bon bain et d'une coupe de cheveux.

Elle était surprise que sa mère se souvînt d'Adam. Elle n'en avait jamais parlé. Il avait fait partie, lui aussi, du fameux groupe de théâtre. Il était allé à New York, et cette saison-là justement il était revenu à Philadelphie avec un spectacle de Broadway. Une compagnie itinérante, bien sûr, et il n'était qu'assistant-metteur en scène. Mais il avait réussi à devenir un véritable professionnel. La pièce avait tenu trois mois l'affiche, et elle était allée le voir tous les week-ends. Même Lucy le trouvait merveilleux. Et puis la veille de la clôture, Adam lui avait demandé de rentrer à l'hôtel avec lui. Après une seconde d'hésitation, elle avait glissé son bras dans le sien :

— Je vais passer la nuit avec toi, parce que je me rends compte que c'est toute la vie que je veux passer à tes côtés. Mais nous ne pourrons pas nous marier avant la fin de mes études. Ma mère va déjà en faire une maladie. Elle n'a jamais cru que j'irais vraiment à New York tenter ma chance. Il faut au moins que je décroche mon diplôme pour lui faire plaisir.

Il lui avait pris le visage dans les mains :

— Maggie, j'en pince sérieusement pour toi. Mais, écoute, chérie, à New York je crèche au Village avec deux autres gars. La moitié du temps je ne vis que grâce à l'allocation chômage. Je ne peux même pas m'offrir un appartement indépendant, encore moins une femme.

— Alors tu veux coucher avec moi et partir en courant ?

Il éclata de rire :

— Je cours à Detroit, puis à Cleveland, puis à Saint Louis. Ensuite je retourne à New York, et j'espère que mon agent m'aura trouvé du boulot dans le répertoire d'été. Je veux devenir un crack, un grand metteur en scène. Pour ça, il faut que je commence avec de petites troupes, et pas d'argent. C'est vrai, Maggie, je pars en courant. Un acteur ne cesse pas de courir, tout le temps. Mais je ne pars pas pour te fuir. C'est ça la différence. Tu pourras toujours savoir où je suis grâce à *Equity*.

— Mais *nous*, alors ? qu'est-ce qu'il nous reste en commun ?

— Ce qui rapproche deux êtres qui luttent pour se faire une place au théâtre. Je tiens à toi, peut-être même que je t'aime. Mais on ne peut faire aucun projet dans ce métier. Ce n'est pas un boulot régulier, le salaire n'est jamais stable. Pas de temps pour les mioches ou un joli intérieur. Mais si tu veux venir à New York après l'université — parfait. Je t'apprendrai à te débrouiller, je t'emmènerai chez mon agent. On pourra peut-être même crécher ensemble.

— Et le mariage ?

Il lui avait passé légèrement la main sur les cheveux :

— Si c'est comme ça que tu vois les choses, ne quitte pas Philadelphie, Maggie. Il faut choisir : actrice ou épouse.

— Je ne peux pas être les deux à la fois ?

— Pas avec un metteur en scène qui se bat pour arriver. Ça ne marcherait pas. Les acteurs et les actrices ne s'appartiennent pas. Ils crèvent la faim — ils travaillent — ils rêvent.

— Ils ne tombent jamais amoureux ?

— Tout le temps. Et s'ils s'aiment, ils couchent ensemble, mais qu'un engagement survienne, ils se séparent. C'est comme ça. Mais une actrice ne se sent jamais seule parce que ce feu intérieur qui la consume et qu'on nomme le talent la fait aller de l'avant.

— Je veux coucher avec toi, Adam.

Il s'arrêta :

— Maggie..., tu as déjà couché avec quelqu'un ?

Elle le défia du regard :

— Je ne suis pas encore une de ces actrices en feu. J'ai une jolie chambre bien propre, pour moi toute seule.

— Alors, restons-en là. Si jamais tu viens à New York, monte me voir.

L'irruption d'Hudson dans son existence, en même temps que son diplôme de Vassar, emplirent leurs six premiers mois ensemble d'une telle frénésie qu'elle eut à peine le temps d'analyser ses sentiments. Elle essaya de se soustraire à l'influence impétueuse de sa mère mais se laissa emporter par le tourbillon de plaisirs que Hudson apportait dans sa vie : le Country Club, sa première sortie aux Courses, les quinze jours de vacances à Ocean City où ils furent reçus par M. et Mme Hudson Stewart II.

En septembre, on annonça leurs fiançailles, et Hudson lui offrit un diamant de sept carats taillé en émeraude. Sa photo parut dans l'*Inquirer* et le *Bulletin*. Elle se sentait « portée » comme s'il s'agissait d'un spectacle de théâtre et que Hudson fût le partenaire qui lui donnait la réplique. A la fin du troisième acte, le rideau tomberait, elle entendrait les applaudissements, et ce serait fini.

Mais en voyant approcher la date du mariage, elle se rendit compte tout à coup que, quand le rideau tomberait, elle serait Mme Hudson Stewart III. Chose bizarre, elle accepta cela d'un cœur tranquille jusqu'à ce déjeuner avec Lucy, une semaine avant la cérémonie.

Assises au Warwick, elles discutaient des dispositions prises pour le mariage, lorsque Lucy dit incidemment :

— Tu n'as jamais eu de nouvelles de cet acteur, Adam ? Je l'ai vu l'autre jour dans un spot publicitaire à la télévision. Il n'avait aucun texte à dire, il se rasait, mais je n'oublierai jamais ses yeux. Il a quelque chose d'émouvant. On dit que les Juifs sont des types passionnants.

— C'est un Juif ? (Elle n'y avait jamais pensé.)

— Adam Bergman, il s'appelle, lui rappela Lucy. Je me souviens d'une nuit où il en parlait — tu étais probablement trop fascinée pour l'écouter. Il disait qu'un agent lui avait suggéré de changer son nom parce que « Bergman » faisait trop juif. Et Adam lui a répondu : « Je tiendrai bon. Ingrid s'en est bien tirée ! » (Comme Maggie ne répondait rien, Lucy ajouta :) Je suppose que c'est la vie. Nous tombons toutes amoureuses de l'homme qu'il ne faut pas. Et c'est très bien ainsi, du moment que nous *épousons* l'homme qu'il faut. On finit par se ranger et avoir des enfants. Toi en particulier. Tu recevras un million à chaque naissance. Ton futur beau-père a déjà donné deux millions à la sœur d'Hudson. C'est pour ça qu'elle a été enceinte deux années de suite. Bud et moi, il faudra qu'on attende que mon père meure.

— Mais tu aimes Bud, n'est-ce pas ?

— C'est un gentil garçon.

— Gentil ? (Maggie ne put dissimuler sa surprise.)

Lucy sourit.

— Je n'ai pas ton éclat, Maggie. Je n'ai qu'un nom de famille et beaucoup d'argent.

— Mais, Lucy, tu as... Maggie s'interrompit.

Lucy intervint avec un sourire.

— Tu n'oses pas dire que j'ai du « charme », ou que je suis intelligente. C'est vrai, mais je ne peux rien faire pour améliorer mon physique, parce que je ne suis pas suffisamment laide. C'est pour cela je t'ai choisie comme voisine de chambre, Maggie, en me disant que si j'habitais avec la plus belle fille de l'école, quelque chose en rejaillirait sur moi. Et c'est seulement alors qu'on a prêté attention à ma personne. J'ai rencontré Harry cet été. Il était employé à la réception dans un hôtel de Newport. Tu imagines *ma* mère me laissant épouser Harry Reilly qui habite dans le Bronx et prend le métro ? Harry ne me le demandait d'ailleurs pas. En automne, j'ai rencontré Bud, et ma mère nage dans le bonheur. Moi aussi, je crois. Nous aurons une existence confortable. Mais au moins j'ai eu deux mois merveilleux avec Harry.

— Tu veux dire que... (Maggie s'interrompit.)

— Bien sûr, nous avons été jusqu'au bout. Pas toi avec Adam ?

Maggie secoua la tête.

— Voyons, Maggie, tu es idiote ou quoi ? Qu'est-ce qui t'a pris ? Une fille doit coucher au moins une fois dans sa vie avec un homme qu'elle aime.

— Mais comment vas-tu expliquer à Bud que tu ne sois plus...

— C'est démodé ! Tu veux parler du saignement et *tutti quanti*... ? On va prendre mes mesures pour un diaphragme. Je dirai à Bud que le médecin m'a déflorée.

— Mais il ne va pas s'en apercevoir ?

— Je peux truquer. Je n'ai qu'à me rappeler ma première nuit avec Harry. Je resterai allongée sur le dos, je pleurnicherai un peu, je me contracterai et ça marchera. Si tu veux savoir, je n'ai même pas saigné avec Harry. J'étais dure à pénétrer, c'était l'hymen machin chose, je suppose. Le pauvre Harry a claqué deux capotes avant d'y arriver. Et je veillerai à ce que Bud ait autant de mal — la première nuit, en tout cas.

Maggie n'eut rien à truquer avec Hudson. Même la douleur était réelle. Hudson avait été sans ménagements. Il avait essayé d'entrer en elle aussitôt, l'avait blessée et elle avait détesté l'expérience dans son entier. Il en avait été de même la seconde nuit et la troisième. Ils étaient sur le *Liberté*, en route pour Paris où ils passeraient leur lune de miel. Ils occupaient une cabine luxueuse mais Maggie prenait de la Bonamine et se sentait engourdie. Cela irait mieux sans doute, quand ils ne seraient plus sur le bateau. Au George V, à Paris, ce fut pis encore. Hudson buvait comme un trou et lui tombait dessus toutes les nuits, sans la moindre marque de tendresse ou d'affection. Il prenait son plaisir et aussitôt après sombrait dans un sommeil de plomb.

Quand ils revinrent à Philadelphie et s'installèrent dans un très bel intérieur près de Paoli, elle espéra que les choses s'arrangeraient. Hudson retourna à son travail, elle engagea du personnel, donna des dîners, alla au Club prendre des leçons de golf et fréquenta divers comités de charité. Des photos d'elle parurent à la page mondaine de tous les journaux : elle était la nouvelle jeune animatrice de la bonne société de Philadelphie. Hudson se comportait comme un étalon, il la prenait méthodiquement chaque nuit dans son lit. Jamais plus il ne se souciait de l'embrasser ou de toucher à ses seins. Au début, elle se jugeait fautive de ne pas éprouver de plaisir, mais au fur et à mesure que les mois passaient, elle perdit tout espoir. Elle ne souhaitait rien de plus que quelques marques d'affection dans leur rituel nocturne. Quand elle essaya de tâter le terrain auprès de Lucy, elle eut un haussement d'épaule en réponse.

— Quelquefois, ça marche pour moi, quelquefois pas. Mais je gémis et prétends que c'est sublime dans tous les cas. Comment ça se passe entre toi et Hudson ?

— Oh ! parfaitement, avait précipitamment répliqué Maggie. Mais, comme tu dis, moi non plus, je ne suis pas transportée à tous les coups.

— Par exemple — ça ne nous est pas arrivé depuis trois mois. Que moi, je jouisse, je veux dire. Pourtant je suis enceinte de deux mois. Preuve que ça n'empêche pas de faire des enfants. Mais tu devrais freiner Hudson. Il boit trop. Ça peut rendre un homme temporairement impuissant.

Maggie sentait qu'un enfant changerait leurs rapports. A la surface, tout se passait très bien. Il était poli en public, la tenait serrée quand ils dansaient ensemble, mais il n'y avait rien entre eux lorsqu'ils étaient seuls.

Elle découvrit l'existence de Sherry à la fin de leur première année de mariage. Hudson était allé très souvent seul à New York, ces deux derniers mois. Ce soir-là, elle se trouvait dans sa chambre et s'apprêtait pour un dîner. Hudson l'attendait en bas. Le téléphone sonna. Comme elle était en retard, elle continua d'arranger sa coiffure, sachant que la femme de chambre allait répondre. La sonnerie persistait et, par une de ces bizarres coïncidences du destin, elle prit le récepteur à la seconde même où Hudson décrochait en bas. Elle allait le remettre en place lorsque le chuchotement d'une voix féminine se fit entendre.

— Huddie ? Il fallait que je t'appelle !

Elle sentit un calme étrange l'envahir en les écoutant. Hudson avait, lui aussi, une voix de conspirateur.

— Bon sang, Sherry. Je t'ai dit de ne jamais me téléphoner chez moi !

— Huddie, c'est urgent.

— Ça ne peut pas attendre à demain ? Appelle-moi au bureau.

— Impossible. Aux heures de travail je ne peux pas demander de communications interurbaines, et même si je remboursais il y a d'autres filles qui entendraient. Personne n'écoute ? Ta femme est près de toi ?

— Elle ne va pas tarder. Qu'est-ce que tu veux ?

— Huddie, j'ai le résultat de l'analyse. Ça y est : je suis enceinte.

— Bon Dieu ! Encore !

— Tu sais, j'y peux rien, moi, si le diaphragme glisse. Et tu ne veux jamais rien mettre.

— Il y a toujours le même toubib à Jersey ?

— Oui, mais il a augmenté son prix. C'est mille.

— Tant pis ! Fais-le.

— Huddie, il veut être payé comptant. J'ai pris rendez-vous pour lundi prochain.

— D'accord, j'irai à New York dimanche et je te donnerai du liquide. Non, il vaut mieux que j'y aille dans la semaine. Si j'y allais un dimanche, Maggie pourrait avoir des soupçons. Mettons jeudi. Je serai chez toi à huit heures. Seigneur Dieu, je voudrais bien que ma femme soit aussi féconde que toi. Ton lardon me coûte mille dollars pour t'en délester, le sien me rapporterait un million.

Il reposa le récepteur avec force. Debout, Maggie attendit le déclic de la fille à l'autre bout de la ligne. Puis elle raccrocha lentement. Elle était abasourdie. Jamais chose pareille ne lui était venue à l'esprit. Elle savait par ses lectures que cela arrivait à d'autres — mais à elle, ce n'était pas possible. Le heurter de front serait absurde. Elle avait vingt-deux ans, et pas de métier en main. Une divorcée à Philadelphie, même avec une pension alimentaire, vivait isolée. Elle était coincée, elle ignorait où aller.

Elle garda le silence sur Sherry mais entra dans une petite troupe théâtrale. Hudson n'y vit pas d'objection, trop heureux de cette avalanche de soirées de liberté. Le directeur des programmes de la station locale d'IBC était venu dans les coulisses lors du second spectacle monté par la troupe et avait offert à Maggie de travailler à la télévision comme présentatrice météo. Au premier abord, elle avait été tentée de décliner cette offre, mais elle comprit qu'elle tenait là une occupation quotidienne.

Elle prit son travail à cœur. Elle se mit à regarder la télévision, surtout les émissions de la chaîne. Elle alla chaque jour chez un professeur de diction et fit de rapides progrès. Au bout de six mois, elle eut de l'avancement et fut promue aux actualités avec une demi-heure quotidienne d'émission de son cru. Son émission s'intitulait *Maggie court la ville*. Elle interviewait des célébrités locales et nationales sur tous les sujets, depuis la mode jusqu'à la politique. En très peu de temps elle était devenue une personnalité en vue. Des têtes se tournaient lorsqu'elle entrait dans un restaurant ou dans un théâtre avec Hudson. Il affichait à l'égard du succès de son épouse un amusement dédaigneux.

Il avait remplacé Sherry par une fille prénommée Irma qui travaillait à son bureau. Il ne se donnait plus la peine de chercher des excuses compliquées pour ses soirées au dehors. Cependant il faisait méthodiquement l'amour avec elle trois fois par semaine. Elle le subissait en silence, impassible. Plus que jamais elle désirait un enfant.

Ainsi leur ménage se traînait-il depuis bientôt trois années mornes et sans vie. Mais elle n'était toujours pas enceinte, bien que tous les examens aient prouvé qu'elle pouvait parfaitement devenir mère. Parfois elle se demandait s'ils allaient continuer de voguer ainsi à la dérive. Il fallait que quelque chose mît fin à cette union sans objet.

Cela arriva de façon imprévue. Depuis des mois on mettait tout en œuvre pour le dîner en l'honneur de la « Personnalité de l'Année ». La date en était fixée au premier dimanche de mars. Maggie qui appartenait au comité était invitée, en tant que célébrité locale, à siéger sur l'estrade, en compagnie du maire et du juge Oakes lequel, sur le point de prendre sa retraite, aurait les honneurs du dîner. Robin Stone avait été invité pour faire le discours.

Maggie avait lu les articles de Robin Stone. D'après son expérience personnelle de reporter à Philadelphie, elle savait que les gens ressemblent rarement à l'image qu'on se fait d'eux sur la foi de leurs écrits. Mais la photo de Robin Stone correspondait au ton de ses articles : fort, percutant et viril. Elle se demandait comment serait l'homme.

A six heures, elle était prête et attendait. Hudson n'était pas rentré. Il passait toujours ses dimanches au Country Club. Elle l'appela au téléphone et apprit qu'on ne l'avait pas vu de la journée. Elle aurait dû se douter que c'était un prétexte pour rester avec sa maîtresse du moment.

Eh bien, elle ne renoncerait pas pour autant au cocktail. C'était peut-être la seule occasion pour elle de rencontrer Robin Stone. Après le dîner, les invités d'honneur s'éclipsaient généralement pour reprendre le train. Elle regarda sa montre. En partant tout de suite, elle y arriverait. Hudson n'aurait qu'à la rejoindre par ses propres moyens.

Arrivée à l'hôtel, elle se rendit directement au salon doré. Robin Stone était très entouré. Il tenait un martini et souriait poliment.

Maggie accepta un scotch tiède à l'eau qu'elle prit sur l'un des plateaux. Le juge Oakes vint à sa rencontre :

— Venez avec moi, je vais vous présenter à notre grand conférencier. Nous lui avons tous abandonné nos femmes.

Lorsque le juge Oakes fit les présentations, Robin sourit :

— Une journaliste ? Allons donc, vous êtes trop belle pour un bas-bleu. (Puis, sans ambages, il la fit sortir du groupe et lui prit le bras.) Il n'y a pas de glace dans ce qu'on vous a donné à boire ?

— C'est infect ! répondit-elle.

Il avala le reste de son martini :

— Ça aussi. (Il fourra son verre dans la main du juge.) Voulez-vous me tenir ça ? Allez, venez, la journaliste, nous allons chercher un peu de glace. (Il la conduisit à l'autre bout du salon.) Ne regardez pas derrière vous. Ils nous suivent ?

— J'en doute. Ils sont abasourdis. (Elle éclata de rire.)

Il alla derrière le bar et dit au barman surpris :

— Ça ne vous ennuie pas si je me sers moi-même ?

Sans attendre la réponse, il versa une grande pinte de vodka dans le pichet, puis regarda Maggie :

— Faut-il corser votre scotch — ou voulez-vous essayer le Special Stone ?

— Le Special Stone.

Elle se trouvait stupide. Elle détestait les cocktails. Elle se rendait compte aussi que, comme une idiote, elle n'avait d'yeux que pour lui. *Jouis de cette seconde*, pensait-elle. *Demain, tu te retrouveras avec Hudson dans le morne univers qui est le tien, tandis que Robin Stone sera dans un autre hôtel, dans une autre ville, en train de confectionner un autre martini.*

Il lui tendit le verre :

— A votre santé, journaliste !

Il lui prit le bras et ils traversèrent le salon pour aller s'asseoir sur un canapé.

Elle savait qu'il n'y avait pas une femme dans la pièce qui n'eût les yeux fixés sur elle. Mais elle se sentait une fois de plus envahie par cette étrange liberté nouvelle pleine d'insouciance. Qu'ils regardent donc ! Mais

204

elle, elle ne pouvait pas rester assise à le contempler de la sorte. Il lui fallait dire quelque chose :

— J'ai lu que vous aviez renoncé à votre éditorial et que vous faisiez une tournée de conférences. Mais l'éditorial me manque. (Elle sentait tout ce que ses paroles avaient de forcé et de peu naturel.)

Il haussa les épaules :

— Mes articles devaient être tronqués et rabotés dans vos journaux.

— Non, j'en ai lu de très longs. Mais je pense que vous préférez ce que vous faites à présent.

Il vida son verre, allongea le bras, et prit le martini qu'elle n'avait pas touché :

— Non, journaliste, je ne préfère pas. C'est uniquement pour l'argent. (Il lui offrit une cigarette qu'il alluma.) Et qu'est-ce que vous faites sur le petit écran ?

— Des actualités. Du point de vue de la femme, surtout.

— Et je parie qu'on vous regarde et qu'on vous écoute.

— Qu'est-ce que ça a de si extraordinaire ?

— Rien, c'est ça la télévision. Merveilleux petit écran. Il a créé une race de gens séduisants.

— Ne croyez-vous pas que le fait de *voir* les gens rend les choses plus personnelles et permet de mieux les comprendre ?

Il haussa les épaules.

— Ça crée des idoles. Le monde entier adore Lucy, Ed Sullivan et Bob Hope. Pour le moment. Mais le public est inconstant. Rappelez-vous son adoration pour Oncle Miltie ! Dites-moi, journaliste, qui aimez-vous à la télévision ?

— C'est vous que j'aimerais... (Elle s'arrêta horrifiée.)

Il eut un sourire ironique :

— Vous êtes la fille la plus sensée que j'aie jamais rencontrée. Vous sautez tout de suite à la ligne du bas.

— Je veux dire que j'aime votre façon de penser, vos points de vue.

Il finit son verre :

— Pas d'explications, ou vous allez gâcher tout ce qu'il y a entre nous. Le monde est plein de putains qui se voilent la face. Votre style me plaît. Venez ! On va remettre ça.

Elle le suivit tandis qu'il rapportait au bar les verres vides et s'étonna de l'aisance avec laquelle il avait ingurgité leurs deux cocktails. Il en prépara deux autres et lui en tendit un. A la première gorgée, elle réprima une grimace. C'était de la vodka quasiment pure. On les rejoignit et la plupart des femmes recommencèrent à s'agglutiner autour de lui. Une fois de plus il se trouva encerclé. Il se montra poli, répondit aux questions qu'elles lui posaient, mais il ne quitta pas son bras et resta près d'elle tout le temps. Du coin de l'œil, elle surveillait constamment la porte. Elle eut soudain envie que Hudson ne vienne pas.

Un léger carillon se fit entendre. Le président du comité frappa dans ses mains.

— Où allez-vous vous asseoir, journaliste ? demanda Robin.

— A l'autre bout, je crois. (Elle entendit l'appel de son nom.) C'est moi ! (Elle s'écarta et se mit sur les rangs.)

Robin tapota le bras du président qui se tenait debout près de lui :

— Accepteriez-vous de changer de place avec ma journaliste ? Vous et le juge Oakes vous êtes charmants, mais je n'ai pas fait deux cents kilomètres pour venir m'asseoir entre vous deux quand j'ai la possibilité d'avoir à côté de moi une femme adorable.

Quand ils entrèrent dans la salle du banquet, Robin la dirigea vers la place voisine de la sienne, sur l'estrade. Maggie sentit peser sur eux les regards de toute l'assistance. Robin commanda de nouveaux martinis. Sa capacité d'absorption paraissait illimitée. Après trois martinis, Hudson aurait été lessivé. Robin semblait conserver toute sa lucidité. Mais on ne peut pas ingurgiter impunément autant de cocktails.

Elle aperçut Hudson qui entrait et gagnait sa place à l'autre extrémité de l'estrade. Et tandis qu'il s'asseyait, elle vit son voisin lui expliquer le changement imprévu dans l'ordre des places. Elle se réjouit, à son corps défendant, de la surprise qu'exprimait son visage.

Elle entendit le président présenter Robin. Avant de se lever, Robin se pencha vers elle et lui dit à voix basse :

— Ecoutez, journaliste, je vais vous emballer ça en deux temps, trois mouvements. J'ai une suite à ma disposition, si je veux. Votre organisation de Philadelphie a fait les choses en grand. Si vous voulez vous éclipser et venir m'y rejoindre, je reste. Sinon, je filerai prendre le train d'onze heures et demie, à la fin du dîner. (Il se leva, attendit la fin des applaudissements, puis se pencha vers son oreille :) Alors journaliste, le mot de la fin ?

— J'irai.

— Bravo ! Suite 17 B. Laissez s'écouler un intervalle convenable après mon départ, et puis, montez.

Il fit son discours et on offrit au juge Oakes sa récompense. Les invités le congratulèrent. Les journalistes lui demandèrent de poser avec Robin que les femmes entourèrent. Il signa des menus qu'on lui tendait, regarda sa montre et dit qu'il attendait un coup de téléphone de l'étranger. Il serra les mains du juge Oakes, fit un geste d'adieu à la ronde et partit.

Il était onze heures. Hudson descendit de sa place sur l'estrade et vint occuper le siège laissé vide par Robin.

— Alors, ce cocktail, c'était sensationnel ?

— Je me suis bien amusée.

— Allons-nous-en !

Elle s'affola soudain. Comment avait-elle pu promettre à Robin Stone ? Qu'est-ce qui lui avait pris ? Elle ne pouvait même pas incriminer le martini... elle n'avait fait qu'y tremper les lèvres. Loin d'elle, l'intention de monter à sa chambre !

— C'est le dernier dîner auquel j'assiste, dit Hudson. Et tu te plains des dîners du samedi soir au Country Club ! Là-bas, au moins, j'ai l'occasion de rire, et nous sommes avec des gens de notre monde.

— Ces soirées font partie de mon travail.

— Ton travail ! ricana-t-il. Ça me fait penser qu'il va falloir qu'on fasse quelque chose à ce sujet. Trop de gens en parlent. Père dit que certains de ses amis n'apprécient pas du tout de te voir interviewer tous ces types-là. L'écrivain avec qui tu parlais la semaine dernière avait tout l'air d'un communiste.

Elle ne répondit pas. Hudson parlait ainsi de temps à autre et puis il n'y pensait plus. Il valait mieux le laisser dire. Il éclusa son verre et le remplit soigneusement.

— Tu te moques pas mal de moi, n'est-ce pas Hudson ?

Il se reversa à boire et poussa un long soupir :

— Oh, il ne s'agit pas de toi. Mais de nous... Nos familles. Quelquefois j'ai l'impression d'en avoir ras le bol... Mais rassure-toi, je ne te plaquerai pas. Où irais-je ? Ni toi ni moi, on ne pourra être vraiment libres, tant que tu n'auras pas été en cloque plusieurs fois. Bon Dieu, c'est le moins que tu puisses faire.

Elle se leva.

— Hudson, tu m'écœures.

— Ça te passera ! Le jour de notre mariage, j'ai vu ta mère rayonnante, ton père épanoui avec ses cigares et ses poignées de mains. De quoi est-ce qu'ils se réjouissaient donc ? Alors, les amoureux ! Amoureux, mon œil ! Tu épousais l'argent des Stewart. Mais tu ne tiens pas tes engagements. Nous sommes censé avoir des enfants. (Il la regarda fixement.) Peut-être qu'on devrait rentrer à la maison ce soir et essayer.

— Si tu ne buvais pas autant...

— Il faut bien que je boive pour m'exciter sur toi. Je suis un homme, moi. Je ne peux pas faire semblant.

Elle sortit. Il la suivit, l'air morose. Au vestiaire, ils tombèrent sur Bud et Lucy. Lucy était de nouveau enceinte. Elle avait un petit coup dans l'aile :

— Nous allons à l'Embassy. Vous venez ?

Hudson jeta un œil d'envie sur le ventre de Lucy :

— Bonne idée ! Pourquoi pas ?

Il agrippa Maggie par le bras et ils s'empilèrent dans l'ascenseur.

Le chauffeur de Bud attendait.

— Laissez vos voitures ici, suggéra Lucy. On reviendra les chercher.

L'Embassy était comble. Ils s'assirent dans la pièce enfumée, serrés autour d'une table minuscule. A la table voisine, il y avait des membres du Country Club. Ils décidèrent de mettre les deux tables bout à bout. Les hommes firent quelques plaisanteries. On mit sur la table une bouteille de scotch et Maggie se trouva coincée. Elle n'arrivait pas à détacher sa pensée de l'appartement 17 B.

Elle *devait* l'appeler. Elle lui dirait la vérité, qu'elle avait accepté dans un moment de folie, qu'elle était mariée. Ce n'était pas chic de faire attendre Robin Stone : il travaillait trop dur.

Elle se leva tout à coup :

— Il faut que j'aille me repoudrer le nez. (Il devait y avoir un appareil téléphonique dans les toilettes.)

— Je t'accompagne, dit Lucy en se levant avec difficulté. Je meurs d'envie de savoir ce que Robin Stone t'a raconté. Je l'ai vu se pencher vers toi et te parler à l'oreille à plusieurs reprises. Viens, Edna ! cria-t-elle à une autre fille.

Le petit groupe se dirigea vers les lavabos. Il y avait un appareil téléphonique mais pas de cabine. Une préposée en assurait la garde. C'était sans espoir. Maggie retoucha son maquillage et se montra peu communicative au sujet de Robin Stone. Ils avaient parlé de télévision, expliqua-t-elle. Elle voulait rester en arrière, mais Lucy et Edna l'attendirent. Quand elles revinrent à leur table, il n'y avait plus trace d'Hudson. Puis, elle l'aperçut, à l'autre bout de la salle, assis à une table avec des gens, le bras passé autour des épaules d'une fille. Elle la reconnut : une nouvelle du club, une jeune mariée. Le bras d'Hudson caressait doucement son dos nu. Le mari, assis en face, ne voyait rien. Subitement, Maggie se leva.

— Assieds-toi, siffla Lucy. Maggie, tu sais bien que ça ne signifie rien. Hud éprouve toujours le besoin d'essayer son charme sur les nouvelles recrues du club.

— Je m'en vais...

Bud la retint par le bras :

— Maggie, tu n'as aucune raison de t'inquiéter. C'est June Tolland. Elle est folle de son mari.

Elle se dégagea et partit en courant. Elle ne cessa de courir qu'une fois dans la rue. Là, elle avança jusqu'au premier carrefour, fit signe à un taxi, et dit au chauffeur de la conduire au Bellevue Stratford Hotel.

Elle sonna à l'appartement 17 B. Un coup de sonnette fort. Pas de réponse. Elle regarda sa montre : minuit et quart. Peut-être était-il parti ou dormait-il. Elle sonna encore puis, faisant demi-tour, commença à revenir sur ses pas. Soudain la porte s'ouvrit à la volée. Il avait un verre à la main :

— Entrez, journaliste, je suis au téléphone.

Elle entra dans le salon. Il lui montra du doigt la bouteille de vodka et retourna à l'appareil. De toute évidence, il parlait affaires : il s'agissait des clauses d'un contrat. Elle se servit à boire. Il avait retiré son veston. Sa chemise lui collait au corps et elle vit les petites initiales R.S. près de sa poitrine. Il avait desserré sa cravate et parlait avec sérieux, allant au fait. Elle remarqua que la bouteille de vodka était à moitié vide et une fois de plus s'étonna de sa capacité d'absorption. Il raccrocha enfin.

— Pardon de vous avoir fait attendre, mais de votre côté, vous n'avez pas battu tous les records de vitesse.

— Où allez-vous demain ? (Elle se sentait tout à coup intimidée et nerveuse.)

— A New York. Je ne ferai plus de conférences.

— Pourquoi appelle-t-on ça des conférences ? Ce soir, vous étiez formidable. Vous parliez de tout, de vos aventures outre-mer, des gens...

— Je suppose que ça date de l'époque où un quidam se baladait avec des diapositives... et puis, on s'en balance ! (Il posa son verre et ouvrit les bras.) Alors, journaliste, tu ne m'embrasses pas ?

Elle se sentait dans la peau d'une écolière :

— Je m'appelle Maggie Stewart, fit-elle.

Et elle tomba dans ses bras.

Il firent l'amour trois fois cette nuit-là. Il la serra contre lui et lui chuchota des mots tendres. Il la caressa. Il la traita comme si elle était vierge. Et, pour la première fois, elle comprit ce qu'on éprouvait quand un homme fait l'amour dans l'unique but de rendre une femme heureuse. Elle jouit du premier coup. A la seconde fois, encore. A la troisième, elle se renversa en arrière, épuisée et reconnaissante. Il la tenait serrée et l'embrassait doucement. Puis comme il se remettait à la caresser, elle s'écarta.

Il enfouit son visage dans sa poitrine :

— J'ai découvert ce soir quelque chose de différent. Je suis très saoul. Il se peut que demain je ne me rappelle rien..., Mais je veux que tu saches que c'était différent.

Elle restait étendue, tranquille. D'une certaine façon, elle savait qu'il disait la vérité. Elle avait peur de bouger, peur de rompre le charme. Le froid, le cassant Robin Stone apparaissait tout à coup si vulnérable. Dans la pénombre, elle contemplait sa figure contre ses seins — elle désirait se rappeler chaque seconde, elle se rappellerait toujours le mot qu'il criait au paroxysme du plaisir.

Il se retira soudain, l'embrassa, allongea la main, alluma deux cigarettes et lui en tendit une.

— Il est deux heures et demie. (Il désigna de la tête le téléphone.) Si tu dois te lever à une heure précise, demande qu'on te réveille. Je n'ai rien d'autre à faire que prendre mon train pour New York. A quelle heure dois-tu être à ton travail ?

— Onze heures.

— Que dis-tu de neuf heures et demie ? Je me lèverai en même temps que toi et nous prendrons le petit déjeuner ensemble.

— Non je... je dois partir maintenant.

— *Non !* (Il ordonnait mais ses yeux suppliaient presque.) Ne me quitte pas.

— Il le faut, Robin.

Elle sauta du lit, courut à la salle de bains, se vêtit rapidement. Quand elle revint dans la chambre, il était adossé aux oreillers. Il semblait parfaitement maître de lui. Il alluma une cigarette et la regarda bizarrement :

— Vers qui t'enfuis-tu ? Un mari ou un amant ?

— Un mari, dit-elle, en cherchant à rencontrer son regard.

Il avait les yeux étonnamment bleus et froids.

Il aspira longuement et souffla la fumée au plafond. Puis il dit :

— Vous risquiez gros en venant ici ce soir ?

— Rien que mon ménage.

— Venez ici, journaliste ! (Il lui tendit la main. Elle vint à lui et il la regarda, comme s'il voulait pénétrer ses pensées.) Je tiens à ce que vous sachiez que j'ignorais que vous étiez mariée.

— N'ayez pas de remords, dit-elle doucement.

Il éclata d'un rire étrange.

— Des remords, bon Dieu, je trouve ça plutôt drôle..., Adieu, journaliste !

— Je m'appelle Maggie Stewart.

— Ma petite, il y a une autre appellation pour les filles de votre espèce !

Il se pencha pour écraser sa cigarette.

Elle resta debout près de son lit, pendant un moment.

— Robin, ce soir, c'était tout aussi nouveau pour moi. Cela signifiait beaucoup. Je tiens à ce que vous le sachiez.

Soudain il jeta les bras autour de sa taille et enfouit la tête dans sa robe. D'une voix basse et prenante, il supplia :

— Alors, ne pars pas. Tu dis que tu m'aimes et tu me quittes !

Elle n'avait jamais dit qu'elle l'aimait ! Elle se dégagea doucement de son étreinte et le considéra avec étonnement. Leurs regards se rencontrèrent, mais il paraissait regarder ailleurs, très loin, comme s'il était mis lui-même en transe. Elle pensa que la vodka faisait finalement son effet. Il n'était plus en mesure de savoir ou de penser ce qu'il disait :

— Robin, je suis obligée de partir — mais je ne vous oublierai jamais.

Il cligna des yeux et la regarda, comme s'il la voyait pour la première fois :

— J'ai sommeil. Bonne nuit, journaliste !

Puis il éteignit la lumière, se tourna sur le côté et s'endormit aussitôt. Elle restait là, ne pouvant y croire. Il ne jouait pas la comédie. Il dormait vraiment.

Elle revint chez elle, au volant de sa voiture, avec des sentiments mitigés. Tout cela avait quelque chose d'anormal. Il y avait deux hommes en lui qui ne s'étaient fondus en un seul que lorsqu'il lui avait fait l'amour. Enfin, il l'avait dit lui-même, demain il ne s'en souviendrait même plus, elle ne serait qu'une fille rencontrée entre deux trains. Mais se comportait-il ainsi avec toutes ? Peu importe ! Une seule chose comptait : cette nuit.

Elle se dirigea sans bruit à travers la maison. Il était quatre heures du matin.

Elle se faufila dans la chambre à coucher, plongée dans l'obscurité. Elle vit, dans le noir, le lit d'Hudson vide. La chance la favorisait : il n'était pas encore rentré. Elle se déshabilla rapidement. A peine venait-elle d'éteindre la lumière qu'elle entendit, sur le chemin du garage, crisser le gravier. Elle faisait semblant de dormir, lorsqu'il se glissa dans la chambre. Elle s'amusa des précautions qu'il prenait, de la façon dont il rasait les murs pour ne pas la réveiller. Bientôt elle l'entendit ronfler du plus profond de son sommeil d'ivrogne.

Pendant les deux semaines qui suivirent, elle s'absorba dans son travail et chassa Robin Stone de ses pensées. Elle y était presque parvenue le jour où ouvrant son agenda pour y vérifier un rendez-vous, la date lui sauta aux yeux : elle avait quatre jours de retard. Et Hudson ne l'avait pas approchée depuis trois semaines. Robin Stone ! Elle n'avait pris avec lui aucune précaution. Hudson était parvenu à la convaincre qu'elle ne pouvait pas avoir d'enfant.

Elle enfouit son visage dans ses mains. Elle ne chercherait pas à s'en débarrasser. L'enfant de Robin serait conçu dans l'amour... Et Hudson en voulait un. Oh, non ! C'était une pensée indigne !... Mais pourquoi pas ? Que gagnerait-on à dire la vérité à Hudson ? Il en souffrirait — et l'enfant aussi. Elle se leva, soudain décidée : elle l'aurait.

Quand une semaine fut passée, sans qu'elle ait eu ses règles, elle envisagea la nécessité d'amener Hudson à lui faire l'amour. Jamais il ne s'était tenu éloigné d'elle aussi longtemps. Son mannequin devait l'épuiser ou peut-être avait-il déniché un nouveau béguin. Quand Hudson était dans l'euphorie d'une liaison nouvelle, il ne l'approchait pas.

Cette nuit-là, elle se blottit contre lui dans le lit, mais il la repoussa. Elle se mordit la lèvre dans l'obscurité :

— Je veux un enfant, Hudson.

Elle l'entoura de ses bras et essaya de l'embrasser. Il détourna la tête :

— D'accord, mais alors pas de fioritures. C'est un enfant qu'on veut, eh bien forniquons !

Elle se rendit chez le médecin en ne voyant rien venir le mois d'après. Il l'appela le lendemain et la félicita. Elle était enceinte de six semaines. Elle décida d'attendre encore quelques semaines avant d'annoncer la nouvelle à son mari.

Quelques jours plus tard, ils passaient une de leurs rares soirées à la maison. Il avait été paisible pendant tout le dîner et la hargne, devenue partie intégrante de sa personne, ne s'était pas manifestée. Calme, pensif, presque gentil, il lui proposa de monter dans le petit salon boire un dernier verre. Il s'assit sur le divan et la regarda verser le cognac. Il prit son verre qu'il se mit à siroter soigneusement. Puis il dit :

— Tu peux laisser tomber ton petit mic-mac à la télévision dans trois mois environ ?

— Je peux demander un congé — pourquoi ?

— J'ai dit à Père que tu étais enceinte.

Elle le regarda avec stupeur. Puis elle pensa que le docteur Blazer l'avait probablement averti. Elle avait confié au médecin qu'elle voulait garder le secret à cause de son travail, mais il n'avait pas dû songer un seul instant qu'elle ne voulait pas en parler à son mari. De là provenait son humeur nouvelle. Elle eut un sourire de soulagement. Son instinct ne l'avait pas trompée. Un enfant allait tout changer.

— Hudson, je n'ai pas besoin de partir. Je peux travailler presque jusqu'à la dernière minute du moment que la caméra ne me prend qu'en gros plan.

Il la regarda avec curiosité :

— Et comment expliquerons-nous à Père et à tout le monde ton joli petit ventre plat ?

— Mais je...

— On ne peut pas simuler. Tout le monde doit y croire. Même Bud et Lucy. A la moindre fausse manœuvre, Père découvrirait le pot aux roses. J'ai tout bien préparé. On lui raconte que l'on veut faire un voyage autour du monde — le cadeau que je t'offre pour ta grossesse parce qu'une fois l'enfant né, on ne pourra plus tellement bouger. Par la suite, on prétendra que c'était un prématuré et qu'il est né à Paris.

— Je ne comprends pas, Hudson. Je veux que mon bébé vienne au monde ici.

Il retrouva son ricanement sarcastique :

— Ne te prends pas au jeu. Je lui ai simplement *dit* que tu étais enceinte. Tu ne l'es pas pour autant !

Il se leva et se versa un deuxième verre de cognac :

— J'ai pris toutes mes dispositions. Nous pouvons nous procurer un bébé à Paris. Le docteur à qui j'ai parlé a une filière là-bas. Ils assurent même la ressemblance avec les parents. Il va y avoir trois enfants à adopter qui naîtront dans sept mois. Il suffit de payer les frais d'hospitalisation de la mère dans un établissement de tout premier ordre. La mère cède le bébé immédiatement, elle ne le voit jamais, ne sait même pas si c'est un garçon ou une fille, ni qui le prend en charge. J'ai demandé un garçon. Nous obtiendrons alors un acte de naissance où il figurera comme notre enfant. Et cet heureux petit bâtard non seulement nous rapporte un million dans son filet mais a droit à la double nationalité, s'il le veut. Et nous revenons triomphants en Amérique.

Elle rit, soulagée. Elle se leva du divan et s'avança vers lui :

— Hudson, maintenant c'est à mon tour de te causer une surprise. Tous ces projets compliqués, nous n'en avons pas besoin.

— Que veux-tu dire ?

— Je suis enceinte pour de bon.

Il aboya :

— Répète !

— Je suis *enceinte*.

Elle n'aimait pas la façon dont il la regardait.

Sa main lui fouetta le visage :

— Salope ! De qui est-il ?

— C'est le mien..., le nôtre.

Elle sentit sa lèvre enfler et le goût du sang dans sa bouche. Il vint plus près d'elle, lui agrippa les épaules et la secoua :

— Dis-moi, putain... de qui est le bâtard que tu essayes de me refiler ? (De nouveau, il la gifla.) Dis-le-moi, ou je te battrai jusqu'à ce que tu le dises !

Elle se dégagea et courut hors de la pièce. Il fonça derrière elle et la rattrapa dans le vestibule :

— Réponds, de qui est le bâtard que tu portes ?

— Quelle différence ça fait-il, pour toi ? Tu étais disposé à prendre à Paris l'enfant d'une autre. Au moins, celui-là est le mien.

La rage tout à coup disparut de son visage. Un sourire vint lentement à ses lèvres. Il la fit rentrer dans le salon :

— C'est juste. Tu as parfaitement raison. Tu vas l'avoir. Et tu en auras un tous les ans, pendant les dix années à venir. Ensuite, si tu te conduis bien, je t'accorderai le divorce avec une solide pension alimentaire.

— Non ! (Elle s'assit sur le divan et le regarda avec un calme qu'elle n'éprouvait pas.) C'est impossible. Je n'élèverai pas mon enfant dans l'atmosphère de haine qui règne entre nous. Je veux divorcer maintenant.

— Je ne te donnerai pas un sou.

— Pas besoin, fit-elle avec lassitude. J'irai vivre avec ma famille et je gagnerai suffisamment pour élever le bébé.

— Pas quand j'en aurai terminé avec toi.

— Qu'entends-tu par là ?

— Cet enfant représente pour moi un million de dollars. Ou tu l'as et tu me le donnes, ou ne compte plus jamais travailler. Je te ferai rayer de tous les journaux, chasser de la télé, et ta famille ne pourra plus regarder personne en face dans toute la ville.

Elle mit sa tête dans ses mains :

— Oh, Hudson, pourquoi ? Pourquoi prends-tu les choses ainsi ? J'ai commis une faute — une nuit, avec un homme. Cela ne m'était jamais arrivé auparavant. Cela ne se reproduira plus jamais. J'aurais voulu que nous puissions nous entendre. Mais tu m'as si mal traitée qu'avec toi je ne me sentais même pas femme. Je me suis peut-être mal conduite. Je ne vais pas faire état de tout ce que je sais sur ton compte. (Sa voix se brisa.) Je croyais qu'il nous restait encore une chance. J'étais folle, sans doute, mais je pensais que tu serais heureux d'avoir un enfant. Que cela nous rapprocherait. Et qu'une fois l'épreuve passée, nous en aurions d'autres, des bébés à nous.

— Espèce d'idiote ! Est-ce que j'arriverai à te le faire comprendre ? Je suis stérile ! (Il hurlait.) J'ai fait faire des examens la semaine dernière..., je suis stérile, je ne pourrai jamais avoir d'enfant.

— Mais alors, ces avortements pour lesquels tu as payé ?

— Comment le sais-tu ?

— Je le sais.

Il l'obligea à se lever du divan :

— Tu mettais donc des détectives à mes trousses ! (Il la gifla violemment.) Eh bien, je me suis laissé avoir ! Toutes ces putains que je payais et qui prétendaient que je les avais mises en cloque... elles m'ont roulé. Comme tu viens d'essayer de le faire. Mais maintenant je sais : je suis stérile.

Elle se dégagea et s'éloigna de lui. Les larmes sillonnaient son visage, elle avait la lèvre fendue, mais c'est pour lui qu'elle avait mal. Elle voulut sortir de la pièce. Il l'agrippa rudement :

— Où vas-tu ?

— Faire ma valise, dit-elle à mi-voix. Je ne peux pas rester dans cette maison avec toi.

— Pourquoi ? lança-t-il méchamment. Tu restais bien quand tu savais ce que je faisais. Nous sommes à égalité maintenant. Deux de la même espèce. Ça devrait même mieux marcher de cette façon-là. Nous sortirons chacun de notre côté... tant que ça ne viendra pas aux oreilles de mon père.

— Je ne peux pas vivre ainsi.

— Alors, comment expliques-tu le petit bâtard que tu as dans le ventre ?

— J'étais au courant de tes relations avec toutes ces filles. Et puis, j'ai rencontré quelqu'un. Je ne sais pas comment c'est arrivé. J'avais sans doute besoin d'être aimée, ne fût-ce qu'une nuit. Besoin de savoir qu'un homme pensait à moi... se souciait de mon existence... même si ce n'était que pour quelques heures.

Il la gifla de nouveau :

— C'est de ça que tu avais besoin ?

Sa main s'abattit sur son visage et sa tête roula d'une épaule à l'autre. Elle s'arracha à lui dans un sursaut et sortit en courant de la pièce. Il bondit derrière elle :

— Je te battrai pour extirper le démon de ton corps — c'est ça que tu cherchais, hein ? Je fouettais Sherry avec une courroie. Elle adorait ça. (Il se mit à déboucler sa ceinture.)

Elle poussa des cris perçants dans l'espoir que les domestiques entendraient. Elle partit en courant dans le vestibule. Il avait sa ceinture à la main : la ceinture de crocodile qu'elle lui avait offerte pour Noël. Il lui donna un coup de lanière qui l'atteignit au cou. Elle lut la haine et la perversion sur son visage et fut saisie d'une véritable terreur. Elle recula devant lui en criant. Où étaient les domestiques ? Il était fou. La ceinture la frappa au visage, manquant l'œil de peu. Il pouvait la rendre aveugle ! Elle allait en arrière, prise de panique et se sentit tomber à la renverse dans l'escalier. Dans cette fraction de seconde, elle espéra se rompre le cou, mourir subitement et n'avoir jamais à revoir ce visage. Puis elle glissa au bas des marches. Hudson avait les yeux rivés sur ses jambes. Elle sentit la première contraction. Elle se tint le ventre à deux mains. Elle sentit le sang couler sur ses jambes. Elle sentit enfin qu'il la giflait encore.

— Salope !... tu es en train de perdre un million de dollars !

Sur la terrasse, elle eut froid tout à coup. Elle revint dans la salle de séjour et se versa un scotch. Tous ces événements semblaient s'être passés dans un autre monde, pourtant ils remontaient à moins de deux ans. Elle se rappelait vaguement le bruit de l'avertisseur de l'ambulance, la semaine passée à l'hôpital, la façon dont on évitait de la questionner sur les lacérations qu'elle portait au visage et au cou, le médecin qui, par politesse, feignait de croire que l'accident était dû à une chute malencontreuse, et la résistance qu'opposa chacun des siens à sa décision de divorcer immédiatement. Tous, sauf Hudson. Sa mère pensait qu'elle faisait une dépression nerveuse, ce qui est fréquent après une fausse couche. Lucy elle-même était intervenue pour la presser de réfléchir.

Pour le divorce, elle avait choisi la Floride. Les démarches prendraient trois mois, elle avait besoin de soleil et de temps pour se remettre. Avec le temps, la blessure qu'elle éprouvait guérirait et elle pourrait songer à un nouveau départ. Elle obtint un congé de la station.

Bien que les chargés de pouvoir d'Hudson aient consenti à payer tous les frais du divorce, y compris son séjour en Floride, elle loua un petit appartement et vécut frugalement. Au bout de deux mois, la souffrance avait disparu — il ne restait plus que le vide. Hudson n'existait plus pour elle, mais elle était jeune, les forces lui revinrent, et l'inactivité commença à lui peser.

Elle fit une demande à la station locale de la IBC. Andy Parino l'avait engagée immédiatement. Andy lui plaisait. Elle avait besoin d'affection. S'attacher, c'est exister. Ils s'engagèrent dans une liaison amoureuse facile et confortable. Avec Andy, elle se sentait bien, heureuse d'être femme. Mais Hudson avait tué ou détruit quelque chose en elle. Sa faculté d'aimer vraiment.

Au bout de quelques mois, elle se sentait sûre d'elle-même. Andy était plein d'attentions et elle aimait son travail. Le temps était venu de secouer cette léthargie où elle s'était enfermée. Le temps d'*éprouver un sentiment* — de rêver et d'espérer. Elle avait essayé, mais sans résultat. Il semblait qu'Hudson eût paralysé toute son émotivité. Quand Andy lui avait demandé de l'épouser, elle avait refusé.

Et ce soir, pour la première fois, elle sentait le goût de la vie renaître en elle. Elle allait revoir Robin Stone. Elle avait hâte de voir l'expression de ses yeux quand ils allaient se trouver l'un en face de l'autre...

19

Maggie était assise au Gold Coast et se demandait si son impatience se lisait sur son visage. Andy avait passé la journée au golf avec Robin. Robin lui avait dit de confier les actualités de sept heures à un speaker de service pour les quelques jours à venir. Elle regarda sa montre : ils seraient là d'un instant à l'autre. Elle alluma une cigarette et s'aperçut qu'elle en avait une presque intacte qui fumait dans le cendrier. Elle l'écrasa bien vite. Elle se sentait comme une écolière qui va se trouver face à face avec son premier amour. Mais elle était sur les nerfs. D'une minute à l'autre, Andy allait entrer avec Robin Stone et ils se retrouveraient. Elle écrasa le bout de la seconde cigarette.

Elle se vit dans le miroir, au fond du bar. Le bronzage régulier de son teint se mariait bien avec sa robe de soie beige. A Philadelphie, elle avait la peau blanche. Quand Robin avait laissé courir ses mains sur ses seins, il avait dit :

— Quelle peau blanche, blanche comme celle de ma mère.

Mais un teint hâlé était plus flatteur. Elle se savait belle. Depuis toujours. Mais elle considérait cela d'un point de vue purement statistique : on était grand ou petit, quelconque ou beau. Elle n'avait jusqu'à présent tiré aucun plaisir de sa beauté. Plutôt des catastrophes. Mais ce soir, elle était contente d'être belle. Elle s'était vêtue avec soin — la robe, assortie à son teint, soulignait le vert de ses yeux. Des yeux de chat, Andy l'appelait sa panthère noire. Ce soir, elle se sentait panthère : tendue, ramassée sur elle-même, prête à bondir.

Elle avait choisi le lieu de la rencontre. Pas de retrouvailles confuses dans l'obscurité d'une voiture. Elle voulait les voir entrer tous les deux. Voir la surprise de Robin. Cette fois, elle allait avoir la situation en mains.

Elle finissait son verre, lorsqu'elle vit Andy passer la porte — seul. Elle demeura impassible pendant qu'il venait la rejoindre au bar et commandait un scotch. Plutôt se faire couper en quatre que de demander quelque chose. Mais où pouvait-il bien être ?

— Excuse-moi d'être en retard, Maggie, fit Andy.

— Il n'y a pas de mal. (Finalement, elle ne put y tenir.) Où est ton ami ?

— La grande vedette de la télévision ?

Andy prit son verre et but une longue gorgée.

— Il ne vient donc pas ? (Elle aurait volontiers tué Andy qui l'obligeait à lui soutirer chaque mot.)

— Il viendra peut-être. Si tu avais vu l'agitation que sa venue a causée au Diplomate — Gary Grant n'avait pas fait mieux. C'est à croire que tout le monde regarde son émission, en tout cas, tous ceux que nous avons croisés sur le terrain de golf.

Maggie alluma une autre cigarette. Elle ne s'était jamais autorisée à regarder l'émission de Robin. C'était une des conditions de sa cure. Comme de s'abstenir de penser à Hudson ou au passé. Apparemment, il était célèbre à présent. Ce qui ne lui était jamais venu à l'idée avant.

— A chaque trou, il était obligé de s'arrêter pour signer un autographe, poursuivit Andy. (Elle se rappelait encore les efforts qu'il avait faits pour dissimuler son ennui, quand on l'avait invité à signer les menus, au Bellevue.) C'était insupportable, continua Andy, jusqu'à ce que cette petite blonde s'accroche à lui au dix-septième trou.

Elle sursauta, comme pour mordre.

— Qui cela ?

Andy haussa les épaules :

— Une cliente de l'hôtel. Dix-neuf ou vingt ans, tout au plus. Elle a lâché les trois autres joueurs de son équipe pour venir demander un autographe à Robin et n'est pas retournée les rejoindre. Elle a fait le reste du parcours avec nous jusqu'au dix-huitième trou. (Andy se mit à rire.) Betty Lou, elle s'appelle. (Il leva son verre.) A Betty Lou, elle m'a fait gagner vingt dollars. (Il but encore une bonne gorgée et reprit :) Elle a fait tant de gringue à Robin qu'il en oubliait le jeu. Dès qu'il voit un joli châssis, Robin tourne comme un radar et la chère petite Betty Lou est venue s'inscrire sur son écran. Mais si elle lui a tapé dans l'œil, lui il a tapé sur une motte de terre et envoyé sa balle dans un creux, si bien qu'il a fait le trou en sept points, alors que jusqu'à présent il avait une moyenne de quatre. Voilà comment j'ai gagné mes vingt dollars. Allons à l'intérieur, je crève de faim !

Ils s'apprêtaient à commander, lorsqu'on appela Andy au téléphone. Il revint avec le sourire.

— Le grand amoureux est en route.

Il n'était pas loin de neuf heures, quand Maggie vit Robin entrer dans le restaurant. Il paraissait frais et dispos. Par contre, en voyant la petite blonde, Maggie sut qu'elle venait de coucher avec Robin. Sa coiffure était informe et son maquillage retapé.

Andy se leva :

— Salut Betty Lou. (Il la serra dans ses bras, comme s'il la connaissait depuis toujours. Puis il se tourna.) Voici Maggie Stewart. Maggie, Robin Stone.

Il la regardait avec un sourire dégagé :

— Andy me dit que vous jouez aussi au golf. Il faudra venir avec nous un après-midi.

— J'ai un handicap de 25, dit-elle. Je crains de ne pas être à la hauteur.

— C'est comme moi, s'écria Betty Lou. On pourra faire une partie à quatre.

Robin commanda deux vodkas martini. Betty Lou se comportait comme si Robin Stone non seulement lui appartenait en propre mais la connaissait depuis sa naissance. Robin lui prêtait attention par intermittence. Il lui allumait sa cigarette, mais il n'écoutait pas un mot de ce qu'elle racontait tout en lui faisant cependant sentir qu'il était content de l'avoir avec lui. Maggie le vit prendre la main de la jeune fille et lui sourire de temps à autre mais toute sa conversation s'adressait à Andy.

Tout à coup Maggie se demanda si Betty Lou n'était pas une ruse inventée par Robin pour rendre plus aisée la « confrontation ». Andy avait dû lui parler de leur liaison.

Pour rester à égalité avec Robin, Betty Lou prit comme lui un second martini. Le premier l'avait marquée. Le second fut mortel. A la fin du dîner, elle avait la tête appuyée sur son coude et les cheveux dans les spaghetti. Elle regardait tout le monde avec des yeux vitreux. Soudain Robin s'aperçut de son état.

— Trop de soleil et de golf font mauvais ménage avec l'alcool.

Maggie apprécia sa façon de prendre la défense d'une fille qu'il venait de rencontrer. Ils l'aidèrent à sortir du restaurant et la tassèrent dans la voiture de Robin. Après l'avoir déposée, Robin insista pour qu'ils aillent prendre un dernier verre au Diplomate.

Ils s'assirent à une petite table. Robin porta un toast :

— A ta santé, vieux frère. Merci pour les premières vacances que j'ai depuis des années. Et à la santé de ta charmante amie !

Il se tourna vers Maggie. Leurs yeux se rencontrèrent. Elle le défiait du regard mais les yeux bleus de Robin répondirent avec innocence.

— Je n'ai entendu que des compliments sur votre compte, reprit-il. Vous êtes vraiment aussi adorable que le dit Andy. Et votre rapport sur l'UFO m'a passionné. Je l'ai lu aujourd'hui. Où avez-vous eu vos renseignements, et comment pouvez-vous être aussi bien informée sur le sujet ?

— C'est une question qui m'a toujours intéressée, répondit-elle.

— Nous nous retrouverons à ton bureau demain matin à onze heures, Andy. Toi et mademoiselle... (Il s'interrompit en regardant Maggie. Il paraissait avoir un trou de mémoire.)

— Maggie, fit Andy avec calme. Maggie Stewart.

Robin sourit :

— J'ai une très mauvaise mémoire des noms. Bon, on se retrouve et on examine l'affaire pour voir s'il y a là-dedans la matière d'une émission.

Ils terminèrent leurs verres et se dirent bonsoir dans le vestibule. Maggie regarda Robin se diriger à grands pas vers l'ascenseur.

Elle demeura silencieuse dans la voiture qui s'éloignait. Dans le noir, Andy lui confia :

— Ecoute. Ne te formalise pas de ce que Robin ait oublié ton nom. Il est comme ça. Tant qu'il n'a pas fait du rentre-dedans à une fille, il ignore jusqu'à son existence.

— Ramène-moi chez moi, Andy.

Il s'engagea sans mot dire dans l'allée :

— Encore ton mal de tête ?

Son ton était froid.

— Je suis fatiguée.

Il était morose quand il stoppa devant chez elle. Elle ne chercha même pas à l'apaiser. Elle sauta de la voiture et courut à l'intérieur de l'immeuble. Elle n'attendit pas l'ascenseur et monta quatre à quatre les deux étages jusqu'à son appartement. Une fois dedans, elle claqua la porte et s'appuya au battant. Les larmes coulaient sur son visage. Puis des sanglots lui montèrent à la gorge. Non seulement il ne se rappelait pas son nom, mais il ne se rappelait même pas qu'ils s'étaient déjà rencontrés.

Maggie dut faire effort pour étudier son rôle. Elle n'avait pas ouvert sa brochure depuis l'arrivée de Robin. Bien sûr, la première représentation au Player's Club n'avait lieu que dans trois semaines mais elle voulait être à la hauteur. Après tout la pièce était d'Eugène O'Neill et Hy Mandel venait de Californie pour la voir jouer. Rien n'en sortirait, probablement. Le metteur en scène d'une société de films indépendante l'avait vue à la télévision et lui avait demandé si un essai pour le grand écran l'intéressait. Elle avait répondu qu'elle voulait bien devenir actrice mais qu'elle n'était pas d'humeur à aller faire un bout d'essai. Son émission ne lui laissait pas le temps de faire un saut en avion en Californie. Peut-être ce manque d'intérêt l'avait-il incité à poursuivre son idée. Il avait appelé Hy Mandel, un des agents les plus cotés d'Hollywood, avait parlé d'elle avec enthousiasme. Maintenant ce dernier venait la voir jouer dans une troupe de semi-professionnels.

Eh bien, à partir de ce soir, elle allait avoir tout le temps de se concentrer sur O'Neill.

C'était la dernière nuit que Robin Stone passait dans cette ville. Il n'avait pas revu Betty Lou. La seconde nuit, il s'était montré avec un professeur de natation, prénommée Anna. Ensuite avec une divorcée : Béatrice. Enfin, il avait loué un bateau pour trois jours et était parti à la pêche tout seul. Il était revenu l'après-midi même. Andy lui ayant annoncé qu'ils devaient dîner ensemble, elle se demandait qui il allait amener : Betty Lou, Anna ou la divorcée ?

Andy l'appela, alors qu'elle finissait de se maquiller. Il était aux anges.

— Je viens d'avoir une longue conversation avec Robin. Devine ! Il ne veut pas traiter l'histoire des soucoupes dans un *En Profondeur*. Il en fera une émission spéciale et il voudrait qu'on y travaille. Pour nous, c'est un séjour à New York, tous frais payés.

— J'espère que cela ne va pas tomber pendant que je joue la pièce d'O'Neill.

— Maggie, à vingt-six ans, une fille est un peu trop âgée pour s'attaquer à Hollywood. Ta place est ici, avec moi.

— Andy, je... (Elle allait lui dire que tout était fini entre eux. Qu'il n'y avait jamais eu grand-chose.)

Mais il la coupa :

— Ecoute, Maggie, ne dis rien à Robin, au sujet d'Amanda.

— Amanda ?

— La fille dont je t'ai montré la photo dans le journal, avant-hier.

— Ah, celle qui est morte de leucémie ?

— Oui. C'était une amie de Robin. Il se trouvait sur le bateau quand c'est arrivé et ne le sait probablement pas. Il ne peut rien faire : on l'a enterrée aujourd'hui, alors pourquoi lui gâcher ses vacances ?

— Mais elle était mariée avec Ike Ryan, dit Maggie.

— Oui, mais Robin et elle ont eu une liaison qui a duré longtemps. Ils ont été ensemble presque deux ans.

Maggie pensait à cela en terminant son maquillage. Deux ans. Donc Amanda était son amie la nuit qu'ils avaient passée ensemble au Bellevue. Elle fronça les sourcils, en se regardant dans le miroir :

— Tu vois, espèce de folle. Tu agis comme une ingénue de vingt-six ans. Nourrissais-tu donc en secret l'idée que tu avais joué un rôle particulier dans la vie de Robin Stone ?

Elle gara sa voiture au Diplomate. En traversant le vestibule, elle vit que plusieurs hommes se retournaient sur son passage. Se retournait-on toujours ainsi sur elle ? Avait-elle vécu dans un brouillard si complet qu'elle ne l'avait jamais remarqué ? Elle se sentit en proie à une émotion soudaine, en pénétrant dans le bar. Robin se leva et lui sourit.

— Andy revient tout de suite. Le voilà passé agent de tourisme... Ma place était retenue pour l'avion de midi demain, mais il essaye de changer ma réservation à plus tard dans l'après-midi, pour que nous puissions faire un dernier tour au golf. (Il fit signe au barman.) Qu'est-ce que vous prenez ? Votre scotch habituel ?

Elle acquiesça d'un signe de tête.

— Et vous, qui nous amenez-vous ce soir ? Votre divorcée habituelle ?

L'étrange excitation qui s'était emparée d'elle donnait à sa voix la légèreté voulue.

Il sourit.

— C'est vous, mon rendez-vous de ce soir. Vous et Andy. Je n'ai pas d'autre ambition que de boire et me détendre avec deux bons amis. J'irai peut-être jusqu'à me beurrer.

Andy arborait un sourire victorieux en revenant à la table :

— C'est arrangé. Six heures demain. Personnellement, je pense que tu es fou de repartir. Ellie, mon correspondant du *National*, dit qu'il fait moins sept à New York. Et Noël approche. Toute cette bouillasse, avec les père Noël devant les magasins qui agitent leurs clochettes et pas de taxis...

Il secoua la tête et frissonna.

Robin regarda son verre vide et fit signe qu'il en voulait un autre.

— J'aimerais bien rester mais j'ai un rendez-vous un peu spécial à Los Angeles, le soir de Noël.

Robin avait absorbé quatre matini. Maggie traînait sur son second scotch et une fois de plus elle s'émerveilla de sa capacité. Mais il avait paru parfaitement lucide, cette nuit, à Philadelphie, où il avait reconnu être saoul. Saoul au point de ne pas même se souvenir d'elle ! Ils allèrent au *Fontainebleau* et virent Sammy Davis. Elle prit un steak. Robin ne mangea pas et s'en tint méthodiquement à la vodka. Andy essayait de le suivre dans cette voie.

Ils échouèrent dans un bar de la Soixante-dix-neuvième rue. L'atmosphère était enfumé. Robin fit mettre sur la table une bouteille de vodka.

Maggie s'en tint au scotch. Le bruit ne permettait pas d'échanger deux mots. Robin buvait en silence et Andy traînaillait sur son verre.

A une heure du matin, Andy s'écroula. Maggie et Robin eurent beaucoup de mal à le hisser dans la voiture.

Robin dit :

— On va le ramener chez lui et puis je vous reconduirai.

— Mais ma voiture est au Diplomate, fit-elle.

— Il n'y a pas le feu ! Vous irez la chercher demain avec un taxi. Mettez ça sur votre note de frais. Vous direz à Andy qu'il vous a donné son accord, avant de se rétamer.

Elle le dirigea jusqu'à l'immeuble où habitait Andy. Robin essaya de le soulever, pour le sortir de la voiture.

— Il est lourd comme un âne mort ! grogna-t-il. Venez, Maggie, j'ai besoin d'aide.

En le soutenant chacun d'un côté, ils portèrent et tirèrent Andy jusqu'à son appartement. Robin le déposa sur le lit et lui défit sa cravate. Maggie le regardait, consternée. Elle n'avait jamais vu quelqu'un ivre mort. Le sourire de Robin la rassura.

— Même une de vos soucoupes volantes n'arriverait pas à le réveiller, à présent. Il se sentira très mal en point demain matin — mais il vivra.

Ils revinrent à la voiture.

— J'habite quelques blocs plus loin : ce long bâtiment bas, dit-elle.

— Vous n'avez pas envie de boire un dernier coup, avant ?

Elle se dirigea vers un petit bar du voisinage. Le patron reconnut Robin, mit une bouteille de vodka sur le comptoir et ils engagèrent aussitôt la discussion sur le football professionnel. Maggie, assise devant un scotch à l'eau, écoutait. C'était incroyable : Robin ne paraissait nullement perturbé par l'alcool.

Le bar ferma et il la reconduisit à sa porte. Ils restèrent un moment dans l'obscurité, assis dans la voiture.

— Avez-vous de la vodka, là-haut ? demanda-t-il.

— Non, du scotch seulement.

— Dommage. Bonne nuit, Maggie. J'ai passé une soirée formidable.

— Bonne nuit, Robin.

Elle se tourna vers la portière, puis, cédant à son impulsion, se retourna vers lui et l'embrassa. Après, elle sortit rapidement de la voiture et courut jusque chez elle.

Elle se sentit ragaillardie. Quand un homme voulait embrasser une fille, elle n'avait qu'à s'exécuter. Cette fois, elle avait pris l'initiative. Elle eut l'impression d'avoir combattu pour l'émancipation de la femme. Elle avait brisé une règle de fer. A l'avenir, elle allait en briser un certain nombre. Elle chantait en se déshabillant. Elle commença à enfiler sa chemise de nuit, puis s'en débarrassa. Dorénavant, elle dormirait nue. Elle en avait toujours eu envie mais ne trouvait pas cela convenable. Elle ouvrit un tiroir de la commode, en sortit toutes ses chemises de nuit transparentes qu'elle mit dans un sac en papier. Demain, la femme de ménage en hériterait. Elle se glissa dans son lit et éteignit la lumière. La fraîcheur des draps lui parut merveilleuse. Elle éprouvait une sensation de liberté jamais connue jusque-là. Elle n'avait pas sommeil mais ferma les yeux...

Quelqu'un cognait à la porte. Elle alluma et regarda la pendule. Quatre heures et demie seulement. Elle devait n'avoir dormi que peu de temps. Les coups se faisaient insistants. Elle enfila sa robe de chambre et ouvrit la porte, sans débloquer la chaîne de sûreté. Robin Stone se tenait là debout, brandissant une bouteille de vodka.

— J'ai apporté ma boisson, dit-il.

Elle le fit entrer.

— J'avais cela dans ma chambre, un cadeau de la Direction. Mais ça ne m'amuse pas de boire seul.

— Voulez-vous de la glace ?

— Non, je bois sec.

Elle lui donna un verre et s'assit sur le divan : elle le regarda boire. Soudain, il se tourna vers elle.

— J'ai mon compte.

Elle ébaucha un sourire. Son pouls battait dans ses veines, sa gorge se serrait.

— Tu as envie de moi, mon chou ? demanda-t-il.

Elle se leva du divan et passa de l'autre côté de la pièce :

— J'ai envie de vous, dit-elle lentement. Mais pas cette nuit.

— Il faut bien que ce soit cette nuit ; je pars demain.

— Reculez votre départ d'un jour.

— Pourquoi demain plutôt qu'aujourd'hui ?

— Je veux que vous vous souveniez de moi.

— Si tu es à la hauteur, mon chou, je ne t'oublierai jamais.

Elle se retourna pour lui faire face :

— Excusez-moi mais j'ai déjà auditionné.

Elle vit naître dans ses yeux une curiosité amicale. Soudain, il fut près d'elle et, d'un mouvement brusque ouvrit son peignoir. Elle s'y cramponna mais il le lui arracha. Il fit un pas en arrière, tout en l'examinant attentivement. Elle surmonta sa gêne et le défia du regard.

— De gros et beaux nichons, fit-il. Je déteste les gros nichons.

Puis, de façon tout aussi inattendue, il la souleva dans ses bras, la porta dans la chambre et la jeta sur le lit :

— Je déteste les brunes aussi.

Il enleva son veston, défit sa cravate. Elle eut peur, tout à coup. Il y avait dans ses yeux une expression étrange, comme s'il la regardait sans la voir. Elle se redressa d'un bond. Il la repoussa sur le lit.

— Tu ne me quitteras pas. Je ne suis plus un enfant.

Cela sonnait bizarrement, comme s'il se parlait à lui-même. Il avait un regard d'aveugle.

Elle le regarda se déshabiller. Elle pouvait se défendre, appeler au secours — mais la curiosité la pétrifiait. Peut-être une victime se comporte-t-elle de cette façon avec son meurtrier ; paralysée, incapable de résister. Il se dépouilla de ses vêtements et vint à elle. Il s'assit sur le lit et la regarda avec des yeux étranges, dénués d'expression. Mais quand il se pencha sur elle pour l'embrasser doucement, ses craintes s'évanouirent et elle répondit avec ardeur. Il s'allongea près d'elle, leurs deux corps l'un contre l'autre. Elle sentit qu'il soupirait et que son corps se détendait. La bouche chercha ses seins. Elle se serra contre lui, abandonnant toute résolution. Elle se sentit embrasée par l'excitation et l'émotion et quand il la prit, elle jouit en même temps que lui. Collé à elle, il criait les trois mots qu'il avait criés à Philadelphie, les mêmes : *Mutter !* Mère ! *Mère !*

Puis il se retira et retomba en arrière. Dans l'obscurité, elle vit dans ses yeux le même regard vitreux. Il lui caressa la joue et esquissa un sourire.

— Je suis complètement rétamé, mon chou. Mais, avec toi, c'est différent, ce n'est pas comme avec les autres.

— Vous m'avez déjà dit ça une fois, à Philadelphie.

— Ah oui ? (Il ne montra aucune réaction.)

Elle se blottit contre lui :

— Robin, est-ce que ça a été différent avec beaucoup de filles ?

— Non... oui... je ne sais pas. (Il parlait d'un ton somnolent.) Ne me quitte pas. (Il la serra contre lui.) Promets-le-moi... Jamais tu ne me quitteras.

Elle se colla à lui dans le noir. « Parfait, se disait-elle à elle-même. Tu tiens ta chance. Jette-le hors du lit. Dis-lui adieu, journaliste ! » Mais elle s'en sentait incapable.

— Je ne te quitterai jamais, Robin, je le jure.

Il dormait à moitié :

— On dit ça.

— Non, je ne l'ai jamais dit à personne, de toute ma vie. Je te le promets. Je t'aime.

— Non, tu me quitteras... pour aller...

— Pour aller où ?

Il lui fallait savoir. Mais il s'était endormi.

Elle vit le ciel pâlir et elle resta allongée, les yeux grands ouverts. Elle regarda son beau visage. La joue était chaude contre sa poitrine. Etait-ce possible ? Il était *ici*, il dormait dans ses bras. Il lui appartenait ! Elle était contente de lui avoir parlé de Philadelphie. A l'époque, il lui avait demandé de ne pas le quitter. Et elle était partie — peut-être s'était-il senti vraiment blessé. Cela expliquerait que cette nuit, dans son ivresse, il la croyait encore mariée — bien sûr ! Le bonheur la submergeait.

Elle restait étendue, à demi somnolente, s'éveillant toutes les deux minutes pour regarder l'homme qui était dans ses bras, pour s'assurer une fois de plus qu'elle ne rêvait pas. Elle vit les striures de l'aube et s'émerveilla de la soudaineté avec laquelle le soleil prenait possession du ciel. Les mouettes s'appelaient l'une l'autre, annonçant un nouveau jour. Le soleil s'infiltra dans la chambre. Bientôt il allait atteindre Robin endormi dans ses bras. La nuit précédente, elle avait oublié de tirer les double-rideaux. Elle se faufila hors du lit et traversa la pièce sur la pointe des pieds. Peu après, l'ombre fraîche recouvrit la chambre. Il était neuf heures. Elle voulait le laisser éliminer par le sommeil toute sa vodka. Qu'il se sentît bien au réveil. Elle jeta un coup d'œil au miroir. Oh Dieu ! la nuit dernière elle devait être en plein brouillard, elle n'avait pas pris soin d'enlever son maquillage. Heureusement qu'elle s'était réveillée la première. Ses lèvres et ses yeux étaient barbouillés. Elle se passa de la crème sur le visage, prit une douche et se remaquilla légèrement. Elle noua ses cheveux en queue de cheval, revêtit un corsage et un pantalon et alla dans la cuisine. Aimait-il les œufs ? Le bacon ? L'odeur peut-être l'écœurerait, après toute cette vodka. Elle brancha la cafetière électrique et ouvrit une boîte de jus de tomate. On disait cela efficace contre la gueule de bois. Elle ne toucha pas à la poêle à frire — s'il voulait des œufs, elle les lui ferait. Seigneur, que ne ferait-elle pas pour lui !

Il était presque midi quand elle l'entendit remuer. Elle versa un peu de jus de tomate dans un verre et le lui apporta dans la chambre. Il tâtonna pour le prendre dans la pénombre. Elle le regarda vider son verre, puis elle ouvrit les rideaux. Le soleil inonda la pièce. Il battit des yeux deux ou trois fois, puis regarda autour de lui.

— Bon Dieu ! Maggie ! (Il jeta un coup d'œil sur le lit, et son regard revint à elle.) Comment ai-je atterri ici ?

— De votre propre autorité, à quatre heures et demie du matin.

Comme un somnambule, il tendit le verre vide :

— Est-ce que... oui, je crois, nous l'avons fait. (Il fixa les yeux sur le lit, puis secoua la tête.) Quelquefois, quand je suis très saoul, j'ai des absences... Excusez-moi, Maggie ! (Et tout à coup, avec un regard noir de colère :) Pourquoi m'avez-vous laissé entrer ?

Elle maîtrisa la panique qui la prenait à la gorge.

— Oh bon Dieu ! (Il se passa la main dans les cheveux.) Je n'arrive pas à me rappeler. Je n'arrive pas à me rappeler !

Elle sentit les larmes couler sur son visage, mais la rage qu'elle éprouvait l'empêcha de défaillir :

— C'est un truc éculé, vieux comme le monde, Robin ! Mais utilisez-le, si vous vous sentez mieux après ! La douche est là.

Fièrement, elle passa dans la salle de séjour et se servit un peu de café. Sa colère se dissipa en partie. La stupeur qui se lisait dans ses yeux était réelle. Elle comprit tout à coup qu'il lui disait la vérité. Il ne se rappelait pas.

Il entra dans le living en nouant sa cravate. Il avait son veston sur le bras. Il le lança sur le divan et prit la tasse de café qu'elle lui tendait.

— Si vous voulez des œufs ou des toasts..., dit-elle.

Il secoua la tête :

— Je suis consterné de ce qui est arrivé, Maggie. Navré d'avoir fait ça à Andy. Et désolé plus encore à cause de vous. Vous voyez — je m'en vais. Vous n'êtes pas obligée de le dire à Andy. Je lui revaudrai ça — je trouverai bien un moyen.

— Et moi dans l'histoire ?

Il la regarda :

— Vous, vous saviez ce que vous faisiez. Andy pas. C'est votre bonhomme.

— Je ne suis pas amoureuse de lui.

Il eut un sourire ironique :

— Et je suppose que vous êtes follement amoureuse de moi.

— C'est vrai.

Il rit, comme s'il s'agissait d'un gag intime :

— Je dois être une sacrée affaire quand je suis saoul.

— Parce que cela vous est arrivé souvent ?

— Pas souvent. Mais c'est déjà arrivé, disons deux ou trois fois. Et chaque fois, ça m'épouvante. Mais c'est la première fois que j'en ai la preuve, que je me trouve nez à nez avec l'évidence. Habituellement, je me réveille, je sais qu'il s'est passé quelque chose dont je ne me souviens pas tout à fait. C'est généralement après une nouba monstre. Mais la nuit dernière, je me croyais à l'abri, solidement ancré entre vous et Andy. Qu'est-ce qui lui est donc arrivé ?

— Il s'est effondré comme une masse.

— Oui, je me rappelle. Je crois que c'est la dernière chose dont j'aie gardé le souvenir.

— Vous ne vous rappelez rien de ce que vous m'avez dit ?

— Je vous ai dit des horreurs ?

Les larmes lui vinrent aux yeux ;

— Non, on ne m'avait jamais rien dit d'aussi gentil.

Il posa son café et se leva :

— Maggie, je suis navré. Sincèrement navré.

Elle le regarda :

— Robin, est-ce que je compte pour vous ?

— Je vous aime bien. Alors je vais vous le dire tout net : vous êtes une fille brillante et belle, mais vous n'êtes pas mon type.

— Je ne suis pas votre... (Elle n'arrivait pas à le sortir.)

— Maggie, je ne sais pas ce qui m'a poussé à venir ici. Je ne sais ni ce que j'ai dit, ni ce que j'ai fait... Et, oh ! mon Dieu... je vous demande pardon, je vous ai blessée. (Il s'approcha d'elle, lui caressa doucement les cheveux, mais elle recula.) Ecoutez, Maggie. Vous et Andy, faites comme s'il ne s'était rien passé.

— Allez-vous-en, je vous en prie ! Je vous ai dit que c'était fini avec Andy... bien avant la nuit dernière.

— Ce sera dur pour lui. Il tient à vous,

— Je ne suis pas la femme qu'il lui faut. Je ne veux pas de lui. Je vous en prie, sortez !

— Je vais le muter à New York, dit-il tout à coup. De toutes façons, il ne se passe rien de suffisamment important ici. Quant à vous... voulez-vous venir travailler à New York ?

— Oh, de grâce, cessez de jouer au Père Noël.

Il la regarda dans les yeux :

— Maggie, je voudrais pouvoir me racheter pour cette nuit. Cela ne m'est pas arrivé depuis très longtemps. La dernière fois c'était à Philadelphie.

Elle le regarda fixement :

— Vous vous en souvenez ?

Il secoua la tête.

— Elle était partie quand je me suis réveillé. Je ne me rappelle qu'une chose : son rouge à lèvres orange.

— J'utilise du rouge à lèvres orange.

Ses yeux s'écarquillèrent, incrédules. Elle acquiesça tristement :

— C'est ainsi. J'étais reporter là-bas.

— Bon Dieu ! Vous me suivez donc à la trace ?

Elle sentit la colère et l'humiliation la gagner. D'instinct, elle le gifla.

Il sourit avec tristesse :

— Je crois que je l'ai mérité. Vous devez vraiment me détester, Maggie — toutes ces fois où nous avons été ensemble et dont je ne me suis jamais souvenu.

— Je ne vous déteste pas, dit-elle avec froideur. Je me déteste moi-même. Je déteste toutes les femmes qui agissent comme des idiotes sentimentales ou qui perdent le contrôle d'elles-mêmes. Je regrette de vous avoir frappé. Vous n'en êtes pas digne.

— Ne vous essayez pas à la dureté. Ce n'est pas dans votre nature.

— Comment pouvez-vous connaître ma nature ? Qu'est-ce que vous pouvez savoir à mon sujet ? Vous m'avez fait l'amour à deux reprises et vous ne vous le rappelez pas. Qui êtes-vous, pour pouvoir expliquer aux autres ce que je suis ? Qui êtes-vous ? Qu'êtes-vous ?

— Je ne sais pas, je ne sais vraiment pas.

Il tourna les talons et quitta l'appartement.

20

Quand Robin eut quitté l'appartement de Maggie, il s'arrêta à son hôtel et fila directement à l'aéroport.

New York était clair et doux. La température était relativement clémente : quatre ou cinq degrés au-dessus de zéro. L'aéroport d'Idlewild regorgeait de voyageurs heureux d'être en vacances.

Robin prit un taxi et arriva chez lui avant la cohue des poids lourds. Il se promit d'aller sans tarder à Los Angeles et d'y rester jusqu'au réveillon de Noël.

Il n'y avait pas de courrier important. L'appartement était en ordre. Il se sentait bizarrement déprimé. Il ouvrit une boîte de jus de tomate et demanda le numéro d'Ike Ryan. Amanda devait être sortie de l'hôpital à présent.

— Qu'est-ce que tu foutais ? C'est *maintenant* que tu appelles ?

Ike parlait d'une voix monocorde et étrangement indifférente.

— Comment ça va ? demanda Robin d'un ton jovial.

— « Ike, tu n'as qu'à m'appeler, si tu as besoin de moi », cita Ike sur un ton de dérision. Misère... je n'ai fait que ça t'appeler ! Je t'ai appelé deux jours durant !

— J'étais sur un bateau. Pourquoi ne m'as-tu pas laissé de message ?

Ike soupira :

— A quoi ça aurait-il servi ? Tu as loupé l'enterrement.

Robin espéra n'avoir pas bien entendu :

— Quel enterrement ?

— C'était dans tous les journaux. Ne me dis pas que tu n'es pas au courant ?

— Ike... nom de Dieu. Je débarque à l'instant à New York. Qu'est-ce qui s'est passé ?

La voix d'Ike était de plomb :

— On a enterré Amanda avant-hier.

— Mais il y a une semaine, tu disais qu'elle allait mieux.

— C'est ce que nous pensions. Le jour de sa mort... même ce matin-là, elle avait l'air en pleine forme. Je suis arrivé à l'hôpital vers onze heures. Elle était assise dans le lit — maquillée — dans une superbe chemise de nuit, elle envoyait des cartes de vœux. Le traitement agissait. Je comptais la ramener à la maison quelques jours plus tard. Tout à coup, elle a lâché son stylo et ses yeux se sont révulsés. J'ai couru à la porte, j'ai appelé les infirmières, les médecins. En quelques secondes, la pièce était bourrée de monde. Le docteur lui a fait une piqûre, elle est retombée en arrière, endormie. Je suis resté assis près d'elle pendant trois heures, attendant qu'elle ouvre les yeux. Elle m'a vu, m'a souri faiblement. Je l'ai prise dans mes bras et lui ai dit que tout irait bien. Alors, elle m'a regardé, ses yeux se sont révulsés à nouveau et elle a dit : « Ike, je sais, je sais ! »

Ike s'interrompit.

— Je sais quoi, Ike ? demanda Robin.

— Oh, bon Dieu, comment le deviner ? Je pense qu'elle voulait me dire qu'elle savait qu'elle allait mourir. J'ai sonné l'infirmière. Elle est venue avec l'aiguille, mais Amanda l'a repoussée. Elle s'accrochait à moi, comme si elle comprenait qu'il lui restait peu de temps. Elle m'a regardé et m'a dit : « Robin, prends soin de Slugger, je t'en prie, Robin. » Puis elle a perdu connaissance. L'infirmière m'a dit : « Elle ne savait plus ce qu'elle disait. Elle se croyait autrefois. » Elle s'est réveillée une heure plus tard, avec son beau sourire sur le visage. Elle a pris ma main. Oh, Robin ! Je revois ces yeux épouvantés et immenses. Elle a dit : « Ike, je t'aime, toi. » Et puis elle a fermé les yeux et n'a pas repris connaissance. Elle est morte une heure après.

— Ike, ses derniers mots ont été pour toi. Ça devrait adoucir ta peine !

— Si elle avait dit : « Ike, je t'aime. » Point. C'était parfait. Mais elle ne l'a pas fait. Elle a dit « Je t'aime, je t'aime, toi. » Comme s'il lui fallait essayer de me convaincre que c'était moi qu'elle aimait et non pas toi. Ça donne encore un exemple de la délicatesse et du courage d'Amanda. Elle sentait que c'était la fin et elle voulait me laisser quelque chose de positif à quoi me raccrocher.

— Ike, ne te ronge pas les sangs pour ça. Elle ne savait pas ce qu'elle disait.

— Ouais... Dis, tu ne vois pas d'inconvénient à ce que je garde le chat ?

— Le chat ?

— Il te revient de droit. Puisque, consciente ou pas, elle t'a recommandé de prendre soin de Slugger. Et je respecterai ses volontés jusqu'au bout. Mais j'aimerais le garder... C'est comme s'il me restait quelque chose d'elle.

— Oh, de grâce ! Bien sûr qu'il t'appartient, ce chat.

— Je dors avec lui toutes les nuits. Il sent qu'il y a quelque chose de détraqué. Nous sommes comme deux âmes perdues.

— Ike, donne une soucoupe de lait au chat et couche avec une blonde.

— Avec ma veine habituelle, je tourne un film de guerre ! Il n'y a pas une seule pépée dedans. Rien que vingt bonshommes qui ressemblent tous à John Wayne. Enfin ! il faudra bien que ça aille ! Joyeux Noël, Robin.

— Merci. Toi idem, Ike !

Il raccrocha et se renversa en arrière dans son fauteuil. Amanda était morte... Il n'arrivait pas à y croire. Elle ne pouvait pas l'avoir aimé. Dans son chagrin, Ike déraillait. Pauvre garçon, quel abominable Noël il allait avoir ! L'approche de Noël n'était pas, pour lui non plus, une pensée réjouissante. Tout à coup, il éprouva un vif désir de passer la Noël avec quelqu'un qu'il aimait. Qui y avait-il ? Sa mère ? Sa sœur ? Kitty était à Rome, quant à Lisa... Il ne l'avait pas vue depuis une éternité. Il ne savait même pas à quoi ses enfants ressemblaient. Il appela San Francisco.

Lisa parut foncièrement surprise.

— Robin ! Je ne peux pas le croire. Toi, si tu m'appelles, c'est que tu vas te marier !

— Ma chère Lisa, dans une semaine, on fête Noël et, aussi bizarre que ça paraisse, il m'arrive de penser à ma famille. Surtout à cette époque-ci de l'année. Comment vont les enfants ? Et ce brave vieux « cheveux en brosse » ?

— Toujours coiffé à la brosse et pourtant l'époux le plus merveilleux du monde. Robin, je devrais être fâchée contre toi. Tu es venu je ne sais combien de fois à Los Angeles et tu ne nous a jamais passé un coup de fil. Il n'y a qu'une heure en avion. Kate et Dickie seraient ravis de te voir. Tu nous attrapes juste au moment où nous partions. Dans une heure, nous serons en route pour Palm Springs. Nous voilà devenus des enragés du tennis. Nous allons passer les vacances là-bas avec la famille de Dick. Quand est-ce qu'on te voit ?

— La prochaine fois que je vais à Los Angeles. Promis, juré. (Il se tut un instant.) Comment va Kitty la magnifique ?

Elle ne répondit pas aussitôt

— Robin, pourquoi l'appelles-tu toujours ainsi ? dit-elle enfin.

— Je ne sais pas. Peut-être depuis que le vieux est mort.

— Mon père, tu veux dire.

— Allons, Lisa : comment va Kitty ?

— Mais enfin, pourquoi t'obstines-tu à l'appeler Kitty ?

Il se mit à rire :

— D'accord. Qu'est-ce que maman fabrique ces temps-ci ? Tu aimes mieux ça ?

— Elle a été une bonne mère pour toi, Robin.

— Je ne dis pas le contraire, et je suis heureux qu'elle se paye du bon temps. Comment va-t-elle ?

— Pas trop fort. Elle a ce qu'on appelle des ennuis coronariens — de petites crises cardiaques. Elle est restée un mois en clinique. Elle va bien, mais le docteur lui a recommandé de ne pas se surmener. Elle doit toujours avoir sur elle des comprimés de trinitrine. Elle vient d'emménager dans une grande maison à Rome. Naturellement, elle en a encore un nouveau — vingt-deux ans, celui-là. Je crois que c'est une tapette. Elle dit qu'il lui fait la cuisine, qu'il est aux petits soins pour elle et qu'il l'adore. Elle lui verse une pension. Tu acceptes ça, toi ?

— Je trouve que c'est formidable. Qu'est-ce que tu voudrais. Qu'elle ait près d'elle un vieil arthritique qui ronchonne sans arrêt ? Je suis comme Kitty, j'aime la jeunesse et la beauté.

— Tu n'as jamais eu envie d'avoir des enfants et une maison à toi ?

— Oh que non ! et je vais te dire une chose. Je ne crois pas que Kitty la magnifique en ait eu envie, elle non plus. Elle nous a eus parce que ça s'est trouvé comme ça.

— Ne dis pas une chose pareille ! protesta-t-elle d'un ton vif

— Allons donc, Lisa ! Nous avons toujours eu une nurse, toi, du moins. Je me rappelle encore comment Kitty tremblait quand il fallait qu'elle te porte. Et je ne me souviens pas qu'elle m'ait jamais tenu dans ses bras quand j'étais petit. Je crois qu'on faisait juste partie du décor : un garçon et une fille, pour aller avec la maison.

— Elle adorait les enfants, s'écria Lisa. Elle désirait ardemment en avoir. Elle y avait presque renoncé, quand je suis venue au monde.

— Cela prouve le peu de place que je tenais ! fit-il d'un ton léger.

— Non. Tu te trompes. J'ai sept ans de moins que toi. Elle voulait avoir une maison pleine d'enfants. Elle a failli mourir en me mettant au monde et, après moi, elle a fait trois fausses couches.

— Comment se fait-il que je n'aie jamais rien su de tout cela ?

— Je n'en savais rien non plus. Ce n'est qu'un an après la mort de papa qu'elle est venue passer quelques jours chez nous. Il y avait trois mois que j'étais enceinte de Kate. Elle m'a dit : « N'en aie pas un seul, Lisa, ni même deux. Aie une maison pleine d'enfants. J'ai tant d'argent à vous laisser, à toi et à Robin. L'un et l'autre, vous pouvez vous permettre d'avoir plusieurs gosses. La vie n'a aucun intérêt, sans eux. » Alors, elle m'a raconté un tas de choses. Je voulais qu'elle reste vivre avec nous mais elle s'y est refusée catégoriquement. Elle m'a dit que j'avais mon mari et ma vie — et qu'il fallait qu'elle ait la sienne. Elle était résolue à vivre en Europe.

— Je crois que les filles sont plus près de leur mère, fit-il à mi-voix.

— Je n'ai pas d'opinion, mais je sais que les enfants, c'est important. Mère savait cela. Je voudrais bien que tu le comprennes aussi.

— Bon. Amusez-vous bien à Palm Springs et joyeux Noël.

— Toi aussi. Je suppose que tu vas te balader entouré d'un essaim de blondes. Repose-toi quand même et bonnes fêtes, Robin.

Elle raccrocha.

Il se passa la main dans les cheveux, perplexe. Il avait les vacances devant lui. L'idée d'une émission spéciale sur les soucoupes prenait forme dans son esprit, mais il savait que rien d'efficace ne pourrait être fait avant le premier janvier. Il fallait donc passer Noël. Il pouvait aller à Los Angeles et essayer de sortir Ike de son coup de bourdon, mais l'idée d'être assis à ressasser les complexes de frustration d'Ike au sujet d'Amanda lui ôtait tout courage.

Il appela un mannequin auquel il avait donné rendez-vous. Elle était partie en Virginie pour les vacances. Il essaya une hôtesse de l'air. Elle s'envolait deux heures plus tard mais sa copine de chambre était libre. Il s'arrangea pour la rencontrer au Lancer. C'était une mignonne, fraîche et charmante. Ils prirent quelques verres ensemble. Il s'en tint à la bière. Il lui offrit un steak. Elle l'aurait volontiers accompagné chez lui mais il la déposa à sa porte. Il fit une longue marche à pied, regarda *Music-Hall de Nuit* et s'endormit. Il se réveilla à quatre heures du matin. Il était baigné de sueur et, bien qu'il fût incapable de s'en souvenir, il eut l'impression d'avoir fait un cauchemar. Il alluma une cigarette. Quatre heures du matin ici, cela faisait dix heures à Rome. Plus il y pensait, plus cette idée s'imposait à lui.

Il composa le numéro. La voix qui répondit était masculine et parlait un anglais très distingué.

— Madame Stone, s'il vous plaît ! demanda Robin.

— Je suis désolé, mais elle dort. Voulez-vous lui laisser un message ?

— Qui êtes-vous ?

— Puis-je à mon tour vous poser la même question ?

— Je suis son fils ; Robin Stone. Maintenant vous allez peut-être vous décider à me dire qui vous êtes ?

— Oh ! (La voix devint chaleureuse.) J'ai beaucoup entendu parler de vous. Je suis Sergio, un excellent ami de Mme Stone.

— Ecoutez, excellent ami. Je saute dans le premier avion pour Rome. J'ai l'intention de passer Noël avec ma mère. Comment se sent-elle ?

— Elle va très bien. Mais elle se sentira encore mieux quand elle apprendra cette nouvelle.

Robin garda un peu de froideur dans la voix. Il avait là un exemple du charme que ces gigolos peuvent déployer. Comment s'étonner que tant de femmes s'y laissent prendre ? Ce charme agissait directement même au téléphone.

— Ecoutez, excellent ami. Vous pouvez me faire faire l'économie d'un câble, si vous me réservez une chambre à l'Excelsior.

— Je ne comprends pas.

— A l'Excelsior. Le grand hôtel de la Via Veneto.

— Je connais bien l'hôtel. Mais pourquoi iriez-vous là-bas ? Votre mère a un très grand *palazzo* de dix chambres. Elle serait foncièrement blessée de voir que vous ne séjournez pas avec elle.

— Dix chambres !

— C'est une jolie villa où elle peut se reposer parfaitement.

Robin pensa à part lui : « Et où le jeune Sergio a toute licence de recevoir ses petits copains, je parie ! » Mais il se tut. Sergio reprit :

— Si vous télégraphiez l'heure de votre arrivée, j'irai vous chercher.

— Ce n'est pas nécessaire.

— Mais je le ferai avec plaisir.

— Très bien, mon pote. Vrai, vous ne volez pas l'argent que vous gagnez.

— J'attends avec impatience de vous voir.

L'avion atterrit à onze heures du soir. Heure romaine. Robin fut subitement heureux de la différence d'heure. Il allait pouvoir dire bonsoir à Kitty et se mettre au lit sitôt après. Il aurait préféré séjourner à l'hôtel. Il n'aimait pas être invité, même dans la maison de sa mère. Après tout, un *palazzo* à Rome avec Sergio n'avait guère de commune mesure avec la bâtisse incohérente de pierre brune que lui et Lisa avaient partagée avec Kitty à Boston. Et il était certain que Sergio ne ressemblait en rien à son père.

Il vit le beau jeune homme en pantalon de daim au moment où il sortait de l'avion. Quand Robin passa les portes, il se précipita au devant de lui et voulut lui prendre son bagage à main.

Robin l'en dissuada :

— Jeune homme, je ne suis pas encore décrépit.

— Je m'appelle Sergio. Me permettez-vous de vous appeler Robin ?

— Pourquoi pas ?

Ils marchèrent vers l'arrivée des bagages. Le jeune garçon était d'une beauté exceptionnelle, il avait meilleure allure que bien des jeunes premiers de cinéma. Bien que sa démarche fût souple et légère, il ne jouait pas des hanches. Il avait pour lui plus que la beauté et l'accent, des manières agréables, vives et enthousiastes, sans pourtant rien de servile. Ce petit salaud se comportait comme s'il était vraiment content de faire sa connaissance. Et il se débrouillait comme un dieu, avec les bagages. Ce qu'il baragouinait en italien se révéla à coup sûr efficace. L'immigration estampilla son passeport, et tandis que tous les voyageurs se pressaient pour trouver leurs valises, Sergio se contenta de déplier quelques lires et en moins d'une minute un porteur courbé par l'âge apporta les sacs de Robin et les entassa dans une longue Jaguar rouge. Robin demeura silencieux tandis qu'ils fonçaient le long d'une avenue moderne qui conduisait à la ville.

— Belle bagnole ! dit-il finalement.

— Elle appartient à votre mère.

— Je suis sûr qu'elle fait de la vitesse avec tous les jours, ironisa-t-il.

— Non. C'est moi qui conduis. Elle avait une grande Rolls avec un chauffeur. (Sergio leva les yeux au ciel.) Il était en cheville avec les stations-service. Il carottait beaucoup d'argent à votre mère. Maintenant, c'est moi qui m'occupe de la voiture.

— Et vous avez trouvé une station-service à bas prix.

— A bas prix ?

— Oublions cela, Sergio. Comment va ma mère ?

— Je crois qu'elle est mieux qu'elle n'a été depuis longtemps. Et votre venue la rend vraiment très heureuse. Nous nous proposons de donner une fête à Noël en votre honneur. Votre mère aime les réceptions et je pense que c'est bon pour elle. Cela l'oblige à se vêtir avec goût. Et quand une femme s'habille et paraît belle, elle se sent bien.

Robin se cala sur son siège et regarda Sergio naviguer entre les petites voitures bruyantes dans la circulation dense du centre de la ville. Ils parvinrent peu à peu dans une aire moins congestionnée et prirent la direction de la Via Appia. Sergio s'engagea dans une majestueuse allée bordée d'arbres. Robin émit un sifflement.

— C'est le palais d'été de Néron ! A combien se monte le loyer de cette maison ?

— Il n'y a pas de loyer, dit Sergio. Kitty l'a achetée. Elle est jolie, hein ?

Kitty l'attendait dans le grand vestibule en marbre. Robin l'embrassa avec douceur. Elle lui parut plus petite que le souvenir qu'il en avait, mais son visage était lisse et sans rides. A première vue, droite, dans son pyjama de velours rouge, elle paraissait trente ans. Elle le conduisit dans un salon immense. Le sol était de marbre rose et des fresques soulignaient la hauteur imposante des murs. Sergio s'éclipsa et Kitty conduisit Robin jusqu'au canapé.

— Oh, Robin, quel bonheur de te voir !

Il la considéra avec tendresse. Tout à coup il se sentit très heureux de l'avoir pour mère. Il vit les taches de vieillesse sur ses mains qui contrastaient de façon incongrue avec le visage jeune, sans une ride. Et pourtant, assise là avec lui, elle lui parut soudain être une petite vieille. Son corps paraissait s'affaisser — même le visage lisse avait l'air vieux.

Et puis Sergio entra et il fut témoin d'une étonnante transformation. Kitty se redressa. Son corps devint vibrant — elle grandit de plusieurs centimètres, elle eut un sourire jeune — elle *était* jeune en acceptant le verre de champagne que Sergio lui offrait.

— Je vous ai préparé une vodka-martini glacée, dit Sergio. Kitty m'a dit que c'est ce que vous buviez. L'ai-je dosée correctement ?

Robin but une longue gorgée. C'était incroyable. Ce petit salaud préparait mieux le martini que le barman du Lancer. Sergio disparut à nouveau et Kitty prit les deux mains de Robin.

— Je suis un peu fatiguée mais demain nous parlerons de tout. Oh ! Sergio, tu es gentil !

Le jeune homme était revenu avec un plateau de langouste froide.

Robin en prit un morceau qu'il trempa dans un peu de sauce. Il se rendit compte tout à coup qu'il avait faim. Les talents de Sergio étaient innombrables. Il regardait le jeune homme, droit comme un I, près de la cheminée et se demandait ce qui pouvait dévoyer un garçon qui avait tout pour lui. Si c'était l'argent, les jeunes héritières italiennes qui iraient volontiers avec un type aussi beau ne manquaient pas. Pourquoi se lier avec une vieille femme ? La facilité : la moindre petite faveur allait au cœur d'une femme âgée. Sa reconnaissance pouvait aller jusqu'à le laisser avoir un petit ami occasionnel à côté de lui.

— Tu as appelé juste à temps, disait Kitty. Nous avions déjà nos billets d'avion pour la Suisse. J'avais promis à Sergio dix jours de ski.

Le visage de Robin laissait voir sa consternation :

— Pourquoi ne pas m'avoir dit que j'interrompais un projet ?

Elle leva la main :

— Ça n'a guère d'importance pour moi. Dieu sait que je ne skie pas. Le pauvre Sergio se réjouissait à l'idée de ce voyage. Mais c'est lui qui a décidé d'y renoncer. Quand je me suis réveillée, il m'a annoncé que tu venais et qu'il avait déjà annulé notre réservation auprès de l'agence.

Robin regarda Sergio. Le jeune homme haussa les épaules ;

— Je crois que l'air de là-bas est peut-être trop vif pour Kitty. Avec son cœur, il vaut mieux qu'elle n'aille pas dans les Alpes.

— Enfantillages ! Le docteur a donné son accord, protesta Kitty. Mais c'est beaucoup plus gentil comme ça. Nous voilà tous ensemble. Et — Sergio te l'a peut-être annoncé — nous allons donner une grande réception le jour de Noël. Je suis en train de dresser ma liste d'invités. Beaucoup se sont absentés pour les fêtes, mais tous les malheureux qui sont tenus de rester à Rome viendront. Et Robin, nous te gardons jusqu'après le Nouvel An. Après tout, nous avons renoncé aux Alpes pour toi, tu n'auras pas le front de t'échapper.

— Mais si je ne séjournais que quelques jours ici, vous pourriez encore aller en Suisse.

— Non. Nous n'obtiendrions plus de place maintenant. Déjà, il nous a fallu les retenir des mois à l'avance. Te voilà obligé de rester.

Kitty posa son verre.

— Il est l'heure pour moi d'aller au lit. (Robin se leva mais elle

233

agita la main.) Non, non, finis ton verre. Il est tard pour *moi*, mon chéri, mais toi qui es encore à l'heure américaine, tu ne peux pas avoir sommeil. (Elle mit sur sa joue un baiser léger. Sergio s'approcha et lui prit le bras. Elle le regarda avec douceur.) Quel garçon adorable, Robin ! Il m'a rendue très heureuse. Il pourrait être mon fils. (Elle se tourna vers lui tout à coup.) Quel âge as-tu, Robin ?

— J'ai doublé les vingt en août dernier.

— Quarante ans ! (Elle sourit.) Comme ça paraît jeune soudain. Mais pour un homme qui n'est toujours pas marié, ce n'est pas la prime jeunesse. (Elle l'interrogeait du regard.)

— C'est que je n'arrive pas à en trouver une qui ait ta séduction.

Elle hocha la tête :

— N'attends pas trop longtemps ! Les enfants, c'est très important.

— Assurément, approuva-t-il perfidement. C'est pourquoi tu as besoin de Sergio. Nous sommes vraiment un grand réconfort pour toi, Lisa et moi.

— Robin, une mère n'aime vraiment ses enfants que si elle les aime assez pour les laisser partir. Si j'ai eu des enfants, ce n'était pas pour me constituer une rente contre la solitude sur mes vieux jours. Ils ont fait partie de ma jeunesse, un trésor merveilleux que j'ai eu avec votre père. Maintenant il faut qu'ils aient à leur tour leur jeunesse et leurs enfants. (Elle soupira.) Toutes ces années, ce sont vraiment les années heureuses d'une vie. Je m'en aperçois maintenant en regardant en arrière. Ne passe pas à côté de cela, Robin.

Puis elle quitta la pièce avec Sergio. Il la regarda disparaître en haut de l'escalier.

Il se versa une lampée de vodka. Il se sentait fatigué mais n'avait guère envie de se coucher. Il n'avait rien à lire... et cette étrange et nouvelle sensation de solitude persistait. Son regard suivit la spirale de l'escalier. Est-ce que Kitty et Sergio faisaient l'amour ? Il frissonna. La nuit était douce mais fraîche. Il fit quelques pas en direction de la cheminée. C'était peut-être tout ce marbre. Il frissonna encore.

— J'ai fait du feu dans votre chambre.

Il se retourna. Sergio se tenait debout au pied de l'escalier.

— Je ne vous ai pas entendu, dit Robin. Vous vous déplacez sur des pattes de velours.

— Je porte intentionnellement des semelles caoutchoutées. Souvent Kitty fait un petit somme et je ne veux pas que le bruit de mes pas la dérange.

Robin retourna au divan. Sergio vint s'asseoir à côté de lui. Robin s'écarta et regarda le jeune homme.

— Ecoutez, Sergio, entendons-nous bien au départ. Prenez votre plaisir avec ma mère ou avec des garçons, mais ne vous faites pas d'idées sur mon compte.

— Quarante ans, c'est tard pour n'être pas marié.

Robin rit sans joie :

— Vous avez de l'idée. Mais vous tombez à côté. J'aime les filles, mon vieux. Je les aime tant que je n'arrive pas à m'établir avec une seule. (Le regard attentif et humide de ces yeux bruns foncés l'agaça.) Pourquoi n'êtes-vous donc pas au lit avec Kitty la magnifique ? Vous êtes payé pour ça !

— Je suis avec elle parce que je l'aime.

— Ouais. Je l'aime aussi. Mais je l'ai quittée quand j'avais votre âge et elle était beaucoup plus jeune et plus jolie.

Sergio sourit :

— Mais elle n'est pas ma mère. Il y a de l'amour entre nous, mais pas celui auquel vous pensez. Votre mère n'a pas besoin d'amour physique, elle a besoin d'affection, d'avoir quelqu'un auprès d'elle. Je tiens à elle. Je serai toujours bon avec elle.

— Entendu, Sergy, approuva Robin d'une voix chaude.

Il reconsidérait l'opinion qu'il s'était faite sur ce garçon. Il ne lui en voulait plus. Aussi fou que cela parût, il pensait même que Kitty avait de la chance. Il sentit monter en lui une bouffée de reconnaissance envers Sergio.

— Parlez-moi de votre travail aux Etats-Unis, demanda ce dernier.

— Il n'y a rien à en dire. Je suis dans les actualités télévisées.

— Vous ne l'aimez pas ?

Robin haussa les épaules :

— Ça peut aller. C'est un boulot, quoi.

Robin se versa un peu de vodka. Le jeune homme bondit de son siège et lui apporta le seau à glace.

— Tout le monde est obligé de travailler, dit lentement Robin.

— Nous sommes un pays catholique où le divorce n'existe pas. Les pauvres gens ont des bambinos. Ils sont obligés d'avoir un emploi et de travailler dur, même à des boulots qui leur déplaisent. Mais ici l'homme riche n'a pas seulement un boulot. Il travaille dans une affaire de son choix. Il profite de l'existence. Tous les bureaux, toutes les boutiques, ferment chaque jour de midi à trois heures. Ici, un homme fortuné profite de la vie. A déjeuner, il va voir sa maîtresse. Son repas se prolonge. Il boit du vin. Fait l'amour. Le soir, il rentre auprès de sa femme et il se détend à nouveau. Vous autres, Américains, vous prenez des boulots qui ne vous intéressent pas. Dites-moi, buvez-vous seulement du vin à votre déjeuner ?

Robin éclata de rire :

— L'idée ne m'en viendrait pas.

— Pourquoi ? Votre mère va vous laisser une fortune considérable. Quel besoin avez-vous donc de travailler si dur si cela ne représente rien d'autre pour vous ?

— Je ne travaille pas dur à ce point-là. On en met un coup, bien sûr. Mais aussi — que ce soient nos maîtresses ou nos mères, nous n'attendons pas des femmes qu'elles nous entretiennent.

Robin guettait la réaction mais l'insinuation glissa, sans atteindre son but. A aucun moment l'expression de Sergio ne changea.

— Allez-vous travailler à ces actualités toute votre vie ? (Il posait la question avec un intérêt véritable.)

— Certainement pas. Un jour, je partirai, pour écrire un livre.

Le regard de Sergio s'illumina :

— Je lis toute la journée. Kitty m'aide à terminer mon éducation. J'en ai eu si peu. Je lis *Le Profil de l'Histoire* de Wells. Ecrivez-vous dans le même style que M. Wells ?

— J'écris dans mon style — ce qui est la seule façon possible —

bonne ou mauvaise. L'ennui, c'est que je dois intercaler ça entre des heures impossibles.

— Vous devriez, à mon avis, lâcher votre travail et venir vivre avec nous. Ici vous pourriez écrire, et nous serions parfaitement heureux tous ensemble. Je vous en prie, cela ferait un tel plaisir à Kitty, et moi, j'en serais enchanté.

Robin sourit :

— J'ai dépassé l'âge de partager votre chambre, mon ami.

— Oh ! mais vous auriez votre chambre ! On bloquerait même plusieurs pièces communicantes pour vous. Et, aux vacances, vous pourriez skier avec moi. Je vous en supplie, Robin.

— Sergio, la dernière fois que quelqu'un m'a regardé de cette façon, nous nous sommes mis au lit pour trois jours. La seule différence, c'est que c'était une fille. Alors arrêtez !

— Ça se voit donc ?

— Vous parlez si ça se voit !

— Ça vous ennuie ?

— Si vous voulez que je reste, arrêtez !

Sergio soupira :

— Je comprends. Mais vous êtes tout ce que je rêve de trouver dans un homme. Je n'y peux rien. Pas plus qu'une fille n'y peut quelque chose quand elle vous voit. Seulement, si une fille vous regarde de cette façon, vous ne la haïssez pas. Je vous regarde, moi, du fond du cœur. Je ne suis pas maître de mes émotions. Mais ne vous inquiétez pas. (Il lui tendit la main.) Serrons-nous la main, Robin, soyons amis.

Robin fut surpris par la fermeté de l'étreinte de Sergio :

— Marché conclu !

Il posa son verre et se dirigea vers l'escalier :

— A propos, où dormez-vous, l'ami ?

— Au bout du couloir. Juste à côté de la chambre de votre mère. (Le ricanement de Robin s'arrêta court. Il y avait de la gravité dans les yeux de Sergio.) Elle a le cœur fragile. Je dois être à proximité pour qu'elle puisse m'appeler.

— Bonne nuit, Sergio. Vous avez gagné.

Sergio sourit et alla à la cheminée :

— Je vais éteindre le feu. Les domestiques arrivent à sept heures. J'ai laissé sur votre table de nuit un thermos de café chaud, au cas où vous vous réveilleriez plus tôt.

Robin se mit à rire en gravissant les premières marches de l'escalier :

— Heureusement que vous êtes seul de votre espèce, Sergio. S'il y en avait beaucoup comme vous, les filles chômeraient.

Kitty passa les jours qui suivirent plongée dans les préparatifs compliqués de Noël. Il fallait acheter des provisions, du vin, des guirlandes de Noël, un arbre. Chaque jour, elle donnait à Robin et à Sergio une liste et les envoyait faire les achats comme deux enfants. Robin, détendu, se donnait à fond à cette activité. Sergio conduisait la voiture et connaissait toutes les bonnes boutiques. Souvent ils étaient obligés de s'arrêter et de déjeuner longuement en attendant que les magasins rouvrent. Robin se surprit à aimer cette indépendance à l'égard du temps. Il lui arriva même de boire du vin. Ses relations avec Sergio devenaient aisées. Le jeune homme était doux et bon. Il se mit à ressentir envers lui une affection paternelle.

Sergio posait sur les Etats-Unis des questions véhémentes. Il s'intéressait à New York, à Chicago, mais c'était Hollywood qui paraissait l'hypnotiser. Il avait dévoré les magazines de cinéma. Les maisons avec plage et les demeures extravagantes l'étonnaient.

— A Rome, il n'y a que trois ou quatre personnes qui vivent aussi magnifiquement. A Hollywood, tout le monde a sa piscine. Ce serait une vie merveilleuse. Ici, je n'ai aucune chance de faire du cinéma, il y a tant de jeunes gens qui me ressemblent — mais à Hollywood, ce serait différent.

— Vous savez jouer ? interrogea Robin.

— Vous pensez que c'est nécessaire pour faire du cinéma ? (Son regard était chargé d'innocence.) J'ai entendu dire que ça se fait par petits bouts et que le metteur en scène vous indique ce qu'il faut faire.

— Eh bien, ce n'est pas tout à fait aussi simple que ça. Vous pouvez étudier l'art dramatique. Kitty n'y verrait pas d'inconvénient.

Sergio haussa les épaules :

— Ce n'est qu'un rêve. Je suis heureux avec Kitty. Et ces jours-ci, Robin, auront été les plus heureux de ma vie.

La veille de Noël, Sergio l'entraîna chez un joaillier de la Via Sistina. Le propriétaire de la boutique, un gros homme chauve, se mit à trembler d'excitation à la vue de Sergio :

— Sergio, vous voilà revenu.

— Je veux voir le miroir, fit Sergio avec froideur.

— Mais oui, méchant garçon. Je vous ai dit qu'il était à vous, si vous le désiriez.

Il prit un écrin et en sortit un ravissant petit miroir florentin que Sergio contempla, plein d'admiration.

— Qu'est-ce que c'est ? demanda Robin.

Il se sentait mal à l'aise. Le propriétaire de la boutique fixait avec convoitise Sergio qui demeurait insensible et impénétrable.

— Kitty l'a admiré, expliqua Sergio. Elle l'a vu il y a un mois. C'est un miroir pour son sac. J'ai essayé d'économiser mais je n'ai que la moitié de la somme.

— Sergio, intervint l'homme d'une voix doucereuse, je vous l'ai dit. Vous payez ce que vous pouvez. Le reste est un cadeau que je vous fais.

Sergio ne lui prêta pas attention. Il tira de sa poche quelques billets chiffonnés :

— Robin, j'ai besoin de... voyons... vingt dollars américains. Pouvons-nous ensemble faire ce présent à Kitty ?

Robin acquiesça. Il tendit l'argent au propriétaire. Avec un haussement d'épaules qui marquait sa déception, le gros homme disparut pour envelopper le cadeau. Robin fit le tour de la boutique, en regardant les bijoux exposés. Sergio le suivait :

— Il a de très jolies choses. C'est un collectionneur.

— Il semblerait qu'il ne collectionne pas que les bijoux.

Les yeux de Sergio s'emplirent d'une tristesse comique :

— Il est renommé pour ses cadeaux aux jeunes garçons.

Robin partit à rire :

— Sergio, à la façon dont il vous a regardé, c'est dans la poche.
Exigez le mariage !

— Je ne l'avais jamais vu avant d'entrer ici pour demander le prix du
miroir. Il me l'a offert pour rien si je...

— Pourquoi pas, Sergy ? Il n'est pas beaucoup plus âgé que Kitty.

— Il faudrait que je couche avec lui.

— Et alors ?

— Je ne couche qu'avec une personne qui m'attire.

Robin s'éloigna de quelques pas. Ce garçon donnait à l'homosexualité
une forme étonnante de dignité. Sergio le suivit :

— C'est vrai, Robin. Je n'ai eu que très peu d'amis. Et personne depuis
que mon dernier ami est tombé malade.

— Et dans combien de temps allez-vous quitter Kitty pour un autre
ami ?

— Je ne la quitterai pas. Ce n'est pas facile pour moi. Les hommes
que je pourrais aimer aiment les femmes. Je ne veux pas m'embarquer
avec un homme uniquement parce qu'il est homosexuel. Je préfère rester
avec Kitty.

— Restez avec elle, Sergio. Je vous promets que si elle disparaissait,
je veillerais à ce qu'une pension à vie vous soit assurée.

Sergio haussa les épaules :

— L'argent n'est pas tout pour moi. (Il s'interrompit.) Mais m'offririez-
vous un cadeau de Noël pour que j'aie un souvenir de vous ?

Ils se trouvaient près d'un plateau où des montres-bracelets d'homme
ornées de diamants étaient exposées. Une lueur de méfiance monta aux
yeux de Robin :

— D'accord, mon pote. Qu'est-ce qui attire ces grands yeux noirs ?

— Là-bas. (Sergio conduisit Robin vers une vitrine qui présentait des
bracelets d'esclave en or.) J'en ai toujours désiré un.

Robin se retint de sourire. Ces bracelets coûtaient tout au plus dix-
huit dollars. Il fit un geste de la main.

— Choisissez !

Le jeune homme montra un enthousiasme puéril. Il prit finalement le
moins coûteux. Des maillons d'or avec une plaque d'identité.

— Est-ce que je peux faire graver mon nom dessus ? Cela entraînera
un supplément.

Robin sourit :

— Pendant que vous y êtes, allez jusqu'au bout. Et mettez dessus
ce que vous voulez.

Sergio battit des mains. Tandis qu'il parlait dans un italien véhément
au propriétaire de la boutique, Robin allait d'une vitrine à l'autre. Soudain
son attention fut attirée par une panthère en émail noir dont les yeux
de pierre verte regardaient hors de l'écrin. Il fit signe au vendeur.

— Combien ?

— Quatre mille.

— Lires ?

— Dollars.

— Pour ça ?

Le jeune vendeur la disposa aussitôt sur un morceau de velours
blanc :

— C'est la broche la plus belle qu'il y ait à Rome. Un maharadja l'a fait faire. Elle a trois cents ans. Les émeraudes des yeux n'ont pas de prix. Vous n'aurez pas à payer de droits de douane là-dessus, c'est une antiquité.

Robin examina la panthère. Les pierreries des yeux étaient exactement de la couleur de... Il se détourna. Puis se ravisant très vite, il dit à l'homme de l'empaqueter. Ma foi ! Pourquoi pas ? Il devait bien quelque chose à Maggie, après cette nuit-là. Tandis qu'il libellait le traveller's check, il lui apparut que jamais il n'avait payé une telle somme pour quoi que ce fût. Et pourtant, il se sentait réconforté. Il mit la boîte dans sa poche. Puis il alla rechercher Sergio qui refusait de partir tant qu'il n'aurait pas l'assurance écrite que la gravure sur le bracelet serait prête le jour même, à l'heure de la fermeture.

Robin ne pouvait pas se rappeler un réveillon de Noël plus agréable. L'âtre pétillait, l'arbre atteignait le plafond — ils avaient même fait éclater des grains de maïs pour en décorer le sapin. A minuit, ils avaient ouvert les cadeaux. Kitty avait offert aux deux garçons, Robin et Sergio, des boutons de manchettes en diamant. Robin avait été à la fois gêné et touché par la petite médaille en or de saint Christophe que Sergio lui offrait :

— Elle est bénie, expliqua celui-ci. C'est que vous voyagez tant.

Kitty fut enchantée de son cadeau. Elle leur porta un toast à tous les deux avec du champagne, et tout au long de la soirée Sergio contempla le nouveau bracelet qui brillait à son poignet.

Le lendemain la villa fut submergée d'invités. Robin but beaucoup et termina la nuit dans un appartement qui donnait sur les jardins du Palais Borghèse avec une belle Yougoslave dont le mari était en Espagne pour ses affaires. Ils passèrent l'après-midi du lendemain à faire l'amour. Il revint au *palazzo* de Kitty épuisé, mais très satisfait.

La semaine passa vite.

Sergio le conduisit à l'aéroport.

— Appelez-moi si elle ne se sent pas bien, insista Robin. Et faites-lui faire des analyses. Elle ne vous le dira pas, si elle se sent mal, elle ne veut pas se comporter en vieille dame — mais appelez le médecin au moindre doute.

— Faites-moi confiance, Robin. (Ils avançaient vers la barrière. Les bagages de Robin étaient enregistrés, le vol annoncé.) Robin, peut-être devriez-vous aussi voir un médecin.

— Moi, je suis fort comme un bœuf.

— Il y a autre chose.

Robin s'arrêta soudain :

— Où voulez-vous en venir ?

— Quelque chose vous tracasse. Deux nuits de suite vous avez crié en dormant. La nuit dernière, j'ai couru à votre chambre...

— Qu'est-ce que je disais ?

— Vous vous débattiez dans votre lit. Vous dormiez mais vous aviez une expression désespérée et vous vous accrochiez à l'oreiller en criant : « Ne me quitte pas ! Je t'en supplie ! »

— Trop de vodka, dit Robin.

Il lui serra la main et monta dans l'avion. Mais il y pensa, pendant le voyage de retour. Il y pensait encore en montrant la broche à la douane où il dut payer une taxe astronomique. Si jamais il revoyait le salaud de la Via Sistina qui lui avait affirmé *pas de droits de douane* ! Et il continua d'y penser dans le taxi qui l'emmenait chez lui. Quelque chose clochait dans cette affaire. Au meilleur de ses relations avec Amanda, jamais il ne lui avait offert un cadeau d'un tel prix. Et voilà qu'il se retrouvait avec une babiole de quatre mille dollars pour une fille qui ne le faisait bander que quand il était saoul. Peut-être avait-il un sentiment de culpabilité, mais quatre mille dollars plus la taxe, c'était cher payer une nuit. Une nuit qu'il n'arrivait même pas à se rappeler.

21

Robin passa à l'action dès son retour à New York. Il enjoignit au service juridique de rédiger un contrat pour Andy Parino. Il le lui envoya avec un petit mot lui confirmant son offre d'engagement à New York. Il expédia aussi à Maggie la panthère aux yeux d'émeraude avec ces quelques mots : « Un Joyeux Noël tardif — Robin. » Trois jours plus tard Andy l'appela au téléphone pour accepter son offre avec enthousiasme.

— Tu es sûr de ne rien regretter là-bas ? demanda Robin.

— Sûr et certain. Entre Maggie et moi, c'est d'ailleurs complètement liquidé.

— Dommage.

— Non, c'était pas dans nos horoscopes. Elle est... Ma foi, elle est trop compliquée pour moi. En ce moment elle est en train de répéter, elle n'a que ça en tête. Un agent de Hollywood veut l'engager pour une pièce. Il me faut une fille pour qui je compte plus qu'Eugène O'Neill.

— Bon. Je t'affecterai au service des Informations où tu retrouveras Jim Bolt. Tu pourras aussi assister à l'enregistrement d'un ou deux *En Profondeur* pour te mettre dans le bain. Dans un mois ou à peu près, tu essaieras d'en faire un. J'espère te passer cette émission la saison prochaine et moi je m'occuperai de quelque chose de nouveau.

— J'ai revu tous tes ampex et je les ai étudiés. Je ne sais pas s'il me sera tellement facile de chausser tes souliers.

— Fais à ton idée... et ça marchera.

— Merci pour ton vote de confiance. Je ferai de mon mieux !

A la fin de la semaine Robin avait rattrapé tout le travail en retard et terminé le découpage de son prochain *En Profondeur*. Il jeta un coup d'œil à son carnet de rendez-vous : son après-midi était libre. Il ouvrit le tiroir fermé à clé de son bureau et en tira son manuscrit. Voilà des années, lui semblait-il, qu'il ne s'en était plus occupé. Eh bien, ce soir-là, il l'emporterait chez lui, se passerait de vodka et y travaillerait. Depuis son retour, il n'était pas allé une seule fois au Lancer.

Sa secrétaire entra avec un paquet dont il dut signer le reçu. Il griffonna une signature et considéra l'emballage de papier marron, les nombreux timbres, et constata qu'il s'agissait d'un envoi en valeur déclarée. Il l'ouvrit et y trouva la panthère en émail noir dans son écrin italien en cuir. Un billet dactylographié l'accompagnait : « Je n'accepte de cadeaux que de mes amis. »

Il déchira le billet et mit l'écrin dans un petit coffre encastré dans le mur où il conservait ses contrats et ses papiers personnels.

Il rangea le manuscrit dans le tiroir et quitta son bureau. En le voyant arriver, Carmen, la barmaid du Lancer, l'accueillit avec de grandes démonstrations d'amitié :

— Monsieur Stone ! Voilà si longtemps qu'on ne vous a vu ! Comme d'habitude ?

— Mais un double pour fêter mon retour, répliqua Robin.

Il but rapidement et commanda un autre verre. La soirée s'annonçait bien ! Il commençait à prendre les nuits en horreur. Il rêvait pendant son sommeil. Il le savait, mais ne se rappelait jamais ses rêves. A plusieurs reprises il s'était réveillé en sueur. Il était surtout agacé de ne pas se rappeler ce qu'il avait rêvé à Rome. Pourtant, Sergio lui avait dit l'avoir entendu crier dans son sommeil deux nuits de suite. Il but le second verre et en commanda un troisième. Que Maggie lui eût renvoyé la broche l'obsédait. Mais pourquoi s'en souciait-il tant ? Elle ne comptait guère pour lui. Il ne comprenait plus grand-chose à rien ces derniers temps. Sergio avait peut-être eu raison en disant qu'il ne tournait plus rond.

Il descendit de son tabouret, traversa la salle du bar, ouvrit l'annuaire du téléphone. Pourquoi pas, après tout ? Ne serait-ce que pour mettre fin aux rêves, il pouvait bien s'offrir une visite chez le psychiatre. Il feuilleta l'annuaire. Bien sûr il y avait tout un tas de Gold, plusieurs colonnes, mais vraisemblablement il ne devait y avoir qu'un Archibald Gold. Robin le trouva avec son adresse : Park Avenue. Il hésita un instant, puis forma le numéro. Le docteur Archie Gold décrocha à la seconde sonnerie.

— Robin Stone à l'appareil.

— Oui.

— Je voudrais vous voir.

— A titre professionnel ou personnel ?

Un instant de silence, puis Robin répondit :

— Professionnel, sans doute.

— Pouvez-vous me rappeler à six heures ? J'ai un client dans mon cabinet.

Robin raccrocha et retourna au bar. Il finit son troisième verre puis, à six heures précises, il rappela Archie.

— Alors, Doc ? Quand puis-je vous voir ?

Il entendit un bruit de feuillets et comprit que le médecin consultait son livre de rendez-vous.

— J'ai quelques heures creuses, dit Archie. Plusieurs de mes clients sont allés passer l'hiver dans le Sud. Que diriez-vous de lundi prochain ? Je pourrais vous recevoir à dix heures. Nous commencerions par trois séances par semaine.

Robin éclata d'un rire creux :

— Je n'ai pas besoin du grand jeu. Un entretien suffira. En fait, je voudrais vous parler d'un problème bien défini. Venez donc prendre un verre au Lancer. Je paie la boisson et la visite comme si j'allais vous voir à votre cabinet.

— Je ne travaille pas dans les bistrots.

— Moi, je parle mieux en buvant.

— J'écoute mieux dans mon cabinet.

— Alors, tant pis. Oubliez-moi.

— Navré. Si vous changez d'avis, vous connaissez mon numéro de téléphone.

— A quelle heure votre dernier rendez-vous ce soir ?

— Mon dernier client doit arriver dans un instant.

— Alors vous serez libre à sept heures.

— Oui, pour rentrer chez moi.

— Archie... j'irai à votre cabinet si vous me recevez ce soir-même.

Le ton désinvolte ne trompa pas le docteur Gold. De la part d'un homme comme Robin, un simple coup de téléphone équivalait à un SOS.

— D'accord, Robin. A sept heures. Vous avez mon adresse ?

— Ouais. Ecoutez, Archie. Un seul mot de cette affaire à votre ami Jerry et je vous casse la tête en mille morceaux.

— Je ne parle jamais de mes patients. Secret professionnel. Si vous en doutez, peut-être feriez-vous mieux de voir un autre psychiatre. Je pourrais vous en recommander plusieurs excellents.

— Non, Archie. C'est vous l'homme qu'il me faut. Je serai là à sept heures.

A présent, il était assis en face du docteur Gold. L'absurdité de la situation le frappa. Il ne se confiait jamais à personne, alors comment pourrait-il avouer ce qui le tracassait à cet étranger au visage placide.

Habitué à ce silence initial, le docteur Gold sourit :

— Parfois, il est plus facile d'aborder des questions intimes avec des gens qu'on ne connaît pas. C'est pourquoi le barman et la barmaid reçoivent tant de confidences. A certains points de vue, psychiatre et barman ont bien des traits communs. Nous sommes toujours à notre poste, disponibles. Quand le client veut nous voir, il sait où nous trouver. Il ne nous rencontre pas à tout instant au cours de sa vie quotidienne.

— Je vois ce que vous voulez dire, approuva Robin. Bon, alors voilà. C'est simple comme chou. Il s'agit d'une nana. (Il se tut un instant.) Je ne peux pas m'empêcher de penser à elle... pourtant je n'en suis pas amoureux du tout. C'est ça justement qui est bizarre.

— Quand vous dites que vous n'êtes pas amoureux d'elle, est-ce que cela signifie qu'elle vous déplaît ?

— Non. Elle me plaît. Elle me plaît même beaucoup. Mais au lit je n'arrive à rien avec elle.

— Vous avez donc essayé ?

Robin haussa les épaules :

— J'étais tellement bourré que je ne suis sûr de rien. Il me semble quand même qu'à deux reprises différentes je me suis occupé d'elle. D'après ses réactions, je m'en serais très bien tiré.

— Alors, pourquoi dites-vous que vous n'arrivez à rien avec elle ?

Robin alluma une cigarette et exhala lentement la fumée.

— Eh bien, voilà. La première fois que c'est arrivé, quand je me suis réveillé le lendemain matin, elle était partie. Je ne me rappelais plus rien : ni son visage, ni son nom. Je savais seulement que c'était une brune avec de gros nénés. En y repensant, quelque chose m'a troublé. Je ne me rappelais rien, comme je vous l'ai dit, mais j'avais l'impression d'avoir fait ou dit quelque chose que je n'aurais pas dû faire ni dire. Pour aggraver mon cas, voilà que deux ans plus tard, je me retrouve nez à nez avec la belle. Et je ne me rappelle absolument plus que nous nous sommes déjà rencontrés. A ce moment-là, elle fricotait avec un de mes potes. Je l'ai trouvée belle, sympathique, mais elle était avec lui. Ça me convenait parfaitement parce que, comme je l'ai dit, cette fille n'est pas du tout mon genre. Mon ami, elle et moi sommes sortis ensemble plusieurs soirs. Puis je suis allé à la pêche tout seul. Le dernier jour, nous sommes sortis tous les trois. La soirée a bien commencé. On a bu. Beaucoup. J'étais saoul comme une barrique. Mon copain lui, était ivre mort et je me suis trouvé seul avec la nana. De cette nuit-là, je ne me rappelle rien non plus. Mais le lendemain matin, je me suis réveillé dans son lit. J'avais dû m'en tirer à mon honneur, parce que, tout en préparant le petit déjeuner, elle gazouillait des petits mots d'amour.

— Quel sentiment éprouviez-vous à son égard ? questionna le docteur Gold.

Robin frissonna :

— Presque comme si, à mon réveil, je m'étais retrouvé avec un type ou un môme... quelqu'un avec qui *je n'aurais pas dû* coucher. Mais, parce qu'elle me plaisait, je l'ai mise au parfum. (Robin écrasa sa cigarette.) J'ai même été brutal. Je lui ai dit crûment la vérité : que je la trouvais ravissante mais que l'idée de faire l'amour avec elle m'inspirait de la répulsion et qu'il me semblait que je n'arriverais à rien avec elle.

— De la répulsion à son endroit ?

— Non, de la répulsion à l'idée de faire l'amour avec elle, comme si c'était dégoûtant, incestueux. Pourtant elle me plaît. Peut-être même me plaît-elle plus que toutes les autres filles que j'ai connues. Mais physiquement elle ne m'attire pas.

— Et vous voulez quand même coucher avec elle ? Ou plutôt disons que vous voudriez vous débarrasser de cette inhibition afin d'avoir des relations normales avec elle ?

— Vous vous trompez. Peu m'importe de la revoir ou de ne jamais la revoir. Ce qui m'agace, c'est qu'il y ait des zones d'ombre dans mon esprit. Elle est belle, cette fille. Alors, pourquoi me fait-elle cet effet ? Ça m'est d'ailleurs déjà arrivé, en diverses occasions, et toujours avec des brunes. Il se trouve seulement qu'elles n'avaient pas la même classe que celle-là et que, par bonheur, je ne les ai jamais revues. Mon aventure avec Maggie n'a été qu'un accident. J'étais complètement beurré.

— Un accident ? Aviez-vous bu quelque chose d'exceptionnel ? Une boisson à laquelle vous ne seriez pas habitué ?

— Non. De la vodka. Je m'en tiens toujours à cela.

— Ce soir-là, avez-vous réalisé que vous commandiez trop souvent à boire ?

— Je crois que oui.

— Revenons à votre première rencontre avec cette fille, il y a deux ans. Etiez-vous ivre au moment où vous l'avez rencontrée ?

— Non, mais je buvais.

— Et vous avez continué délibérément à boire ?

— Délibérément ?

Le docteur Gold sourit :

— On le dirait. Vous n'êtes pas homme à dépasser involontairement vos limites.

Robin sembla perdu dans ses réflexions, puis il dit :

— D'après vous, j'ai désiré cette fille inconsciemment et je me suis saoulé délibérément pour arriver à mes fins ?

Le docteur Gold ne répondit pas. Robin secoua la tête :

— Ça ne tient pas debout parce que ce genre de nana ne m'excite pas. Pourquoi aurais-je eu envie de coucher avec elle ? Que je sois ivre ou à jeun, ce n'est pas mon type de fille.

— Quel est votre type ?

— Les filles sveltes, musclées et dorées. J'aime l'odeur des cheveux blonds. Maggie, ce n'est pas pareil. Elle sent chaud, comme un chat sauvage.

— Avez-vous déjà été amoureux ?

Robin haussa les épaules :

— Je me suis attaché à certaines filles, bien sûr. Mais j'ai toujours été capable de m'en détacher très facilement. Ecoutez, Archie, nous ne sommes pas tous hétérosexuels ou homosexuels. Il y a des gens qui sont simplement sexuels. Ils aiment ce qui se passe au lit mais ne tombent pas forcément amoureux. Prenons Amanda, par exemple. C'était une fille du tonnerre, et nos relations me semblaient merveilleuses. Pourtant, d'après ce que m'en a dit Jerry, je lui aurais fait beaucoup de mal. Mais je ne m'en suis jamais rendu compte. J'ai rompu parce qu'elle essayait de me dévorer. D'ailleurs je n'ai pas vraiment rompu. J'ai espacé nos rencontres, mais je n'ai jamais réalisé que depuis le début je la faisais souffrir.

— Jamais vraiment ?

— Non. Il m'arrivait, par exemple, d'aller enregistrer une émission en Europe et de ne pas lui écrire. Il me semblait qu'elle comprendrait et qu'à mon retour ce serait comme avant. C'était d'ailleurs vrai. En rentrant, je n'avais qu'une envie : me retrouver avec elle entre deux draps. C'était magnifique.

— Pourtant, Maggie, elle, vous avez conscience de l'avoir fait souffrir.

— Oui, acquiesça Robin.

— Pourquoi est-ce que vous n'auriez pas conscience d'avoir fait du mal à Amanda que vous désiriez réellement, et vous tracassez-vous tellement au sujet de Maggie qui ne vous intéresse pas ?

— Voilà justement ce qui m'inquiète. C'est pour ça que je suis venu vous voir. A vous de me le dire, Archie.

— Parlez-moi de votre mère. Comment était-elle ?

— Par pitié, épargnez-moi les salades de M. Freud. J'ai vécu une enfance heureuse et saine. Kitty est blonde, fraîche et jolie... (Il se tut.)

— Et votre père ?

— Un type tout à fait remarquable, costaud, tout en muscles. J'ai aussi une gentille sœur cadette. Tout était clair et net dans mon enfance. Nous perdons notre temps.

— D'accord... Père, mère, sœur, relations tout ce qu'il y a de plus normal. Alors, cherchons la brune mystérieuse. Une nurse ? Une maîtresse d'école ?

— Ma première maîtresse d'école était bossue. C'était à la maternelle. Ma nurse... j'ai dû en avoir une, mais je ne m'en souviens pas. Il y avait des domestiques... Un chauffeur me conduisait à l'école et me ramenait. Quand ma sœur Lisa est née, nous avons eu une nurse à la maison. Une viocque à cheveux gris.

— Pas de rivalité entre votre sœur et vous ?

— Aucune. J'étais le grand frère protecteur. C'était ma mère en modèle réduit : blonde, blanche et rose.

— Est-ce que vous ressemblez à Kitty ?

Robin fronça les sourcils :

— J'ai les mêmes yeux bleus qu'elle. Mais mes cheveux sont foncés comme ceux de mon père, quoiqu'ils soient en train de virer au gris drôlement vite.

— Reprenons tout à fait au début, avant la naissance de Lisa. Quel est votre souvenir le plus lointain ?

— La maternelle.

— Et avant ?

— Rien.

— Vous devez pourtant vous rappeler quelque chose. Tout le monde se souvient d'un épisode quelconque de sa petite enfance : une joie, un désastre, un animal favori, un camarade de jeux. (Robin secoua la tête.) Une conversation, une prière ?

Robin claqua des doigts.

— Oui, je me rappelle une chose. C'était une conversation, mais il ne m'en reste qu'une phrase et je ne sais pas qui l'a prononcée. « Les hommes ne pleurent pas. Si tu pleures, tu n'es pas un homme, tu es un bébé. » Dieu sait pourquoi ça m'est resté gravé dans l'esprit. Et j'y crois dur comme fer. J'ai toujours été convaincu que si je ne pleurais pas, j'obtiendrais tout ce que je voudrais. J'ai oublié qui l'a dite, mais ça m'a fortement impressionné parce que, depuis lors, je n'ai jamais pleuré.

— Vous n'avez jamais pleuré ?

— Pas que je me souvienne. (Robin sourit.) Il m'arrive d'avoir la gorge serrée au cinéma. Je me laisse attendrir par le mélo. Mais dans ma vie personnelle, jamais.

Le docteur Gold consulta sa montre.

— Il est huit heures moins cinq. Désirez-vous prendre rendez-vous pour lundi prochain ? Trente-cinq dollars par heure. C'est mon tarif.

Le visage de Robin exprima l'incrédulité.

— Vous devez être un peu ravagé. J'ai passé près d'une heure à parler d'une fille qui m'obsède, nous n'avons rien résolu, et vous voudriez que je revienne ?

— Robin, il est anormal de ne pas pouvoir se rappeler quoi que ce soit de sa petite enfance.

— Cinq ans, ce n'est pas très vieux...

— Non. Mais vous devriez être capable de retrouver un événement qui se soit passé avant, ou alors...

— Alors, quoi ?

— C'est un oubli volontaire.

Robin se pencha au-dessus du bureau.

— Archie, je jure devant Dieu que je ne vous cache rien. Ma mémoire est peut-être mauvaise. Ou bien il ne vous est pas venu à l'idée que peut-être rien ne m'est arrivé d'assez intéressant pour que je m'en souvienne ?

Archie secoua la tête.

— Très souvent, quand on reçoit un choc affectif trop violent, il se produit automatiquement une amnésie partielle, pareille à un tissu cicatriciel.

Robin s'en alla vers la porte et se retourna avant de l'ouvrir :

— Ecoutez. J'ai vécu dans une grande et belle maison avec des gentils parents et une jolie petite sœur. Pas de squelette dans mon placard. Peut-être que tout est là. Peut-être que tout allait trop bien jusqu'à l'école maternelle. Et la maîtresse bossue aurait été le premier choc de ma vie. Voilà sans doute pourquoi je n'ai pas de souvenirs plus lointains.

— Qui vous a dit qu'un homme ne pleure pas ?

— Je ne sais pas.

— Etait-ce avant la maternelle ?

— Il l'a bien fallu parce que je n'ai jamais pleuré à la maternelle, alors que les autres ne s'en privaient pas. Ils avaient tous une peur bleue de la maîtresse, cette pauvre mocheté.

— Alors, qui vous l'a dit ?

— Archie, je n'en sais rien. Mais qui que ce fût, je le bénis. Je n'aime pas voir pleurer un homme. Je n'aime pas non plus voir pleurer les femmes ni les gosses.

— Robin, j'aimerais essayer sur vous l'hypnotisme.

— Vous n'êtes pas un peu fou ? Ecoutez, Doc, j'ai fait la guerre, on m'a même tiré dessus. J'ai vécu pas mal d'aventures au cours desquelles j'aurais pu perdre la boule. Mais je m'en suis tiré sain et sauf. Je suis venu ici chercher la réponse à une question précise. Vous ne m'avez rien répondu du tout. Parfait. Mais soyez beau joueur et reconnaissez-le. N'essayez pas de vous rattraper en cherchant si au cours de ma petite enfance une nurse m'a fichu une fessée parce que j'abîmais mes jouets. C'est peut-être arrivé, et peut-être avait-elle des cheveux noirs, des yeux verts et de gros nichons. D'accord ?

— Vous savez où me trouver si vous vous décidez à suivre mes conseils, dit le docteur Gold.

Robin sourit :

— Merci. Mais je crois qu'il sera plus facile et moins coûteux de faire demi-tour et de filer si je rencontre de nouveau une brune aux yeux verts.

Il ferma la porte et disparut dans la nuit. Le docteur Gold considéra les notes qu'il avait prises et les mit dans un dossier. Il ne les détruirait pas, car Robin Stone reviendrait.

Robin jeta un coup d'œil sur les sondages de février. Enfin le service des Informations concurrençait sérieusement celui des autres chaînes. Cette semaine il se classait au deuxième rang à ses heures de passage. *En Profondeur* restait parmi les vingt-cinq meilleures émissions. Il avait donné à Andy l'occasion d'en tourner une la semaine précédente et celui-ci s'en était très bien tiré : Il étudia la présentation de son projet sur les soucoupes volantes. Le service de documentation avait présenté quelques suggestions qui l'enthousiasmaient. Il tenait là de quoi faire une émission formidable.

Le lendemain, il alla voir Danton Miller pour lui dire son intention de passer *En Profondeur* à Andy qui en serait définitivement chargé la saison suivante. Si bizarre que cela pût paraître, Dan n'éleva pas d'objection.

— Alors, vous ne jouez plus vous-même ? fit-il en souriant. Vos admirateurs ne vont pas aimer ça.

— J'ai l'intention de faire une émission d'information exceptionnelle une fois par mois, expliqua Robin. Je choisirai un sujet auquel personne d'autre n'aurait envie de toucher. Je l'approfondirai, je l'analyserai. Voilà mon premier projet.

Il lui remit le dossier des soucoupes volantes. Dan lut attentivement, puis dit :

— Ça collerait pour le dimanche après-midi. Les gosses s'y accrocheraient. Mais ce n'est pas un spectacle pour la soirée.

— Moi je crois que si. Pourquoi ne pas tenter le coup en mai ou en juin à une heure de pointe, pendant l'époque où on rediffuse les émissions à succès ? Ce serait une expérience honnête.

— Si vous voulez, je peux la programmer un dimanche après-midi en avril ou mai, mais pas le soir.

— Je ne veux pas du dimanche après-midi. Vous savez très bien que ce serait un fiasco. Les matchs de base-ball la couleraient. Je cherche des commanditaires pour l'automne.

— Si vous avez envie d'engager une équipe et d'enregistrer cette histoire de science-fiction à dormir debout, libre à vous, fit Dan en souriant. Mais elle n'a pas sa place, pas dans le cadre de mes programmes.

Robin tendit la main devant Dan et décrocha le téléphone. Il demanda à la secrétaire :

— Pouvez-vous appeler M. Gregory Austin ? Dites-lui que Robin Stone et Danton Miller voudraient le voir dès qu'il aura un moment.

Danton blêmit. Il se reprit rapidement et se força à sourire.

— Ça c'est un geste maladroit, dit-il avec calme. Vous passez pardessus ma tête.

— Mais pas derrière votre dos.

Pendant un moment, ils se dévisagèrent sans rien dire. La sonnerie du téléphone retentit soudain et leur parut plus bruyante que d'habitude. Dan décrocha. La secrétaire lui dit que M. Austin les recevrait immédiatement.

Robin se leva :

— Vous venez, l'ami ?

Dan fronça les sourcils :

— Il semble que je n'aie pas le choix. (Puis il sourit.) J'ai hâte de voir comment Gregory réagira quand vous lui proposerez votre histoire à la Buck Rogers. Il comprendra que j'aie opposé mon veto. Et Gregory n'aime pas perdre son temps à jouer les arbitres. C'est précisément pour ça que je suis directeur de la chaîne. Dans les affaires de ce genre, ma décision est sans appel. Mais si vous tenez à creuser votre propre tombe, je n'y vois pas d'inconvénient.

Dan resta assis confortablement pendant que Robin exposait son projet sur les soucoupes volantes à Gregory. Quand il eut terminé, Gregory se tourna vers Dan :

— Si je comprends bien, vous êtes contre.

Dan sourit et joignit le bout de ses doigts, paumes écartées :

— Robin voudrait présenter, la saison prochaine, une émission de ce genre une fois par mois à une heure de pointe.

Gregory considéra Robin d'un air interrogateur :

— Des soucoupes volantes tous les mois ?

Robin éclata de rire :

— Fichtre non ! Je pensais à une émission dans le style des enquêtes du magazine *Life*. Chacune serait consacrée à un sujet d'actualité : soucoupes. politique, n'importe quoi qui tombe à point et suscite l'intérêt. Au lieu de présenter une personnalité comme dans notre demi-heure d'*En Profondeur*, nous traitons un sujet donné pendant une heure entière. Supposons par exemple qu'on soit en train de tourner un film important : nous allons sur place, nous parlons aux vedettes, au metteur en scène, à l'auteur. Nous pourrions aussi entrer dans la vie privée d'une personnalité de la télévision... telle que Christie Lane. Le public ne cesse de demander des renseignements à son sujet..,

Le nom de Christie Lane éveilla une lueur d'inquiétude dans les yeux de Gregory qui se tourna vers Dan :

— Ça me rappelle que Christie n'est engagé que pour cette saison et la suivante. Est-ce que quelqu'un a pensé à lui faire signer un contrat à long terme ?

— Nous avons amorcé les discussions, répondit Dan. Il veut qu'on commence à repasser ses ampex dès la fin avril pour aller se bourrer les poches à Vegas. Il est aussi pris par des festivals qui lui rapportent dix mille par soirée. Pour le moment il continue à passer en direct, mais nous enregistrons en ampex pour les futures rediffusions. La saison prochaine, il veut tout faire au magnétoscope. Il commence à avoir ses exigences. Ça ne pose aucun problème. Mais Cliff Dorne, qui a discuté avec lui, dit qu'ils sont très loin de s'entendre sur le plan financier. Il y a un abîme entre ce que Christie demande et ce que nous entendons lui donner. Nous sommes d'accord pour l'augmenter largement, mais il veut monter sa propre société et partager avec nous les droits sur l'émission. Il réclame la propriété exclusive des ampex, à partir de la seconde diffusion. Il les vendrait à des postes indépendants. Il demande en outre d'autres avantages complémentaires. Ça ne va pas être facile. La NBC et la CBS doivent lui courir après.

La secrétaire se glissa dans le bureau et annonça que Mme Austin était en ligne. Gregory se leva :

— Je prendrai la communication à côté, dit-il.

Les deux autres le regardèrent disparaître dans le bureau voisin. Dan fut le premier à rompre le silence. Il se pencha vers Robin, lui tapota le genou et lui glissa à voix basse :

— Eh bien. J'espère que ça vous servira de leçon. Vous venez d'avoir l'occasion de jeter un coup d'œil dans les coulisses où l'on prépare les programmes. C'est plus compliqué que d'assurer le reportage des grands débats des universités. Vous avez importuné Gregory avec votre ridicule histoire de science fiction. Vous nous avez fait perdre notre temps à tous les deux : à lui et à moi. Vous êtes directeur des Actualités et je suis le directeur de la chaîne. Je travaille tout seul et je ne cherche pas d'associé.

— A vous entendre, répliqua Robin en riant, on croirait assister à une guerre de gangs entre truands de Chicago interprétée à la mode de Madison Avenue : vous aurez le quartier Sud, moi, je prends le quartier Nord.

— Sauf que moi, je couvre les deux. Vous, vous dirigez les Informations, un point c'est tout. Ne vous mêlez pas de la programmation. Je ne suis pas comme vous un petit journaliste qui s'amuse à jouer tantôt les acteurs et tantôt les directeurs. Pour moi, le travail n'est pas un dada, c'est toute ma vie, et je ne laisserai personne se mêler de mes affaires.

— Je n'ai pas la moindre envie de vous voler vos billes. En tant que directeur des Actualités, j'entends présenter un spectacle d'information qui, à mon avis, doit marcher. Il faut que vous m'accordiez un temps d'antenne. Si vous refusez, je dois...

— Vous devez vous taire. Compris ? Vous taire ! La prochaine fois que je refuse une émission, vous la bouclerez au lieu d'en appeler à Gregory Austin.

Robin sourit, très décontracté :

— Attention, Monsieur le Directeur, n'anticipez pas trop.

Gregory Austin revint dans le bureau.

— Excusez-moi, Messieurs, dit-il. Les questions personnelles passent toujours après les affaires, mais Mme Austin est la grande affaire de ma vie. (En parlant de sa femme, son expression s'adoucit. Puis il s'éclaircit la gorge et en revint à la conversation interrompue.) J'ai parlé à Mme Austin de votre projet sur les soucoupes volantes. Ça l'intrigue. Je n'aurais jamais imaginé que les histoires de l'espace soient assez romanesques pour intéresser les femmes. En avant, pour les soucoupes, Dan. Passez ça en mai à la place d'une rediffusion de Christie. Et si le public s'y intéresse, on fera une émission mensuelle. Au sujet du contrat de Christie Lane, je verrai ça avec Cliff Dorne. Rien d'autre à l'ordre du jour, messieurs ?

Dan se leva :

— Non. C'est tout.

Gregory attendit jusqu'à ce que ses deux interlocuteurs soient arrivés à la porte. Puis, comme s'il se rappelait brusquement un détail, il dit :

— Un instant, Robin. Il faut que je vous parle de quelque chose.

Dan s'en alla. Robin revint sur ses pas et s'installa confortablement dans un fauteuil. Gregory attendit que la porte se fût refermée et sourit :

— Dan est un bon élément. C'est un ambitieux. Mais qui ne l'est pas ? C'est parce qu'il est ambitieux qu'il a de la valeur. Je ne vous reproche pas de proposer des nouveautés. Au contraire, ça me plaît. Mais dorénavant.

pour tout ce qui n'est pas du ressort de votre service, adressez-vous à moi directement. Je présenterai vos idées à Dan comme si elles venaient de moi. Comme ça, notre petite famille vivra en paix.

— Je suis encore novice, reconnut Robin en souriant. J'ignore les subtilités du protocole.

Il attendit la suite. Il sentait que Gregory l'avait retenu pour une autre raison.

Gregory sembla tout à coup étrangement intimidé.

— Robin, dit-il, je sais que c'est une bagatelle qui n'a aucun rapport avec vos fonctions chez nous, mais que vous est-il arrivé le premier janvier ?

Robin fronça les sourcils. Le premier janvier... Il ne se rappelait qu'une chose : Sergio l'avait conduit en voiture à l'aéroport.

Gregory alluma une cigarette :

— J'ai engraissé de cinq kilos, confia-t-il d'un air gêné. Alors, je me suis remis à fumer, jusqu'à ce que j'aie perdu un peu de poids. (Puis il s'enhardit et précisa :) Notre cocktail. (Robin resta impassible. Gregory regarda la cendre de sa cigarette.) Tous les ans, le premier janvier, ma femme et moi organisons un cocktail. Nous vous avons invité deux années consécutives. Non seulement vous n'êtes pas venu, mais vous n'avez même pas envoyé un mot d'excuses.

— Seigneur Dieu ! je suis un mufle ! Cette année, le premier janvier, j'étais à Rome. L'an dernier, j'étais... (Il fronça les sourcils, faisant appel à sa mémoire.) Je crois que j'étais en Europe... Oui, j'en suis sûr. Je suis rentré le jour de l'An. J'ai trouvé un tas de lettres chez moi. J'ai honte de vous avouer ce que j'en ai fait, les deux fois : j'ai tout jeté à la corbeille sans même ouvrir les enveloppes. Après tout, personne n'espère de réponse aux vœux de Noël. Quand aux factures, je me doutais bien qu'on les renouvellerait. L'invitation de Mme Austin a dû disparaître avec le reste. Je vais lui écrire sur-le-champ.

— Je me doutais bien que c'était un malentendu, fit Gregory en souriant. Mais vous connaissez les femmes. Mme Austin se demandait si ce n'était pas intentionnel. Elle y voyait même peut-être du mépris.

— C'est bien la dernière des choses à laquelle je voudrais qu'elle pense. Non, une lettre ne suffira pas. Me permettez-vous de lui téléphoner ?

— Bien sûr, dit Gregory qui inscrivit le numéro et le lui donna.

Robin retourna à son bureau et appela immédiatement Mme Austin.

— Voyons, vous n'aviez pas besoin de m'appeler pour cela, Monsieur Stone. Je devine qu'il y a du Gregory là-dessous.

— En effet, et je lui en suis reconnaissant. J'étais chaque fois à l'étranger le premier janvier.

Elle rit quand il lui expliqua ce qu'il avait fait de son courrier.

— Voilà une idée magnifique ! s'exclama-t-elle. Je voudrais avoir le courage d'en faire autant. Cela m'éviterait tant de soirées fastidieuses.

— Madame Austin, je vous promets qu'à la fin de l'année je lirai toutes les cartes de Noël pour ne pas manquer votre invitation.

— Vous plaisantez, Robin ! (Elle marqua une pause.) Excusez-moi de vous appeler ainsi, mais je ne manque aucune de vos émissions et il me semble que je vous connais.

— Madame Austin, je vous promets que j'irai chez vous le premier janvier 1964, où que je sois à ce moment-là. C'est un rendez-vous irrévocable.

Elle se mit à rire :

— J'espère ne pas attendre aussi longtemps pour faire votre connaissance.

— Moi aussi, je l'espère.

— Ecoutez Robin... (Il entendit un bruit de feuillets.) Je reçois quelques amis à dîner le premier mars. Nous rentrons à peine de Palm Beach. Le temps était si incertain que nous avons décidé de rester à New York. Voulez-vous venir à ce dîner ?

Dans quel guêpier était-il allé se fourrer ? Mais il était bien obligé de se faire pardonner ces foutus jours de l'An.

— J'en serai ravi, Madame Austin.

— Ma sœur sera à New York. C'est en son honneur que je reçois. Le prince n'a pas pu se rendre libre. Voulez-vous être son cavalier ou bien préférez-vous ne pas venir seul ?

— En effet, j'aimerais amener une jeune personne, se hâta-t-il de répondre.

— Ce sera parfait, fit-elle aussitôt. Le 1er mars. Vingt heures trente. Cravate noire.

Il raccrocha et regarda pensivement l'appareil. Ainsi donc, la princesse était seule à New York. Il n'avait aucune envie de jouer le rôle d'un « extra de qualité ». Ce rôle pouvait tenir lieu d'examen de passage et, s'il convenait, on l'inviterait encore. En n'allant pas seul chez les Austin, il coupait court dès le début. Encore lui fallait-il trouver une souris à la hauteur. Ma foi, il avait dix jours devant lui... Il trouverait bien quelqu'un.

Il ne pensa plus à Mme Austin durant la semaine qui suivit. Il passa deux jours à Washington pour ses soucoupes volantes. Il avait déjà choisi un producteur et un réalisateur, et fixé au 15 mars l'enregistrement, sauf imprévu. Tout allait bien. Si ce n'est qu'il devait téléphoner à quelqu'un : Maggie Stewart. En réalité, rien ne l'obligeait à l'appeler, mais c'était son commentaire au moment de l'apparition des soucoupes en Floride qui lui avait donné l'idée de s'y intéresser. Andy travaillait également sur le projet et il avait promis à Maggie qu'elle participerait à l'émission. Il l'appela. Quand elle fut en ligne, il ne perdit pas de temps en politesses, exposa le projet tout de go et demanda s'il l'intéressait.

Elle répondit d'un ton tout aussi neutre :

— Naturellement que cette émission m'intéresse. Quand voulez-vous que j'aille là-bas ?

— Dès que possible.

— Nous sommes le 25 février. Que diriez-vous du 1er mars ? La station aura ainsi le temps de me trouver un intérim.

— Le 1er mars, c'est parfait. (Il tourna les pages de son carnet de rendez-vous et vit la mention : Dîner chez les Austin.) Maggie, reprit-il. Je sais que vous ne me devez rien, mais vous pourriez me rendre un service du tonnerre.

— Lequel ?

— Arriver le 28 février et apporter une robe de soirée.

— Pour l'émission ?

— Non. Pour un dîner le 1er mars. Je voudrais que vous m'accompagniez.

— Désolée, je viens seulement pour travailler.

— C'est votre droit le plus strict. J'aimerais quand même que vous veniez avec moi. Il s'agit d'un dîner chez les Austin. Tenue de soirée.

Elle hésita puis demanda :

— Vous y tenez vraiment ?

— Oui, vraiment.

Elle rit et dit d'une voix moins sèche :

— Il se trouve justement que j'ai un amour de robe du soir et que je meurs d'envie de la porter.

— Merci, Maggie. Télégraphiez-moi l'heure de votre arrivée. J'enverrai une voiture vous chercher à l'aéroport et je vous réserverai une chambre au Plaza.

En appelant l'hôtel il en tenait encore pour la chambre, mais tout à coup il changea d'idée et réserva une suite. Cela ferait du bruit à la comptabilité, mais Maggie le méritait. Tout le monde vivait aux frais de la chaîne. Alors, pourquoi pas elle ?

Son télégramme arriva le vingt-huit au matin : « Idlewild cinq heures, Northeast Airlines vol 24. Maggie Stewart. »

Il commanda une voiture puis, obéissant à une impulsion soudaine, il appela au dernier instant Jerry Moss :

— Peux-tu te rendre libre à quatre heures ? Je dois aller accueillir une fille à Idlewild. J'ai une voiture...

— Et alors ?

— Je ne veux pas être seul avec elle.

— Depuis quand te faut-il un chaperon ?

— Jerr... j'ai mes raisons.

— D'accord. Rendez-vous devant la IBC à quatre heures.

Il était près de onze heures. Robin buvait lentement mais sans désemparer. Jerry vida sa tasse de café. Toute la soirée s'était déroulée d'une manière insensée. Il n'avait jamais vu une fille aussi belle que cette Maggie Stewart. D'une beauté à vous couper le souffle. Pourtant elle avait salué Robin comme si elle le connaissait à peine. Quand Jerry leur avait proposé d'aller prendre un verre au Lancer, Robin et Maggie avaient refusé à l'unisson. Ils l'avaient déposée au Plaza, puis Robin avait traîné Jerry *Chez Louise* pour y dîner. Le restaurant était déjà presque vide. Robin jouait toujours avec son verre. Long John Nebel passa près de leur table. Il partait présenter son émission qui durait toute la nuit.

— Je l'écoute quand je n'arrive pas à dormir, fit Robin. Il est sous contrat avec un autre poste, sinon je l'aurais embauché pour mes soucoupes. Il en connaît un bout.

Robin commanda un autre verre et resta silencieux. Jerry devinait que son compagnon était obsédé par une idée fixe et se garda de l'interroger. Mais qu'est-ce qu'il venait donc de dire au sujet de John Nebel ? Qu'il ne dormait pas bien ? Cela signifiait aussi qu'il n'avait pas de poulette dans son lit. On écoute Long John quand on est esseulé ou quand on craint de s'endormir. Robin insomniaque ? Ça, c'était une nouveauté. Tout à coup, Jerry se décida à parler :

— Je ne sais pas ce qui te tracasse, mais cette Maggie Stewart, c'est vraiment un morceau de roi. Si tu rates cette occase, c'est que ça ne tourne pas rond.

— Je tourne parfaitement rond, répondit Robin avec hargne. Et ne va pas te faire des idées. Il n'y a absolument rien entre Maggie et moi. Je l'ai fait venir pour le boulot, c'est tout.

Jerry se leva.

— Si tu veux passer la nuit à boire, ne compte pas sur moi. Je suis resté un moment avec toi parce qu'il me semblait que tu avais besoin de ma compagnie.

— Je n'ai besoin de personne, répondit Robin. Va retrouver ta femme.

Jerry fit deux pas, puis pivota sur lui-même :

— Ecoute, Robin, je ne t'en veux pas parce que je sens que quelque chose te tracasse. Tu n'es pas le même depuis ton séjour en Floride. Que tu l'avoues ou non, c'est en rapport avec cette fille. Et il s'en alla.

Robin resta à boire jusqu'à la fermeture du restaurant, puis il rentra chez lui et écouta la radio. On s'endort mieux avec la radio, parce qu'au moins on n'a pas l'œil fixe de la télé rivé sur soi.

Il se servit une bonne rasade de vodka. C'était la première fois qu'il se piquait le nez depuis qu'il avait consulté Archie. Il se coucha et écouta Long John. Il dériva vers le sommeil à l'instant où Long John parlait de boire de l'eau. De l'eau... Ça, c'était gentil comme idée... Penser à un bateau, se dit-il, à un bateau sur l'eau... Une bonne couchette... Dormir... Dormir. Il était sur un bateau... sur une couchette. La couchette se transforma en lit. Maggie l'étreignait, le caressait, en lui disant que tout irait bien. Il se sentit heureux. Il la crut. Puis elle se glissa hors du lit et Jerry attendait dans la pièce voisine. Voilà que Jerry la grimpait. Robin arriva en trombe... Elle le ramena au lit, se blottit contre lui et lui dit qu'il avait fait un mauvais rêve. Elle continua à lui caresser la tête... Il se détendit... Elle était tiède auprès de lui... Puis il l'entendit quitter le lit de nouveau et glousser dans la pièce voisine. Il y alla... Jerry était parti. Maggie était assise sur le canapé avec Danton Miller qui lui tétait un sein... Danton leva la tête et dit en riant : « Il est jaloux. » Maggie ne sourit pas et dit sévèrement : « Retourne au lit et restes-y. » C'était un ordre et, pour une raison incompréhensible, il savait qu'il devait lui obéir.

Il se réveilla. Bon Dieu ! quatre heures du matin. Encore un de ces maudits rêves. John Nebel continuait à pérorer. Robin se brancha sur un poste qui émettait de la musique et se rendormit.

Le soir du 1er mars, il alla chercher Maggie. Elle avait dit vrai au sujet de sa robe. A vous couper le souffle ! Il se sentit coupable parce que le dîner chez les Austin serait guindé et sinistre. Tout le monde se montra fort agréable, mais les petits bavardages futiles l'assommaient. Il dîna à la gauche de Judith Austin et ne concentra son attention sur la conversation qu'à grand-peine. Il parvint cependant à poser les questions appropriées quand elle parla de ses fêtes de charité et du temps qu'il avait fait à Palm Beach. De temps à autre il glissait un coup d'œil vers Maggie, à l'autre bout de la table. La malheureuse était coincée entre un neurochirurgien et un spécialiste de la Bourse. Il envia son aisance et se demanda quel sujet de conversation elle pouvait bien trouver avec ces deux hommes.

Plus tard il la raccompagna à l'hôtel, s'arrêta dans le hall, et la remercia de l'avoir « dépanné ». Il remarqua que tous les hommes se retournaient sur elle. Pourquoi pas ? Elle était plus séduisante que n'importe quelle vedette de cinéma.

— Si nous prenions un verre ? demanda-t-il tout à coup. Vous le méritez bien.

— Je croyais que vous ne buviez plus. J'ai remarqué que vous touchiez à peine à votre verre de Sauternes chez les Austin. Auriez-vous peur même du vin quand vous êtes avec moi ? (Les yeux verts le fixaient avec une lueur de raillerie.)

Il la prit par le bras et la conduisit au bar.

— Un scotch pour madame, dit-il au barman, et pour moi une double vodka.

— Inutile de forcer votre talent, dit-elle. Je connais vos faiblesses.

— La boisson n'en est pas une.

— Alors si c'est une force, je commençais à croire que vous l'aviez perdue également.

Il attendit qu'on leur eût servi à boire, puis il prit la main de Maggie :

— Je veux que nous soyons amis.

Elle lui laissa sa main et leurs regards se croisèrent.

— Nous ne pourrons jamais être amis, Robin, dit-elle.

— Vous me détestez encore ?

— Je ne demanderais pas mieux. Ça simplifierait tellement ma vie...

Il retira brusquement sa main, vida son verre d'un trait et fit signe au garçon de lui apporter l'addition.

— J'ai beaucoup de travail qui s'accumule à la maison, dit-il en signant la note.

— Inutile de mentir. Jusqu'à présent vous étiez sincère. Pourquoi changer maintenant ?

— Je ne mens pas. Je veille, ma chère... J'écris un livre et je me suis fixé une règle : cinq pages par soir, quelle que soit l'heure à laquelle je rentre chez moi.

Elle le considéra avec curiosité et demanda :

— C'est votre ambition secrète ?

— Du moins, j'essaie de m'en persuader.

— Et vous n'en êtes pas sûr ?

Soudain il parut très las.

— Maggie, je ne sais pas de quoi j'ai envie.

L'expression de Maggie s'adoucit.

— Vous êtes malheureux, Robin ?

— Qui diable prétend que je suis malheureux ?

— Celui qui ne sait pas ce qu'il veut, c'est qu'il craint de l'apprendre. C'est aussi simple que ça. Ou alors, il a peur de ses désirs secrets.

— Merci, docteur, je vous ferai signe quand j'aurai encore besoin de votre canapé.

Il se leva et l'aida à mettre son manteau.

Arrivée dans sa chambre, Maggie jeta son petit sac à main sur le lit d'un geste furieux. Il fallait que cela lui arrive juste au moment où tout allait si bien ! Les larmes lui vinrent aux yeux. A quoi bon se leurrer ? Rien n'allait tellement bien. Tout allait même de travers. Mais ce n'était qu'une question d'état d'âme. Elle allait chasser ce Robin de son esprit. L'invitation chez les Austin avait éveillé de faux espoirs. Il avait seulement besoin d'une compagne présentable pour la soirée, rien de plus. Eh bien, elle était libre tout le week-end et ne le passerait pas à se morfondre dans sa chambre en espérant qu'il lui téléphonerait. Elle ne se lèverait pas trop tard, irait au spectacle en matinée et au cinéma le soir. S'il l'appelait, elle ne serait pas là ! Et le lundi, à la IBC, elle se conduirait comme si elle le connaissait à peine. Elle prit un somnifère, accrocha à sa porte la petite pancarte « Prière de ne pas déranger » et téléphona à la réception pour qu'on la réveille à dix heures du matin.

Il lui semblait n'avoir dormi que quelques minutes quand la sonnerie du téléphone la réveilla. Elle essaya de tendre le bras pour décrocher, mais le somnifère la paralysait à demi. La sonnerie retentit de nouveau. Elle parvint à grand-peine à saisir le combiné. C'était la voix neutre de la standardiste :

— Je sais que vous ne voulez pas être dérangée, mais un télégramme vient d'arriver pour vous avec la mention : urgent, à remettre sur-le-champ.

Elle s'assit sur son lit et alluma. Il n'était que sept heures et quart. « Faites monter le télégramme », bredouilla-t-elle. Elle se leva et enfila une robe de chambre. Elle dormait toujours nue, même par les temps froids.

Elle signa le reçu du télégramme. En retournant dans la chambre, elle fut brusquement prise d'appréhension. Jusqu'alors elle était trop ensommeillée pour y réfléchir, mais qui donc lui envoyait ce télégramme ? Son père ou sa mère étaient-ils malades ? Elle l'ouvrit, lut rapidement... et n'en crut pas ses yeux.

STELLA LEIGH ENCEINTE. DOIT ETRE REMPLACEE IMMEDIATEMENT. AI CONVAINCU CENTURY PICTURES FAIRE APPEL A VOUS. AI ESSAYE TELEPHONER EN VAIN. APPELEZ PCV DES QUE REÇU MESSAGE. HY MANDEL.

Elle appela Mandel sans demander le PCV. Que M. Robin Stone et la IBC en fassent les frais, comme du reste ! L'opératrice de l'inter lui parlait encore quand elle entendit la voix de Hy. Pauvre Hy ! il n'était que cinq heures du matin là-bas. Mais il avait dit d'appeler immédiatement.

— Maggie ! s'écria-t-il aussitôt, tout à fait réveillé. Quand peux-tu arriver ici ?

— Doucement ! fit-elle avec assurance. Parle-moi du rôle et de ce qu'il me rapportera.

— Le rôle ? Celui de Stella Leigh, la grande vedette féminine, avec Alfie Knight comme partenaire. Il tournait depuis une semaine avec Stella et ça ne marchait pas. Elle vomissait tout le temps et croyait avoir une hépatite virale. Cette idiote ne savait même pas qu'elle était enceinte. Ecoute, la Century est déjà très en retard. J'ai réussi à lui arracher vingt mille pour toi plus une option sur un autre film. On débattra les conditions plus tard. Ils paient également un appartement au Beverly Hills.

— Mais comment as-tu décroché ça, Hy ?

— A dire vrai, j'avais perdu tout espoir à cause de ta phobie des bouts d'essai. J'ai vanté ton succès dans la pièce d'O'Neill, mais personne ne voulait m'écouter. Hier quand j'ai appris ce qui arrivait à Stella, j'ai encore tenté ma chance, mais sans trop y croire. Voilà pourtant le metteur en scène qui se monte la tête. Tu serais exactement ce qu'il lui faut : un visage nouveau.

— Qui est-ce ? Et comment sait-il de quoi il a l'air, ce visage nouveau ?

— J'ai répandu ta photo partout à Hollywood.

— Mon vieux Hy... j'espère être à la hauteur.

— Tu le seras. Dans la pièce d'O'Neill ta performance n'avait pas de quoi inquiéter Geraldine Page. Tu n'es pas une grande actrice sur la scène. Mais tu as quelque chose, de la personnalité, une flamme... et c'est ça qui fait la vedette. Il n'est pas toujours indispensable d'avoir du talent, mais il faut un je-ne-sais-quoi. Toi, tu l'as. Je me rappelle quand Ava Gardner est arrivée ici. C'était encore une gosse, mais elle avait déjà ce même je-ne-sais-quoi. Cette façon de marcher ! Tu me rappelles Ava. C'est ce que j'ai dit au metteur en scène.

— Seigneur ! (Elle rit.) Le pauvre homme, il va être déçu.

— Personne n'est déçu en te voyant. On ne parle que de lui en ce moment. Il vient de terminer un film du tonnerre et la Century a mis la main dessus pour Alfie. C'est Adam Bergman.

— Adam !

— Tu le connais ?

— J'ai joué avec lui, il y a longtemps, dans un petit groupe de théâtre. Hy, je suis folle de joie.

— Peux-tu arriver ici ce soir ? Tu aurais toute la journée de dimanche pour lire le scénario et te préparer. Ils veulent que tu sois prête lundi pour les essayages et le maquillage. Je te réserve une chambre ici ?

— Oui, oui, je peux partir aujourd'hui même.

— D'accord. Dès que tu as le numéro du vol et l'heure d'arrivée, tu m'envoies un télégramme. J'irai te chercher à l'aéroport.

Elle raccrocha le cœur en fête et s'efforça de rassembler ses idées. Revoir Adam ! Cette perspective l'enchantait. Mais elle était encore plus heureuse de laisser tomber M. Robin Stone.

Robin retourna à son bureau après s'être fait passer l'ampex des soucoupes. Plus il réfléchissait à cette émission, plus il avait envie d'en retarder la diffusion jusqu'en septembre afin d'en faire la première d'une nouvelle série. Ce serait phénoménal. Ça l'était ! Il se leva et arpenta son bureau. Un *phénomène*... Voilà le titre qu'il lui donnerait s'il parvenait à la faire accepter par Gregory. Mais il lui fallait d'autres idées de « phénomène » de façon à les lui faire miroiter en même temps. Il pensa à Christie Lane. Par quelle mystérieuse réaction chimique Christie était-il devenu une idole nationale ? Pourquoi le dédaignait-on cinq ans auparavant quand il chantait les mêmes chansons dans des saloons ? Voilà un sujet qui remplirait une bonne heure : *Le Phénomène Christie Lane*. Robin interviewerait des propriétaires de boîtes de nuit chez qui il avait chanté autrefois, avant d'être célèbre. Il interviewerait aussi ses « satellites », sa famille — car il devait bien avoir une famille — son abominable Ethel Evans. Sûrement, en fouillant dans son passé, il trouverait des personnages hauts en couleur.

Il commença par monter au dernier étage dès le lendemain matin, pour tâter le terrain auprès du grand patron.

— Robin... sans vous en rendre compte, vous avez trouvé exactement l'appât qu'il nous faut ! s'exclama Gregory d'une voix vibrante d'enthousiasme. Ce satané Christie fait des manières à n'en plus finir pour signer un nouveau contrat. Il risque de nous plonger dans une panade infernale. Mais si nous lui offrons de lui consacrer une heure, Robin, c'est... (Gregory s'arrêta faute de trouver des adjectifs assez vigoureux.) Pas un mot à qui ce soit. Surtout à Dan. J'en parlerai moi-même à Christie. Vous ne vous vexerez pas, évidemment, si je prétends que l'idée vient de moi. Je lui annoncerai ça demain à déjeuner. Je vais même inviter ce cave et ses conseillers juridiques avec les miens dans ma salle à manger particulière. Je lui ferai remarquer qu'aucune chaîne n'a jamais fait ça pour aucune vedette. C'est d'ailleurs vrai. Ce sera le premier « phénomène ». Les soucoupes volantes viendront après.

Trois jours plus tard, les journaux professionnels annoncèrent que Christie Lane avait signé un nouveau contrat de cinq ans avec la IBC. Le lendemain matin, Gregory convoqua Robin et Danton Miller pour leur exposer son idée.

Dan écouta attentivement. Robin surveilla ses réactions. Il était certain que Dan se rappelait qu'il avait déjà suggéré le nom de Christie Lane en esquissant son projet. Mais Gregory se conduisait comme si cette inspiration lui était venue par hasard quelques jours plus tôt. Dan ne s'y trompait pas. Robin le savait. Mais il serait obligé de jouer le jeu. Avec un petit sourire en biais, il approuvait par des hochements de tête. Puis un froncement de sourcils indiqua que le fil de ses pensées se heurtait à un obstacle.

— Je trouve que c'est une très brillante idée, Gregory, dit-il, d'autant plus que ça attache Christie à la IBC. Mais je me demande si Robin est vraiment la personne adéquate pour présenter cette émission. Ne prenez pas ça mal, Robin, mais il me semble que votre personnalité s'accorde mal avec une émission-portrait sur un homme tel que Christie Lane. Il nous faut une vedette célèbre : un Danny Thomas, un Red Skelton, quelqu'un qui puisse le mettre en valeur.

Gregory parut déconcerté. L'objection de Dan était sensée. Dan adressa un sourire victorieux à Robin qui se pencha en avant impassible et dit d'un ton détaché :

— Je ne suis pas d'accord.

Sans cesser de sourire, Dan répondit d'un air très supérieur :

— Excusez-moi, mais en tant que directeur de la chaîne je sais ce qui plaît au public mieux qu'un journaliste qui passe la moitié de l'année en Europe.

— Je reconnais que vous vous y connaissez en fait de programmation, répondit Robin, toujours impassible. Mais à mon avis, vous ignorez tout de la nature humaine. Une autre vedette ne mettrait pas Christie Lane en valeur, mais au contraire l'éclipserait. Ça deviendrait un show Danny Thomas ou Red Skelton. Or ce doit être un show à lui. C'est son émission-portrait. Personne ne doit l'éclipser.

Gregory se leva :

— Robin a absolument raison, Dan. Si le présentateur est une vedette, nous n'avons plus qu'une émission de variétés comme il y en a tant. Ce phénomène Christie Lane est le premier d'une série que je veux confier à Robin.

Dan acquiesça d'un air crispé, puis il se tourna vers Robin :

— N'appuyez pas trop sur ses amours, dit-il.

— Le public veut des histoires d'amour, rétorqua Robin.

— Mais les siennes ne gagnent pas à être vues de trop près.

— Ça lui donnera plus de couleur, insista Robin.

— Pas question, fit Dan sèchement. D'ailleurs le public ne s'intéresse pas à la vie amoureuse de M. Christie Lane.

Gregory intervint :

— Vous avez encore tort, Dan. Il faut une compagne à Christie. Personnellement, un homme de quarante ans qui n'a jamais été marié m'inspire des soupçons. En ce qui concerne Christie, c'est compréhensible : il a toujours mené une vie de bohème. Mais il nous faut un personnage féminin. De qui s'agit-il ? Qu'est-ce que vous lui reprochez ?

— Il s'agit d'Ethel Evans. Elle a travaillé à notre service de publicité. Si elle ne fait pas le trottoir, c'est tout juste.

— On ne peut pas en trouver une autre ? demanda Gregory. Pourquoi ne pas lui en coller tout un paquet ? Il suffit d'embaucher des modèles, des mannequins, attribuez-lui généreusement quelques beautés.

— Ethel ne marcherait pas, dit Dan. Si vous montrez des femmes dans sa vie, il faut la montrer également. Le public en sait déjà trop au sujet de leurs relations.

— Qu'est-ce qu'elle fait actuellement à part coucher avec lui ? interrogea Gregory.

Dan éclata de rire :

— Vous ne me croirez pas, mais elle lui sert d'attachée de presse.

— Parfait ! intervint Robin. Qu'elle joue exactement ce rôle dans notre émission. Toutes les vedettes ont une femme à tout faire.

Dan hocha lentement la tête.

— C'est un point de vue... Evidemment ça blanchirait tout. Nous ne pouvons pas la tenir à l'écart. Trop de magazines de cinéma les ont montrés ensemble.

Robin sourit :

— Parfait. Maintenant il s'agit de faire accepter ça à Christie Lane.

Dan eut un vilain rire :

— Oh ! lui, il acceptera... Mais Ethel ?

22

La présence de Danton Miller à l'hôtel Astor faisait ressortir la prétention miteuse de la chambre. L'œil fixé sur une tache du tapis, Ethel se demandait pourquoi Christie atterrissait toujours dans les suites les plus médiocres. Probablement parce qu'il demandait toujours la moins chère. Dan paraissait d'une élégance incongrue dans ce fauteuil au cuir râpé.

Sans se soucier de l'expression qu'avait eue Dan en parcourant la pièce du regard, Christie fumait tranquillement un cigare. Ethel était tendue comme un ressort. Dès que Dan avait téléphoné en proposant de « faire un saut » pour discuter du « déroulement » de l'émission, elle avait soupçonné quelque chose de louche. Dan n'était pas homme à « faire un saut ». Et qu'y avait-il à discuter ? Il s'agissait de présenter la vie de Christie, ses proches, et les gens qu'il avait côtoyés au cours de sa carrière. Ce serait son émission-portrait. Voilà ce qu'elle avait entendu répéter depuis trois semaines. Christie se conduisait comme si on était en train de l'immortaliser. Elle comprenait son enthousiasme. Dans le *Christie Lane Show*, il n'était qu'un simple élément du spectacle. Il chantait des chansons, jouait des sketches, présentait les vedettes invitées. Mais le *Phénomène Christie Lane*, ce serait *lui*. Tous ceux qui y figureraient parleraient de lui. Il ne servirait pas de tremplin à des gens venus de Hollywood. Lui, rien que lui ! Les « satellites » le tannaient même pour qu'il leur paie des complets neufs. Agnès ne cessait de lui faire gentiment des appels du pied. Oh ! elle n'espérait pas y figurer, assurait-elle, « mais puisque tous mes amis m'accusent d'être une fanatique, je réponds que j'aime mieux avoir une toute petite place dans la vie de Christie plutôt que de jouer un grand rôle dans celle de n'importe quelle autre vedette ». Christie ne lui avait pas encore donné le feu vert, mais Ethel devinait qu'il céderait. Petit à petit Ethel s'était laissée gagner par l'excitation générale. Elle suivait même un régime sévère et s'était acheté deux robes pour les prises de vues. Mais elle ne réalisait pas sa propre importance avant que Danton Miller vienne « faire un saut » chez eux.

Ethel écoutait sans rien dire Dan parler de cette émission spéciale. A son grand étonnement, il manifestait autant d'enthousiasme que Christie. Tout ce qu'il disait flattait la vanité de Christie et le gonflait d'importance. Plus il parlait, plus de *Phénomène Christie Lane* prenait les proportions d'un Oscar. Il fallait que ce soit un succès. Quand il arriva au « déroulement » de l'émission, elle fronça les sourcils. Ce qu'elle entendit justifia ses soupçons. Toutes les flatteries préliminaires n'avaient servi qu'à capter la confiance de Christie. Le but essentiel de Dan visait à minimiser Ethel, à jeter un écran de fumée autour du rôle qu'elle jouait réellement dans la vie de la vedette. Elle n'arrivait pas à en croire ses propres oreilles ! Voilà que Dan expliquait négligemment que la IBC allait embaucher des mannequins qui feindraient d'être les flirts de Christie. Une « débutante » avait accepté d'assister à la première de l'*Aqueduc* en sa compagnie. Et quand Christie visiterait les écuries du père, il y aurait des prises de vues sensationnelles.

— Ça te donnera une autre dimension, expliqua Dan. Christie Lane n'est pas n'importe qui. Il attire les belles filles ! Les débutantes sont folles de lui. Nous avons même découvert une poétesse avec qui nous te montrerons en train de bouquiner chez Doubleday. Christie Lane est un érudit ! Ethel jouera, évidemment, un rôle important dans l'émission. Nous la montrerons en train de s'occuper de ton courrier, de noter tes rendez-vous au téléphone...

Ethel suivit des yeux une tache de soleil qui se déplaçait sur le tapis fané. C'était une humiliation intolérable. On allait la ravaler au rang des « satellites ». Mais à bien y réfléchir, qu'était-elle de plus ? Les autres servaient de larbins à Christie dans la journée. Elle, le servait au lit. Financièrement aussi, ils étaient à la même enseigne. Pour la première fois de sa vie, elle éprouva une impression de défaite et perdit même la volonté de combattre. Peut-être à cause des manières hautaines de Dan, peut-être parce que l'appartement était trop miteux, elle se sentait aussi minable que les rideaux poussiéreux qui pendaient mollement devant les vitres grisâtres. Tout à coup, elle se vit telle que la voyait Dan Miller et elle eut envie de s'enfuir. Dieu du ciel ! qu'était-il advenu de la petite Ethel Evanski boulotte, qui rêvait assise sur le seuil de sa maison à Hamtramck ? Comment était-elle devenue cette Ethel Evans qui écoutait, assise dans une suite enfumée de l'hôtel Astor, Danton Miller proposer d'un air poli et négligent des moyens de justifier sa présence dans la vie de Christie ? Comment tout cela s'était-il produit ? Elle avait seulement eu envie de devenir quelqu'un. Pouvait-on le lui reprocher ? Elle faillit éclater en sanglots, foncer sur Danton Miller, effacer à coups d'ongles son sourire compassé... Comment pouvait-il s'asseoir dans ce fauteuil et paraître encore impeccable, immaculé ? Qu'est-ce qui lui permettait de laisser entendre qu'elle ne méritait pas d'être présentée comme la maîtresse de Christie ? Dan avait couché avec elle, lui aussi. Cela ne l'avait pas souillé, ni lui, ni son maudit complet noir. Pourquoi ? Mais elle ne broncha pas parce que tout ce que disait Dan était raisonnable. Mannequins, débutantes, poétesse feraient meilleur effet dans l'émission. Et rien d'autre n'intéressait Christie. Il serait vain de discuter, elle avait perdu d'avance. Si bizarre que cela fût, elle ne se souciait pas de ce qu'en diraient les gens de la profession. Tous sauraient qu'il s'agissait d'un coup monté. Mais son père, sa mère et même Helga la croyaient tous fiancée à Christie Lane. Que penseraient-ils quand ils verraient Christie avec de radieuses beautés, alors que la vilaine petite Ethel Evanski restait dans l'ombre aux côtés des larbins de la vedette ? Ecœurée, elle fixa son regard sur la tache de soleil sans plus oser lever la tête. La gorge serrée, elle était près de pleurer. Christie semblait méditatif. Dan continua énergiquement, termina par un morceau de bravoure, se pencha en avant et demanda :

— Alors, Christie, qu'est-ce que tu en penses ?

Christie arracha l'extrémité de son cigare avec les dents et le cracha par terre.

— Je trouve ça dégueulasse, fit-il.

Ethel sursauta. Dan resta médusé.

— En voilà des conneries ! reprit Christie. Qu'est-ce que je foutrais avec une débutante ou une poétesse ? Tout le monde sait que ma poule c'est Ethel.

Elle resta bouche bée. Voilà que le cave la défendait maintenant !

Dan haussa les épaules :

— Bien sûr, tu es au mieux avec Ethel. Je le sais très bien et tu sais que je le sais. Mais nous avons beaucoup réfléchi à cette émission et nous sommes arrivés d'un commun accord à la même conclusion. Nous pensons qu'elle sera beaucoup plus palpitante si on te voit avec plusieurs nénettes au lieu d'une seule.

— Qu'est-ce que c'est que c't'émission ? une présentation de gonzesses pour épater le gogo, ou bien le *Phénomène Christie Lane* ?

— Nous aurons plus de succès si nous combinons les deux.

— Je suis toujours dans les cinq premiers au box-office, pas vrai ? Et c'est pas grâce à des mannequins ou à des « débutantes ». La vedette, c'est moi !

Dan acquiesça :

— Mais Christie, n'oublie pas que tu présentes à chaque fois des vedettes célèbres et qu'il y a de belles filles dans les spots publicitaires. Il arrive même qu'une chanteuse fasse un duo avec toi.

— Et Ethel dans tout ça ? demanda Christie d'une voix de rogomme.

— Ethel est charmante, se hâta de répondre Dan. Il se trouve même, Ethel, que je ne vous ai jamais vu aussi bonne mine. (Il lui sourit paternellement. Elle le fixa d'un regard morne.)

Christie ne se laissa pas distraire :

— Alors ? insista-t-il.

— Nous redoutons la presse à scandale. Jusqu'à présent nous avons eu de la chance. Mais il suffirait qu'un seul canard commence à étaler la vie amoureuse d'Ethel pour que tous les autres lui emboîtent le pas.

— Je les poursuivrai en diffamation, répliqua Christie. Elle est avec moi et personne d'autre depuis plus d'un an. Je peux le prouver.

— Je crains que ce soit apporter de l'eau à leur moulin. D'accord, Ethel est ta petite amie. Elle vit avec toi. C'est pour ça qu'ils ont pensé que « la femme à tout faire » est un bon truc. Ça expliquerait *pourquoi* vous êtes ensemble.

— Minute ! s'exclama Christie en agitant son cigare. *Ils* ? Qui c'est ces foutus *ils* ?

Dan tira son étui à cigarettes de sa poche.

— Laisse-moi t'expliquer, Christie : Robin Stone est également dans le coup. Si les magazines à scandale se déchaînent contre toi à cause d'Ethel pour la première émission de sa série, il risque de se mettre à dos les rupins qui commanditeraient toute la série. N'oublie pas que le monde ne se limite pas à New York, Chicago et Los Angeles. Dans le reste du pays on va à l'église tous les dimanches, on se marie, et on fête ses noces d'or. C'est à tous ces gens-là que tu plais. Ils te reçoivent dans leur salon. Tu ne peux pas leur déclarer insolemment : « Voilà ma concubine, et si ça ne vous plaît pas, allez vous faire cuire un œuf ! »

— Très bien. Alors, ce sera pas ma concubine, ce sera ma femme.

Dan perdit son impassibilité. Il remua les lèvres mais aucun son n'en sortit. Ethel se pencha en avant, convaincue que les propos de Christie dissimulaient un piège.

Mais Christie hocha la tête solennellement pour donner plus de poids à sa décision.

— Ouais, vous m'avez bien entendu, j'vais épouser Ethel.

Dan se remit du choc et recouvra son sourire félin. Christie s'adossa à son fauteuil comme si l'affaire était réglée. Mais Ethel sentit que la bataille commençait à peine. Dan rassemblait ses forces pour lancer un nouvel assaut :

— C'est drôle, fit-il d'un ton mélancolique. Je te prenais pour un grand romantique.

— Un quoi ?

— Un homme qui n'aurait aimé qu'une seule femme de sa vie. J'étais convaincu que c'était ça entre Amanda et toi. Le soir de sa mort, j'ai craint que tu n'annules le spectacle. Mais tu es un homme du métier. Je savais ce que tu ressentais, mais tu as compris qu'il faut bien que la vie continue. Quand on a perdu la seule qui comptait, on se contente d'un succédané... on prend provisoirement une remplaçante.

Pour la première fois de sa vie, Ethel comprit comment dans un accès de fureur aveugle on peut aller jusqu'au meurtre. Elle avait envie de sauter à la gorge de Dan. Ses doigts se crispèrent sur les bras du fauteuil jusqu'à ce que ses jointures blanchissent. Enfin, rassemblant toute son énergie pour conserver son calme, elle dit d'une voix aussi mesurée que celle de Dan :

— Vous oubliez, mon cher Danton, qu'Amanda avait quitté Chris pour Ike Ryan. Elle est morte sous le nom de Mme Ike Ryan et non en tant que maîtresse de Christie.

— Oui, mais les grands amoureux continuent d'aimer celle qui les a quittés, répondit Dan d'un ton conciliant. A mes yeux, Christie est de cette race.

Christie se leva d'un bond :

— En voilà des conneries ! C'est comme ça que tu te figures les grands amoureux, toi ? Pour moi, c'est les rois des caves. Tu me prends pour un connard qui continuerait à pleurer une nana qui l'a laissé tomber ? Eh ben, non, mon p'tit pote. Je suis Christie Lane : un dur qu'en a vu des vertes et des pas mûres, je me suis élevé à la force du poignet et j'en ai bavé. C'est pas une petite connasse blonde qui provoquera un tremblement de terre dans mon existence. (Il s'approcha d'Ethel et lui prit la main.) Regardez bien, monsieur Miller. Voilà une vraie nana. Une nana de première ! Bien sûr, Ethel et moi on s'est connu par hasard, parce qu'on était tous les deux dans la partie. Mais après qu'on soit sorti deux ou trois fois ensemble, j'ai oublié que j'avais connu Amanda.

Dan sourit tristement :

— J'ai relu l'article de *Life* l'autre soir et il m'a ému, surtout le passage où tu dis que tu n'as jamais pensé à en épouser une autre et que tu voulais avoir un enfant avec elle. (Il soupira.) C'est dommage. L'idylle avec Amanda devait tenir une grande place dans l'émission.

— Qu'est-ce qu'elle viendrait y foutre ?

— Nous comptions montrer quelques-unes des photos du reportage de *Life* où vous êtes ensemble, fit Dan d'une voix basse et passionnée. Passer une séquence d'Amanda dans un spot publicitaire et utiliser la bande avec l'instant poignant où tu lui chantes *Mandy*. Tu te rappelles ? Nous l'avions prise en gros plan en train de t'écouter. (De nouveau Dan secoua tristement la tête.) Tu te rends compte un peu ! Tout le monde en aurait les larmes aux yeux. Tous les journaux en parleraient : une émission spéciale avec l'histoire d'amour du siècle. Amanda : la seule femme dans la vie de Christie. Quand elle en épousa un autre, il n'eut pas de rancœur. Mais quand elle mourut, quelque chose mourut en lui ! Le public boirait ça comme du petit lait. Ça expliquerait les mannequins, la débutante, parce qu'après Amanda il ne peut plus y avoir d'amour véritable dans la vie de Christie Lane. Et puis tu chanterais, et la voix du présentateur dirait : « Toutes les femmes adorent écouter Christie. Mais lui, il chantera toujours ses chansons d'amour pour une seule, celle qui ne pourra plus jamais l'entendre. » Et après on te prendrait avec plusieurs belles pour montrer que tu essaies d'oublier. Le public raffole des histoires d'amour, Christie. Il oubliera qu'elle a épousé Ike Ryan. Ils sont restés mariés si peu de temps ! Dis-moi, avec combien de filles te rappelles-tu avoir vu Sinatra ? Des flopées ! Mais ses fans continuent à croire qu'il chante toujours pour Ava Gardner. Les paroles ont plus de sens quand celui qui les chante est amoureux. Le monde adore les amants, surtout ceux qui ont perdu leur maîtresse. Nous pouvons toujours dire qu'Ethel est une de celles que tu vois le plus parce qu'elle aimait Amanda, elle aussi, parce qu'elles étaient amies, qu'elles ont travaillé ensemble dans le métier, et qu'elle comprend ta détresse. Tu piges ?

— Tu devrais écrire des scénarios, répliqua Christie impassible. (Sa voix se durcit.) Qu'est-ce que c'est que cette merdouille que vous espérez me faire jouer ? C'est ça le *Phénomène Christie Lane* ? L'histoire d'un homme qui s'est fait lui-même à la force du poignet et qu'était encore presque un inconnu à quarante ans ? Tout le monde le croyait foutu et deux ans plus tard il a réussi, et en beauté ! C'est ça le thème de l'émission. C'est ça, l'essentiel. C'est *ça* le *Phénomène Christie Lane*. Compris ? C'est *mon* émission. Si un jour il fallait que je joue des castagnettes avec les os d'une morte pour intéresser le public, j'aimerais mieux me faire balayeur. Mais en ce moment, je vends mon talent, ma vie. Ni toi, ni M. Robin Stone, vous me dicterez qui je suis. Je suis *moi-même* ! Compris ? Christie Lane ! Et j'épouse la seule fille à laquelle je tiens : Ethel Evans.

Dan se dirigea vers la porte :

— Excusez-moi. J'ai peut-être pris trop au sérieux l'article de *Life*... Tout ce que tu racontais au sujet du gosse que tu voulais avoir avec Amanda, qu'il lui ressemblerait...

— Foutaises ! glapit Christie. Je te crois que je veux un gosse. Je veux un fils. Je veux lui donner tout ce que j'ai jamais eu. C'est pour ça qu'Ethel et moi, on va avoir un chouette petit môme ensemble !

Dan s'inclina légèrement.

— Permettez-moi de vous présenter tous mes vœux de bonheur. Christie, après t'avoir écouté, j'ai changé d'avis. Ethel et toi... ma foi, on pourrait presque dire que c'est un mariage ordonné par le ciel.

Et il s'en alla.

Christie resta un instant l'œil rivé sur la porte, puis il pivota sur lui-même et dit à Ethel sans même la regarder :

— Téléphone à Lou Goldberg. Dis-lui de venir en ville. Appelle Kenny et Eddie. Dis-leur de se renseigner au sujet des analyses de sang et tout le tremblement. Appelle le maire et tâche de savoir s'il peut nous marier. (Il disparut dans la chambre à coucher.)

Ethel resta assise. Elle n'y croyait pas. Est-ce qu'il parlait sérieusement ? Allait-elle vraiment devenir *Madame* Christie Lane ? Quand il sortit de la chambre à coucher, Christie portait son pardessus sur le bras.

— Eh bien, qu'est-ce que t'attends ? demanda-t-il. Tu ne veux pas te marier ? (Elle hocha la tête sans rien dire. Il fit claquer ses doigts.) Alors, magne-toi le popotin. Occupe-toi des démarches.

Elle jaillit de son fauteuil et se jeta en tremblant dans ses bras :

— Oh, Christie ! (Elle pleurait sincèrement.) Tu en as vraiment envie ?

Il parut embarrassé et l'écarta doucement :

— Mais oui, bien sûr. Allez, fais ce que j'ai dit, poupée. (Il se dirigea vers la porte.)

— Où vas-tu ?

Il s'arrêta, puis avec un petit sourire timide il chuchota :

— Je vais acheter les alliances.

En sortant de l'Astor, Christie se dirigea vers le centre de la ville. Arrivé à la Quarante-Septième Rue, il poursuivit jusqu'au pâté de maisons qu'on appelait l'Avenue des Joailliers. Plusieurs types qu'il connaissait y tenaient des stands. Les Edelman lui faisaient toujours des prix quand il se fendait à Noël d'une paire de boutons de manchettes pour les auteurs et les gars de son équipe. Il les vit derrière la vitrine en passant, les salua de la main, et se demanda pourquoi il ne s'arrêtait pas. Au bout d'un moment il se surprit à marcher vers la Cinquième Avenue. Quand il prit conscience de sa destination, il hâta le pas et finit même par courir. Arrivé à la Cinquantième Rue, il s'arrêta, essoufflé, hésita un moment puis monta lentement les marches du perron de la cathédrale Saint-Patrick.

Né de parents catholiques, il avait été baptisé et acceptait sa religion comme n'importe qui accepte la couleur de sa peau, mais il ne pratiquait pas et ne se rappelait plus rien du catéchisme qu'il avait pourtant su par cœur du temps de sa première communion. Depuis, le divorce de ses parents avait mis un terme à ses préoccupations religieuses. Sa mère s'était remariée avec un baptiste et elle élevait son demi-frère dans la religion baptiste. A moins que ce fût la religion méthodiste ? Christie ne s'était pas entendu avec son beau-père et avait quitté sa famille à l'âge de quatorze ans.

A cet instant, dans l'ombre paisible de la cathédrale, tous les rites oubliés lui revinrent en mémoire. Sans s'en rendre compte, il plongea la main dans le bénitier et se signa. Il passa devant les rangées de cierges allumés et contempla le Chemin de Croix. Il vit une femme entrer dans un confessionnal. Tout à coup, il fut pris d'une envie pressante de se confesser. Il s'approcha, mais se sentit si nerveux qu'il s'arrêta. Voilà si longtemps qu'il ne s'était pas confié à un prêtre ! La dernière fois, il avait quatorze ans. Il venait de baiser pour la première fois et il espérait que la confession l'immuniserait contre la chtouille. Il était tellement pressé de connaître une femme qu'il ne l'avait regardée qu'après. Alors seulement il avait réalisé sur quoi il était tombé. Mais que peut-on espérer sous une porte cochère pour cinquante *cents* ?

Une femme sortit d'un confessionnal et se dirigea vers un prie-Dieu. Il la regarda s'agenouiller et tirer un chapelet de son sac. Elle ferma les yeux et remua les lèvres en serrant successivement chaque grain entre les doigts.

Il lui suffisait d'entrer, de s'agenouiller et de dire : « Pardonnez-moi, mon Père, car j'ai péché. » C'est ce qu'il fit. Il entra dans un confessionnal, s'agenouilla et bredouilla :

— Pardonnez-moi, mon Père, car j'ai péché. (Il devinait confusément la silhouette du prêtre derrière le grillage.) J'ai commis bien des péchés mortels. Je vis avec une femme qui n'est pas mon épouse. J'ai proféré en vain le nom du Seigneur.

— Avez-vous l'intention de vous amender ?

— Oui, mon Père, je vais épouser cette femme. J'en aurai un enfant et je...

Il se tut au moment de dire : je l'aimerai et la chérirai. Les mots lui restèrent dans la gorge. D'un bond, il jaillit du confessionnal et fonça vers le chœur. Ne trouvant pas la sortie, il se crut prisonnier. Il y avait pourtant une sortie quelque part, il en était sûr. Son regard erra sur des rangées de cierges dont la flamme vacillait dans la pénombre. Il y avait quelques fidèles agenouillés devant la Vierge Marie. Rassuré, il suivit une des allées latérales vers la sortie. Sous chaque statue de saint quelques cierges brûlaient. On eût dit une mer de lumière : chaque flamme symbolisait une prière, individuelle. Puis il passa devant un autel plongé dans l'obscurité. Il lui fallut un moment pour réaliser qu'un seul cierge y brûlait, une seule et unique flamme sur deux rangées de bougies intactes. Elle flambait comme un fier défi, dans sa solitude pathétique. Christie trouva cela injuste. C'était le seul saint qui ne faisait pas ses affaires. Il consulta la plaque : saint André.

Il regarda autour de lui pour s'assurer que personne ne le regardait et s'agenouilla. La pierre était dure. Il éleva ses mains jusqu'à son front et leva les yeux. « Salut, Dédé, mon pote. Je vais te confier ma clientèle. Apparemment tu n'as pas grand-chose à faire, tu peux m'écouter. La petite bougie qui brûle toute seule touche à sa fin, alors tu t'es déjà occupé de son cas. » Il se releva. Non, mais... il perdait la boule. Voilà qu'il lui parlait comme s'il était vivant, ce plâtre. D'ailleurs, il n'y avait pas de saints, rien que des révolutionnaires illuminés qui s'étaient fait buter pour leur cause. Et à quoi ça servait tout ça, en fin de compte ? Ils étaient morts, tombés en poussière et les gens continuaient à pécher, à se battre, à s'entre-tuer, à mourir. Comme Amanda. Amanda... Les larmes lui montèrent aux yeux.

Il porta ses mains à son visage et sanglota sans bruit. « Oh Mandy, murmura-t-il. Tout ce que j'ai dit là-bas, à l'hôtel, c'était pas vrai. Oh, mon Dieu, s'il y a un paradis et si tu m'écoutes, dis-lui que j'étais pas sincère. Mandy, tu m'entends, ma poulette ? Je t'aime. Je n'ai jamais aimé que toi et je n'en aimerai jamais aucune autre. Toi, tu ne m'aimais pas, mais je ne t'en veux pas. Je t'aimais et il n'y a que ça qui compte. C'est peut-être pour ça que j'épouse Ethel. Je t'aimais et tu es partie avec un autre et ça m'a fait mal. C'est peut-être ça que je me suis rappelé aujourd'hui, et tout à coup j'ai pensé : pourquoi faire de la peine à Ethel ? Je ne l'aime pas, mais elle m'aime. Alors, pourquoi pas la rendre heureuse ? Tu vois, ma poulette, c'est à cause de toi qu'Ethel sera heureuse. Et quand j'aurai mon gosse, alors je serai heureux, moi aussi. Pourquoi faut-il que les choses tournent comme ça, Mandy ? Ethel m'aime et je t'aimais et... merde ! Oh ! excuse-moi, ma poulette. Mais pourquoi les gens ne peuvent-ils pas s'aimer mu-tu-el-le-ment ? Je donnerai tout à mon gosse... Et puis écoute, Mandy, peut-être qu'en sortant d'ici je penserai que je suis fou, mais pour l'instant, à cette seconde, je crois que tu peux m'entendre. Je crois aussi que ce saint André est avec toi et qu'il reste peut-être quelque chose après la mort. Je vais pas commencer à devenir bigot et aller à la messe tous les dimanches, mais je vais te dire une chose : J'élèverai mon gosse en bon catholique, et je dirai jamais de gros mots devant lui. Et puis, ma poulette, je cesserai jamais de t'aimer. Je crois que tu le sais. Pas vrai, Mandy ? Tu n'es pas sous terre dans une boîte. Tu es là-haut, quelque part, et tu es heureuse. Je le sens. Bon sang ! j'en suis sûr. » Pendant un instant, le ravissant visage d'Amanda lui sembla tout proche. Elle lui souriait. Et il sourit aussi.

« Salut, ma poulette, sois bien sage là-haut. Et puis qui sait ? Si ça se trouve, on se retrouvera et on s'entendra peut-être. » Il ferma les yeux. « Saint André, aide-moi à être un bon père. Donne-moi un bon fils, un solide gaillard. » Il se releva puis s'agenouilla de nouveau. « Pendant qu'on y est, remercie le Patron là-haut pour toute la chance qu'Il m'a accordée. Et prie pour que j'aie de bonnes intentions. »

Il se releva, laissa tomber vingt-cinq cents dans le tronc, prit un cierge et l'alluma. Ça en faisait deux qui flambaient côte à côte. Curieux, mais cette petite lumière de plus rendait plus scandaleuses les rangées de bougies éteintes. Il regarda la statue de saint André. « Je sais ce que tu ressens... Comme moi quand je jouais dans des boîtes de nuit vides, où il y avait à peine deux tables d'occupées. Je regardais toutes les nappes, blanches comme neige, et ça me donnait la cécité des montagnes. »

Il plongea la main dans sa poche, en tira un dollar, le mit dans le tronc et alluma quatre autres cierges. C'était encore maigre comparé aux autels des autres saints. Christie haussa les épaules. Au diable l'avarice ! pensa-t-il. Cette fois, il tira un billet de vingt dollars de sa poche et le mit dans le tronc. Il s'appliqua méticuleusement à allumer tous les cierges, recula de deux pas et admira l'illumination. « Dédé, vieux frère !... quand les curetons viendront faire la caisse ce soir, qu'est-ce qu'ils vont être surpris ! C'est toi qu'auras la plus grosse cote de tous. »

Sur ce, il retourna dans l'Avenue des Joailliers et acheta deux alliances en or.

Presse et télévision montèrent le mariage en épingle. Même les petits événements qui précédèrent la cérémonie eurent droit à des articles : Lou Goldberg loua tout le premier étage de *Chez Danny* pour enterrer, à grand tapage, la vie de garçon de Christie ; toutes les vedettes masculines qui se trouvaient à New York furent de la fête. Les chroniqueurs rapportèrent quelques-unes des anecdotes racontées au cours du dîner. Les comiques de la télévision débitèrent quelques blagues bon-enfant, mais pas un seul ne risqua la moindre allusion désagréable à Ethel. Tous sentaient que la moindre pique ferait éclater la marmite dans laquelle était enfermé le passé de la jeune femme.

Ethel connut quelques moments pénibles. Le premier pépin fut l'arrivée de son père et de sa mère une semaine avant la cérémonie. Christie se fendit d'une chambre à deux lits à l'Astor. Ethel ne protesta pas pour qu'il retienne une suite. Ses parents n'avaient jamais vécu à l'hôtel et n'auraient probablement pas su quoi faire d'une pièce supplémentaire. Elle dut recommander à sa mère de *ne pas* faire les lits. En les accueillant à la gare de Pennsylvanie (évidemment ils n'avaient pas pris l'avion, l'idée d'aller à New York les traumatisait déjà assez !) elle n'en crut pas ses yeux : ses parents paraissaient si petits. Avaient-ils rétréci ?

L'Astor les émerveilla. En voyant Christie, ils furent frappés de stupeur. La ville elle-même leur inspira une terreur fascinée. Ils exigèrent qu'Ethel les conduisît au sommet de l'Empire State Building où elle n'était d'ailleurs jamais montée elle-même. Ils firent le tour de New York en bateau. Il leur fallut voir la Statue de la Liberté. Ensuite, sur leur liste — mais oui, ils avaient une liste, la moitié de la population d'Hamtramck y avait collaboré — il y avait Radio City. Le film leur plut et le spectacle sur la scène les émerveilla. Ethel fut soulagée quand les « satellites » les prirent en charge pour le tombeau du Général Grant, la promenade en calèche à Central Park, et la traversée de l'Hudson par le pont George Washington. D'abord elle leur exprima sa gratitude avec volubilité, puis elle pensa soudain qu'ils devenaient maintenant ses « satellites » à elle aussi, la future Mme Christie Lane. En attendant elle profita de ce répit pour courir les magasins à la recherche d'une robe de mariée qui lui convînt. Pas de voile, pas même de blanc. Soyons prudente ! Quelle idée avait eu tout à coup ce cave de Christie de se marier à l'église ? Mais c'était quand même un bon signe. Ça signifiait qu'il prenait ce mariage au sérieux et entendait faire durer leur union. En ce qui la concernait, elle se serait contentée de n'importe quel sorcier pourvu que le mariage fût légal. Elle s'entretint avec le Père Kelly — non, elle n'était pas obligée de se convertir pourvu qu'elle promît d'élever ses enfants dans la religion catholique. *Ses enfants* ? Il aurait un enfant. *Rien qu'un* ! Et seulement quand elle serait prête. A trente-deux ans, elle avait trop longtemps acheté ses vêtements en solde, tourné le menu du côté le moins cher. Elle allait enfin avoir une garde-robe bien fournie, se faire masser, fréquenter les meilleurs salons de beauté. Bigre non ! elle n'allait pas se presser de passer six mois dans des robes de grossesse. Pas tout de suite. Pas avant d'avoir acheté tout ce qui lui faisait envie.

Ils se marièrent au cours de la première semaine de mai, à la cathédrale Saint-Patrick, en présence des parents d'Ethel, de Lou Goldberg, des « satellites » et d'Aggie. Christie en avait décidé ainsi et, jusqu'au oui final, elle ne souleva aucune objection. La cérémonie terminée, tout le monde embrassa tout le monde. Puis Ethel remarqua que Christie s'était éclipsé. Elle l'aperçut qui traversait la nef à l'autre extrémité de l'église. Elle le suivit discrètement à distance et le vit s'agenouiller devant un autel. Et voilà que ce crétin allumait tous les cierges et mettait un billet dans le tronc. Il devait bien en avoir pour vingt dollars. Elle rejoignit le gros de la troupe sans qu'il s'aperçût de rien. Fallait-il qu'il l'aimât pour se fendre de vingt dollars ! Elle n'aurait jamais cru cela. Mais il arrive que des célibataires radins deviennent généreux après le mariage. Cette folle illumination était donc un bon présage.

Christie emmena tout le monde dîner. Puis ils allèrent en bande raccompagner les parents d'Ethel à la gare. Cette nuit-là, en rentrant avec Christie à l'Astor, pour la première fois elle se fit inscrire sur le registre de l'hôtel.

Elle ne se plaignit pas le moins du monde de passer sa lune de miel à l'Astor. La préparation de son émission ne laissait pas un instant de répit à Christie. Mais ensuite ils passeraient six semaines à Las Vegas. C'est alors qu'elle organiserait leur avenir. D'abord, elle lui dirait de virer cinq mille dollars par mois à son compte... peut-être dix mille. Puis, sans plus attendre, elle prendrait contact avec un agent immobilier afin qu'il leur trouve un duplex dans Park Avenue.

Elle passa sa première semaine de vie conjugale dans la salle obscure d'un studio où Christie enregistrait son émission. Elle devait figurer dans les séquences d'atmosphère : extérieurs, restaurants, théâtres. Cette semaine-là, on reconstituait l'ambiance de ses émissions de télévision. Il y chantait quelques chansons.

Un jour, l'agent immobilier apparut aux répétitions sous les traits d'une élégante Mme Rudin. Elle étala les plans de quelques somptueux appartements. Pendant une pause, Christie les rejoignit. Ethel le présenta à Mme Rudin. Il écouta tranquillement ses explications, puis tout en serrant son cigare entre ses dents, il déclara :

— Ecoutez, la môme, roulez ces plans et oubliez-nous. Ethel et moi on est très bien comme on est à l'Astor.

Ethel ravala sa rage, devint écarlate mais elle se contint. Quand l'agent immobilier se fut retiré, elle coinça son mari dans les coulisses :

— Comment as-tu osé me faire ça ?
— Te faire quoi ?
— Tu m'as fait honte devant cet agent immobilier.
— Alors, n'en amène pas et t'auras pas honte.
— Il nous faut un appartement.
— Pour quoi faire ?
— Christie, tu n'espères tout de même pas que je vais continuer à vivre à l'Astor avec tes deux malles armoire dans le salon, un petit placard de rien du tout pour nous deux et une seule salle de bains ?
— Doucement ! J'ai vu le taudis que tu partageais avec Lilian. C'était pas tout à fait le Ritz.
— Je n'étais pas *Madame* Christie Lane à ce moment-là.
— Eh bien, *Monsieur* Christie Lane se contente de l'Astor.

Elle comprit que ce n'était ni le lieu ni le moment de régler ce compte. Il lui restait tout l'été pour venir à bout de son mari :

— Je vais chez les Saks m'acheter un maillot de bains pour Las Vegas. Tiens, puisqu'on en parle, il me faut un compte en banque.

— Ouvres-en un.

— Il me faut de quoi faire un versement.

— Tu gagnais deux cents dollars par semaine avant ton mariage. J'en ai parlé à Lou. Il continuera à t'envoyer le même chèque chaque semaine et tu continueras à t'occuper de ma publicité. D'ailleurs tu n'as rien d'autre à foutre.

— Et mon argent de poche ?

— Deux cents tickets par semaine, c'est pas des clopinettes ! Par-dessus le marché, tu n'as plus besoin de payer la moitié du loyer à Lillian. Ça te fait une économie. Deux cents dollars par semaine, c'est beaucoup d'argent de poche. Y a des familles de huit personnes qu'en ont pas plus pour vivre.

Elle se laissa tomber dans un fauteuil vide. Il lui semblait qu'on l'avait roulée, comme si en creusant dans son jardin elle faisait jaillir du pétrole et le lendemain matin trouvait la source tarie. Cette impression persista quand, l'émission terminée, ils partirent pour Las Vegas. Directeurs de motels et chasseurs l'appelaient Mme Lane. A part ça, rien n'avait changé dans sa vie. Elle était même plus heureuse avant son mariage parce qu'elle avait toujours quelques nuits de liberté qu'elle passait dans l'intimité de son appartement avec Lilian. Désormais, elle ne quittait plus Christie et son « clan ». A l'automne, quand ils retourneraient à New York, ce serait encore l'Astor, le Copa, le Jilly's et les dîners avec les « satellites ». Eh bien, non ! elle ne retournerait pas à l'Astor !

Un soir, après le spectacle, elle remit la question sur le tapis.

— Qu'est-ce que tu lui reproches à l'Astor ? questionna-t-il.

— Je ne veux plus y habiter.

— Où veux-tu vivre ?

— Dans un bel appartement avec une salle à manger, une terrasse, et *deux* salles de bain.

— Tant de pièces rien que pour nous deux ? Autrefois, à Hollywood, j'ai loué une maison, mais Eddie, Kenny et Aggie vivaient avec moi. Eh ben nous avions quand même trop de place. Ecoute, quand nous aurons un gosse, on parlera d'appartement. Pour mon gosse, bien sûr, il me faudra une salle à manger. Je veux qu'il apprenne tout bien dès le début. Mais tant qu'on sera que tous les deux, une suite suffira.

Ce soir-là, elle ne mit pas son diaphragme.

23

Robin vit la photo de Maggie dans le journal du matin en prenant son café. Il lut la légende :

MAGGIE STEWART, LA NOUVELLE JEUNE VEDETTE DES FILMS CENTURY, EST A NEW YORK AUJOURD'HUI, POUR TOURNER LES EXTERIEURS DE « LA CIBLE ».

Son maquillage était un peu plus accentué, elle avait les cheveux plus longs, mais elle semblait en grande forme. Il fut pris soudain d'une envie incoercible de la voir et demanda le Plaza au téléphone. Maggie y était bien descendue mais sa chambre ne répondait pas. Il laissa un message indiquant qu'il avait appelé.

Il était en pleine conférence lorsque sa secrétaire entra discrètement dans la salle et posa une note devant lui : « Mlle Stewart en ligne. » Il lui fit signe de s'éloigner et continua à discuter. C'est seulement à cinq heures qu'il put rappeler Maggie.

— Salut ! fit-elle d'un ton joyeux mais distant.

— Comment va notre grande vedette de cinéma ?

— Crevée. Je joue le rôle d'un mannequin de haute couture dont la vie est en danger. A la première scène, on essaie de m'assassiner pendant que je présente des modèles à Central Park. Naturellement, selon les usages bien établis de Hollywood, on tourne cette séquence en dernier. Voilà pourquoi je suis ici.

— Ça a l'air palpitant.

— Je l'espère. Dès que le tournage sera terminé, on fera le montage et on lancera le film.

— Vous en avez d'autres en vue ?

— On m'a fait plusieurs offres, mais mon agent veut que j'attende la sortie du film. C'est tenter la chance, mais si c'est un succès j'aurai de meilleurs rôles et je serai mieux payée. Si c'est un fiasco, je perds ce que je pourrais signer maintenant.

— C'est un sacré cas de conscience !

— Je suis joueuse. J'attends.

— Bravo... Combien de temps restez-vous en ville ?

— Seulement trois jours.

— Si on mangeait un hamburger ensemble au P.J.'s ? (Il avait fait cette invitation sans même s'en rendre compte.)

— Pourquoi pas ? dit-elle. Ici, le service met des siècles. Laissez-moi seulement le temps de faire un brin de toilette. J'ai huit couches de fard sur la peau.

— Sept heures, ça va ?

— D'accord. On se retrouve là-bas. (Elle raccrocha.)

Robin considéra le téléphone d'un air pensif. Maggie ne lui avait même pas laissé le temps de lui offrir d'aller la chercher. Est-ce qu'elle lui battait froid délibérément ? Ce qui indiquerait qu'elle se faisait encore des idées... Il se hâta d'appeler Jerry Moss.

A sept heures et demie il l'attendait toujours au P.J.'s.

— Elle me pose peut-être un lapin, fit-il en souriant.

Jerry le considéra d'un air intrigué.

— Où en es-tu avec cette fille ?

— Nulle part. C'est une copine, rien de plus. On pourrait même dire que nous sommes de vieux amis.

— Alors, pourquoi as-tu peur de te trouver seul avec elle ?

— Peur ?

— La dernière fois qu'elle est venue à New York, tu as tenu à ce que je sois avec toi quand tu es allé l'accueillir à sa descente d'avion.

Robin sirota quelques gorgées de bière.

— Ecoute, mon vieux, elle a été l'amie d'Andy Parino. Ils venaient de rompre au moment de son arrivée. Il aurait pu croire que je me pressais de prendre sa succession. C'est ce que j'ai voulu éviter probablement. Mais je ne me rappelle plus très bien cette histoire.

— Ça expliquerait tout. Et ce soir, je suis ici pour t'éviter des ennuis avec Adam Bergman ?

Robin parut étonné.

— Adam Bergman ?

— Le jeune metteur en scène qui fait fureur, expliqua Jerry. Il a monté la pièce qui a raflé tous les prix à Broadway l'an dernier. Je ne me rappelle plus le titre. Il s'agissait d'une histoire entre une lesbienne et une pédale. Mary et moi, nous sommes partis à la fin du premier acte. C'est la nouvelle coqueluche du monde du spectacle. (Robin ne répondit pas.) Marrant, poursuivit Jerry. Je suis peut-être vieux jeu, mais j'aime les pièces qui ont une intrigue, un début, un milieu, et une fin. Aujourd'hui...

Un brouhaha s'éleva dans la salle, Jerry se tut. Tous les regards convergeaient sur Maggie qui se dirigeait vers eux. Robin se leva. Elle prétendit se rappeler Jerry, mais il fut certain qu'il n'en était rien Elle ne s'excusa pas de son retard, commanda un *chili con carne* et fouilla son sac à la recherche de ses cigarettes.

— Je vous en offrirais bien une, mais j'ai cessé de fumer, dit Robin.

— Alors, il faudra aller m'en chercher un paquet, j'ai oublié les miennes.

Jerry éprouva un malin plaisir en voyant Robin s'empresser de filer vers le distributeur automatique, revenir, ouvrir le paquet et tendre du feu à la belle.

— Quand avez-vous cessé de fumer ? questionna-t-elle.

— Il y a deux jours.

— Pourquoi ?

— Pour me prouver que je peux m'en passer.

Elle hocha la tête comme si elle voyait ce qu'il voulait dire.

— Je boirais bien une bière, fit-elle son repas achevé. Après quoi, je serai obligée de partir, malheureusement. Je dois me lever tôt demain matin.

Robin commanda de la bière. Les clients faisaient la queue devant la porte. Tout à coup, Robin se leva :

— Excusez-moi, dit-il, j'aperçois des amis.

Ils le virent aller à la porte, échanger quelques mots avec un couple dans la file d'attente et, un instant plus tard, il revint avec un homme et une jeune femme.

— Maggie Stewart, Jerry Moss ; je vous présente Dip Nelson et Pauli... (Il se tourna vers cette dernière.) Excuse-moi, Pauli, je ne me rappelle pas ton nom de famille.

— C'est Nelson, désormais.

— Félicitations ! (Robin fit signe au garçon d'apporter des chaises.) En nous tassant un peu, nous tiendrons tous à la table.

— J'ai hâte de manger et de filer, dit Pauli en s'asseyant. J'en peux plus. On a répété toute la journée. On n'a plus que trois semaines devant nous avant la première.

— Nous préparons un sketch qu'on jouera dans les boîtes de nuit, expliqua Dip. La première doit avoir lieu dans un Country Club de Baltimore. Elle ne nous rapportera pas un rotin. Simple rodage. Notre grand jour ce sera le Quatre-Juillet au Concord. On touchera cinq mille tickets par soirée.

— La grosse galette ! fit Robin.

— Oui, mais le sketch nous en coûte plus de vingt-cinq mille.

— Vingt-cinq mille ! s'exclama Robin, sincèrement étonné.

— Pourquoi crois-tu qu'on répète huit heures par jour aux studios Nola ? lança Pauli. Hé, garçon ! deux *chili con carne,* deux sandwiches au fromage et deux coca !

— Tu comprends, on a eu des tas de frais, tout un matériel de scène, expliqua Dip. Il a fallu faire faire la chorégraphie, la musique et tout le tremblement. Pauli danse bien et son numéro rompt la monotonie du tour de chant. Après le Concord nous avons un contrat de quinze jours à Vegas ; quinze mille par semaine. Comme ça, nous sommes assurés de couvrir nos frais. Ensuite, ce sera Reno et en septembre la Salle Persane du Plaza. C'est ça qui compte : passer à New York pour que les critiques en parlent.

— Pourquoi tant de frais pour un sketch de boîte de nuit ?

— Tu as vu mes deux derniers films ? rétorqua Dip.

— Bien sûr.

— Alors tu sais qu'ils ont fait un bide.

Robin sourit :

— Non. Je suis capable de dire ce qui marchera à la télé, mais je vais au cinéma pour me détendre.

— Tu as quand même vu les critiques dans *Variety* ? intervint Pauli.

— Je ne les lis jamais.

— Eh bien moi, le cinéma c'est mon rayon, reprit Dip. Je n'entends peut-être rien à autre chose, mais quand mon agent m'a offert de tourner à cent mille billets seulement pour un petit producteur indépendant, je me suis dit : Dip, il est temps de te faire la valise.

— Mais avec ce que tu avais ramassé comme fric, tu n'as pas trop de bile à te faire pour le moment. (Robin avait envie de changer de sujet pour que Maggie et Jerry participent à la conversation.)

— Tu rigoles ! s'exclama Dip. J'ai acheté une maison pour les vieux de Pauli.

— Un taudis, ou tout juste, protesta Pauli. Enfin, une petite bicoque à Los Angeles. Ne prends pas tes grands airs comme si tu leur avais offert un palais.

— Mais je l'ai achetée quand même, et payée cash : quarante-neuf mille dollars, c'est pas des clopinettes. En tout cas, quoi qu'il nous arrive, ils auront un toit sur la tête. J'en ai acheté une aussi pour nous. Faut voir ça. Rien que le mobilier et la décoration, ça m'a fait un coup de cent mille tickets. En plein Bel-Air. J'en avais mal au cœur de la quitter. Mais il faut partir avant d'être complètement coulé. Notre sketch va nous remettre en selle, et comment ! Après ça, les gros bonnets d'Hollywood se traîneront à mes pieds, et le Grand Dipper reprendra sa place de vedette.

— Avec la petite Pauli à ses côtés, souligna celle-ci.

— Oui, c'est vrai. Quand nous nous sommes mariés, j'ai dit : nous formons une équipe pour la vie.

— Et sachez que je n'accepterai pas de tourner des bouts d'essai, déclara Pauli à la cantonade.

— Bravo ! fit Maggie qui n'avait pas encore pipé mot.

Pauli la considéra avec curiosité.

— Tu es de la partie, toi aussi ?

— Elle joue le rôle principal dans le nouveau film d'Alfred Knight, expliqua Robin.

— Pas possible ! s'exclama Pauli en regardant Maggie plus attentivement. Mais, oui ! je te reconnais, c'est toi la nouvelle souris d'Adam Bergman !

Maggie resta impassible. Ce fut Dip qui eut l'air horrifié. Pendant un moment il y eut un silence gêné autour de la table. Pauli ne se souciait que de son sandwich au fromage. Elle engloutit la dernière bouchée et se tourna vers Dip :

— Demande l'addition et taillons-nous. J'ai sommeil. Nous avons encore huit heures de répétition demain.

Robin sourit :

— C'est moi qui vous invite. Faites-moi ce plaisir. N'oubliez pas que plus tard je pourrai dire que j'ai connu Pauli Nelson avant qu'elle devienne célèbre.

Elle le regarda fixement :

— J'ai rien à foutre de tes conneries. Et puis d'abord, qu'est-ce que t'es ? Dip m'a fait regarder ton émission *En Profondeur*. Il y a pas de quoi se vanter. J'ai remarqué qu'on t'a foutu à la porte depuis. C'est un autre type qui la présente.

— Pauli ! (Dip lui saisit le bras.) Robin, excuse-la. Tu sais, je suis franchement désolé que tu aies perdu *En Profondeur*. Tu n'as rien en vue ?

— Si, répondit Robin en souriant. Une nouvelle émission en automne. Ça s'appellera *Phénomène*.

Dip parut sincèrement soulagé :

— Ça me fait plaisir, mon pote. T'es comme le grand Dipper. Ils n'arrivent pas à nous crever. Toujours pour la même chaîne ? (Robin hocha la tête.) Dis donc, tu es bien avec Andy Parino ?

— Très bien.

— Alors tu peux me donner un sérieux coup de main, mon vieux, fit Dip en offrant son sourire le plus charmeur. Avant qu'on commence au Plaza, Pauli et moi, tu ne pourrais pas te débrouiller pour qu'on nous interviewe dans *En Profondeur* ?

— Si tu le veux, c'est fait.

— Sans blague ?

— Parole.

Dip se leva :

— Je te ferai signe dès qu'on revient à New York.

Quand ils eurent quitté le restaurant, Robin prit le bras de Maggie :

— Venez, dit-il. Nous allons vous reconduire à pied, Jerry et moi.

— Je n'ai pas envie de marcher.

— Jerry, va chercher un taxi pour la dame, ordonna Robin.

— Jerry, inutile d'aller chercher un taxi pour la dame, fit-elle sur le même ton. La dame a une voiture.

Ils remarquèrent alors l'énorme voiture de luxe garée devant le restaurant.

— Merci pour ce somptueux banquet et cette conversation tellement passionnante, dit-elle. Si jamais vous allez en Californie, je ferai de mon mieux pour vous recevoir aussi bien.

Jerry regarda la voiture disparaître dans la Troisième Avenue :

— Elle est vraiment mordue, dit-il tranquillement.

— Elle m'en veut, répliqua Robin d'une voix sèche.

— Pas du tout. Elle est amoureuse de toi, j'en suis sûr. Mais c'est une actrice. Et probablement très douée parce que ce soir elle a diablement bien joué son rôle.

— Qu'est-ce que tu veux dire ?

— Ce n'est plus la fille que j'ai rencontrée à l'aéroport en février. Et personne ne peut changer à ce point en trois mois.

— L'Adam je-ne-sais-quoi l'a peut-être transformée.

— Peut-être.

— Allons prendre un pot au Lancer, proposa Robin.

— Non, je file tout droit à la gare. J'ai encore le temps de prendre le dernier train. A ta place, je téléphonerais à Maggie Stewart pour lui offrir un dernier verre au Plaza en tête-à-tête.

— Non, merci.

— Dis-moi, Robin, cette fille, c'est comme les cigarettes ?

— Je ne comprends pas.

— Qu'est-ce que tu essaies de prouver en renonçant à Maggie Stewart ?

Maggie quitta New York et Robin se plongea dans le travail à corps perdu. Chaque soir il écrivait quatre pages de son livre. Tina St. Claire vint lancer un film. Il la reçut dans son appartement et pendant une semaine il fut heureux de l'avoir dans son lit. Mais quand elle s'en alla, il fut encore plus satisfait de se retrouver seul. Il travaillait tellement à ses émissions qu'il perdit la notion du temps. Le calendrier de son bureau lui rappela que le 4 juillet approchait. Cette année-là, il tombait un jeudi, d'où un pont et un long week-end. Il ne voyait personne avec qui passer ces quelques jours. Jerry Moss fut aux anges quand Robin accepta passivement d'aller à Greenwich. Robin prévoyait une succession de dîners à n'en plus finir, mais il y avait la piscine et peut-être pourrait-il jouer un peu au golf.

Le 2 juillet, il reçut un télégramme de Maggie :

ARRIVE 3 JUILLET POUR LANCER FILM A LA TELEVISION. ELIZABETH TAYLOR A-T-ELLE VRAIMENT DEBUTE AINSI ? RESTERAI QUELQUES JOURS. PEUT-ETRE POUVEZ-VOUS M'AIDER POUR LES EMISSIONS ? MAGGIE.

Il téléphona à Jerry pour annuler le week-end à Greenwich. Le mercredi, il quitta son bureau à cinq heures. Aussitôt arrivé chez lui, il téléphona au Plaza. Elle y était bien descendue deux heures plus tôt mais était sortie pour enregistrer le *Johnny Carson Show*. Il passa une soirée sinistre et une nuit guère meilleure. Puis le week-end traîna. Il avait encore quatre jours de liberté devant lui. Rien ne pressait.

Il l'appela le jeudi. Elle était sortie. Il laissa un message et s'en alla jouer au golf.

Le vendredi, il lui laissa deux messages.

Le samedi, il ne prit même pas la peine de l'appeler.

Le dimanche à neuf heures, son téléphone sonna. Qu'elle aille donc se faire voir ! Elle passerait la journée toute seule. A la troisième sonnerie, l'opératrice prit la communication. Robin fit sa toilette sans se presser puis appela le standard.

Un certain M. Jerry Moss l'avait appelé de Greenwich.

Il en fut plus déçu qu'il ne l'aurait cru. Pourquoi diable Jerry lui téléphonait-il à neuf heures un dimanche matin ? Il l'appela.

— Tu t'amuses bien sous le chaud soleil de New York ? demanda Jerry.

— J'abats pas mal de boulot.

— Tu as raté de chouettes soirées. Rick Russell a donné un véritable gala hier soir. Tu sais qui c'est ? Le grand financier qui bouffe les petites sociétés. Il possède même sa propre compagnie aérienne.

— Je vois ça d'ici. Plein air, tables sur le gazon, tentes, lanternes vénitiennes, gens ivres, moustiques.

Jerry éclata de rire :

— Tout ça, plus une de tes amies qui était l'invitée d'honneur : Maggie Stewart.

— Qu'est-ce qu'elle faisait là-bas ?

— Elle a bu, elle a dansé, elle a écrasé des moustiques comme tout le monde. Rick Russell célébrait son cinquième divorce. Il n'est pas mal, surtout quand on pense à tous ses millions. Apparemment ils ont fait connaissance dans l'avion qui les amenait de Los Angeles. Depuis, il est mordu. Il l'envoie aujourd'hui à Chicago dans un de ses avions personnels.

— J'aime que les dames voyagent en grande pompe. Mais pourquoi diable m'as-tu appelé ?

Une pause. Puis Jerry répondit :

— Ma foi... J'ai... j'ai pensé que des nouvelles de Maggie t'intéresseraient.

— Pourquoi ?

— Je... ma foi... Jerry parut gêné.

— Si tu croyais vraiment que j'étais amoureux d'elle, ton coup de fil ne serait pas très chic. Tu voulais me fiche le cafard, Jerry ?

— Non, bien sûr. D'ailleurs, je sais que tu n'aimes pas cette fille.

— Alors, pourquoi me fais-tu perdre mon temps ?

Et il raccrocha.

L'après-midi, il alla au cinéma. Quand il ressortit il faisait nuit, et les rues étaient désertes. Le lendemain la circulation recommencerait son tintamarre. Mais ce soir, toute la ville lui appartenait. Il prit un hot dog dans un Nedick de la Troisième Avenue. Puis il erra sans but. Arrivé à la Cinquième Avenue, il se retrouva devant le Plaza.

— Envie de rigoler, Monsieur ?

C'était une petite femme boulotte qui lui faisait cette proposition. La quarantaine passée, les cheveux trop décolorés, elle tenait par la main une maigre rouquine qui ne pouvait guère avoir plus de dix-neuf ans. Une novice à coup sûr. L'aînée la poussa vers Robin :

— Cinquante dollars et elle a une chambre.

La fille portait une robe provocante. Sous son maquillage excessif on distinguait des traces d'acné. Robin allait passer son chemin quand la blonde lui saisit le bras.

— Quarante... qu'est-ce que vous en dites ? Allez-y. Vous avez l'air d'un type qui a besoin d'un peu de détente.

— Je suis trop détendu, fit Robin en s'éloignant. A mi-chemin du carrefour suivant, une autre fille le racola. Pas mal, d'ailleurs.

— Un voyage au paradis pour cinquante dollars, Monsieur ?

Il rit et continua à marcher. Cinquante dollars c'était donc le tarif et elles opéraient désormais au sud de Central Park. Il passa devant Hampshire House. Une autre fille s'approcha de lui, mais il hâta le pas. Tout à coup il se rappela une librairie de la Septième Avenue qui restait ouverte toute la nuit. Il décida d'aller s'acheter un livre facile à lire, de manger un autre sandwich et de rentrer chez lui bouquiner.

— T'as pas envie de te donner du bon temps, mon bonhomme ?

Une amazone se dressait devant lui. C'était une fille à l'air mauvais d'au moins un mètre quatre-vingts. Ses cheveux teints d'un noir de jais étaient coiffés en une énorme ruche. Malgré la chaleur, elle portait une étole de vison. Elle avait des yeux noirs globuleux, un nez long et mince. Une grande femme... de gros nénés... Tout à coup, Robin fut pris d'un vertige. Son sourire s'effaça.

— Cinquante dollars, et j'ai une chambre, insista la fille.

— On m'a fait un meilleur prix à l'autre bout de la rue.

Elle haussa les épaules :

— Elsie est en train de mettre une nouvelle au courant. Elle n'a encore fait que trois passes depuis qu'elle est ici. D'après ce que j'ai entendu dire, pour le moment elle ne casse pas des briques. Avec moi, t'auras vraiment du plaisir.

— C'est peut-être toi qui devrais me payer. Je passe pour un bon étalon.

— Non, moi c'est les femmes pour le plaisir, les hommes pour le boulot.

— Et gouine, par-dessus le marché ! En tout cas, au moins tu as la franchise de tes opinions.

— Et toi, pour un cave, t'es assez joli garçon. Quarante dollars, ça va ?

— Non, pas de rabais. Je paie le plein tarif. Où est ta chambre ?

— Suis-moi, mon trésor.

Elle glissa son bras sous celui de Robin et ils s'en allèrent vers la Septième Avenue.

Elle disposait d'une chambre dans un immeuble mal éclairé de la Cinquante-huitième Rue, mais selon toute évidence elle n'y habitait pas. L'obscurité qui régnait dans l'immeuble indiquait d'ailleurs que la plupart des chambres étaient louées pour un usage similaire. Le vestibule était désert et un ascenseur poussif les emmena jusqu'au deuxième étage. Le couloir était humide et sur sa porte la peinture s'écaillait.

— C'est pas un palace... j'appelle ça mon atelier.

Il entra dans la petite chambre à coucher. Un écran noir masquait la fenêtre sans rideaux. Il y avait un lit, un lavabo, un petit cabinet de toilette avec une douche et un water. L'ampoule nue dispensait une lumière étonnamment vive. La fille sourit et se déshabilla méthodiquement. Tout ce qu'elle portait avait un caractère professionnel : soutien-gorge de dentelle noire d'où jaillissaient les aréoles brunes de ses gros seins, pas de culotte, rien qu'un porte-jarretelles qui laissa un vilain cercle rouge au-dessous de sa taille.

— Avec ou sans bas noirs ? demanda-t-elle.

— A poil.

Il reconnut à peine sa voix. Lui aussi se déshabillait à la hâte.

Elle s'essuya la bouche avec une serviette sale pour effacer l'épaisse couche de rouge à lèvres. Son corps massif était quand même étonnamment bien proportionné.

— Mes cinquante billets, trésor. C'est la règle dans le métier.

Il tira de la poche de son pantalon deux coupures de vingt et une de dix. Elle les rangea dans son sac à main :

— Parfait, mon coco. Maintenant, tu peux faire tout ce qui te plaira. Essaie quand même de ne pas trop me dépeigner. La soirée est encore jeune et j'espère faire encore quelques passes.

Il la saisit à pleins bras, la jeta sur le lit, et se précipita sur elle avidement. Elle gémit un peu :

— Hé là, doucement, mon joli. Qu'est-ce que tu veux prouver ?

Il se retira juste à temps.

— C'était inutile. Je prends mes précautions.

— Pour rien au monde je ne voudrais faire un petit bâtard, bredouilla-t-il.

280

Elle consulta son bracelet-montre :

— T'as mis trois minutes, pas plus. T'as droit à un petit rab.

Elle se pencha sur lui et lui promena la langue sur tout le corps. Il la repoussa, la retourna à plat ventre et plongea.

En proie à une furie qu'il ne comprenait pas, il s'acharna sur elle à coups de bélier. Quand il roula sur lui-même pour s'allonger sur le dos, elle sauta à bas du lit et se précipita vers le lavabo. Tout en se levant elle bougonna :

— Bon Dieu ! pour un gars qu'a l'air de la haute, tu joues les durs.

Immobile sur le lit, les yeux vagues fixés au plafond, il ne répondit pas. Debout devant le lavabo, masse de nudité blanche, elle remit du rouge sur ses lèvres puis se tourna vers le lit :

— Allez, mon bonhomme, il est temps de te manier le train. Ta femme t'attend. Je parie que tu ne fais pas des trucs comme ça avec elle, hein ? Rien que la bonne baisette à la papa.

— Je ne suis pas marié, répliqua-t-il mollement.

— Alors, rentre vite chez ta maman... Je parie que tu vis avec elle, comme tous les gars de ton espèce.

D'un bond, il la saisit par les cheveux.

— Hé, là ! doucement, mon trésor ! fais attention à ma coiffure. J'ai pas fini de travailler, moi ! Et toi, tu vas retourner bien gentiment chez ta maman.

Le poing de Robin s'abattit sauvagement sur la mâchoire de la fille. Avant de sentir la douleur, elle le considéra l'espace d'un instant avec une stupéfaction puérile. Puis, elle eut mal, ses lèvres s'entrouvrirent, elle gémit et fonça vers la douche. Il la retint par le bras.

— Non, je t'en supplie, pleurnicha-t-elle. Tu sais que je ne peux pas crier, ça attirerait les flics. Je t'en supplie, lâche-moi.

Il se saisit de ses gros seins et y colla sa bouche.

— Mais tu me mords ! grogna-t-elle en se débattant. Ça suffit, tu en as eu pour tes cinquante dollars !

Révoltée, elle lui donna de toutes ses forces un coup de genou dans l'aine et s'écarta. Il se rapprocha, menaçant. Une lueur de crainte apparut dans les yeux de la fille :

— Ecoute, mon gars, cria-t-elle. Je te rends ton argent. Retourne chez ta mère, va donc téter ses seins à elle.

— *Qu'est-ce que tu as dit ?*

Sentant qu'elle avait touché son point faible, elle n'eut plus peur. Elle se redressa de toute sa hauteur :

— Je vous connais, allez, les fi-fils à leur mé-mère, bande de petites pédales qui courent les femmes mais ne pensent qu'à leur maman. C'est-y que je ressemble à ta maman, mon canard ? Eh, bien, va la retrouver. Moi, j'ai besoin de travailler.

De nouveau le poing de Robin s'abattit sur sa mâchoire, mais cette fois il continua à frapper. Le sang jaillit du nez et des lèvres de la fille. Un bridge déchaussé tomba sur le parquet. Il entendit craquer la mâchoire et continua à frapper jusqu'à ce que son poing lui fasse mal. Il le regarda, étonné. La fille tomba par terre. Il continua à regarder son poing comme s'il ne lui appartenait pas. Il était couvert de sang. Il considéra la grande femme nue sur le plancher, fit deux pas vers le lit et s'effondra, évanoui.

En rouvrant les yeux, il vit d'abord l'ampoule au plafond sur laquelle s'étaient collées trois mites qui faisaient trois points d'ombre. Puis il vit du sang sur les draps, s'assit, regarda ses phalanges écorchées. Il aperçut la masse inerte de la femme sur le plancher. Bon Dieu... cette fois ce n'était pas seulement un cauchemar. C'était vraiment arrivé. Il descendit du lit et s'approcha de l'énorme corps nu.

Les lèvres étaient enflées d'une manière grotesque et il en coulait un filet de sang. Il se pencha et constata qu'elle vivait encore. Mais qu'avait-il fait, mon Dieu !

Il s'habilla rapidement, fouilla ses poches et n'y trouva que trente dollars. Ce n'était pas suffisant. Il fallait que cette malheureuse aille à l'hôpital. Il ne pouvait pas la laisser là. Il parcourut la chambre du regard. Pas de téléphone. Il entrouvrit la porte, jeta un coup d'œil dans le couloir : rien non plus. Il lui fallait un médecin. Espérant trouver dehors une cabine à proximité, il s'en alla.

Le vestibule était aussi désert qu'à son arrivée. Il plongea dans l'obscurité de la Cinquante-huitième Rue et se dirigea vers le drugstore situé au carrefour. Il lui fallait téléphoner pour demander du secours.

— Hé, mon pote ! Qu'est-ce que tu fabriques par là ? (C'était Dip Nelson, dans une décapotable ouverte.)

Robin descendit sur la chaussée et s'approcha de la voiture :

— Je suis dans le pétrin, dit-il d'une voix morne.

— Qui ne l'est pas ? répliqua Dip en riant. Hier soir nous avons joué au Concord. Un bide !

— Dip... tu as du fric sur toi ?

— Toujours. Dix de cent et un chèque. Pourquoi ?

— Donne-moi les mille en espèces, je te ferai un chèque.

— Monte, tu me raconteras.

Ils roulèrent dans le parc. Dip écouta sans rien dire. Quand Robin eut fini, Dip lui dit :

— Commençons par le commencement. Primo, à ton avis, a-t-elle une chance de te reconnaître ? Supposons qu'elle t'ait vu à la télé.

— Alors, je suis cuit ! dit Robin. Il haussa les épaules.

Dip secoua la tête, abasourdi :

— Mon pote, je me demande comment on te laisse traverser la rue tout seul. Si tu veux réussir, il ne faut jamais se laisser coincer. Ecoute-moi, ce serait ta parole contre la sienne. Qui croirait une prostituée quand elle accuse un honnête citoyen ? (Il regarda l'horloge du tableau de bord.) Dix heures et demie. C'est arrivé à quelle heure ?

De nouveau Robin haussa les épaules :

— Je n'ai pas de montre sur moi. Je suis allé au cinéma. Il faisait nuit quand je suis sorti.

— Alors, ça devait être vers huit heures et demie, peut-être neuf. L'alibi doit commencer avant huit heures pour plus de sûreté.

— L'alibi ?

— L'alibi, c'est moi, mon p'tit père. Le Grand Dipper est là pour te couvrir au besoin. On racontera que je suis allé te voir chez toi à sept heures et demie. On a bavardé, on a parlé boulot, puis on est allé faire un tour.

En ramenant la voiture au garage. je m'arrangerai pour que quelqu'un nous remarque.

— Et la fille ? dit Robin. Elle est mal en point.

— Les putains ne meurent jamais. Demain elle sera sur le trottoir, comme neuve.

Robin secoua la tête :

— Je l'ai esquintée. Je ne peux pas la laisser dans cet état.

— Mais qu'est-ce qui t'a pris de lever une pute ? Je t'ai vu avec la plus belle souris du monde au P.J.'s.

— J'en sais rien. Je me rappelle tout juste qu'elle m'a abordé dans la rue. Puis quelque chose comme une fusée m'a éclaté dans le crâne, et le reste il me semble l'avoir rêvé.

— Ecoute... tu veux un conseil ? Laisse-la où elle est. Une putain de plus ou de moins, qu'est-ce que ça peut foutre ?

Soudain, Robin se cramponna à la portière. Dip le regarda avec curiosité :

— Ça ne va pas, mon vieux ?

— Dip, tu n'as jamais eu l'impression bizarre d'avoir déjà vécu quelque chose ? D'avoir déjà entendu les mots que tu viens d'entendre ?

— Si, bien sûr ! Il y a un nom pour ce truc. Ça se passe dans ta tête. On réalise avec un temps de retard. Ça arrive à tout le monde. Il y a même une chanson là-dessus : *Où et Quand ?*

— Peut-être, fit Robin lentement.

— Alors, laisse tomber. Fais comme si ce n'était jamais arrivé.

— Non. Je ne peux pas. C'est un être humain. Elle a peut-être même un gosse.

— Elle t'a avoué qu'elle est gouine, non ?

— Oui, c'est vrai. Tu as raison.

Dip engagea la voiture dans la Cinquante-sixième Rue et s'arrêta devant un garage brillamment éclairé. Le préposé bondit vers lui :

— Alors, comment a-t-elle roulé, monsieur Nelson ?

— Divinement. Je n'arrivais plus à m'en séparer. Mon ami et moi. nous roulons depuis sept heures et demie. Vous le reconnaissez. C'est Robin Stone. Celui qui fait *En Profondeur* à la télé.

L'employé hocha la tête en signe d'acquiescement mais sans conviction.

— Monsieur Nelson, dit-il, avez-vous pensé à apporter votre photo signée pour ma fille Betty ?

— Comment voulez-vous que j'oublie une chose pareille ? (Dip ouvrit le coffre à gants et en tira une enveloppe de papier fort.) Voilà. Signé avec de gros baisers.

Ils quittèrent le garage et Robin fila vers la Cinquante-huitième Rue. Dip le rattrapa et s'efforça de le dissuader :

— Ecoute-moi. Elle a peut-être déjà racolé un autre client. Tu vas avoir bonne mine !

— Mon Dieu, si seulement cela pouvait être vrai ! murmura Robin.

Ils s'arrêtèrent devant l'immeuble plongé dans l'obscurité. Dip regarda prudemment de tous côtés :

— Je suis peut-être aussi con que toi, mais tant pis. Je monte aussi. Allons-y.

De nouveau l'ascenseur souffla et grinça jusqu'au deuxième étage. La porte de la chambre était légèrement entrebâillée, exactement comme Robin l'avait laissée. Ils entrèrent et considérèrent la femme évanouie par terre. Dip émit un léger sifflement :

— C'est un sacré morceau !

— Passe-moi tes mille dollars, dit Robin. Je les mets dans son sac à main et nous appellerons un médecin de l'extérieur.

— C'est çà !... Le docteur la conduit à l'hôpital et dès qu'elle reprend conscience, elle te dénonce.

— Mais elle ne m'a pas reconnu.

— Mon p'tit pote... une putain qui a mille dollars sur elle, on lui pose beaucoup de questions. Elle donne ton signalement et Dieu sait où ça peut te mener.

— Alors, que faire ?

— Bouge pas, mon pote. Le grand Dipper a une idée. Boucle la lourde. A mon retour, je frapperai deux petits coups. N'ouvre à personne d'autre.

Robin n'eut pas le temps de répondre que déjà Dip s'était éclipsé.

Robin s'assit sur le lit, le regard fixé sur le grand corps blanc étalé par terre. Il prit sa tête à deux mains. Pauvre fille ! Qu'est-ce qui lui était passé par la tête ? C'était la première fois qu'il couchait avec une brune sans être ivre. Et la dernière ! Seigneur Dieu... Et si cela lui était arrivé avec Maggie !

Elle remua et gémit. Il se leva, lui glissa un oreiller sous la tête, mouilla son mouchoir sous le robinet d'eau froide et s'efforça de nettoyer le sang caillé sur ses lèvres. Il lui écarta les cheveux du visage.

— Excuse-moi, murmura-t-il. (Elle entrouvrit les yeux, gémit, et s'évanouit de nouveau.) Excuse-moi, pauvre idiote. Excuse-moi, je ne sais pas ce qui m'a pris.

Il ouvrit la porte dès qu'il entendit le signal convenu. Dip brandissait un petit flacon qui contenait des pilules rouge vif :

— C'est pas une bonne idée ?

— Barbituriques ?

— Oui. Maintenant il s'agit de les faire avaler par ta Walkyrie.

— Ça va la tuer.

— On ne m'en a donné que huit. Ça pourrait tuer un être humain, mais pour cette baleine il faudrait de la dynamite.

— Pourquoi l'endormir ?

— Nous la mettons sur le lit avec le flacon vide près d'elle. Pas d'étiquette, donc pas moyen de savoir d'où il vient. Nous sortons, j'appelle la police, je change ma voix. Je dis que j'avais rendez-vous pour la baiser et que je l'ai trouvée dans cet état. Je raconte qu'elle parlait tout le temps de sauter le pas. D'ailleurs c'est comme ça que presque toutes les putains finissent à moins qu'un gars dans ton genre prenne la peine de les buter. L'ambulance arrive, on l'emmène à l'hôpital Bellevue. On lui vide l'estomac. Quand elle reprendra connaissance, personne ne croira ce qu'elle racontera et d'ailleurs tout le monde s'en foutra. A l'hôpital on raccommodera les dégâts que tu as faits. Il ne reste plus qu'à hisser ce mastodonte sur le lit.

Elle pesait terriblement lourd. Tous deux étaient à bout de souffle après avoir réussi à la soulever et à l'étendre, Dip lui mit les pilules dans la bouche, y versa de l'eau qui lui coula dans le fond de la gorge. Elle glouglouta. Eau et pilules lui remontèrent aux lèvres et glissèrent sur son visage. Dip les lui remit dans la bouche et recommença l'opération. Cette fois, Robin lui souleva la tête pour qu'elle n'étouffe pas. La chemise trempée de sueur il regarda Dip s'acharner jusqu'à ce que les pilules aient disparu dans la gorge.

— Ça va, filons, conseilla Dip. Attends... (Il tira un mouchoir de sa poche et se mit à frotter partout où ils avaient posé les mains, pour effacer leurs empreintes digitales. Il adressa un coup d'œil à Robin :) Les films policiers que j'ai tournés finissent par me servir à quelque chose. Je connais tous les trucs. Où as-tu traîné tes paluches, mon pote ?

Le nettoyage terminé, Dip tira de sa poche un étui de cuir contenant un petit peigne d'or, une lime, et une pince à ongles. Fasciné, Robin regarda son complice couper les longues griffes rouges de la femme, puis nettoyer méthodiquement ce qu'il en restait avec la lime.

— Ça, c'est pour le cas où il y serait resté un de tes cheveux. (Il parcourut la chambre du regard.) Je crois que tout est en ordre. (Il prit le sac à main en protégeant ses doigts avec un mouchoir et le fouilla.) Voilà son portefeuille. Elle s'appelle Anna-Marie Woods, elle habite Blecker Street.

— Donne-moi l'adresse.

Robin prit le permis de conduire, nota le nom et l'adresse, puis le rendit à Dipper qui le remit dans le sac.

— Elle a près de cent dollars sur elle. Tiens, prends-les.

— Tu es fou ! protesta Robin en repoussant les billets.

— Tu n'as pas noté son adresse pour aller l'inviter à un bal, non ? Tu veux lui envoyer de l'argent, pas vrai ? Alors, prends ça. Tu le lui renverras. Sinon il y a bien des chances pour qu'un garçon de salle ou un autre malade le lui pique à Bellevue.

Robin prit l'argent sans ajouter un mot. Il comprenait pourquoi Dip avait réussi dans le monde du cinéma ; il s'efforçait sans cesse de penser plus vite que les autres. C'est peut-être ainsi qu'il fallait s'y prendre pour réussir quand on partait du bas de l'échelle.

Ils quittèrent prudemment la chambre. La chance continua à leur sourire : ils arrivèrent au trottoir sans avoir rencontré âme qui vive. Ce fut Dip qui donna le coup de téléphone, mais Robin refusa de s'éloigner avant d'être certain que les secours arriveraient. Dip le lui déconseillait, mais ils attendirent ensemble, dans le renfoncement d'une porte de l'autre côté de la rue. Dix minutes plus tard, ils entendirent des sirènes et trois voitures de police s'arrêtèrent devant l'immeuble. L'ambulance arriva deux minutes après. Une foule nombreuse se rassembla aussitôt. Il sembla à Robin que les gens surgissaient de partout.

— Je vais voir si elle est toujours vivante, murmura-t-il. (Dip lui emboîta le pas, mais il le repoussa.) Maintenant, c'est toi qui ne réfléchis plus. Avec tes cheveux blonds et ton hâle de Hollywood, la foule oublierait l'ambulance pour te réclamer des autographes. Moi, personne ne me connaît.

— N'en sois pas trop sûr, siffla Dip.

— A leurs têtes, j'en suis certain. Par contre, ils ont tous vu tes films policiers.

Robin traversa la rue et se glissa dans la foule des badauds. Peu après, deux ambulanciers sortirent de l'immeuble avec une civière. La tête de la fille n'était pas couverte : elle était donc toujours en vie.

L'ambulance repartit. Elle brûla le feu rouge en faisant retentir sa sirène d'alarme. La foule se dispersa. Robin avait déjà rejoint Dip. Celui-ci le prit par le bras :

— Après une soirée aussi mouvementée, va te coucher... Et tout seul.

— Dip, qu'est-ce que je peux faire pour toi ? Demande-moi n'importe quoi...

— C'était la moindre des choses. Pauli et moi, on va s'en tirer. Mais si tu peux nous faire passer dans *En Profondeur* en septembre, avant notre première à la Salle Persane, tu serais chic. Maintenant on file d'ici et on saute chacun dans un taxi. Comme dans les films policiers jusqu'au bout !

Arrivé chez lui, Robin prit un somnifère et se coucha. Une heure plus tard, il en prit un autre et le fit passer à la vodka. Peu après, il sombra dans un sommeil de plomb.

A son réveil, le lendemain matin, il appela le docteur Archibald Gold :

— Robin Stone à l'appareil. Je suis prêt pour le grand jeu.

24

Assis devant le docteur Gold, Robin paraissait détendu et parfaitement maître de lui. Après avoir écouté son patient pendant un moment, le médecin demanda :

— Vous était-il déjà arrivé de vous laisser racoler par une prostituée ?

— Jamais.

— En aviez-vous déjà eu envie ?

— Jamais.

— Vous me dites en avoir dédaigné une plus attrayante. Pourquoi avez-vous suivi celle-là ?

Robin écrasa sa cigarette dans un cendrier :

— C'est précisément pour ça que je suis ici. Elle était brune.

Une lueur d'intérêt passa dans les yeux gris d'Archie :

— Vous seriez-vous mis à l'épreuve pour Maggie ?

— Je ne vois pas ce que vous voulez dire.

— Vous n'auriez perdu que cinquante dollars si vous n'aviez pas eu d'érection avec cette prostituée.

Robin secoua la tête :

— Non, je ne crois pas qu'il s'agisse de ça. Il s'est produit une drôle d'explosion dans ma tête quand elle m'a abordé. Dès que je suis parti avec elle, j'ai eu l'impression d'être en état second, de rêver.

Archie étudia ses notes :

— Je vous ai dit que je voudrais vous mettre en état d'hypnose. C'est la meilleure solution.

— Mais c'est ridicule ! Parler librement suffirait...

— Je ne veux pas perdre mon temps, ni vous faire perdre de l'argent. Le mieux est de vous endormir et d'enregistrer vos propos au magnétophone. Ensuite vous entendrez vos réponses et nous pourrons peut-être partir de là. (Il remarqua que Robin faisait grise mine.) Quand vous êtes venu en janvier, nous nous sommes heurtés à un blocage. Vous êtes incapable de retrouver votre petite enfance. A mon avis, ce n'est pas parce que vous refusez de vous souvenir, mais parce que vous n'y arrivez pas. D'autre part, jusqu'à présent, vous avez séparé la sexualité de l'amour. Vous êtes incapable de les concilier. Ce que vous éprouvez envers Maggie, c'est le désir d'aimer. Mais l'amour charnel vous paraît incestueux. Il faut savoir pourquoi. Tout ce que vous m'avez dit jusqu'à présent ne me fournit aucun indice et j'admets que vous ne me cachez rien. (Une pause. Puis :) Quel âge avez-vous, Robin ?

— J'aurais quarante et un ans le mois prochain.

— Vous n'avez jamais pensé à vous marier ?

— Non. Pourquoi aurais-je eu une idée pareille ?

— Tout homme arrive naturellement à se dire qu'un jour ou l'autre il se mariera. Quand avez-vous réalisé pour la première fois que vous vouliez rester seul dans la vie ?

— Je ne sais pas. Il me semble que je l'ai toujours senti.

— Nous y revoilà, dit Archie triomphant. Vous ne savez pas, vous l'avez *senti*. A partir de quand ? Pourquoi ? Vous voyez bien que nous devons remonter dans le passé. (Archie se leva.) Robin, nous tournons en rond. Pour aujourd'hui, je pense que c'est suffisant. Revenez demain. Vous pensez que vous pourrez m'accorder trois heures de votre temps ?

— Trois heures ?

— Oui. Je veux vous endormir et utiliser un magnétophone. Ensuite, nous écouterons la bande ensemble et je crois que nous arriverons au cœur du problème.

— Alors, dans la soirée plutôt. A partir de six heures, ça irait ?

— Je vous attends demain à six heures.

Le lendemain matin, Robin parcourut les journaux pour voir s'il y avait quelque chose au sujet d'Anna-Marie. Il finit par trouver un entrefilet à la page cinq de *News*.

Alertée par un coup de téléphone anonyme, la police a découvert dans une chambre meublée de la 58e Rue Ouest, une femme qui avait subi d'odieuses brutalités. Elle n'habite pas cette chambre et n'a pu fournir aucune explication quant à sa présence sur les lieux. L'enquête a révélé qu'il s'agit d'une prostituée. Mais aucune accusation n'a été retenue contre elle. Elle a été transportée à l'hôpital Bellevue. Elle affirme tout ignorer de l'identité de son agresseur. Son état n'inspire pas d'inquiétudes. Elle quittera l'hôpital demain.

Robin se rendit à la banque, tira un chèque de deux mille dollars qu'il se fit remettre en petites coupures et les envoya dans une enveloppe commerciale à l'adresse d'Anna-Marie.

Quoiqu'il fît encore des réserves sur le projet d'hypnotisme, il se présenta chez le docteur Gold à six heures du soir, comme convenu. Il eut un frisson d'inquiétude en voyant le magnétophone :

— Vous croyez vraiment que ça va marcher ?

— Je l'espère, répondit Archie. Retirez votre veste et desserrez votre cravate.

Robin prit une cigarette :

— Autant se mettre à l'aise, ironisa-t-il. Faut-il que je m'allonge sur le canapé ? J'accepterais même ça si cela pouvait être utile.

— Non. Asseyez-vous sur cette chaise droite et ne fumez pas, Robin, vous n'allez pas résister, n'est-ce pas ?

— Mais non. Nous n'avons pas de temps à perdre ni l'un ni l'autre.

— Parfait. Maintenant, ne pensez plus à rien. Fixez votre attention sur cette marine accrochée au mur. Vous ne voyez que l'eau... vos pieds se détendent... ils deviennent insensibles... vos jambes aussi vous semblent flotter... votre corps s'engourdit... vous n'avez plus de poids... vos bras vont pendre à vos côtés... votre tête et votre nuque s'affaissent... vous allez fermer les yeux... Fermez les yeux, Robin. Maintenant... vous ne voyez plus rien que du noir... un noir velouté... vous dormez... vous dormez...

Robin sentit que le docteur Gold avait baissé la lumière. Il était convaincu que cela ne marcherait pas, mais il obéit. Il fixa cette satanée marine et se répéta qu'il perdait toute sensibilité. Il s'efforça d'éliminer toute autre pensée pour concentrer son attention sur la voix du docteur... Il entendait la voix d'Archie. Ça n'allait pas marcher. Il entendait toujours cette voix. L'obscurité s'alourdit derrière ses paupières... mais ça ne marcherait pas...

En ouvrant les yeux, il se trouva allongé sur le canapé, s'assit, parcourut distraitement la pièce du regard et tira une cigarette de sa poche :

— Comment ai-je atterri ici ? Voilà dix secondes, j'étais sur la chaise.

— Non, il y a deux heures et demie.

Robin se leva d'un bond :

— Quelle heure est-il ?

— Neuf heures moins le quart. Vous êtes arrivé à six heures.

Robin décrocha le téléphone, appela l'horloge parlante et entendit la voix scander : « Au quatrième top, il sera exactement huit heures quarante-sept minutes. » Il raccrocha et se tourna vers le médecin d'un air incrédule. Archie lui sourit.

Robin regarda le magnétophone d'un œil intrigué. Le docteur hocha la tête.

— Pour l'amour du ciel ! s'exclama Robin, faites-moi écouter ça.

— Non. Cela suffit pour ce soir. Je veux d'abord écouter seul la bande. A tête reposée. Je vous la passerai demain.

— Est-ce que j'ai dit quelque chose de sensé ?

— Vous avez fait des révélations stupéfiantes.

— Alors, allez-y. Passez-moi la bande. Comment voulez-vous que je dorme cette nuit ?

Le docteur Gold glissa deux pilules vertes dans une enveloppe :

— Prenez ça en arrivant chez vous et vous dormirez. Pouvez-vous revenir demain à six heures ?

— Bien sûr.

Les pilules firent leur effet. Il passa une bonne nuit, mais toute la journée du lendemain il fuma sans arrêt et fut incapable de concentrer son attention sur son travail. En arrivant chez le docteur Gold il avait les nerfs à fleur de peau.

— Robin, lui dit Archie, avant de commencer je veux que vous vous enfonciez bien ça dans le crâne : en état d'hypnose, tout le monde dit la vérité. La voix que vous entendrez sur cette bande sera la vôtre. Par endroits, elle vous semblera peut-être étrange parce que je vous ai ramené dans votre enfance et que vous parlez comme un enfant. Mais je veux que vous écoutiez sans parti pris et que vous ne contestiez pas ce que vous allez entendre. (Le docteur Gold s'approcha du magnétophone.) Prêt ? demanda-t-il.

Robin acquiesça et s'assit. L'appareil se mit à bourdonner, puis on entendit d'abord la voix du psychiatre.

Dʳ GOLD : Robin, vous dormez... vous entendez ma voix et vous allez faire tout ce que je vous dirai. Levez-vous de cette chaise, Robin, allez vers le canapé... bien. Maintenant, allongez-vous... Nous remontons dans le temps... très loin... Robin, tu es un petit garçon... Tu as cinq ans... Tu es dans ton lit...

ROBIN : Oui, je suis au lit.

Assis au bord de la chaise, Robin écrasa sa cigarette. Bon sang, la voix était plus jeune, plus fluette, mais c'était bien la sienne !

Dʳ GOLD : Tu es au lit. Comment est-il, ce lit ?

ROBIN : C'est un joli petit lit. Kitty m'embrasse et me dit bonne nuit.

Dʳ GOLD : Robin, tu as quatre ans. Tu es au lit... (silence) ... Robin, tu as quatre ans... tu as quatre ans...

ROBIN : Pourquoi m'appelez-vous Robin ? Je suis Conrad.

Dʳ GOLD : Très bien, Conrad. Tu as quatre ans, tu es au lit... que vois-tu ?

ROBIN : Maman est au lit avec moi mais...

Dʳ GOLD : Mais quoi ?

ROBIN : Elle dit qu'elle va rester avec moi, mais dès que je m'endors, elle s'en va. Elle me quitte tous les soirs.

Dʳ GOLD : Comment sais-tu qu'elle te quitte ?

ROBIN : Parce que je me réveille toujours et je l'entends dans l'autre pièce... quand elle est avec eux.

Dʳ GOLD : Qui ça « eux » ?

ROBIN : Je ne sais pas.

Dʳ GOLD : Où est ton papa ?

ROBIN : Nous n'avons pas de papa.

Dʳ GOLD : Nous ?

ROBIN : Ma maman et moi... nous n'avons personne. Il n'y a que nous deux... et eux.

Dʳ GOLD : Qui ça « eux » ?

ROBIN : Souvent, c'est Charlie. Des fois, c'est des autres.

Dʳ GOLD : Ils viennent voir ta maman ?

ROBIN : Oui... mais ils attendent que je dorme.

Dʳ GOLD : Qu'est-ce que tu fais quand tu les entends à côté ?

ROBIN : Maintenant plus rien depuis que Charlie m'a giflé.

Dʳ GOLD : Quand est-ce que Charlie t'a giflé ?

ROBIN : Il y a quelque temps... quand je suis entré dans la pièce et que je l'ai vu sur le canapé, couché sur maman.

Dr GOLD : Depuis que Charlie t'a giflé, est-ce que ta maman va encore au salon quand tu es endormi ?

ROBIN : Oui. Mais plus avec Charlie. Elle ne le laisse plus revenir parce qu'il m'a tapé. Et je suis le seul homme qu'elle aime... Il n'y a que nous deux au monde... Personne ne nous aime... Il n'y a que nous deux au monde...

Dr GOLD : Quel âge as-tu ?

ROBIN : J'aurai quatre ans demain, le vingt août. Maman va m'emmener à Boston pour voir les pigeons dans le parc...

Dr GOLD : Où habites-tu ?

ROBIN : A Providence, Rhode Island.

Dr GOLD : Est-ce que tu vas fêter ton anniversaire avec tes petits amis ?

ROBIN : Nous n'avons pas d'amis. Nous sommes seuls tous les deux.

Dr GOLD : Rob... Conrad, nous sommes une semaine après ton anniversaire. Que fais-tu ?

ROBIN : Je suis encore en colère après ma maman.

Dr GOLD : Pourquoi ?

ROBIN : Un homme est venu le jour de mon anniversaire. Il a frappé à la porte juste au moment où nous allions partir pour Boston. Maman lui a dit que nous sortions... qu'il devait revenir le soir. Il lui a donné de l'argent en disant que quelqu'un l'avait envoyé. Maman m'a donné des sous et m'a dit d'aller m'acheter un ice cream au coin de la rue et de m'asseoir sur les marches du perron. Elle m'a défendu d'entrer dans la maison jusqu'à ce qu'elle m'appelle. J'ai obéi. J'avais à peine commencé mon ice cream quand un grand garçon est passé et me l'a volé. Je suis rentré en courant... Maman était dans notre lit... le monsieur était avec elle. Je suis fâché après elle. On dort pas dans la journée. C'était mon anniversaire. Elle a crié... elle m'a dit de sortir... (long silence).

Dr GOLD : Conrad, tu as toujours quatre ans. C'est le soir du Thanksgiving Day. Que fais-tu ?

ROBIN : Maman a fait cuire une oie. Dans les familles où il y a beaucoup de monde, on mange de la dinde. Mais nous sommes une toute petite famille, il n'y a que nous deux, alors nous c'est une oie. Mais nous avons de la sauce aux airelles, avec des vraies airelles... Et maman prépare l'oie exactement comme le faisait sa maman quand elle était petite fille à Hambourg.

Dr GOLD : Conrad, es-tu allé à Hambourg ?

ROBIN : Non. Ma maman est née là-bas. Il y avait beaucoup de marins à Hambourg. C'est comme ça qu'elle l'a rencontré. Et puis, il l'a emmenée en Amérique et il l'a épousée.

Dr GOLD : Et alors tu es né ? C'était ton papa ?

ROBIN : Non. On l'a tué. C'était pas mon papa. C'était seulement le monsieur qui a épousé maman. C'était un bon à rien. Elle me l'a dit. Il conduisait un camion, il vendait du whisky. C'était défendu. Une nuit, tous ceux du camion ont été tués. Maman est restée seule. Vous comprenez, elle n'avait même pas son petit Conrad... ni personne... Elle était toute seule. Mais le monsieur qui avait tous ces camions à dit à ma maman de ne pas s'en faire parce qu'il enverrait des messieurs la voir, la consoler et lui donner de l'argent. Un an après, je suis arrivé. C'est Dieu qui m'a envoyé.

Dᴿ GOLD : Ta maman t'a dit qui était ton papa ?

ROBIN : Je vous l'ai déjà dit... nous n'avons pas de papa. Il n'y a que maman et moi. Nous changeons souvent de maison parce que les gens de la police n'aiment pas qu'un petit garçon vive tout seul avec sa maman, sans papa. S'ils nous attrapent, ils me mettront dans une maison loin de maman et ils la renverront à Hambourg. Mais elle économise son argent et un jour nous irons à Hambourg *tous les deux*. Nous irons vivre avec ma *Grossmutter*... J'aurai d'autres enfants pour jouer avec, et je serai plus seul. Vous comprenez, c'est pour ça que maman ne me permet pas de jouer avec les autres enfants du quartier. Ils me poseraient des questions sur mon papa... Et puis ils diraient à la police que j'ai pas de papa...

Dᴿ GOLD : Conrad, nous sommes une semaine après le Thanksgiving Day. C'est le soir. Que fais-tu ?

ROBIN : Je suis au lit, mais maman est dans l'autre pièce avec George. Il vient chez nous tous les soirs. Il dit qu'il nous aura des passeports et il donne de l'argent à maman tous les soirs.

Dᴿ DOLD : Qui est George ?

ROBIN : L'un des messieurs...

Dᴿ GOLD : Conrad, nous sommes deux semaines après le Thanksgiving Day. C'est le soir. Est-ce que ta maman est avec George ?

ROBIN : Non... C'est *lui* qui est venu.

Dᴿ GOLD : Lui, qui ?

ROBIN : Un autre monsieur.

Dᴿ GOLD : Qui est cet homme ?

ROBIN : Je ne sais pas. Je me suis réveillé. J'ai senti que le lit était vide et j'ai compris que maman était à côté. J'avais faim et j'ai eu envie des petits gâteaux à la noix de coco qu'elle garde dans la glacière. Il fallait traverser le salon pour aller à la cuisine. J'y suis allé sur la pointe des pieds parce que je me suis rappelé que Charlie m'avait giflé... et maman se fâche quand je ne reste pas au lit...

Dᴿ GOLD : Qui était avec ta mère ?

ROBIN : Je ne l'avais jamais vu avant. Il était à genoux sur le canapé... penché sur maman.

Dᴿ GOLD : Qu'est-ce qu'il faisait ?

ROBIN : Il avait les mains sur le cou de maman. J'ai regardé sans faire de bruit. Il s'est levé et il est parti. Il n'a même pas dit bonsoir à maman. Je me suis approché du canapé et elle dormait... mais elle ne dormait pas pour de bon, elle avait les yeux ouverts. Elle faisait semblant de dormir. Quand je l'ai secouée, elle est tombée du canapé et elle est restée couchée par terre. Sa langue, drôlement sortie de la bouche, pendait de côté. Ses cheveux noirs étaient tout dépeignés. J'aime dormir contre sa poitrine. Elle est douce et tiède sous sa chemise de nuit. Je ne savais pas comment elle était faite avant. Sa poitrine est laide sans la chemise de nuit. Elle me fait horreur. Ses cheveux sont trop noirs contre son visage blanc. Elle a des yeux bizarres qui me

regardent comme s'ils ne me voyaient pas. J'ai peur. *Mutter !* Mère...
mère ! (Silence.)

Dr GOLD : C'est le lendemain. Où es-tu ?

ROBIN : Dans une grande pièce... tout le monde me pose des questions. Je
veux ma maman. Ils me demandent à quoi ressemblait l'homme. Je
veux ma maman. Je veux ma mère. Puis une grosse dame en blanc
arrive et me conduit dans une pièce où il y a beaucoup d'enfants. Elle
me dit que je vais vivre là et que tous les autres petits garçons qui
sont là sont comme moi... ils n'ont pas de mère. Je demande si maman
est allée à Hambourg. Elle me dit non. Un petit garçon me dit :
« Elle est morte, ta mère. » Je demande : « Elle est au Ciel, ma
maman ? » La grosse dame en blanc dit en riant : « Non. Pas ta
mère, petit. Les vilaines femmes ne vont pas au Ciel. Elle n'a eu
que ce qu'elle méritait. Mettre un gosse comme ça au monde quand
on mène une vie pareille ! » Alors, je... je tape sur la grosse dame...
je tape... je tape... (la voix devient aiguë puis, après un instant de
silence, elle reprend) : Tout devient noir... mais des gens m'entourent.
Je ne pleure pas... Maman a dit que je suis un homme et que les
hommes ne pleurent pas. Je ne pleurerai pas... je ne dirai rien... je
ne mangerai pas... Je ne les écouterai pas. Comme ça, ils seront bien
forcés de me ramener à ma maman. C'est ça qu'elle me disait... Ils
ont su que nous n'avions pas de papa... alors ils m'ont emmené dans
cette grande maison... loin d'elle. Mais je dois pas y penser et je les
écouterai plus... (silence).

Dr GOLD : Conrad, c'est Noël. Où es-tu ?

ROBIN : (d'une petite voix faible) Il fait noir... je dors... noir... noir... Il y
a un tube comme une petite paille dans mon bras... mais ça ne me
fait pas mal... rien ne me fait mal... Je dors... dors. Depuis que la
méchante dame aux cheveux noirs m'a quitté pour Hambourg, je
dors... elle ne m'a jamais aimé... Je vais dormir. Je ne penserai pas à
elle... c'était une vilaine femme.

Dr GOLD : Nous voilà deux semaines plus tard, Conrad, où es-tu ?

ROBIN : Je suis assis sur un grand lit avec un rebord autour. Il y a deux
dames en blanc auprès de moi et l'une est très heureuse de me voir assis.
Elle me demande mon nom... Je n'ai pas de nom. Je ne sais pas où
je suis. Un homme arrive en blouse blanche et me regarde dans les
yeux avec une lumière. Il est gentil... Ils m'apportent un ice-cream...

Dr GOLD : Nous sommes le jour de ton cinquième anniversaire, Conrad.
Où es-tu ?

ROBIN : Conrad ? Qui c'est Conrad ? Je m'appelle Robin Stone et je fête
mon anniversaire. Maman, papa, et tous mes amis me regardent
souffler les bougies piquées dans le gâteau.

Dr GOLD : Tu aimes ta maman ?

ROBIN : Bien sûr. J'ai été malade... vous savez. Quand maman et papa sont
venus me chercher à l'hôpital je ne les reconnaissais plus tellement
j'avais été malade. Mais maintenant c'est fini.

Dr GOLD : Comment est-elle, ta maman ?

ROBIN : Elle est jolie et très gentille. Elle a des cheveux jaunes et elle
s'appelle Kitty.

Le médecin arrêta l'appareil :

— Le reste correspond à ce que vous m'avez déjà raconté. Naissance de Lisa et la suite.

Assis sur la chaise, Robin était blême et sa chemise humide de sueur :

— Qu'est-ce que ça signifie ?

Archie le regarda droit dans les yeux :

— C'est assez clair, non ?

Robin se leva :

— Un tas de mensonges ! cria-t-il.

L'expression du médecin manifesta de la sympathie :

— J'avais prévu votre réaction. Ce matin à neuf heures, j'ai téléphoné au *Journal* à Providence. On y a fait des recherches dans la collection aux alentours du Thanksgiving de 1928 et on a trouvé cet article : « Alertée par un coup de téléphone anonyme, la police a pénétré dans un appartement où elle a trouvé un enfant de quatre ans endormi, la tête sur la poitrine d'une femme étranglée. Cette femme était morte depuis environ sept heures. Accusée à plusieurs reprises de prostitution, elle n'avait jamais été condamnée. La police soupçonne l'assassin d'être l'auteur du coup de téléphone anonyme, mais elle ne possède aucun indice sur son identité. L'enfant — seul témoin qui ait vu l'assassin — est incapable d'en donner le signalement. » Voilà.

— C'est tout ? questionna Robin.

— Non. Voilà encore un article daté de trois jours plus tard : « La police a voulu montrer à l'enfant les photos de plusieurs délinquants sexuels, mais il est dans un état d'hébétude comateux. Cet enfant a été confié à l'institution du Bon Logis de Providence, Rhode Island. »

Robin alla vers la fenêtre :

— Alors, je ne suis plus moi. Je suis un petit bâtard nommé Conrad. (Il pivota sur lui-même et considéra Archie d'un air hagard.) Pourquoi m'avez-vous fait ça ? Pourquoi ? J'étais plus tranquille quand je n'en savais rien.

— Tranquille ! Un homme qui suit les prostituées et leur tape dessus en manquant de les tuer ? Tranquille celui qui n'est pas capable d'avoir des relations satisfaisantes avec une femme ?

— J'aurais toujours pu ne plus fréquenter de prostituées. J'étais heureux.

— Vraiment ? D'abord, je ne suis pas certain que vous n'auriez pas recommencé avec une autre prostituée ou même plusieurs. En vous rejetant, Maggie a déclenché une série de réactions. Quand cette femme vous a racolé sur le trottoir, vous avez éprouvé un vieux sentiment de haine inconsciente contre votre mère, parce qu'elle vous avait quitté, parce qu'elle était une « vilaine femme », comme vous me l'avez dit. Il s'est produit une sorte d'explosion dans votre cerveau et ensuite vous avez agi en état second, obéissant à un phantasme de haine et d'amour.

— Pourquoi de haine ? Ce môme sur la bande magnétique aimait sa mère.

— Evidemment, il l'aimait. Il l'aimait même trop. Il n'avait personne d'autre dans sa vie. Puis, au moment du choc, quoiqu'il fût bien jeune, il a deviné sans le comprendre qu'il lui fallait haïr pour survivre. Mais la haine peut être si douloureuse qu'il a préféré oublier en s'imposant une amnésie complète. Quand vous avez vu cette prostituée, votre haine inconsciente a resurgi, de même que quand vous avez rencontré Maggie, c'est de l'amour inconscient que vous avez éprouvé : l'amour que vous portiez à votre mère. Vous avez vu également en Maggie une fille très belle que vous désiriez. Mais votre inconscient s'y refusait. Voilà pourquoi il a fallu que vous vous enivriez pour pouvoir coucher avec elle. Quand il n'est pas anesthésié par l'alcool, votre inconscient associe cette femme au souvenir de votre mère.

— Et maintenant que vous m'avez dit tout ça, en sortant d'ici si je rencontre Maggie, tout va marcher comme sur des roulettes.

— Ce n'est pas si simple, et surtout pas aussi rapide. Plus tard oui. Quand vous aurez appris à comprendre vos instincts, vos désirs, et vos motivations, vous serez guéri. Alors, vous n'aurez plus besoin de blondes aux allures antiseptiques pour vous exciter d'une part, et d'une belle fille comme Maggie pour l'aimer à distance. Vous serez capable de donner et d'accepter l'amour d'une manière satisfaisante.

— Archie, je vais bientôt avoir quarante et un ans. Il est un peu tard pour changer de personnalité. J'aurais préféré continuer à grimper une blonde quand ça me prend. (Il retomba assis sur la chaise.) Bon sang, je ne suis pas moi... Kitty n'est pas ma mère. Je ne sais pas qui est mon père. Je ne sais même pas qui était ma mère. (Il se força à rire.) Et j'avais pitié d'Amanda ! Moi ! le dernier des bâtards. Je suis Conrad qui ?

— Vous êtes Robin Stone. Le nom ne signifie pas grand-chose. Il se trouve que vous portez encore la cicatrice des chocs éprouvés par Conrad. Mettez-les au jour ces cicatrices, aérez-les. Gardez ce qu'elles ont de bon et débarrassez-vous du mauvais.

— Le mauvais, qu'est-ce que c'est ?

— La haine de votre vraie mère.

— Oh, c'était une charmeuse, dit Robin. Au moins la mère d'Amanda ne l'avait eue qu'avec un seul type. La mienne était une putain.

— Une pauvre petite Allemande, esseulée dans un pays étranger. C'est clair : l'homme qu'elle a épousé travaillait pour un contrebandier au temps de la prohibition ; il a été tué par les hommes de main d'une bande adverse ; son patron a pourvu aux besoins de la veuve en la lançant dans la prostitution. Cette femme vous aimait, Robin. Elle aurait pu se débarrasser de vous avant votre naissance ou vous abandonner à l'assistance publique. Mais elle vous aimait, elle s'est efforcée de vous donner un foyer, d'économiser de l'argent pour vous emmener vers le monde où elle avait mené une vie normale. Elle vous aimait indéniablement.

Robin serra les poings :

— Pourquoi Kitty ne m'a-t-elle pas dit la vérité ? Pourquoi m'a-t-elle élevé en me faisant croire que j'étais son enfant ?

— Il est clair que vous avez été en état de choc. Quand vous vous êtes senti mieux, vous ne vous souveniez plus de rien. Vous révéler que vous étiez un enfant adopté, c'était vous replonger dans un passé que vous vouliez justement effacer, malgré votre jeune âge. On avait probablement conseillé à Kitty de ne rien vous dire. (Archie vit une lueur de colère dans le regard de Robin.) Ecoutez, Robin, ne vous apitoyez pas trop sur votre propre sort. Vous avez beaucoup de chance. Votre mère vous aimait. Kitty vous aime. Elle vous a adopté. Elle vous a protégé contre le secret de votre naissance. Un homme qui a été entouré de tant d'amour n'a pas le droit de faire le difficile et de ne rien donner de lui-même.

Robin se leva :

— Alors, si je comprends bien, je n'ai pas le droit de faire le difficile ni de rien *faire* de ma vie ?

— Que voulez-vous dire ?

— Lisa sait la vérité... elle m'a dit quelque chose que je comprends seulement maintenant. Kitty aussi le sait, évidemment. Elle doit probablement se faire du souci à mon sujet : elle redoute que mes origines ressortent ou que je m'effondre. Sans doute croit-elle que je suis faible, que j'ai besoin de protection. Elles pensent que j'ai besoin d'une femme et d'avoir des enfants qui joueraient le rôle d'une ancre pour m'empêcher de dériver. Incroyable ! J'ai passé trente-cinq années de ma vie en proie à l'illusion. Au fond Kitty et Lisa ont pitié de moi sans en rien dire. Eh bien, je n'ai pas besoin de pitié, et je n'ai pas besoin d'une femme. Ni d'avoir des enfants. Je n'ai besoin de personne. Et pas davantage de vous, non plus. Compris ? Je n'ai besoin de personne et à partir de cet instant, je n'accepte rien de qui que ce soit. Je me servirai moi-même.

Il saisit sa veste et s'enfuit en claquant la porte derrière lui.

25

Maggie s'étira dans le grand lit. Elle sourit en entendant Adam chanter d'une voix de baryton dans la salle de bains. Elle avait envie d'une longue nuit de sommeil. Le lendemain c'était dimanche et Adam lui avait promis de travailler avec elle son nouveau rôle. Cette pensée réveilla la peur qu'elle éprouvait depuis que Karl Heinz Brandt l'avait choisie comme vedette de son prochain film. Adam avait la partie belle quand il lui disait qu'elle n'avait rien à craindre, mais l'idée de travailler sous la direction de Karl Heinz l'affolait. Chacun savait qu'il traitait les acteurs avec une férocité sadique et qu'il n'hésitait pas à humilier les plus grandes vedettes pour leur imposer sa volonté. Elle chassa cette idée de son esprit et prit sur la table de nuit le dernier numéro de *Variety*. Pour une raison ou pour une autre, elle n'avait jamais le temps de lire autre chose que les rubriques quotidiennes du métier. On les parcourt au salon de coiffure sous le séchoir, ou pendant que la manucure vous fait les ongles. Depuis combien de temps n'avait-elle pas lu un seul journal ? Les chroniqueurs l'attaquaient parce qu'elle vivait ouvertement avec Adam Bergman dans la villa de celui-ci sur la plage de Malibu. Ils avaient découvert qu'elle avait été un jour Mme Hudson Stewart. Ils s'indignaient parce qu'une jeune femme comme il faut faisait insolemment bon marché des liens du mariage. Chose bizarre, cette diffamation augmentait son prestige. Elle lui conférait de la « personnalité » aux yeux du public. Et quand Karl Heinz la choisit comme vedette de son prochain film, la nouvelle avalanche publicitaire qui s'ensuivit en fit un point de mire.

Un magazine à grand tirage la baptisa « La dame des dunes » et publia une photographie sur laquelle on la voyait marcher pieds nus avec Adam, au clair de lune, sur la plage de Malibu. Elle s'était auréolée de mystère en refusant systématiquement d'assiter aux réceptions mondaines. En réalité, si elle n'y allait pas, c'est qu'elle en avait une peur bleue. Elle était heureuse de vivre avec Adam, de travailler avec lui et de partager son lit. Mais ni l'un ni l'autre ne pensait jamais au mariage. Ils n'avaient même pas abordé le sujet.

Voilà à quoi pensait Maggie Stewart en feuilletant *Variety*. Arrivée à la rubrique de télévision, elle alluma une cigarette et éplucha attentivement tous les articles, notamment le classement par sondage. Christie Lane venait en tête. L'émission de Robin figurait parmi les vingt premières.

Elle avait eu des nouvelles de celui-ci en février. A ce moment-là il préparait une émission sur le monde de la mode. Elle l'avait même appris par une lettre dactylographiée lui offrant un cachet de cinq mille dollars tous frais payés si elle acceptait d'en assurer la présentation. Elle avait dactylographié une lettre sur papier à en-tête des Films Century expliquant que les cachets de Mlle Stewart à la télévision étaient de vingt-cinq mille dollars, mais que de toute façon ses engagements cinématographiques lui interdisaient momentanément de participer à toute émission. Elle avait signé : Jane Biando, secrétaire de Mlle Stewart.

Adam sortit de la douche, une serviette-éponge autour de la taille. Elle le regarda se peigner et se dit qu'elle avait bien de la chance. Elle adorait Adam. Mais alors, pourquoi était-elle tout le temps hantée, plus ou moins consciemment, par le souvenir de Robin ? Le désirait-elle encore ? Hélas oui. Peut-être était-ce Alfie Knight qui lui avait le mieux fait comprendre son cas. Alfred était amoureux du dessinateur Gavin Moore. Cependant il s'était pris de passion pour elle pendant le tournage de leur film. Ensuite, il avait continué à lui téléphoner à tout propos et avait fini par lui déclarer un jour :

— Mamour, tu pourrais au moins coucher avec moi une fois pour me libérer de mon obsession, et je redeviendrais un homosexuel heureux, parfaitement adapté à son état.

— Voyons Alfie, tu n'es pas amoureux de moi ! lui avait-elle répliqué.

— Evidemment pas. J'adore Gavin. C'est l'homme de ma vie... pour le moment. Mais que veux-tu, mamour, chaque fois que je joue un rôle il faut que je m'hypnotise moi-même pour tomber amoureux de ma partenaire afin de ne pas me conduire avec elle comme un pédéraste. Malheureusement quelquefois ça marche trop bien et je suis obligé de filer sur Palm Springs pour ne plus penser à la dame. Mais toi, tu m'as si bien tenu à distance que tu m'obsèdes.

Elle avait raconté cette conversation à Adam qui en avait ri.

— Tu lui dois bien ça, avait-il dit. Il t'a mise en valeur dans le film. L'obsession est une des pires maladies qui soit. Ou bien on lui cède, ou bien on la laisse mûrir jusqu'à en perdre la raison.

— Ça signifie que tu me permettrais de coucher avec Alfie, demanda-t-elle pour plaisanter.

Il répondit sérieusement :

— Bien sûr, mais en ma présence.

Sa propre réaction l'étonna elle-même : elle appela Alfie pour lui répéter la condition imposée par Adam. Alfie accepta avec enthousiasme. Il vint à la villa au bord de la plage, coucha avec elle et fit l'amour cependant qu'Adam était allongé auprès d'eux. Le plus étrange de l'affaire, c'est qu'elle n'en éprouva aucune honte. Quand il en eut fini avec elle, il fit l'amour avec Adam et ce fut elle qui regarda à son tour. Tout cela se passa le plus naturellement du monde, dans une atmosphère de détente. Ensuite ils allèrent tous les trois à la cuisine se faire des œufs brouillés. Depuis lors, Alfie restait un excellent ami.

Tout compte fait, Adam avait peut-être dit vrai car Alfie filait désormais le parfait amour avec Gavin. Quant à elle, le souvenir de Robin Stone la tenaillait de manière lancinante. Elle était d'ailleurs certaine qu'un jour ils recommenceraient. Il se serait auparavant bourré de vodka parce qu'il en était incapable autrement. Quand il crierait « *Mutter*, mère, *mère !* » elle bondirait hors du lit et lui jetterait un pot d'eau froide à la figure. Qu'il essaie donc ensuite de lui raconter qu'il ne se rappelait plus rien !

Adam laissa tomber la serviette et s'approcha d'elle, ce qui lui changea les idées. Quand ils eurent fini, ils coururent main dans la main jusqu'à l'océan. A leur retour, ils se recouchèrent, elle se blottit dans les bras d'Adam et s'endormit en rêvant à Robin.

Ils prirent l'avion pour San Francisco afin d'assister à la présentation du film en projection privée. Dans l'ombre, elle serrait le bras d'Adam lequel grignotait des popcorns. Karl Heinz était assis auprès d'eux avec une jeune ingénue. Quelques autres acteurs du film occupaient les fauteuils voisins.

Maggie regardait l'écran avec une attention soutenue tout en s'efforçant d'analyser impartialement sa performance. Elle savait qu'elle n'avait jamais été aussi séduisante dans la vie. On ne voyait que ses yeux, ses pommettes et ses cheveux ébourriffés par le vent. Les toilettes étaient fantastiques. Adam lui avait reproché d'être trop mince. Mais à l'écran, c'était payant. Inquiète, elle remua dans son fauteuil à l'approche de la grande scène finale et jeta un coup d'œil discret autour d'elle. Incroyable ! Ils étaient tous impressionnés par son jeu.

La musique enfla et le mot fin apparut sur l'écran. Adam lui saisit le bras et l'entraîna dans l'allée.

— Chérie, lui chuchota-t-il, tu es devenue une actrice formidable. Cette dernière scène... c'est vraiment très chouette ! Ils sortirent de la salle au moment où l'assistance se répandait dans les travées. Ils traversèrent la rue et attendirent Karl Heinz et les autres. Maggie était encore inquiète lorsque Karl Heinz se précipita vers eux, le visage rayonnant : il lui tendit les bras et la serra sur son cœur.

Une semaine après la projection privée, son agent Hy Mandel lui fixa rendez-vous au Polo Lounge de l'hôtel Beverly Hills. Il attendit jusqu'à ce qu'on leur eût servi à boire, puis d'un geste large, il jeta sur la table un projet de contrat :

— Nous avons réussi, mon ange. Quand les patrons de la Century ont vu ton dernier film, ils ont compris qu'il serait vain d'essayer de te garder à soixante-quinze mille dollars. Je leur ai dit : « Messieurs, au prochain tournage, si vous vous en tenez aux termes du contrat, elle ne sera pas heureuse. Et dans ce cas, qu'est-ce qu'il va arriver ? Elle jouera comme une actrice malheureuse. Ce sera loupé et vous aurez démoli une étoile en herbe. Que diront les actionnaires ? D'autant que ce film dure trois heures et demie avec un entracte. *Premier rôle :* Maggie Stewart. Je leur ai enfoncé ça dans la tête. De quoi auraient-ils l'air, leur ai-je demandé, s'ils n'étaient pas capables d'utiliser une actrice formée par un premier metteur en scène et de continuer à la faire progresser sous la direction d'un autre. Et voilà, l'affaire est dans le sac. Regarde-moi ça : deux cent cinquante mille dollars pour chacun des deux prochains films et trois cents pour le troisième. plus vingt pour cent du bénéfice net. (Elle hocha la tête et sirota son Bloodv Mary.) Maintenant, écoute. poursuivit Hy. Tu ne commences à tourner le prochain film qu'en février. Il faut que tu sois de retour le quinze janvier pour les essayages.

— Quinze janvier ! Magnifique, nous ne sommes que le dix décembre !

— Exact. Mais aussi nous t'avons préparé de gentilles petites vacances.

Elle le regarda d'un air soupçonneux. Il éclata de rire :

— Enfin... peut-être pas tout à fait des vacances. Mais il faut bien donner un peu pour obtenir beaucoup. Ils vont lancer à grand tapage *La Femme déchirée* à New York et...

— *La Femme déchirée ?* (Elle plissa le nez.) C'est ça le titre maintenant ?

— Ne te plains pas, mignonne. Si on avait gardé *Henderson* l'attention se serait portée automatiquement sur la vedette masculine. Maintenant, c'est ton film à toi.

Elle sourit :

— C'est vrai. Et alors, ces vacances ? Qu'est-ce que je dois faire ?

— Rien de bien terrible. Tu vas aller à New York assister à la première. Ce n'est pas tout à fait du travail d'usine.

— Ça signifie aussi interviews, télévision. et pas une minute à moi.

— Erreur. mon enfant ! La première aura lieu le vingt-six décembre et tu n'as pas besoin d'arriver à New York avant le vingt-deux.

— Pour travailler sans interruption du vingt-deux jusqu'à la grande soirée de gala.

— Oui. mais tu es libre à partir d'aujourd'hui jusqu'au vingt-deux. Si tu veux aller à New York plus tôt pour te promener un peu, ils en feront les frais. Si tu veux rester une semaine après la première, ce sera encore à leurs frais. D'une manière ou d'une autre, c'est toujours des vacances payées. Pourvu que tu sois de retour le quinze janvier, tout ira bien. Vas-y donc tout de suite. C'est la Century qui paye !

Elle secoua la tête.

— Non. Je préfère rester me reposer sur la plage. Il fait encore beau.

— Maggie. (Un instant d'hésitation.) Je ne veux pas que tu restes sur la plage... avec Adam.

Elle releva la tête. intriguée :

— Pourquoi donc ? Tout le monde sait que je vis avec lui.

— Alors, mariez-vous.

— Mais je ne veux pas me marier.

— Alors, pourquoi vis-tu avec lui ?

— Pour ne pas être seule. Je resterai avec lui jusqu'à ce que... (Elle se tut.)

— Jusqu'à ce que tu trouves l'homme qu'il te faut ? Réfléchis. Maggie. Tu pourrais très bien ne pas en trouver un autre tant que tu vivras avec Adam.

— Mais je l'ai trouvé. (Le regard de Hy trahit son étonnement.) Je l'ai trouvé il y a quatre ans, poursuivit-elle, mais...

— Mais il est marié ?

Elle secoua la tête :

— Parlons d'autre chose, Hy. Je suis heureuse de mon travail, et je suis heureuse avec Adam.

— Ecoute-moi, petite, dit-il lentement. J'ai soixante ans. Je suis marié avec Rhoda depuis trente-trois ans. Elle en a cinquante-neuf. Au moment de notre mariage je n'avais qu'un tout petit bureau dans la Quarante-sixième Rue Ouest. Rhoda était institutrice. Au moment de notre mariage elle avait vingt-sept ans et elle était vierge. Ça ne m'a pas étonné. Dans ce temps-là, les filles se mariaient vierges. Aujourd'hui une vierge de vingt-sept ans serait un monstre qu'on montre dans les fêtes foraines. Un mari fidèle, pareil. Eh bien moi, je suis un de ces monstres. Rhoda pèse peut-être dix kilos de trop, je suis peut-être moins ardent, ça doit bien faire deux ou trois ans que nous ne faisons plus l'amour. Mais nous menons une bonne vie. Nos enfants ont grandi et nous ont donné des petits-enfants. Nous dormons toujours dans le même grand lit et nous sommes heureux d'être côte à côte. Parfois, en regardant la télévision, nous nous tenons par la main. Mais ce n'est plus comme autrefois. Tu sais, depuis que je suis devenu un des principaux agents de Los Angeles et surtout depuis que toi, tu as tant de succès, je remarque que des tas de *Shikses* * me font les yeux doux. Les mêmes *Shikses* ne m'auraient même pas donné l'heure quand j'ai débuté. Il y a quelques jours, l'une d'elles — jamais vu une fille aussi bien roulée — s'est penchée sur mon bureau. C'est tout juste si elle n'a pas posé ses nichons sur ma table. Mais tu sais quoi ? Je me vois tous les matins dans la glace quand je me rase. Plus beaucoup de cheveux et trop de ventre. Si je prenais une petite blonde, je triquerais peut-être encore très dur et on pourrait rouler l'un sur l'autre au lit. Mais pourquoi me faire des idées ? Elle ne fera pas des galipettes avec moi pour mon profil ! C'est mes relations qui l'intéressent. Alors quand je me demande « Hy, est-ce que ça vaut la peine ? », je réponds non ! Je connais des types de mon âge qui fricotent avec des gamines plus jeunes que leurs propres filles. Mais crois-moi ils ne s'en vantent pas. Le samedi soir ils vont au *La Rue* avec leur femme. Ils passent leur dimanche à Hillcrest avec leur femme. Tu vois ce que je veux dire ? Ils se paient une fantaisie en cachette, mais ils conservent leur dignité pour leurs enfants et leur femme. Tu n'as pas d'enfants, toi, Maggie. Mais tu as un public. Bien des gens sont comme moi et pensent comme moi. Ils ne paieront pas trois dollars pour voir une jolie fille pleurer parce qu'elle meurt en laissant derrière elle un mari et des enfants s'ils savent qu'elle vit avec un homme sans avoir la bague au doigt.

— J'ai passé assez d'années à respecter les convenances, répliqua-t-elle d'une voix morne.

Hy poussa un profond soupir :

— Maggie, qu'est-ce que vous avez donc tous les jeunes d'aujourd'hui ?

---

* Filles, en yiddish.

Je ne suis quand même pas tellement exigeant. Je te demande seulement d'épouser Adam ou d'avoir ton propre domicile. Couche avec lui, cours sur la plage avec lui mais, je t'en prie, ne vis pas en con-cu-bi-na-ge.

Maggie éclata de rire :

— D'accord, Hy. A mon retour de New York, je m'installerai ici. En attendant, tâche de me dénicher un appartement.

— C'est fait. Il se trouve justement que par hasard j'ai ce qu'il te faut : un appartement meublé aux Melton Towers. Quatre cents par mois, service téléphonique, en plein centre de Beverly Hills. Viens, je t'y conduis.

L'appartement plut à Maggie. C'était exactement ce qu'il lui fallait : un grand salon, une cuisine entièrement aménagée, une vaste chambre à coucher, un coin avec bar. Le gérant qui le lui fit visiter avait déjà un bail à son nom. Maggie ne put s'empêcher de rire en constatant que Hy avait choisi l'appartement avant de lui en parler. Le lendemain Adam l'aida à y transporter ses affaires et retourna vivre à la plage. Il travaillait sur le scénario d'un nouveau film.

Après avoir passé deux jours seule dans l'appartement, elle ne tint plus en place. Adam devait partir la semaine suivante tourner des extérieurs dans l'Arizona. Elle allait se retrouver seule à Los Angeles. Elle téléphona à Hy pour lui dire que si la Century était toujours d'accord pour payer, elle irait à New York s'occuper de la publicité.

Adam la conduisit à l'aéroport. Elle posa pour l'attaché de presse de la compagnie aérienne, puis Adam lui offrit un verre au bar de la TWA.

— Avec ce film sur le dos, je ne reviendrai pas avant trois mois, annonça-t-il. A mon retour, je m'installerai avec toi. Ton appartement me plaît. D'ailleurs en mars il fait trop froid sur la plage.

Elle considéra les avions qui circulaient au ralenti sur l'aérodrome :

— Tu sais ce que m'a dit Hy.

Il sourit :

— Dis-lui que je suis un bon petit juif, moi aussi. Marions-nous, Maggie. Pourquoi pas ? Ça pourrait marcher. Si je découche de temps en temps tu ne m'en voudras pas ?

— Ce n'est pas comme cela que je conçois le mariage, répondit-elle lentement.

— Alors, tu veux une belle union pure sans tache comme avec ton mari autrefois à Philadelphie ?

— Non. Mais je ne veux pas n'être qu'un des apanages du mariage au même titre que l'appartement et les meubles. Je veux que tu sois jaloux, Adam.

— Tu n'as pas fermé les yeux quand Alfie était au lit avec nous.

— Mais tu ne comprends donc pas ? Ce n'était pas vraiment moi.

Il la regarda droit dans les yeux :

— Assez de conneries Maggie. Personne ne peut revenir en arrière. La fille qui a couché avec Alfie, c'est toi. Même si maintenant tu fais des yeux de génisse en expliquant ce que tu espères du mariage. Ce que nous avons vécu sur la plage, c'est la vie conjugale de gens comme nous

Il prit son silence pour un acquiescement et lui caressa la main :

— Nous nous marierons à mon retour de l'Arizona. J'envoie un communiqué à la presse aussitôt après ton départ.

— Ne fais surtout pas ça ! s'exclama-t-elle outrée en retirant sa main. Je ne vais pas gâcher ma vie avec toi sous prétexte que mon métier serait un art. C'est un gagne-pain. J'attends autre chose de la vie et je n'accepte pas non plus qu'on s'adonne à toutes les déviations sexuelles sous prétexte qu'on est des artistes. Je veux un mari, pas un jeune metteur en scène à succès qui fume du haschich et couche de temps en temps avec un homme par snobisme.

L'expression d'Adam durcit :

— Au moins, tu ne me dores pas la pilule. Merci. (Il soupira.) Et voilà. Fini entre nous.

— Nous n'avons peut-être jamais commencé, Adam.

— Bonne chance, Maggie. La maison sur la plage t'est toujours ouverte.

Sid Goff, un attaché de presse de la Century, accueillit Maggie à l'aéroport Kennedy. Les photographes convergèrent sur elle et les flashes éclatèrent. Sid prit ses bagages à main et la conduisit à la longue limousine noire frétée par la Société. La meute les suivit en aboyant des questions et continua à l'interroger pendant qu'on rangeait les valises dans la malle arrière. Après un dernier flash, la voiture quitta l'aéroport. Maggie s'adossa à la banquette et se détendit.

— Ne vous y fiez pas trop, soupira Sid Goff. Il n'y aura peut-être rien dans les journaux.

— Que voulez-vous dire ?

— Diana Williams arrive par le prochain vol. Elle accaparera probablement toute la place dans les journaux de demain.

— Je croyais qu'elle tournait un feuilleton pour la télévision ?

— L'émission a sauté. Alors maintenant il lui prend envie de jouer dans un théâtre de Broadway. Ike Ryan l'a engagée. Les répétitions commencent en février.

— Ne vous en faites donc pas. C'est le jour de la première que la Century tient à avoir les honneurs de la presse.

— C'est vous qui le dites ! répliqua Sid, l'air lugubre. Si la photo de votre arrivée n'est pas dans les journaux de demain, je n'aurai pas besoin de téléphone pour entendre les patrons gueuler en Californie. (Il fouilla ses poches et en tira un emploi du temps dactylographié.) Nous avons plusieurs rendez-vous de prévus à la télé, ainsi que des interviews avec les journalistes. Si j'ai bien compris, vous pouvez rester jusqu'au quatorze janvier. La Century paie l'addition. Votre appartement est réservé au Plaza jusqu'au vingt-six décembre. Si vous voulez rester plus longtemps, prévenez l'hôtel tout de suite.

Elle étudia le programme qu'il lui avait remis :

— C'est incroyable ! Même à Noël je ne suis pas libre ! Je vois là deux réceptions auxquelles je dois assister.

— John Maxwell est l'un des plus gros actionnaires de la Century. Il reçoit dans son grand duplex à River House. Ses invités seront sûrement de riches pékins, mais il aime les célébrités et il a insisté pour vous avoir.

L'autre réception est au Forum. Il faut y aller. Toute la presse y sera. Ike Ryan y reçoit en l'honneur de Diana Williams.

— Je ne vais jamais aux réceptions, affirma-t-elle.

Sid Goff la regarda, médusé. Il n'en croyait pas ses oreilles.

Ils continuèrent à rouler pendant quelques minutes puis il reprit :

— Mademoiselle Stewart, on m'avait laissé entendre que votre agent vous mettait à la disposition de la Century pour participer au lancement du film et décrocher le plus de publicité possible. La Century vous allonge le prix du voyage et du séjour parce qu'elle tient, *dans son propre intérêt*, à vous monter en épingle.

— Je le comprends très bien. J'accepte interviews et passages à la télévision. Mais rien ne m'oblige à assister aux soirées des actionnaires. Si M. Maxwell tient à m'exhiber, mon cachet sera de vingt-cinq mille dollars par soirée.

Sid Goff se pencha en avant, comme s'il admirait la pointe de ses souliers :

— D'accord, Mademoiselle Stewart. Au sujet de John Maxwell, vous avez peut-être raison. Personne ne peut vous obliger à aller chez lui. Mais pour le raout Diana Williams, c'est une autre paire de manches. La presse y sera en force. Je vous en prie, allez-y, ne serait-ce que pour faire acte de présence.

En le voyant soucieux, elle s'attendrit. C'était son boulot, à cet homme. D'ailleurs, si une apparition à cette soirée pouvait servir à quelque chose, pourquoi pas ? Mais pour John Maxwell, rien à faire.

Puisqu'elle avait quatre jours devant elle avant les premières interviews, elle invita ses parents à New York, les combla de billets de théâtre et les invita à dîner. Sid Goff se chargea de réserver tables, voitures de luxe et surtout d'écarter les admirateurs importuns. Ses parents retournèrent à Philadelphie la veille de Noël, béats d'admiration pour la récente célébrité de leur fille.

Le jour de Noël, sa solitude lui parut intolérable. Ses parents lui avaient apporté un tout petit sapin ; elle avait également un poinsettia en pot qui s'étiolait... cadeau du studio. Les chants de Noël à la radio achevaient de la déprimer. Brusquement la perspective d'aller au Forum fêter Diana Williams lui sourit presque. Au moins, elle s'échapperait de cet hôtel.

Sid Goff arriva à cinq heures :

— Nous ne resterons là-bas qu'une heure, promit-il. Ensuite vous pourrez vous éclipser pour rejoindre vos amis et faire ce qui vous plaira.

— Et vous, Sid, que ferez-vous ensuite ? questionna-t-elle.

— Comme vous... je filerai à l'anglaise pour rejoindre les miens : ma femme et sa famille. Ils m'attendront pour se mettre à table.

La foule avait pris possession du Forum. Quelques flashes éclatèrent quand elle fit son entrée. L'attaché de presse d'Ike Ryan parvint à la faire poser avec Ike et Diana Williams dont l'aspect stupéfia Maggie. Diana ne devait pas avoir plus de quarante ans, mais elle semblait prématurément usée.

Elle était mince, presque trop frêle. Son exubérance excessive frisait l'hystérie. Elle était trop cordiale, trop enthousiaste et il y avait une bonne dose de gin dans son jus d'orange. Elles échangèrent les compliments d'usage. Maggie se sentit jeune et pleine de vie auprès de cette femme qui lui inspirait d'ailleurs de la pitié. Tout le monde faisait la roue autour de Diana dont les yeux hagards ne se posaient sur personne.

Maggie passait le long du bar en direction de la porte quand elle se trouva face à face avec un homme bronzé et de haute taille qui arrivait. Il la regarda d'abord incrédule, puis ses yeux sourirent. Elle non plus ne s'était pas attendue à le rencontrer. Robin Stone célébrant Diana Williams le jour de Noël ! Il lui saisit les deux mains, l'air enchanté :

— Salut, vedette !

— Salut, Robin. (Elle se maîtrisa pour le regarder froidement.)

— Superbe ! Maggie, vous êtes superbe.

Sid Goff s'écarta discrètement, mais Maggie se rappela qu'il rêvait à la dinde qui l'attendait sur la table familiale.

— Je me sauve, fit-elle. J'ai d'autres rendez-vous.

Il sourit d'un air entendu ;

— Moi aussi je suis venu pour affaires. J'essaie de racoler Diana Williams pour mon émission. Ce ne sera pas facile à réaliser même si elle est d'accord. Heureusement Ike Ryan est un de mes amis. Je la présenterai d'abord en train de répéter sur une scène vide, puis à Philadelphie, pendant la générale, et enfin à New York pour la première, le tout entrelardé d'interviews de Diana, Ike, et des autres acteurs... (Il se tut et reprit soudain :) Excusez-moi, Maggie. Ce n'est pas une façon de vous dire combien je suis heureux de vous voir.

Elle rit, tourna la tête, et regarda Diana ;

— Est-ce qu'elle vaut encore quelque chose ? interrogea-t-elle.

Robin la contempla d'un air bizarre ;

— Voilà maintenant que vous jugez les gens selon les critères d'Hollywood. J'espérais mieux de vous. Diana Williams n'appartient pas à l'espèce banale. Dans sa moins bonne forme, elle vaut mieux que la plupart des étoiles d'Hollywood à leur apogée. Voilà vingt ans qu'elle a débuté à Broadway. Elle n'en avait que dix-sept. Pour faire sa carrière elle n'a pas bénéficié des prises de vue savantes sous des projecteurs bien orientés. Elle n'avait pas non plus d'attaché de presse.

— Il est vraiment temps que je m'en aille, dit-elle froidement.

Il lui saisit le bras ;

— Quel sujet de conversation ! Comment en sommes-nous venus là ? (Il sourit.) Entrons dans le vif du sujet : quand se revoit-on ?

— Je n'en sais rien. (Soudain elle eut un sentiment de défi.) La première de mon nouveau film a lieu demain soir. Voulez-vous voir ce que donnent les projecteurs et les attachés de presse ? Il me faut un chevalier servant.

— J'ai horreur d'aller au cinéma en cravate noire. J'y vais pour me détendre en mangeant du popcorn. Vous êtes libre après-demain ?

— Il était question de demain soir, répliqua-t-elle froidement. Je ne fais jamais de projets à trop longue échéance.

Ils se toisèrent un moment en silence, puis Robin sourit ;

— C'est bon, mon ange. Pour vous je me passerai de popcorn. A quelle heure, et où ?

— Huit heures au Plaza. Le film commence à la demie mais il y aura la télévision avant. Malheureusement je dois en passer par là.

— Ne vous en faites pas. J'y serai à huit heures.

Sid Goff reparut et la conduisit jusqu'à la porte. Robin la regarda s'éloigner, puis joua du coude dans la foule pour atteindre Diana Williams.

A huit heures moins cinq, elle devint nerveuse. Elle se raisonna aussitôt : elle n'avait aucune raison de s'inquiéter. Robin était trop bien élevé pour lui poser un lapin. D'ailleurs, le rendez-vous n'était que pour huit heures. Deux minutes plus tard elle se demanda si elle ne devrait pas téléphoner à Sid Goff.

A huit heures précises, le téléphona sonna. Robin l'attendait dans le hall. Elle se regarda une dernière fois dans la glace. Sans doute la trouverait-il affreuse avec cette robe blanche ornée de perles (empruntée au studio), ce vison blanc (emprunté par le studio à un fourreur d'Hollywood), ces cheveux noirs allongés par un postiche (prêté par le coiffeur du studio qui était arrivé à l'hôtel dans la soirée pour reconstituer la coiffure du film). « Insensé ! » se dit-elle dans l'ascenseur. Sa chevelure était largement assez abondante. Pourquoi fallait-il la laisser pendre jusqu'au milieu de son dos ? Et les boucles d'oreille d'émeraudes et de diamants (empruntées aussi et fortement assurées) lui donnaient l'impression d'avoir la tête trop lourde pour son corps.

Robin sourit en la voyant sortir de l'ascenseur. Il hocha même légèrement la tête d'un air qui semblait approbateur. Ils n'échangèrent pas une parole avant d'avoir franchi le barrage d'admirateurs qui, bravant le froid, prirent des instantanés et mendièrent des autographes. Quand ils s'installèrent enfin dans la voiture elle se pencha en arrière, mais se redressa aussitôt :

— Catastrophe ! Je vais perdre mes faux cheveux !

Il rit avec elle :

— Il me semblait bien qu'ils avaient poussé depuis hier.

— Ce n'est pas trop ? demanda-t-elle, incertaine.

— Vous êtes superbe ! Considérez tout cela comme un bal costumé. D'ailleurs, ce n'est pas autre chose. Vous jouez le rôle de la vedette. Il faut leur en donner pour leur argent. Quitte à le faire, faites-le jusqu'au bout.

La cohue devant le cinéma atteignait des proportions effrayantes. Leur voiture fut immobilisée dans la file pendant un quart d'heure. Plus couvertes de bijoux que des châsses, les invitées débarquaient des autos qui les précédaient. Quand les fans ne reconnaissaient pas la femme en vison qui prenait pied sur le trottoir, elle grondait de dépit. A l'abri des glaces de la voiture, Maggie observa la scène avec inquiétude. Barrières de bois et policiers tenaient la foule à l'écart. Monté sur un camion, de l'autre côté de la chaussée, un projecteur était braqué sur le tapis rouge étendu de la chaussée jusqu'à l'entrée du cinéma. Les photographes de presse attendaient, impatients. Dans leurs smokings noirs, ils semblaient curieusement désemparés. Quand la voiture de Maggie arriva devant le tapis, la presse fonça en avant, la foule hurla de joie et rompit le barrage de police. Quelques mains se tendirent, avides, pour toucher le vison blanc tandis que des voix scandaient : « Maggie ! Maggie ! »

Sid Goff et un autre attaché de presse se rangèrent à ses côtés pour la protéger. Elle chercha Robin du regard. Il avait disparu. Affolée elle se sentit entraînée vers un homme de haute taille qui brandissait un micro. Elle ne pouvait plus s'échapper. Les flashes éclataient de toutes parts. Les projecteurs de télévision la cernaient. Les caméras s'approchaient. Mon Dieu ! où était Robin ?

Puis Sid Goff l'entraîna, abasourdie, vers le vestibule où Robin l'attendait avec un chaleureux sourire de compassion pour cette épreuve. Il lui prit le bras et ils bravèrent l'élégante assistance qui, agglutinée dans le hall, s'entre-regardait. Elle gagna son fauteuil et, comme si elle n'attendait que ce signal, la foule pénétra dans la salle : ce fut alors la recherche fébrile des numéros de fauteuils cependant que la lumière baissait, que la musique commençait à retentir en sourdine et que la sono énumérait les noms du générique.

Dès le début de la dernière scène, Sid Goff se coula le long de l'allée et leur fit signe. C'est presque en nageant sur les têtes et les genoux de leurs voisins qu'ils le rejoignirent. Ils filèrent vers leur voiture et l'atteignirent à l'instant où les portes s'ouvraient en laissant échapper un flot brillant d'invités.

Robin lui prit la main :

— Vous vous en êtes tirée à merveille et vous êtes excellente dans le film. Maintenant, dites-moi : le calvaire continue ou bien êtes-vous libre ?

— Souper au champagne à l'hôtel Americana.

— Evidemment.

Ils rirent en chœur. Soudain, la perspective de se trouver à table dans la salle de bal brillamment éclairée avec Karl Heinz (la vedette masculine) et sa femme, et de poser encore pour des photos lui fit horreur.

— Je n'y vais pas, décréta-t-elle.

— Ça c'est gentil. On dîne à votre hôtel ?

— Non. J'ai une meilleure idée. D'abord il faut remettre ces boucles d'oreille dans le coffre au plus tôt, et si je ne me débarrasse pas de ces cheveux, je vais avoir une migraine à tout casser. Si j'enfilais un pantalon et que nous allions au P.J's ?

— Personne n'a jamais eu une aussi belle inspiration. Mais moi aussi j'ai envie de me mettre à l'aise. Voilà ce que je vous propose : je vous laisse la voiture, je file chez moi et quand vous serez prête, vous viendrez me chercher.

Vingt minutes plus tard, elle s'asseyait dans la voiture en pantalon de toile, chemisier, et manteau d'agneau blanc. Elle portait des lunettes noires. Elle fuma nerveusement en roulant vers chez Robin, sur les quais. Il l'attendait devant la porte de l'immeuble. Dès qu'il la vit il s'approcha de la voiture. Il était en chandail blanc et pantalon gris, sans pardessus.

— Il y a trop de monde au P.J's, dit-il en s'asseyant près d'elle. Si on allait plutôt au Lancer ?

Elle acquiesça et le chauffeur partit vers la Cinquante-quatrième Rue.

Il n'y avait personne dans la salle sauf un jeune homme et une jeune fille qui buvaient de la bière dans un box du fond en se tenant par la main. En passant devant le comptoir, Robin commanda un scotch pour Maggie, un martini pour lui et deux grands steaks. Puis il la conduisit à une table isolée et leva son verre :

— Ce film vous apportera la gloire, Maggie.

— Mais est-ce que je joue bien à votre avis ?

— En tous cas, les critiques en seront convaincus.

— Ça signifie que vous, vous n'en croyez rien ?

— Qu'importe ?

— Je suis curieuse, dit-elle en souriant.

Il réfléchit un instant :

— Mon chou, comme actrice, vous ne cassez pas des briques. Mais ça ne fait rien, vous êtes aussi photogénique qu'une déesse. Un bel avenir s'ouvre devant vous.

— Et ce je-ne-sais-quoi qui fait les vedettes, vous y croyez ? On ne parle que de cela à Hollywood.

— J'y crois. Pour ça il faut être génial ou cinglé.

— Alors, je fais peut-être l'affaire.

Il rit :

— Quand je parle de génie, il ne s'agit pas de quotient intellectuel, mais il faut avoir du génie sur le plan émotionnel. La ligne de démarcation entre le génie et la folie est sans doute très confuse. Or, Dieu merci ! vous n'êtes ni d'un côté, ni de l'autre. Diana Williams, elle, est à la fois géniale et cinglée. C'est aussi une malheureuse. A y bien réfléchir : je ne crois pas avoir jamais rencontré un génie heureux et bien équilibré. (Il tendit la main au-dessus de la table pour prendre celle de Maggie.) Dieu merci, vous êtes seulement une femme ravissante qui, par un coup de chance extraordinaire, a trouvé un tremplin inespéré. Vous n'avez rien d'une déséquilibrée... Vous êtes exactement la femme idéale que chaque homme rêve de rencontrer un jour.

Elle retint son souffle en attendant la conclusion narquoise, l'injure polie qui la démolirait. Mais leurs regards se croisèrent et il ne sourit même pas.

Il était une heure du matin quand ils quittèrent le Lancer.

— Vous avez à faire demain ? interrogea-t-il.

Elle secoua la tête :

— Je suis libre à partir de ce soir.

Il manifesta une sastisfaction sincère ;

— Vous restez jusqu'à quand à New York ?

— Jusqu'au quatorze janvier si je veux.

— Moi, je le veux.

La voiture s'arrêta devant le Plaza. Il lui demanda, l'air grave :

— Nous pourrions dîner ensemble demain ?

— J'en serais ravie, Robin.

Il l'embrassa gentiment et la conduisit jusqu'à l'ascenseur :

— Je vous téléphonerai avant midi. Bonne nuit.

La porte de la cabine se ferma et elle ne le vit plus.

Le téléphone sonna à onze heures. C'était sûrement Robin. Elle le laissa patienter un peu pour être tout à fait réveillée quand elle lui parlerait. Mais quand elle prit l'écouteur, elle entendit la voix de l'employé de la réception qui lui demanda du ton le plus naturel à quelle heure elle comptait libérer la chambre.

— Je ne m'en vais pas, répliqua-t-elle mécontente. Je reste encore deux semaines.

Elle raccrocha, tapota son oreiller et s'allongea pour dormir. Elle ne voulait pas être réveillée avant l'appel de Robin. Mais le téléphone sonna de nouveau. Cette fois ce fut le directeur-adjoint qui lui parla d'une voix suave :

— Mademoiselle Stewart, votre chambre n'est réservée que jusqu'à aujourd'hui. Il était entendu que vous deviez nous prévenir si vous aviez l'intention de rester. Malheureusement nous sommes au complet à partir de ce soir. Si vous nous aviez dit...

Cela acheva de la réveiller. Mon Dieu ! elle avait oublié. Tant pis. Elle trouverait bien un autre hôtel. Le directeur-adjoint ne demandait qu'à lui être utile. Il allait s'efforcer personnellement de lui trouver quelque chose. Un quart d'heure plus tard, il la rappela :

— Je suis désolé, Mademoiselle Stewart, c'est pareil partout : La Régence, le Pierre, le Saint-Regis, le Navarro, l'Hampshire House, tout est complet. Impossible d'avoir une chambre et ne parlons pas d'appartement ! Je ne me suis pas permis d'interroger les hôtels de second ordre sans vous consulter...

— Inutile, merci beaucoup. Je verrai si la Century peut me tirer d'affaire.

Elle appela Sid Goff et lui exposa la situation. Il parut perplexe.

— Maggie ! je vous avais recommandé de les prévenir. Mais je vais donner quelques coups de téléphone, nous verrons bien.

Elle faisait ses valises quand Robin l'appela. Elle lui expliqua qu'elle était à la rue :

— Je vais probablement atterrir à Brooklyn. Sid Goff ne m'a pas encore appelée et s'il ne trouve rien, personne ne pourra me dépanner.

— Dites-lui de laisser tomber. Je m'en occupe.

Vingt minutes plus tard, il l'appela de la réception pour lui dire de faire descendre ses bagages.

Une voiture stationnait devant l'hôtel. Quand ils y eurent pris place, Robin donna son adresse au chauffeur. Elle l'interrogea du regard.

— Ça ne vaut pas la Regence, dit-il, mais j'ai une femme de ménage qui vient tous les jours et mon appartement est assez confortable, même pour une grande vedette comme vous. Moi je coucherai à mon club.

— Robin, je ne peux pas vous faire ça.

— C'est moi qui le fais, pas vous.

L'appartement plut à Maggie. Involontairement ses yeux se posèrent sur le grand lit à deux places et elle se demanda combien de femmes y avaient couché. Il lui remit la clé :

— Vous êtes libre d'entrer et sortir à votre guise. Je viendrai vous chercher pour dîner. (Il désigna du doigt le bar.) En guise de loyer, je ne vous demande qu'une chose. Si vous voulez me plaire il faudra apprendre à préparer le martini à la vodka ; un décilitre de vodka, une goutte de vermouth et pas de zeste. J'aime les olives.

Elle fit docilement un pas vers le bar.

— Maggie ! (Il rit.) Il est à peine midi. L'apéritif, c'est pour ce soir.

A sept heures les martini étaient prêts. Elle avait acheté deux steaks et des asperges surgelées. Après le dîner en tête à tête, ils regardèrent la télévision en se tenant par la main, blottis sur le canapé. A onze heures, dès le début des Informations, il alla chercher deux boîtes de bière à la cuisine :

— Vous êtes ici chez vous. Quand vous aurez envie d'être seule, dites-le-moi.

— Vous partirez quand vous voudrez, dit-elle.

Il l'attira contre lui :

— Je ne veux pas partir.

Il la serra dans ses bras, lui baisa les lèvres. Maintenant, songea-t-elle, je vais lui dire que je n'en ai pas envie, qu'il ne m'émeut pas ! Mais elle l'étreignit avec ferveur et lui rendit ses baisers. Quand ils arrivèrent au grand lit ils se prirent fougueusement. Cette fois la vodka n'y était pour rien. Arrivé au moment culminant, il ne cria pas « *Mère !* », et elle n'eut pas besoin non plus de lui vider une cruche d'eau froide sur la tête.

Les cinq jours suivants avec Robin lui apportèrent un bonheur incroyable. Ils dînèrent dehors tous les soirs. Parfois en sortant du restaurant ils faisaient une bonne partie du trajet à pied. Une fois ils allèrent au cinéma, mais la soirée se terminait toujours au lit dans une étreinte passionnée et ensuite ils s'endormaient enlacés.

Elle y pensait cette nuit-là en le regardant dormir. Elle se glissa hors du lit et prépara du café en regardant la brume sur le fleuve. Jamais elle n'avait été aussi heureuse et elle avait encore quatorze jours de liberté devant elle. Pourquoi quatorze jours ? Pourquoi pas toujours ? Robin l'aimait, c'était évident. Ils n'avaient jamais fait la moindre allusion à l'horrible scène du réveil à Miami. Elle devinait que c'était un sujet tabou. Mais il ne s'agissait plus d'un amour de passage. Robin était heureux d'être avec elle, de vivre à ses côtés. Peut-être devait-elle faire le premier pas. Mais bien sûr, il le fallait ! Il ne pouvait pas lui demander d'abandonner sa carrière. Il lui suffisait de laisser entendre à Robin qu'elle était heureuse pour la première fois de sa vie.

— Ce fleuve est affreux dans la grisaille du matin. (Arrivé sans bruit, il se tenait derrière elle dans la cuisine. Il se pencha pour l'embrasser dans le cou.) C'est vrai. Même par le jour le plus beau, ce fleuve fait pouilleux. Les premiers rayons du soleil soulignent ses défauts ; les petites îles abominables, les remorqueurs...

Elle pivota sur elle-même et l'étreignit :

— Un fleuve merveilleux ! dit-elle. Robin je veux t'épouser.

Il la tint à bout de bras en souriant :

— Voilà qui est de bon augure pour commencer l'année.

— Ça marcherait, Robin, j'en suis sûre.

— Peut-être, mais pas tout de suite...

— Si tu penses à ma carrière, sache que j'y ai déjà réfléchi. (Il sourit et se saisit du percolateur.) Je vais pocher des œufs, se hâta-t-elle de dire. Le jus d'orange est prêt.

— Cesse de jouer les épouses.

Il emporta sa tasse de café dans la chambre à coucher. Elle ne l'y suivit pas. Elle s'assit à la petite table de la cuisine et regarda le fleuve en prenant son petit déjeuner. Il n'avait pas dit non... mais il manquait assurément d'enthousiasme.

Dix minutes plus tard, il revint à la cuisine. Elle leva la tête, étonnée : il portait un chandail gorge de pigeon et avait son pardessus sur le bras :

— Je reviens dans une heure, j'ai à faire, dit-il. (Il se pencha pour lui baiser le front.)

— Tu travailles le jour de l'An ?

— Oui, il faut que je révise un ampex au bureau. Je travaille mieux si je suis seul, surtout quand l'immeuble est désert. J'ai l'impression d'être chez moi. Autre chose, Maggie : pour rien au monde je ne voudrais gouverner ta vie, mais crois-tu que tu pourrais supporter un cocktail à cinq heures ?

— Un cocktail ?

— C'est ce que Mme Austin organise le jour de l'An. Je lui ai fait fauxbond trois années de suite. L'an dernier j'ai au moins pensé à lui envoyer un télégramme, mais aujourd'hui je ne peux pas y couper.

— Mais, Robin, j'ai renvoyé toute ma garde-robe de luxe. C'étaient d'ailleurs des emprunts. Avant, je vivais sur la plage. Je ne possède que des pantalons de toile et deux petites robes noires passe-partout. Ce qu'il y a dans le placard, rien de plus.

— J'aime que les femmes ne s'encombrent pas de bagages quand elles voyagent. Une robe noire conviendra parfaitement.

— Mais elle est en laine !

Il s'approcha pour lui caresser la joue :

— Maggie, tu es parfaite n'importe où avec n'importe quoi sur le dos. Maintenant, fais donc la vaisselle, gagne ta croûte.

Il s'en alla. Il faisait froid, mais il se rendit à pied jusqu'au cabinet d'Archie Gold. Le médecin avait d'abord refusé d'y aller, mais Robin avait insisté. Il était certain que Maggie ne l'avait pas entendu téléphoner. La cuisine était à l'autre bout de l'appartement et il avait parlé à voix basse.

Médecin et patient arrivèrent en même temps :

— Robin, je ne me dérange jamais de la sorte pour mes clients habituels. Voilà dix-huit mois que vous êtes parti en claquant la porte et maintenant il faut que j'accoure parce que vous prétendez qu'il s'agit d'une urgence !

Robin s'assit tranquillement :

— J'ai besoin d'un conseil. Maggie Stewart est à New York. Ça marche du tonnerre. Elle vit chez moi.

— Alors, plus de problème, dit Archie en allumant sa pipe.

— Que si ! Elle veut m'épouser.

— Presque toutes veulent se marier.

— Ça ne durerait pas. Le mariage, ce n'est pas seulement faire l'amour, surtout pour une fille comme Maggie. Depuis cinq jours que nous vivons ensemble, elle m'a raconté sa vie : son premier mariage, sa liaison avec Parino, puis avec un type en Californie, sur une plage. Elle ne m'a rien caché.

— Et vous, qu'avez-vous fait ?

— J'ai écouté, mon vieux. Et je n'ai pas l'intention de me déboutonner à mon tour. Voyons, comment commencerai-je : « A propos, mon chou, je ne m'appelle pas Robin Stone. »

— Légalement, c'est votre nom.

— Bien sûr, mais quelque part, en moi, il y a un petit bâtard qui s'appelle Conrad. C'est aussi moi. Maggie ne veut pas seulement se marier, il lui faut des enfants. Le grand jeu, quoi ! (Tout à coup Robin donna un coup de poing sur le bureau.) Bon Dieu, Archie, tout marchait bien avant que je vienne ici. Je baisais comme tout le monde, ça marchait bien, j'étais heureux !

— Vous étiez comme une machine, vous faisiez l'amour comme un robot. A présent Conrad veut fusionner avec Robin. Celui qui refoulait Conrad n'était pas un être humain. Il n'éprouvait rien. Vous l'avez reconnu vous-même. Maintenant, pour la première fois de votre vie, vous êtes en conflit avec vous-même. C'est bon signe.

— Je m'aimais mieux avant. Quand je suis parti furieux la dernière fois, je vous ai dit que je m'arrangerai pour que le nom de Robin Stone signifie quelque chose. Et j'y veillerai. Mais je n'ai pas besoin de Conrad. Celui-là il faut l'oublier.

— Pourquoi n'allez-vous pas à Hambourg, Robin ?

— Pour quoi foutre ?

— Vous connaissez le nom de votre mère. Retrouvez sa famille... vos origines vous étonneraient peut-être.

— La mère de Conrad était une pute ! cracha Robin.

— D'abord, elle s'est prostituée parce qu'elle n'avait pas d'autre ressource. Ensuite elle a continué pour faire vivre Conrad. Peut-être seriez-vous fier d'être Conrad.

Robin se leva :

— Bon sang, vous ne comprenez donc pas, je ne *veux* rien savoir de Conrad. Je ne veux pas vivre dans la crainte de faire souffrir Maggie Stewart ! Je ne veux pas qu'elle me manque quand elle retournera sur la côte. Je ne veux avoir besoin de personne, ni m'attacher à personne. Ça ne m'était jamais arrivé avant... et je ne veux pas que ça m'arrive.

Le docteur Gold se leva à son tour :

— Robin, cessez de vous mentir à vous-même. Vous avez commencé à donner, à associer amour et plaisir sexuel. Cette expérience vous a troublé. C'est normal. Mais ne la jugez pas. Bien sûr, cela vous posera des problèmes, mais le jour où vous serez capable de dire à quelqu'un : *J'ai besoin de toi,* vous serez devenu un être humain. Et ce jour-là, c'est à Maggie que vous le direz. Ne la chassez pas de votre vie, Robin.

Mais Robin avait déjà claqué la porte.

Malgré le froid, il retourna à pied jusqu'à son appartement. Il ne pensait plus à rien et éprouvait une étrange impression de quiétude. Maggie l'attendait dans le salon, vêtue de sa robe noire. Il la considéra d'un air intrigué.

— Quelle heure est-il ? demanda-t-il.

— Quatre heures et demie.

Il sourit, mais son regard resta froid :

— Alors, retire cette robe. Nous avons encore une heure avant de partir

Il la conduisit dans la chambre et ils firent l'amour. Quand ce fut terminé, il la regarda en souriant d'un air désinvolte. Il semblait étrangement satisfait de lui-même.

— Tu ne le sais pas, ma petite, dit-il, mais Robin Stone a fait l'amour avec toi et ça a bien marché.

— Ça a toujours bien marché, répondit-elle tendrement.

— Cette fois, ce n'était pas la même chose. (Il lui donna une petite claque sur les fesses.) Grouille-toi, mon chou, il faut qu'on file à notre cocktail.

JUDITH

26

Judith Austin sortit de la baignoire. Son corps nu se refléta sur les murs de glace. Elle l'examina sous toutes les coutures. Le régime sévère qu'elle s'imposait la rendait mince comme une liane. A cinquante ans, il n'est pas permis de s'empâter. Connie avait bien de la chance. Elle faisait du ski dans les Alpes et du ski nautique en Méditerranée, aussi avait-elle un corps ferme et musclé. La visite de Connie lui avait fait grand plaisir, mais son départ lui en faisait tout autant. Sa sœur était repartie pour l'Italie afin de passer Noël avec le prince et les enfants. Pendant son séjour, elles avaient couru de réception en réception. Le titre de Connie impressionnait tellement les gens !

Judith fit jouer les muscles de ses jambes devant les miroirs. Oui, le haut de ses cuisses mollissait, celles de sa sœur étaient plus fermes. « Je devrais peut-être faire du sport », pensa-t-elle. Mais le soleil et le vent ridaient légèrement la peau de Connie. Judith se pencha vers le miroir. A peine quelques minuscules pattes d'oie aux paupières. Sous un éclairage approprié elle pouvait n'avouer que trente-huit ans, sinon trente-six. Elle était en tête de la liste des femmes les plus élégantes et comptait encore comme une des plus belles de New York. La dernière visite de Connie avait d'ailleurs suscité des commentaires passionnés dans tout le pays : « Les plus belles jumelles du monde. »

Judith se demanda si Connie était encore amoureuse de Vittorio. Elle s'assit sur le tabouret et s'essuya. C'est alors qu'elle réalisa ceci : depuis trois ans elle n'avait plus vécu la moindre idylle. Oui, trois ans depuis qu'elle avait rompu avec Chuck.

Ils s'étaient rencontrés en été à Quogue. Chuck était professionnel de golf. Il avait trente-huit ans. Il était blond. Leur aventure avait commencé quand elle avait pris quelques leçons parce qu'elle ne se débrouillait pas très bien avec les fers courts. Il lui avait passé le bras autour de la taille pour l'empêcher de pivoter :

— Il faut jouer avec le poignet, madame Austin.

Leurs regards s'étaient croisés, et voilà... Pendant l'été, Gregory la rejoignait pour de longs week-ends. Elle avait alors pensé à faire transférer Chuck dans un club de Palm Beach. Tout fut divin, jusqu'au jour où Chuck lui dit :

— Ce serait chic si je faisais les commentaires de golf à la télé comme Jimmy Demaret et Cary Middlecoff !

Cette remarque l'avait gênée. Elle s'était interdit d'y penser.

Il avait accepté la place à Palm Beach. Elle l'avait rejoint le deux janvier et pendant trois semaines ils avaient nagé en plein bonheur. Gregory était resté à New York et chaque nuit Chuck se glissait dans la villa par une porte dérobée. Puis il avait de nouveau parlé d'un emploi à la télévision. Elle lui avait répondu d'une manière délibérément vague.

— Alors, je vais tenter ma chance dans les tournois itinérants, avait-il dit.

Des tournées ? Cela offrait toutes sortes de possibilités intéressantes. Elle pourrait le retrouver ici ou là, de temps à autre. Il parla des tournois dans lesquels il voulait s'engager. Evidemment il lui faudrait s'entraîner tous les jours pendant à peu près un mois, sinon il n'arriverait à rien.

— Il me faudrait dix ou quinze mille, avait-il conclu.

— Dix ou quinze mille quoi ?

— Dollars. L'entraînement pour les tournois revient très cher. Si je gagne un Grand Prix, je te rembourserai.

Fini pour Chuck. Depuis cette nuit-là elle avait refusé de répondre à ses appels téléphoniques.

Jusqu'alors aucun homme ne l'avait courtisée par intérêt. Il y avait trois ans de cela. Et depuis trois ans, plus rien de palpitant dans sa vie. Rien que Gregory. Certes, elle aimait sincèrement son mari, mais elle n'était pas amoureuse de lui. Sans Connie, elle n'aurait jamais épousé Gregory.

Les belles jumelles Logan : Judith et Consuelo, filles d'Elizabeth et de Cornelius Logan. Un beau couple, des filles ravissantes. Un fabuleux héritage en perspective. La famille Logan possédait tout, sauf l'argent. Jusqu'à la fin de ses jours, Judith se rappellerait leur « misère ». Les Logan se débrouillaient toujours pour vivre dans un appartement « chic ». Connie et Judith fréquentaient les écoles « chic ». Cependant on murmurait que Cornelius Logan avait tout perdu dans la débâcle de la Bourse. Mais on savait aussi qu'il restait une fortune énorme à la grand-mère Logan. C'était elle qui avait offert le bal donné pour l'entrée dans le monde de ses petites-filles. Elle paya aussi leur premier voyage en Europe à l'occasion de leur vingt et unième anniversaire. Connie avait ainsi fait la connaissance de Vittorio. Judith était revenue au pays les mains vides.

Elle avait vingt-six ans quand elle rencontra Gregory Austin. Elle avait déjà vu sa photo dans les journaux et savait qu'il fricotait avec des actrices, des femmes de la haute société et des « débutantes ». Célibataire à trente-six ans, il était propriétaire d'une chaîne de télévision. Il se vantait de son manque d'instruction. « Je n'ai pas même fini le secondaire, mais je sais lire les pages de la Bourse mieux que Bernard Baruch. » Il avait débuté comme saute-ruisseau à Wall Street. Au moment du krach de 1929, il avait raflé son premier million en vendant à découvert. C'est avec cet argent qu'il avait fait l'acquisition d'une petite station périphérique dans le nord de l'Etat de New York. Il ne se mit à acheter des valeurs que lorsque les titres tombèrent au plus bas. Il ne revendit qu'au fur et à mesure de la hausse et investit ses bénéfices dans l'achat de nouvelles stations radiophoniques. A trente ans il les réunit en un seul réseau : la IBC (International Broadcasting Corporation). Volontiers bravache, il acquit une réputation de personnage haut en couleurs. Les journaux citaient souvent ses mots à l'emporte-pièce. Il aimait les femmes, mais n'avait jamais songé au mariage jusqu'au jour où il fit la connaissance de Judith Logan. Peut-être ne l'épousa-t-il que parce que la froideur de la belle l'avait piqué au vif. Or Gregory avait toujours aspiré à l'impossible.

Il insista tant que Judith accepta de sortir avec lui à plusieurs reprises. On commença à parler d'elle dans les journaux et elle s'en émerveilla. Elle fut encore plus stupéfaite de constater que ses meilleures amies organisaient des soirées en l'honneur de « ce rouquin pétulant et fascinant ». Puis Consuelo lui écrivit qu'elle avait rencontré Gregory à Londres et qu'elle le trouvait merveilleux. Dès lors, Judith vit son soupirant sous un meilleur jour. Elle réalisa aussi qu'il lui offrait un royaume. Pas de blason, certes, mais dans certains milieux le panache de la IBC était encore plus impressionnant. Il la fit pénétrer dans un monde d'opulence.

Vittorio était riche, lui aussi, mais Connie ne portait que des « bijoux de famille » que ses enfants devraient transmettre à leurs propres enfants. Gregory lui offrit un solitaire de vingt-cinq carats comme bague de fiançailles, une rivière de diamants comme cadeau de mariage, et cinquante mille dollars pour ouvrir un compte en banque. Le mariage fut monté en épingle aussi bien dans la rubrique mondaine qu'à la page des spectacles.

En constatant qu'il avait épousé une vierge, Gregory fut stupéfait. Pour leur premier anniversaire de mariage, il lui acheta une propriété à Palm Beach. A la fin de la seconde année il lui donna un bracelet de diamants, mais ne trouva plus rien à lui offrir à la troisième. A ce moment-là, elle n'aspirait plus qu'à une idylle. Sur le plan sexuel, Gregory la décevait complètement bien qu'elle manquât de critères de comparaison. Elle devinait obscurément qu'un jour elle connaîtrait le grand Amour. Cette grâce lui fut accordée à trente-deux ans lorsqu'elle alla à Paris rendre visite à Connie. La guerre était finie, tout le monde avait le cœur en fête, et Judith avait hâte d'arborer ses joyaux et ses fourrures devant sa sœur. Gregory ne pouvait quitter New York. Il la laissa partir avec ses meilleurs vœux et une lettre de crédit pour une somme énorme. Elle se lia avec un grand chanteur d'opéra pendant la traversée, resta à Londres et oublia d'aller à Paris. Elle ne vit même pas sa sœur. Gregory ne lui demanda jamais pourquoi toutes ses lettres étaient estampillées de Londres.

Après cette première joie, elle en connut d'autres. Il y eut l'acteur de cinéma italien, puis un auteur dramatique anglais pendant deux ans, puis un diplomate français .. A longue échéance, la chère Connie se révéla fort utile. Pour un oui, pour un non, Judith pouvait aller rendre visite à sa sœur en Europe. Ne sait-on pas que les jumelles sont très attachées l'une à l'autre ? Plus tard, Connie avait prélevé sa livre de chair. Toutes ces visites aux Etats-Unis !... Mais depuis trois ans, Judith n'était plus allée voir sa sœur, c'est à cela qu'elle songeait maintenant dans sa salle de bains.

Elle acheva de se farder, se leva et s'étudia de nouveau devant la glace. Au début, ne pas être mère lui avait été pénible. Elle avait fait de son mieux jusqu'à sa trentième année et avait même envisagé d'adopter un enfant. Mais à quarante ans, Gregory n'y tenait guère. « Notre bébé, c'est le réseau », disait-il volontiers. D'ailleurs, un enfant impose des responsabilités... En examinant son ventre, elle se réjouit de n'y voir aucune cicatrice. Mais ses seins s'affaissaient et ses cuisses s'amollissaient. Elle leva les bras au-dessus de sa tête. Oui, de la sorte, rien à redire... d'ailleurs au lit, ils se remettaient en place. Quoique plat, son ventre restait doux...

Elle alla à son placard, décrocha la robe de velours violet, puis, changeant soudain d'idée, elle choisit une robe d'hôtesse en lamé rouge. Elle mettrait aussi son collier d'or orné de rubis. Voilà longtemps qu'elle n'avait pas tant espéré du choix d'une toilette. L'attente fiévreuse avait commencé trois jours auparavant, quand elle avait reçu un mot de Robin Stone lui annonçant que cette année il ne manquerait pas sa réception.

C'est seulement au moment de s'habiller qu'elle s'avoua à elle-même qu'elle se parait pour Robin Stone. Alors seulement elle réalisa qu'elle le désirait depuis la première fois qu'elle l'avait vu. Oui, il lui fallait cet homme. Ce serait sa dernière idylle et la plus exaltante. Mais elle savait qu'il lui faudrait faire le premier pas, lui manifester d'une manière extrêmement subtile qu'il l'intéressait. Cela suffirait pour un homme de sa trempe. La situation offrait des perspectives idéales et des possibilités illimitées. Il voyageait tant ! Ils se retrouveraient facilement à l'étranger. Elle descendit à quatre heures et demie jeter un coup d'œil sur le bar et le buffet. Gregory apparut un quart d'heure plus tard, en smoking. Il semblait las... Palm Beach le remettrait d'aplomb. Les premiers invités se présentèrent ponctuellement à cinq heures. C'étaient évidemment le sénateur et sa femme. Pourquoi les plus sinistres arrivaient-ils toujours les premiers ? Pris au piège, on bavarde avec eux jusqu'à ce que viennent les autres. Mais quand le maître d'hôtel introduisit le vieux couple dans le salon, Judith les accueillit avec un sourire radieux.

— Bonsoir, sénateur ! Non, ma chère, vous n'êtes *pas* en avance. Vous êtes divinement à l'heure et j'en suis enchantée ! Cela nous donnera le temps de papoter.

Danton Miller arriva dix minutes plus tard. Il était seul. Pour une fois, Judith fut heureuse de le voir. Il lui offrait un prétexte pour échapper au sénateur. Bientôt le carillon de la porte retentit sans arrêt. En vingt minutes le salon fut tellement bondé que la cohue déborda vers la bibliothèque et la salle à manger. La fête commençait.

Robin Stone se présenta à six heures. Judith plana jusqu'à lui, les mains tendues.

— Vous avez tenu votre promesse !

Elle souriait d'un air radieux et se fit présenter Maggie comme si elle ne l'avait jamais vue de sa vie. Puis elle s'éloigna pour accueillir d'autres invités.

La garce ! Elle était si grande et si belle que Judith s'était sentie petite et minable à côté d'elle. Depuis elle se dressait de toute sa hauteur. Elle n'en allait pas moins gracieusement de l'un à l'autre, échangeant avec chacun quelques mots aimables. Et pendant ce temps elle ne perdait pas de vue Robin Stone et Maggie Stewart. Seigneur Dieu ! Voilà Christie Lane qui faisait son entrée avec son épouvantable épouse. Gregory avait insisté pour qu'elle les invite. La donzelle... Ethel — oui, c'était là son prénom — parlait à Maggie Stewart. Chris se tenait raide comme un totem. Miracle ! Robin s'éloignait d'eux pour s'entretenir avec le sénateur.

Elle saisit aussitôt l'occasion, s'approcha et s'empara négligemment du bras de Robin :

— C'est la première fois que vous venez ici. Vous aimeriez sans doute faire le tour du propriétaire ?

— Le tour ?

Elle l'entraîna dans le vestibule :

— Oui, la plupart des invités adorent visiter les maisons, mais ils n'en connaissent généralement que le salon, la bibliothèque et la salle à manger. (Elle s'arrêta devant une lourde porte en chêne.) Ici, c'est le domaine interdit aux invités, mais pas à vous : l'antre de Gregory, sa fierté et sa joie.

— L'aspect de la maison est trompeur, remarqua Robin. Elle est beaucoup plus vaste qu'il n'y paraît.

Elle eut un joli rire cristallin :

— Vous n'êtes pas au courant ? Ce sont deux maisons contiguës. Nous les avons réunies en une seule si bien que nous avons quinze grandes pièces au lieu de trente petites.

Robin parcourut le studio d'un regard approbateur :

— Très bien pour travailler.

L'air désolé, elle répondit :

— Malheureusement il passe trop de temps ici.

— Il doit en effet avoir beaucoup de problèmes à régler.

— Est-ce que vous vous enfermez comme cela vous aussi ?

— J'ai moins de soucis et de moindre envergure, fit-il en souriant. Je n'ai qu'un service sur les bras. Gregory dirige tout le réseau.

Elle leva les mains en un geste de désespoir affecté :

— Vous n'avez donc que des problèmes d'affaires, vous les hommes ? Eh bien, je vous envie.

Il ne répondit pas.

— Nous, les femmes, nos tourments, nous ne pouvons pas nous en débarrasser en buvant un verre ou en nous prenant la tête à deux mains dans un studio.

— Il faudrait essayer, répondit Robin.

— Comment effacer le sentiment de solitude ?

Il l'examina d'un air intrigué. Pendant un instant, leurs regards se rencontrèrent. Il y avait dans celui de Judith un mélange de défi et de complicité. Puis elle dit à voix basse :

— Robin, j'aime Gregory. Au début de notre union, nous avons connu un amour merveilleux. Mais maintenant il est marié à la IBC. Il est beau- je ne le vois plus qu'au milieu de la foule, à des réceptions, des dîners. Je soucis ici et parfois j'ai l'impression de ne plus exister pour lui. Souvent coup plus âgé que moi... l'exaltation du travail lui suffit. Il apporte ses sais qu'il m'aime, mais je ne suis qu'une province de son empire. Je me sens tellement esseulée et abandonnée ! D'autres jouent aux cartes, papotent entre femmes. Ce n'est pas mon genre.

— Nous sommes tous plus ou moins esseulés d'une manière ou d'une autre.

— Mais pourquoi ? La vie est si courte. La jeunesse dure si peu. A mon avis, pourvu qu'on ne fasse de peine à personne, tout est permis. Il n'y a que cela qui compte : ne pas nuire à autrui. (Elle haussa les épaules d'un air las.) Quand il était plus jeune, Gregory jouait à la Bourse. Un jour, il m'a dit : « C'est le plus grand et le meilleur tripot du monde. » Mais désormais, la Bourse ne l'intéresse plus. Il joue à la loterie, comme il dit. Il n'y a que ça qui le passionne. Et sa loterie, ce sont les cotes. Mais une femme ne peut pas vivre ainsi. Elle a besoin d'affection. (Elle regarda ses mains et joua avec sa grosse bague.) L'affection, je l'ai connue, une ou deux fois. (Elle releva la tête et le regarda.) Mais je n'ai jamais rien dérobé à Gregory. Rien n'a entamé mon amour pour lui. C'était une autre sorte de sentiment. J'ai donné à quelqu'un d'autre quelque chose que Gregory n'apprécie pas, faute de temps ou de sensibilité. (Puis, d'une toute petite voix elle ajouta :) Je me demande pourquoi je vous raconte tout ça. Je vous connais à peine. (Son sourire se fit timide.) Mais on ne mesure pas l'amitié en fonction de la durée. C'est une affaire de compréhension mutuelle.

Il la prit par les épaules et lui dit paternellement :

— Judith vous êtes une femme ravissante. Mais soyez prudente. Ne vous confiez pas ainsi à n'importe qui.

Elle le regarda d'un air engageant :

— Je ne m'étais encore jamais confiée à personne. C'est la première fois de ma vie... Je me demande ce qui m'arrive.

Il la fit pivoter sur elle-même et l'orienta vers la porte.

— Trop de cocktails, dit-il. Maintenant retournons voir vos invités. Vous vous sentirez moins seule. (Il lui prit le bras et la ramena au salon.) Je suis venu avec une jeune personne qui pourrait se sentir très seule dans cette cohue. Bonne et heureuse année, Judith. Et méfiez-vous des mélanges.

Il la quitta et se dirigea tout droit vers Maggie Stewart.

Bien qu'au bord des larmes, Judith alla d'un groupe à l'autre avec un sourire intact.

Maggie conservait également un sourire intact. Elle avait vu Robin quitter la pièce avec Judith Austin et remarqué la longueur de leur absence. Cette Judith Austin était une belle femme... mais il lui suffit de voir le bel homme qui traversait le salon dans sa direction pour que son inquiétude se dissipât aussitôt.

D'autorité il lui prit le bras et chercha à l'écarter d'Ethel et de Christie Lane. Tout à coup, l'attention de Robin se tourna sur la porte. Tous les regards convergeaient dans cette direction. Une femme, petite et frêle, venait d'entrer. Un murmure s'éleva de ce public sophistiqué. Si discrète qu'elle fût, l'arrivée de Diana Williams était toujours une *entrée*. Elle resta indécise sur le seuil dans une attitude presque enfantine. Gregory Austin se précipita au-devant d'elle et lui passa un bras autour des épaules, d'un geste protecteur. En moins d'une seconde, tout le monde les entoura. Diana salua d'un air modeste tous ceux qu'on lui présentait.

— Dites donc, les gars, Ike Ryan s'est foutu le doigt dans l'œil, ce coup-là, chuchota Ethel. La môme Diana en a pris un coup. Elle n'est plus que l'ombre d'elle-même.

Diana traversa finalement la foule pour s'approcher de Robin. Gregory Austin la tenait toujours sous son aile.

— Pourquoi ne nous avez-vous pas dit que vous aviez invité Mlle Williams à notre petite fête, demanda-t-il à Robin d'un ton de reproche. Nous ne savions même pas qu'elle était en ville, sinon nous lui aurions envoyé un carton.

— Vous m'avez invitée le jour de Noël, rappela Diana d'un ton accusateur. Comme vous ne veniez pas me chercher, j'ai cru à un malentendu et j'ai pensé que vous m'attendiez ici.

— Permettez-moi de me faire pardonner cet impair en allant vous chercher un verre.

Robin se dirigea vers le bar. Gregory et Diana le suivirent. Maggie resta avec Ethel et Christie.

Ethel parlait de son nouvel appartement à l'Essex House.

— Nous avons emménagé hier, confia-t-elle à Maggie.

— Somptueux ! fit Christie. Salon, deux chambres à coucher, et trois fois plus cher qu'à l'Astor.

— Ma foi, je ne me voyais pas pousser un landau sur les trottoirs de Broadway, ricana Ethel. Au moins l'Essex House est en face du parc. Ce sera bon pour le petit.

— Oh, je ne savais pas. Félicitations ! fit Maggie en se forçant à manifester un intérêt qu'elle n'éprouvait pas.

Christie eut un sourire rayonnant :

— La lapine est morte la semaine dernière. Quand le carabin m'a annoncé la nouvelle... j'étais tellement fou de joie que j'aurais fait n'importe quoi.

— Sauf quitter l'Astor, rétorqua Ethel. Mais il a fini par céder.

— Ouais et maintenant on fait chambre à part. Mais seulement jusqu'à la naissance du bébé. Après, la deuxième chambre sera pour lui. Mais en attendant, elle a raison : une future maman a besoin de sommeil. Dites donc, les sauterelles, je vous laisse bavarder ensemble une minute, j'aperçois le grand Dan et j'ai deux mots à lui dire.

Il s'éloigna et saisit Danton Miller par le bras.

Maggie ne fut nullement enchantée de rester avec Ethel qu'elle ne connaissait pas et en fait de papotages féminins elle était peu experte.

— Quand naîtra-t-il cet enfant ? demanda-t-elle à tout hasard.

— Fin août ou début septembre. J'ai trois semaines de retard et le test de la lapine a été positif.

Après un moment de silence gêné, Maggie reprit :

— Vous avez bien fait de choisir un hôtel proche du parc. Ce sera merveilleux pour le petit.

— Vous ne vous imaginez tout de même pas que je vais y rester, protesta Ethel. Christie ne le sait pas encore, mais la saison prochaine son émission sera enregistrée en Californie.

— Je vois, fit Maggie qui ne voyait d'ailleurs rien du tout, mais il fallait bien qu'elle dise quelque chose.

— Je l'aurai au tournant. Avec Christie, le mot magique c'est : bébé. Je lui dirai que le parc ne vaut rien pour le gosse. Trop d'attaques par des voyous et tout ça... Une fois que nous serons sur la côte, nous mènerons une vie entièrement différente. Une grande maison et des relations dans la haute. Je l'obligerai à s'assurer les services de Cully et Hayes. Comme ça, nous prendrons contact avec les gens chic pour que le gosse soit élevé parmi les petits rupins. Croyez-moi, ma chère, Hollywood n'attend qu'Ethel Evans Lane.

— Hollywood vous décevra peut-être, dit Maggie. (Elle parcourut la foule du regard, en quête de Robin.)

— Il est dans le studio avec Diana, fit Ethel.

— Comment ?

— Votre petit copain... Diana lui a mis le grappin dessus.

Maggie fut trop étonnée pour répondre. Pendant un moment elles ne trouvèrent plus rien à se dire. Puis Dan et Christie les rejoignirent.

— On a fait des projets pour deux ans, lança Christie. Tu me croiras pas, ma poulette, mais les commanditaires font la queue pour m'avoir deux saisons après celle-ci.

— Voulez-vous encore un verre de ce truc pâteux ? demanda Dan en souriant à Maggie. (Un éclat de rire provenant de la bibliothèque leur parvint aux oreilles.) J'ai remarqué que vous êtes arrivée avec Robin Stone, poursuivit-il d'un ton de conspirateur. Vous repartez avec lui ?

— C'est en général ce qui se passe.

— Dommage. Je voulais vous inviter à dîner. Combien de temps restez-vous à New Work ?

— Environ quinze jours.

— Me permettez-vous de vous téléphoner ?

— Ma foi... (Impossible de refuser, tout aussi impossible d'avouer où elle habitait.) Non, c'est moi qui vous appellerai. J'ai l'intention d'aller voir ma famille à Philadelphie demain et je ne sais pas combien de temps j'y resterai.

— Vous savez où me joindre ?

— A la IBC. (Elle sourit.) Maintenant il est temps que je retrouve Robin.

Elle quitta Dan et se rendit dans la bibliothèque. Diana captait l'attention de tout le monde en racontant une histoire au sujet de ses fils jumeaux :

— Mon Dieu, ils deviennent gigantesques, disait-elle. Impossible de mentir au sujet de leur âge. Naturellement ils ne jurent que par les Beatles. Eux aussi ils ont les cheveux longs. Je voudrais que vous les voyiez ! Ils ont l'air d'arriver tout droit de Carnaby Street. L'autre jour, j'allais les présenter comme mes chers petits, mais en voyant ces deux grands gaillards — un mètre quatre-vingts à dix-sept ans ! — j'ai dit : « Voilà les ténors de la chanson. »

Tout le monde éclata de rire avec plus d'enthousiasme que ne le méritait cette anecdote. Quant à Robin, il ne rit pas. Il observait Diana attentivement. Quand elle lui tendit son verre vide, il fit signe à un garçon d'en apporter un autre.

Maggie le rejoignit et glissa son bras sous celui de Robin :

— Il est sept heures, chuchota-t-elle, et je meurs de faim.

— Il y a tout plein d'amuse-gueules au buffet, dit-il sans quitter Diana des yeux.

— Je voudrais m'en aller.

— Je suis au travail, mignonne. (Il tapota sa poche.) J'ai une lettre d'engagement au nom de Diana toute prête. Je la trimbale partout depuis quinze jours. Il s'agit de la lui faire signer. Si tu es bien sage, tu serviras de témoin.

— Il y en a pour combien de temps ?

— J'espère qu'elle signera ce soir, au dîner.

— Elle dîne avec nous ?

— Elle dîne avec moi. Si tu en as envie, tu peux venir.

Elle fit demi-tour et quitta la bibliothèque. Elle savait qu'il continuait à observer Diana et ne la suivait certainement pas des yeux. Elle aperçut Dan Miller qui serrait la main de Mme Austin. Il portait son pardessus sur le bras. Elle alla vers lui et lui demanda :

— L'invitation à dîner tient toujours ?

— Bien sûr. Le Pavillon, ça vous dirait ?

— C'est un de mes restaurants préférés.

Le Pavillon commençait à se vider. Tout en jouant avec son ballon de cognac, Maggie se demandait ce qu'avait pensé Robin en constatant qu'elle s'était éclipsée. Il était près de onze heures. En ce moment, il était probablement chez lui en train de regarder les nouvelles à la télévision. Sa colère se dissipa, elle se sentit coupable de l'avoir laissé tomber. Pourquoi avait-elle pris la mouche à l'idée de dîner avec Diana ? Il avait besoin de la signature de cette fille pour son émission. Maggie se reprocha d'avoir réagi d'une manière puérile et surtout de s'être montrée si possessive. Elle ne s'était jamais conduite ainsi avec aucun homme, pas plus Adam qu'Andy, parce qu'elle n'avait jamais tenu à eux à ce point. Peut-être était-ce pour cela qu'elle avait si bien réussi avec eux. Alors, c'était donc là le secret ? Fallait-il vraiment feindre de ne pas s'intéresser à un homme pour le retenir ? Elle avait subi ce dîner sinistre avec Dan uniquement dans l'intention de jouer un tour à Robin. Mais c'était ridicule ! Elle aimait Robin et elle l'avait. Que faisait-elle au Pavillon avec ce crétin qui lui racontait sa vie ?

— Je suis content qu'il n'y ait rien de sérieux entre vous et Robin, dit-il tout à coup.

Elle le regarda avec curiosité :

— Pourquoi me dites-vous cela ?

— Parce qu'il ne me plaît pas.

— C'est un de mes très bons amis. (Il y avait une mise en garde dans le ton avec lequel elle le dit.)

Il sourit :

— Eh bien, il ne me plaît pas quand même... Et ce n'est pas pour des raisons personnelles.

Et Danton Miller ne lui plaisait pas à elle. L'exaspérait surtout son sourire compassé.

— Vous avez peut-être peur de lui ?

— Peur ?

— Il vous déplaît pour des raisons qui ne sont pas personnelles, je suppose donc que c'est pour des raisons d'affaires. Vous travaillez tous les deux à la IBC. Je suis assez bien renseignée sur ce qui se passe dans la maison. Au début, Robin ne s'occupait que des Informations et il déborde maintenant de son domaine. J'imagine qu'il doit exister une rivalité entre vous.

Dan rejeta la tête en arrière et rit. Puis il la regarda d'un air rusé :

— Je n'ai pas peur du grand Stone. Et vous savez pourquoi ? Parce qu'il est trop fier. Son amour-propre le perdra.

— A mon avis, la fierté serait plutôt un avantage.

— Pas dans notre branche. Je vais vous dire une bonne chose, Maggie. Quand il s'agit de luttes intestines, je n'ai aucun amour-propre. C'est pour ça que je survivrai. Il vient toujours un moment où il faut ramper un peu, si puissant que l'on soit et même si on occupe une situation élevée. Mais Robin Stone ne rampera jamais, alors il ne tiendra pas le coup. Or, dans notre métier, il n'y a qu'une seule chose qui compte : survivre.

Elle saisit son sac à main, espérant qu'il comprendrait. Il fit signe au garçon d'apporter l'addition.

— Je vous importune à vous parler affaires, se reprit-il. Nous pourrions aller prendre un dernier verre ailleurs.

— Je suis très lasse, Dan, et je dois me lever de bonne heure demain matin.

Il héla un taxi. Elle prétendit qu'elle était descendue au Plaza. Il l'y déposa et attendit jusqu'à ce qu'elle fût entrée dans le vestibule. Elle le traversa de bout en bout pour sortir sur la Cinquante-huitième Rue et se fit conduire en taxi chez Robin.

Pas de lumière sous la porte quand elle glissa la clé dans la serrure. S'était-il couché ? Par crainte de le réveiller, elle traversa le salon sur la pointe des pieds et ouvrit sans bruit la porte de la chambre à coucher. La pièce était plongée dans l'obscurité, mais elle entrevit dans l'ombre le lit défait et ravagé par leurs amours de l'après-midi. Pas de Robin. Elle retourna au salon et allait allumer l'électricité quand elle vit un rai de lumière sous la porte de son studio. Elle sourit : il doit être en train de travailler à son livre, pensa-t-elle, attendrie. Elle se dirigea doucement vers la porte. Elle posait la main sur la poignée quand elle entendit une voix : celle de Diana, qui paraissait ivre :

— Il n'est pas moelleux ton tapis...

Eclat de rire de Robin. Puis :

— Je t'avais dit de faire le lit.

— Je ne baise pas entre les draps d'une autre femme.

Silence.

Maggie entrouvrit la porte sans bruit et n'en crut pas ses yeux. Ils étaient tous les deux complètement nus : Robin, vautré dans son fauteuil au coin de la pièce, les yeux clos, les mains derrière la nuque, et à genoux devant lui, Diana l'aimait. Ni l'un ni l'autre ne s'aperçut de sa présence. Elle referma la porte aussi discrètement qu'elle l'avait ouverte, alla dans la chambre à coucher et alluma la lumière. Elle tira sa valise hors du placard. Puis, changeant tout à coup d'idée, elle la laissa par terre. A quoi bon se soucier de deux pantalons de toile et d'une méchante robe à trois sous. Elle ne mettrait d'ailleurs plus jamais ce qu'elle avait porté chez cet homme. Elle rafla seulement sur la commode ses accessoires et sa trousse de toilette. Au moment de quitter la pièce, elle fit demi-tour et regarda le lit qu'elle avait partagé avec Robin pendant plusieurs nuits de bonheur et sur lequel ils s'étaient aimés encore quelques heures plus tôt. Elle avait espéré l'y rejoindre cette nuit et d'autres nuits encore. Ce lit qui aurait dû faire partie de son avenir... ce lit dont Diana ne voulait pas si on n'en changeait pas les draps, combien de femmes y avaient-elles couché, combien d'autres y coucheraient encore ?

Elle bondit vers le lit, en arracha les draps, mais ne parvint pas à les réduire en charpie comme sa fureur l'exigeait. Mais aucune autre femme ne coucherait plus jamais dans ces draps, ni sur ce lit. Elle se rappela la présence d'un flacon d'essence à briquet dans la salle de bains, y alla en deux bonds, versa l'essence sur les draps et les oreillers, craqua une allumette, fit flamber le reste de la pochette qu'elle jeta sur le lit. Avec un sifflement, une chaude flamme orange se répandit sur toute la surface des draps.

Maggie sortit de l'appartement, traversa le vestibule et appela le portier :

— J'ai sonné en vain chez M. Stone, dit-elle tranquillement, et il m'a semblé sentir une odeur de fumée.

Le portier fonça vers l'ascenseur. Maggie traversa la rue et s'arrêta sous le porche de l'immeuble d'en face. Elle sourit en voyant des lueurs à la fenêtre de la chambre à coucher. Quelques minutes plus tard, les sirènes retentirent. Les flammes devinrent foncées et s'étouffèrent mais des bouffées de fumée jaillissaient encore des fenêtres dont les vitres avaient éclaté. Elle vit Robin apparaître sur le trottoir avec d'autres locataires de l'immeuble. Il avait eu le temps d'enfiler un pantalon et un imperméable. Diana avait jeté sur ses épaules le manteau de Robin, mais elle sautillait pieds nus sur le bitume froid. Maggie rejeta la tête en arrière et rit, puis elle dit à haute voix :

— J'espère qu'elle va attraper la crève !

Elle s'éloigna et ce ne fut qu'après avoir parcouru plusieurs rues qu'elle frémit et sentit son front se couvrir de sueur. Seigneur Dieu ! qu'avait-elle fait ? Elle aurait pu le tuer. Elle aurait pu tuer tous les locataires de l'immeuble. En prenant conscience de l'acte qu'elle venait de commettre, elle fut sur le point de s'évanouir d'horreur. Elle comprit ce qui se passait dans l'esprit des malheureux qui tuaient dans un moment de rage et ensuite plaidaient l'égarement passager. Elle avait mis le feu au lit sans penser qu'il gagnerait tout l'appartement et peut-être tout l'immeuble.

Mais Dieu merci, tout s'était bien terminé. Elle aperçut un taxi en maraude, le héla et bredouilla : « Aéroport Kennedy. » Elle s'adossa confortablement au siège. Il lui faudrait attendre des heures pour qu'un avion l'emmène vers Los Angeles, mais peu lui importait. Le taxi roulait dans une rue obscure bordée d'arbres, en direction d'East River Drive. C'était la rue où habitaient les Austin. Elle se pencha à la vitre, repéra les deux bâtiments jumelés qu'ils occupaient et vit de la lumière au premier étage. Elle envia Judith Austin, tranquille, à l'abri dans sa forteresse de pierre.

Au même moment, Judith Austin se regardait dans la glace. Elle sourit et constata que son sourire avait quelque chose de forcé. Mais c'était celui qu'elle avait arboré jusqu'au départ du dernier invité, à neuf heures et demie. Elle avait mal à la tête et n'aspirait qu'à s'enfermer dans sa chambre, mais elle s'était obligée à prendre une petite collation tardive en tête à tête dans la chambre à coucher de son mari. Elle avait chipoté quelques bribes de dinde froide en écoutant Gregory pester contre ce genre de réceptions. D'année en année les gens du spectacle prenaient trop d'importance, l'année suivante il réviserait personnellement la liste des invités... s'ils organisaient de nouveau un cocktail.

En temps ordinaire, elle eût discuté, elle l'eût apaisé, mais ce soir-là elle ne pensait qu'à son échec avec Robin. Quand elle quitta enfin son époux pour se retirer dans la solitude de sa chambre elle se jeta toute habillée en travers de son lit et s'efforça de récapituler tous les détails de la soirée. Il lui fallait se rendre à l'évidence : Robin Stone n'avait pas mordu à l'hameçon. Tout à coup sa fierté s'effondra et des larmes coulèrent sur son visage. Elle les avait retenues toute la soirée. Elle s'était interdit de penser à sa déconvenue. Elle n'avait pu se permettre de manifester son dépit devant tant de monde, surtout en présence de Gregory. Mais elle pouvait désormais s'abandonner à son chagrin. Brusquement, elle se moucha. Non, elle ne pleurerait pas ! Le luxe des larmes lui était interdit. Bien sûr, deux jolis diamants au bord des paupières en regardant un film triste ou en apprenant la mort d'un ami ; des brillants qui glissent doucement vers le coin de l'œil, sans faire fondre le rimmel. Mais pas de grosses larmes qui barbouillent le visage. Pas de sanglots. Le lendemain on a les paupières bouffies et des poches sous les yeux. Or, le lendemain, 2 janvier, elle devait déjeuner au Colony, et le soir assister à un dîner de gala.

Mais Robin l'avait éconduite. Non, ce n'était pas exactement cela. Il avait dédaigné ses avances prudentes. Prudentes ? Elle ne s'était jamais lancée ainsi à la tête d'un homme. Autrefois, un regard, un sourire subtil suffisaient à provoquer une réaction immédiate. Mon Dieu... comme elle le désirait ! Elle avait besoin d'un homme qui la serre dans ses bras en lui disant qu'elle était belle. Elle avait besoin d'amour. Elle voulait Robin. Elle voulait s'ébattre avec quelqu'un qui lui donnerait l'impression d'être jeune et désirable. Voilà des mois que Gregory ne l'avait approchée. Mon Dieu !... être jeune encore. Etre désirée par un homme comme Robin ! Se tenir la main dans un box, au fond d'un bar aux lumières tamisées, marcher côte à côte sur le sable des Hamptons et regarder ensemble la lune... Pour Judith l'amour était affaire de tête et de cœur. Les satisfactions charnelles ne venaient qu'après, à titre accessoire. Pourvu qu'elle aimât passionnément, toute aventure la comblait. Si Robin l'avait tenue dans ses bras, si elle avait frémi au contact de son corps contre le sien, s'il lui avait caressé le visage, plus rien d'autre n'aurait compté pour elle.

En tant qu'homme, Gregory ne l'avait jamais émue. Même quand il était jeune, vigoureux et plein d'allant, il lui manquait l'étincelle qui illumine l'idylle. Dès le début les plaisirs de la chair n'avaient guère compté pour lui. Il ignorait tout des fantaisies de l'amour physique. Il ne disait jamais les mots qu'il fallait au moment qui convenait. En trente ans de vie conjugale, il ne lui avait jamais donné un baiser au-dessous de la ceinture. Judith se demanda si ce n'était pas sa faute. Peut-être lui avait-elle laissé entendre qu'elle était au-dessus de cela. Elle n'avait jamais eu avec Gregory ces flambées de passion quelle avait éprouvées avec ses amants. Il n'aurait jamais imaginé avec quel abandon elle se donnait à eux : l'abandon fébrile qu'engendre le piment du fruit défendu.

Pourtant elle admirait tant de choses en Gregory. Elle éprouvait pour lui la même vénération que pour son père et sa mère. Sans lui elle se serait sentie perdue. Leur vie ensemble l'enchantait. Elle ne s'était jamais ennuyée un instant en compagnie de son mari. Dans cette vie en commun, il ne manquait qu'une chose : la passion. Il n'y en avait jamais eu entre eux. Un homme aussi dynamique ne pouvait peut-être pas exprimer les petits riens qui ont tant de valeur pour une femme sentimentale.

Mais Robin Stone était tout aussi dynamique que Gregory, sinon plus. Cependant elle devinait qu'il dissimulait sa nature passionnée. Et ce soir il était parti avec cette petite actrice délavée, cette Diana Williams ! Comment un homme aussi inaccessible pour elle, Judith Austin, pouvait-il être disponible pour des starlettes et des anciennes gloires du théâtre ? C'était injuste. Robin serait sa suprême conquête. Elle n'en ferait pas un amant parmi d'autres. Il avait toute la vitalité qu'elle admirait en Gregory, mais lui, il était beau, séduisant... Etre aimée par un homme tel que lui !

Mais il l'avait éconduite. Peut-être pensait-il que le jeu était trop dangereux ? Mais bien sûr !... Il craignait sans doute qu'une aventure avec elle pût nuire à sa carrière, surtout si l'idylle se terminait mal. Elle devait donc lui faire comprendre que s'ils s'aimaient un mois, un an, cela n'aurait aucune influence sur sa situation à la IBC, quelle que fût l'issue de leur liaison.

Elle retourna à son miroir et scruta son visage. Seigneur Dieu ! elle avait au moins deux centimètres de peau en trop sur le visage. C'était venu si lentement ! Elle tira la peau au-dessus des tempes. Merveilleux ! Alors à quoi bon hésiter ? Dès le lendemain elle se mettrait en quête d'un chirurgien. Elle se procurerait aussi des pilules. Voilà cinq mois que la malédiction lui était épargnée et le soir les bouffées de chaleur la mettaient au supplice. On ne peut pas dormir avec un homme comme Robin et se réveiller en pleine nuit trempée de sueur.

Bizarre que Gregory ne fût pas venu lui donner un dernier baiser et clamer une fois de plus que c'était la dernière fois qu'ils organisaient un cocktail. Elle enfila une robe de chambre. C'est elle qui irait lui baiser le front et lui souhaiter bonne année s'il ne dormait pas encore. Depuis qu'elle avait décidé de subir une opération de chirurgie esthétique et d'avoir Robin, elle était rassérénée. Elle dirait à Gregory qu'elle allait se faire opérer, mais seulement par vanité personnelle. Sa disparition momentanée ne présenterait aucun problème. Elle ferait croire qu'elle allait voir sa sœur à Rome.

Son sourire disparut dès qu'elle entra dans la chambre de son mari.

Il était allongé, tout habillé, en travers du lit. Inquiétude et remords serrèrent la gorge de Judith.

— Greg, dit-elle tout bas.

— Les foutus cocktails se sont transformés en béton dans mes boyaux, gémit-il.

Elle poussa un soupir de soulagement :

— Tu dis ça tous les ans, mais c'est toi qui en avales le plus. Rien ne t'oblige à en boire. Tu pourrais t'en tenir au scotch. Allons, déshabille-toi.

— Je ne peux pas bouger, Judith. Au moindre mouvement la douleur est intolérable.

— Tu veux de l'aspirine ?

— J'en ai déjà pris deux gros comprimés.

— Gregory, tu ne peux pas rester comme ça. Allons, fais un effort.

Il essaya de s'asseoir mais se cassa aussitôt en deux. Livide, il la regardait d'un air hagard :

— Judith... Judith, cette fois, ce n'est pas la même chose.

— Où as-tu mal ?

— Au ventre.

— Alors, ce n'est qu'une indigestion. Greg, essaie de te déshabiller, tu te reposeras mieux.

Il fit un nouvel effort pour remuer, mais poussa aussitôt un cri déchirant. Elle se précipita vers le téléphone et appela un médecin. Gregory ne protesta pas. C'était donc grave. Il parvint à s'asseoir au bord du lit et se balança d'avant en arrière, les deux mains sur le ventre.

Le docteur Spineck arriva vingt minutes plus tard. Judith l'attendait au rez-de-chaussée.

— David ! Merci d'être venu à cette heure-là, un jour pareil.

— C'est une chance que j'aie téléphoné à mon service d'appels. D'après ce que vous avez dit, ce ne serait pas le cœur.

— A mon avis, ce n'est qu'une bonne vieille indigestion. J'ai hésité à vous appeler, mais il n'a jamais souffert à ce point-là.

Elle laissa le médecin seul avec son mari et attendit dans la pièce voisine. Quand il l'appela, Gregory était assis dans un fauteuil, encore tout habillé, mais plus calme.

— Je lui ai fait une piqûre pour apaiser la douleur, dit le médecin. Je crois que c'est la vessie.

— Alors, ce n'est pas grave. (Judith prononça ces mots sur un ton plus affirmatif qu'interrogatif.)

— Il devra subir quelques examens. Mais vous avez raison, ce n'est pas grave, quoique fort douloureux.

Ils partirent immédiatement pour l'hôpital dans la voiture du médecin. On installa Gregory dans une chambre particulière, le médecin convoqua des infirmières, on procéda aux premières analyses. Judith faisait les cent pas dans la salle d'attente en fumant une cigarette après l'autre. Au bout d'une demi-heure, le docteur Spineck vint la rejoindre :

— Ce ne sera pas aussi simple que nous l'avons cru. Un calcul dans l'uretère. Il faut l'opérer sur-le-champ. J'ai convoqué le docteur Lesgarn. Il sera ici d'un instant à l'autre.

Gregory quitta sa chambre sur un chariot à une heure du matin. Une infirmière apporta du café à Judith. Elle attendit dans la chambre de son mari. Elle finit sans doute par s'endormir car, lorsque le docteur Spineck lui toucha doucement la joue, elle sursauta et parut ne pas comprendre où elle était. Mais elle se reprit aussitôt, consulta sa montre et constata qu'il était quatre heures du matin. Un coup d'œil vers le lit. Gregory n'y était pas. Elle regarda le docteur Spineck d'un air affolé. Il sourit :

— Gregory va très bien, dit-il. Il est dans la salle de surveillance post-opératoire et y restera plusieurs heures. J'ai pris mes dispositions pour qu'il ait sans cesse une infirmière auprès de lui.

— Est-ce qu'il va se remettre ? demanda-t-elle.

— Voilà déjà un moment que ce calcul le fait souffrir. L'opération a été plus difficile que nous ne pensions. Il ne va certes pas sortir du lit et retourner à son bureau dans quinze jours. Pour récupérer il lui faudra rester en convalescence pendant tout l'hiver.

— Il n'en fera rien.

— Il le faut, Judith. Gregory n'est plus un jeune homme. Nous en sommes tous là. Cette opération est un choc pour tout son organisme. Je ne crois d'ailleurs pas qu'il ait envie de travailler d'ici plusieurs mois.

— Quand va-t-on le redescendre ?

— Pas avant dix ou onze heures du matin. Je vais vous reconduire chez vous.

Le jour se levait presque quand Judith se mit au lit. Pauvre Gregory ! Le repos lui serait insupportable. Elle serait obligée de rester auprès de lui à Palm Beach pendant tout l'hiver et... Soudain, elle eut honte et se fit horreur. Comment osait-elle penser à Robin ? Elle éclata en sanglots : « Je t'aime tant, Greg. Je t'aime, murmura-t-elle contre son oreiller. Guéris, Gregory, j'ai besoin de toi parce que je t'aime. » Elle se jura à elle-même de ne plus jamais penser à Robin Stone. Mais tout en prononçant ce serment, elle savait qu'elle ne le respecterait pas. Elle se méprisait, se détestait parce qu'elle se surprit aussitôt à se demander qui était au lit avec Robin Stone.

Robin était seul dans un petit lit étroit à son club où il était allé se réfugier.

Il sourit. Au moins Maggie avait jugé bon d'alerter le portier après avoir mis le feu. Il avait deviné que c'était elle la coupable en voyant sa valise par terre. Cette histoire commençait à l'amuser. Il rit tout haut en songeant que Maggie avait surpris Diana en pleine action. Et le pire c'est qu'à ce moment-là il était vraiment au point mort ! En un certain sens même, l'incendie lui avait rendu service car il ne serait jamais arrivé à bander avec cette cinglée. Elle n'y entendait rien et elle avait les dents aussi acérées que des lames de rasoir. Oui, le feu avait éclaté au bon moment. Il avait calmé Diana qui s'était déclarée enchantée quand il l'avait déposée à son hôtel.

Mais pourquoi diable avait-il ramené cette femme chez lui ? Elle avait déjà signé le contrat au restaurant. S'il avait eu envie de lui faire une fleur, il aurait pu l'emmener à l'hôtel. Archie lui expliquerait qu'il avait délibérément cherché à se faire surprendre par Maggie pour s'en débarrasser. Eh bien, tout allait pour le mieux. Et cette histoire ne lui coûtait qu'une chambre à coucher. Il y perdait aussi Maggie Stewart. Il fronça les sourcils, puis se força à sourire : « Non, c'est *Conrad* qui a perdu Maggie. Pas moi. Tu es mort, petit bâtard. Mort ! »

D'un mouvement irréfléchi, il décrocha le téléphone et demanda la Western Union. Où habitait-elle ? Il adresserait le télégramme à la Century. Elle le recevrait.

On remît le télégramme à Maggie aux Melton Towers après qu'il fut passé au studio de main en main pendant trois jours. Dès qu'elle le lut, elle acheta un petit cadre et l'accrocha au mur de sa salle de bains. Il disait :

JE ME RETRACTE. TU DEVIENDRAS UNE GRANDE ACTRICE. TU ES CINGLEE !   ROBIN,

Judith passait ses journées au chevet de Gregory. Elle remarqua alors pour la première fois qu'il se teignait les cheveux. Elle n'avait en effet jamais pensé que sa teinte rousse, striée de gris, n'était pas tout à fait naturelle. Mais au bout d'une semaine d'hôpital, elle constata qu'il avait plus de blanc que de roux au ras du front et que sur la nuque il était complètement blanc. Comme il ne se rasait pas il avait des poils gris sur le visage ce qui lui donnait l'aspect d'un vieillard fatigué.

Dès qu'il s'intéressa à ce qui se passait hors de la chambre, elle comprit qu'il allait mieux. A la fin de la deuxième semaine, il se fit apporter les résultats des sondages. Il convoqua son coiffeur et conseilla à Judith d'aller « courir les magasins ». Au retour de sa femme, sa chevelure avait repris sa teinte habituelle, il portait un de ses pyjamas de soie à la place de la chemise d'hôpital, il lisait le *Time* et était redevenu des pieds à la tête le PDG de la IBC. Mais il avait beaucoup maigri et paraissait exactement son âge. Elle frémit en se demandant de quoi elle aurait l'air si elle avait subi la même épreuve. André retouchait sa chevelure depuis quinze ans. Mon Dieu ! elle serait peut-être complètement grise. Et sans fard !...

Gregory posa le magazine sur le lit, décrocha le téléphone et demanda la IBC.

— Je t'en prie, mon chéri, fit Judith. Le chirurgien et le médecin t'interdisent tous les deux de reprendre le travail. D'ailleurs tu sais qu'ils veulent que tu te reposes pendant plusieurs mois.

— C'est bien mon intention, répliqua-t-il. Nous allons passer tout l'hiver à Palm Beach. Ce seront mes premières vraies vacances depuis bien des années. (Il lui prit la main.) Judith, si tu savais comme je suis soulagé ! Je souffrais atrocement depuis quelque temps. Mais je refusais d'y penser. Maintenant je peux te l'avouer, j'avais peur de me faire examiner. J'étais convaincu que j'avais un cancer. Si j'en avais eu la force, j'aurais crié de joie quand j'ai appris que c'était seulement une pierre dans la vessie. Cet hiver, je serai ravi de jouer au golf et de passer mes journées avec toi. C'est précisément pour ça que je vais téléphoner. Il faut que je m'organise.

Il appela d'abord Cliff Dorne, le directeur du service juridique :

— Cliff, je veux que vous soyez ici dans une demi-heure. Maintenant faites-moi passer Robin Stone.

A cinq heures trente, Cliff Dorne et Robin Stone arrivèrent ensemble. Judith se reposait sur la chaise-longue.

— Veux-tu que j'aille au salon pendant que tu reçois ces messieurs ? demanda-t-elle à son mari,

— Non, reste, il s'agit d'une décision capitale. Je veux que tu sois au courant... Robin, vous plairait-il d'être directeur général de la IBC ?

Robin ne répondit pas.

— Directeur général de la IBC ? répéta Cliff. Et Danton Miller, qu'est-ce qu'il devient ?

Gregory haussa les épaules :

— Dan est directeur de la chaîne.

— Et qu'est-ce au juste qu'un directeur général de la IBC ? demanda Cliff.

— Un nouveau titre auquel je viens de penser. Ça signifie une division du pouvoir en mon absence.

— Vous croyez que Dan acceptera d'être placé sur un pied d'égalité avec Robin ?

— Oui, parce que ça ne change rien à ses attributions. Il m'a toujours rendu compte. Il continuera de même, mais par l'intermédiaire de Robin qui supervisera l'ensemble avec moi.

Cliff acquiesça en silence. Puis tous deux se tournèrent vers Robin qui se leva :

— Désolé, mais je refuse.

— Vous n'êtes pas fou ? s'exclama Gregory, incrédule.

— Je serais fou si j'acceptais une telle situation. A mon avis, ça représenterait deux mois de bagarres constantes avec Dan et je ne serais en réalité qu'un chien de garde au titre pompeux ou un garçon de courses. Puis, quand vous reviendrez de Palm Beach, pimpant et hâlé, je reprendrai la direction des Informations avec une douzaine d'ennemis sur le dos et l'ulcère de Dan sur la conscience.

— Qui vous dit que vous retourneriez aux Informations ? demanda Gregory.

— Il s'agit bien d'une situation temporaire ? Ce genre de titre est toujours provisoire.

Gregory médita en se frottant le menton.

— A l'origine, c'était peut-être mon idée à moi aussi. Mais plus j'y pense, plus il me paraît raisonnable d'en faire un système d'organisation permanent.

— Mais je suis avant tout un journaliste, protesta Robin.

— Je t'en fiche ! s'exclama Gregory. *Phénomène* est devenu une véritable émission de variétés. Sans vous en rendre compte, Robin, vous vous êtes écarté des Informations. Si je ne vous connaissais pas aussi bien, je vous aurais soupçonné de vouloir dépasser le cadre de vos attributions.

Robin sourit avec aisance, mais son regard était froid :

— C'est peut-être le cas.

— Je ne me décide pas à la légère, répliqua Gregory. Je me suis renseigné sur votre compte. (Il prit une liasse de feuillets sur sa table de nuit.) Vous ne me croyez pas ? Eh bien, écoutez : vous êtes originaire de Boston. Un jour ou l'autre, vous allez faire un gros héritage. Votre père était un des avocats les plus connus du Massachusetts. Votre mère habite à Rome. Elle n'est pas en très bonne santé... j'en suis navré. Vous avez une sœur à San Francisco. Son mari est extrêmement riche. Un homme comme vous travaille pour le plaisir. Sûr de ses arrières, pourquoi aurait-il soif de puissance ? Prenons un exemple inverse, Robin ; le mien. J'ai grandi à la va-comme-j'te-pousse dans la Dixième Avenue. Un de mes camarades d'enfance a fini sur la chaise électrique. Ça fait très mélo, je le sais, mais c'est la vérité. D'autres gosses qui ont joué sur le même trottoir que moi sont devenus des avocats, des politiciens, des médecins célèbres. Nous autres, les mômes de la rue, nous devons être ambitieux. Celui d'entre nous qui a mal tourné n'a pas perdu son temps à des vétilles comme le vol à la tire ou le cambriolage. Il a tué. Ceux qui ont réussi dans d'autres domaines étaient tout aussi féroces. Ils sont devenus des tueurs. Je suis un tueur. Dan est un tueur. Pas vous. D'autre part, je ne vous confierais pas un seul instant la direction financière du réseau. *En Profondeur* a toujours dépassé son budget. Vous en avez fait une émission de prestige. Maintenant qu'Andy Parino la dirige et que Cliff le tient à l'œil, elle rapporte enfin de l'argent.

— Elle est moins bonne, aussi, remarqua Robin. Je me proposais d'avoir un entretien avec Andy lundi prochain. Trop de ses émissions sont strictement newyorkaises. Il faut que de temps en temps nous y mettions un grain de sel européen.

— Vous ne direz rien du tout à Andy Parino, rétorqua Gregory. C'est justement pour ça que je vous parlais finance. Cette émission jouit d'une cote suffisante. Nous pouvons encore en tirer des bénéfices pendant une saison. Heureusement que *Phénomène* nous rapporte quelque argent bien que vous le dirigiez. (Gregory sourit pour atténuer la sécheresse de sa répartie.) Mais je ne vous ai pas fait venir ici pour vous faire une conférence sur le budget de la télévision. Dan s'y connaît suffisamment, et Cliff encore mieux. A propos de Dan... il ne recommandera jamais une émission qui ne rapporterait pas.

— Et la qualité ? questionna Robin.

— Mon pauvre ami, le public se fout de la qualité. Nous conservons quelques émissions de prestige, mais à perte. Vous savez ce qu'aime le public ? Regarder des *conneries*. Il ne demande que ça. Le succès des vieux films le prouve. Je ne vais quand même pas m'engager sur cette voie. Tant que j'en aurai les moyens, je m'efforcerai de créer des émissions inédites et je les ferai passer aux heures de pointe. Mais il ne faut pas perdre de vue les intérêts commerciaux. Dan est là pour ça. En combinant votre goût et son mercantilisme nous constituons une équipe gagnante.

Robin médita un moment, puis il releva la tête :

— Qui devient directeur des Informations ?

— Suggérez-moi quelqu'un.

— Andy Parino.

— Je ne suis pas sûr de ses capacités.

— Je ne le perdrai pas de vue. Il devra me rendre compte directement.

— D'accord, acquiesça Gregory.

— Et que diriez-vous d'un contrat ?

— Dan n'en a pas.

— J'en veux un.

— De quelle durée ?

— Un an. (Robin ne manqua pas de remarquer une lueur fugace de soulagement dans les yeux de Gregory.) Ecoutez, ça marchera ou ça ne marchera pas. Mais je tiens à vous prévenir : je ne me contenterai pas de présenter des rapports et de prendre des instructions au téléphone. Puisqu'il s'agit de la direction générale, je serai directeur général. Je trouverai des idées neuves. Je vous les suggérerai et je les défendrai farouchement si je les crois bonnes. Il me faut une assurance d'un an. En six semaines on ne peut rien faire. Et puis, dans un an, si ça marche, on continue. Sinon j'abandonne mon titre et je retourne aux Informations.

Gregory hocha la tête :

— Ça me paraît raisonnable. Soixante mille par an plus les frais. Qu'est-ce que vous en dites ?

— Dérisoire.

— Dan a débuté à cinquante.

— Qu'est-ce qu'il se fait maintenant ?

— Soixante-quinze, plus les frais et le droit de préemption sur l'achat des actions.

— C'est déjà mieux.

Gregory resta silencieux un moment, puis il dit en souriant :

— Vous avez du cran, ça me plaît. Et je suis content que vous ayez l'intention de prendre personnellement l'affaire en mains. Eh bien, c'est d'accord. Cliff va rédiger le contrat. (Il tendit la main à Robin.) Bonne chance au directeur général de la IBC.

— Et que le PDG passe de bonnes vacances, fit Robin en souriant. (Puis il se tourna vers Judith avec une lueur de complicité dans le regard.) Prenez bien soin de lui, Madame Austin.

La nouvelle balaya Madison Avenue comme un ouragan.

Dan Miller bouillait intérieurement mais il n'en prétendit pas moins que le nouveau titre de Robin était une de ses idées. Il accueillit la presse avec son sourire habituel et déclara entre autres : « C'est un garçon capable et j'ai besoin de quelqu'un qui me seconde en l'absence de Gregory. »

Il passait cependant des heures tourné vers la fenêtre, le regard dans le vague, en se demandant ce que pensaient les gens du métier. Il prit des tranquillisants, n'alla plus au 21 ni dans les autres restaurants où il aurait rencontré des confrères. Le soir, il allait se terrer chez lui. Lorsqu'il apprit que Robin enregistrait un *Phénomène Diana Williams*, il souhaita que Diana se livre à un de ces lâchages extravagants dont elle était coutumière. Robin en resterait le bec dans l'eau.

Mais vers la fin janvier, les craintes de Dan s'atténuèrent. On avait procédé aux changements de programme quelques mois auparavant. Gregory avait choisi les nouvelles émissions en novembre. Quelques-unes marchaient bien, certaines faisaient des bides encore pires que celles qu'elles remplaçaient. L'heure était venue de visionner les projets pour l'automne.

En février, il reprit complètement confiance. Puis il apprit que Robin s'était installé au dernier étage dans des bureaux contigus à celui de Gregory. Il fonça aussitôt chez Cliff Dorne.

— Où voulais-tu qu'on le fourre ? grogna Cliff. Si tu as des idées à ce sujet, donne-les moi. Andy Parino hérite de l'ancien bureau de Robin. Nous n'avons pas d'autre place. Il y avait des centaines de mètres carrés inutilisés là-haut. Gregory avait envie d'y installer une salle de gymnastique et un sauna personnels. Faute de mieux, il les a fait aménager en bureaux pour Robin.

— Et de quoi ai-je l'air, moi, quand Robin partage le dernier étage avec Gregory ?

Cliff soupira :

— Dis-moi où le mettre et je me ferai un plaisir de t'être agréable.

— C'est moi qu'on aurait dû envoyer là-haut. J'aurais cédé mon bureau à Robin.

— Pas très bonne idée pour un homme qui raconte à tout venant qu'on a expédié Robin là-haut pour se débarrasser de lui. Si nous le mettons dans ton bureau, il aura l'air de te remplacer et on pensera que c'est de toi qu'on se débarrasse en te propulsant au dernier étage.

Ne trouvant plus rien à dire, Dan se tut, l'air furieux et dégoûté. Les journaux continuaient à mener grand tapage sur la promotion de Robin. Au début, ce dernier s'était abstenu de tout commentaire. Puis il finit par capituler et donna une grande conférence de presse le jour où il prit possession de ses nouveaux bureaux.

Debout derrière sa grande table de travail, il répondit poliment mais évasivement à toutes les questions. Sentant qu'il répugnait à parler et que le sujet intéresserait leurs lecteurs, les journalistes le harcelèrent sans répit. Robin eut pitié. C'était leur boulot. Il fallait bien qu'ils aient quelque chose à se mettre sous la dent.

— Parlons de la télévision plutôt que de moi, dit-il en souriant.

— Et alors, que pensez-vous de la télévision ? interrogea un jeune reporter.

— C'est une pieuvre. Ce n'est plus une simple boîte à images, c'est un robot d'amour.

— Pourquoi un robot d'amour ?

— Parce qu'elle vent de l'amour, elle sécrète de l'amour. On élit comme président le candidat qui passe le mieux à l'écran. Elle transforme des politiciens en vedettes de cinéma et les vedettes de cinéma en politiciens. Elle vous promet la fiancée de vos rêves si vous utilisez tel dentifrice et une carrière de Don Juan si vous utilisez telle lotion capillaire. Elle fait avaler aux enfants leur plat de céréales pour ressembler à leur idole de base-ball. Comme tous les grands séducteurs, le robot d'amour est un peu putain sur les bords. Son magnétisme est puissant, mais il n'a pas de cœur. Il ne connaît rien d'autre que les cotes de popularité et quand elles dégringolent, les programmes meurent. Le robot d'amour, c'est le pouls et le cœur du vingtième siècle.

Tous les journaux répétèrent ses propos. En les lisant Dan rougit de fureur. L'indigna surtout l'article où l'auteur suggérait que Robin lui-même n'était pas sans analogie avec le robot d'amour : « M. Stone se compare peut-être au robot en question, écrivait Ronnie Wolfe. Tout le monde sait que de temps à autre il oublie tout pour une belle fille. Et comme la machine dont il parle, il laisse tomber sa partenaire avec une aisance suggérant qu'il n'a guère de cœur. »

Dan lança le journal à l'autre extrémité de la pièce. Nom de Dieu ! Ces inepties ne faisaient qu'ajouter au prestige de Robin. Dites d'un homme qu'il se conduit comme un maquereau avec les femmes et vous augmentez son attrait. Dan tira un tranquillisant de sa poche, l'avala, et se demanda ce que cet enfant de salaud était en train de mijoter dans ses bureaux princiers. Qu'est-ce qu'il complotait encore ? On avait remis de quinze jours les répétitions de Diana Williams. D'après les journaux, Byron Withers, la vedette masculine, s'était éclipsé en prétendant qu'on avait tronqué son rôle par déférence pour Diana. Byron Withers ! Où ces sales petits cabots trouvaient-ils un cran pareil ? Après avoir tourné trois films à Hollywood, ils croyaient pouvoir s'imposer à Broadway sur un pied d'égalité avec Diana Williams. Quoiqu'il souhaitât les pires catastrophes à Robin, Dan admirait cependant le talent de Diana. Il posa son journal sur la table et espéra que le rédacteur se trompait. Sans doute était-ce Diana qui faisait des simagrées.

Robin aussi se demandait si Diana ne faisait pas la difficile. Avait-elle repiqué à la drogue ou à l'alcool ? Ike Ryan jurait qu'elle était en pleine forme et ne demandait qu'à commencer les répétitions.

— Trouvez-lui un partenaire, disait-il et elle se met au travail immédiatement. Elle ne demande pas un chanteur exceptionnel pourvu qu'il joue son rôle, c'est tout.

Robin allait quitter son bureau pour aller à la salle de projections quand sa secrétaire entra.

— Un certain M. Nelson est dans l'antichambre. (Robin resta impassible un instant.) Dip Nelson, l'acteur de cinéma, précisa-t-elle.

Robin sourit chaleureusement :

— Mais bien sûr ! Faites-le entrer.

En passant près de la secrétaire, Dip lui décocha un sourire radieux. Elle en palpita littéralement et trébucha sur le seuil du bureau. Robin ne put s'empêcher de rire :

— Cette vierge de quarante ans ne sera plus jamais comme avant.

— Si elle en est là, fit Dip accommodant, je peux lui mettre la main au panier en sortant. Qu'elle meure heureuse, la pauvre femme. (Il siffla d'admiration en parcourant la pièce du regard.) Eh bien, mon pote, te voilà dans tes meubles ! Tu m'as l'air de bien t'en tirer.

— Et toi, Dip ?

Le grand gaillard blond se laissa tomber dans un fauteuil et posa une jambe sur l'accoudoir :

— Entre quat'z-yeux, je peux te l'avouer : je cours de bide en bide.

— Et ton contrat pour la Salle Persane ? Je n'ai pas cessé de chercher le communiqué dans la presse.

Dip haussa les épaules :

— Râpé ! Nous avons présenté notre spectacle en tournée. On en a tiré ce qu'il pouvait donner, mais je n'ai pas osé le produire à New York. Ecoute, j'ai beaucoup réfléchi. Pauli et moi... ça ne marche pas.

— Vous ne vous entendez plus ?

— Tu rigoles ! Notre union n'a jamais été plus solide. Mais nos personnalités artistiques ne collent pas ensemble. Quand elle joue un sketch et quand elle chante seule, elle est sensass. Quand je chante mes vieilles chansons et que je danse, je fais un malheur. Je voudrais que tu me voies dans mon numéro d'imitation. Tiens, quand j'imite Godfrey et son ukelele, je te jure, mon pote, que tout le monde me prend pour lui. Pour ne te citer qu'un exemple. Mais voilà, moi je suis un genre d'artiste et elle, c'est une artiste d'un autre genre. Ecoute, mon vieux, voilà ce qui m'amène ici. Mon agent m'a dit qu'Ike Ryan cherche un partenaire pour Diana Williams. Le grand Dipper est manifestement l'homme qu'il lui faut. Tu m'as dit autrefois que tu étais mon obligé. Alors écoute. Pourquoi pas me faire passer avec Pauli dans le *Christie Lane Show* ? Vis-à-vis d'Ike Ryan ça équivaudrait pour moi à une audition. Et un petit cachet ne me ferait pas de mal. Il paraît que la vedette invitée touche cinq mille tickets. Ça ferait de la publicité à Pauli également. Déjà qu'elle sera furax si je suis engagé pour donner la réplique à Diana Williams et que je la laisse tomber. Mais si on me l'offre après le *Christie Lane Show*, elle pensera pas que c'est moi qui me suis proposé.

— D'accord. Quand veux-tu commencer ?

— C'est comme si c'était fait !

Robin décrocha le téléphone et appela Jerry Moss :

— Qui est la vedette invitée dans le *Christie Lane Show* la semaine prochaine ?... Lon Rogers ?... Balance-le... C'est Artie Rylander qui l'a choisi ?... Je m'en fous. Annule, la IBC paiera le dédit. Je veux qu'on embauche Pauli et Dip Nelson à sa place. Si quelqu'un te fait une remarque à ce sujet, dis que c'est moi qui en ai donné l'ordre... Mais oui. Dis que j'exècre Lon Rogers, que je lui interdis nos écrans... Mais non, évidemment pas. Lon vaut n'importe quel autre baryton. Mais je veux que Dip et Pauli passent dans ce show la semaine prochaine... Parfait.

Il raccrocha et sourit à Dip :

— L'affaire est dans le sac.

Dip secoua la tête avec admiration :

— Eh bien mon pote, tu as fait ton chemin pendant que nous traînions sur les routes.

Le lendemain matin, Robin téléphonait à Gregory qui était toujours à Palm Beach, quand sa secrétaire annonça dans l'interphone : « M. Danton Miller est dans mon bureau, il voudrait vous parler.

— Faites-le patienter, répliqua Robin.

La colère de Dan monta pendant qu'il attendait. Quand Robin le reçut, il brailla avant même d'avoir franchi le seuil de la porte :

— Non seulement tu désorganises mes émissions, mais tu te permets de me faire attendre !

— Qu'est-ce qui t'amène ici en personne ? demanda Robin avec un sourire cordial. Ça doit être important.

Dan se dressait devant le bureau, les poings serrés :

— Maintenant tu te mêles d'engager les artistes. Comment as-tu osé passer par-dessus la tête d'Artie Rylander pour imposer un tandem minable dans mon émission-vedette ?

— L'émission-vedette de la IBC.

— J'attends que tu me donnes une excuse.

— J'ai cessé de fournir des excuses quand j'avais cinq ans, répliqua Robin, glacial.

— Mais pourquoi ces deux minables dans cette émission ? questionna Dan, les lèvres crispées par la fureur.

— Parce qu'ils me plaisent. C'est comme ça. Pauli et Dip n'ont encore jamais paru à la télévision. Ce sera quelque chose de neuf et de rafraîchissant. J'en ai marre de retrouver toujours les mêmes noms d'Hollywood. Nous leur allongeons cinq mille dollars et trois ou quatre jours plus tard, le public les retrouve avec Johnny Carson, Merv Griffin ou Mike Douglas.

Dorénavant nous ne servirons plus de tremplin aux acteurs de cinéma sans engagement.

— Ecoute, espèce d'enfant de salaud...

Le bourdonnement de l'interphone retentit. Robin appuya sur un bouton. La voix de sa secrétaire annonça : « Votre réservation pour Rome est confirmée, Monsieur Stone. »

— Rome ! s'exclama Dan. (On aurait cru qu'il allait être frappé d'apoplexie.) Qu'est-ce que tu vas foutre à Rome ?

Robin se leva :

— Voir ma mère qui est mourante. (Il passa à côté de Dan et s'arrêta sur le seuil de la porte.) Gregory m'a autorisé à rester absent aussi longtemps qu'il le faudra. J'espère que tu seras capable de te débrouiller sans moi pendant quelques jours.

Quand Robin eut quitté le bureau, Dan était toujours immobile, au milieu de la pièce.

27

Sergio attendait Robin à l'aéroport.

— Je ne vous ai pas télégraphié plus tôt, expliqua le jeune homme, nous pensions que c'était une attaque comme les précédentes. Mais son médecin m'a dit hier de prévenir la famille. J'ai bien fait de vous appeler ?

— Tu as fait exactement ce qu'il fallait.

Robin avait remarqué les larmes qui rougissaient les yeux de son compagnon. Il attendit d'être installé à ses côtés dans la voiture puis il demanda :

— Comment va-t-elle aujourd'hui ?

Sergio n'eut pas la force de retenir ses larmes. Il pleurait lorsqu'il répondit :

— Elle est dans le coma.

— As-tu prévenu ma sœur ?

— Lisa et Richard sont déjà en route. J'ai trouvé leur adresse dans l'agenda de Kitty. Je leur ai envoyé le même télégramme qu'à vous.

Il était dix heures du matin lorsqu'ils arrivèrent à la clinique. Robin fut autorisé à entrer dans la chambre de Kitty pendant quelques instants. Il vit de loin le visage exsangue de sa mère sous une tente à oxygène. Elle s'éteignit dans le courant de la nuit sans avoir repris connaissance. Lisa et Richard arrivèrent à son chevet, mais trop tard : Kitty était morte une heure plus tôt. Lisa fut prise d'une crise d'hystérie, il fallut lui administrer des calmants. Richard resta auprès d'elle, s'efforçant maladroitement à paraître stoïque.

Le lendemain matin, Robin, Sergio et Richard eurent un entretien avec l'avocat de Kitty pour régler le détail des funérailles. Le testament de Kitty devait être homologué aux Etats-Unis, sa fortune serait partagée entre Robin et Lisa, mais elle léguait sa villa, sa voiture et tous ses bijoux à Sergio.

Lisa garda le lit pendant toute la journée. Le lendemain matin, elle se leva pour le petit déjeuner. Elle entra dans la salle à manger, pâle, silencieuse, tout de noir vêtue, au moment où Sergio et Robin se servaient une deuxième tasse de café.

Ce fut Robin qui parla le premier :

— Kitty avait émis le vœu d'être incinérée. Toutes les démarches ont été faites hier, Richard a signé pour toi.

Lisa ne répondit rien puis, brusquement, elle se tourna vers Sergio :

— Veuillez aller boire votre café au petit salon. J'ai des choses à discuter avec mon frère.

Robin fronça les sourcils.

— Cette villa est à lui désormais, dit-il séchement.

Mais déjà Sergio était sorti sa tasse de café à la main.

— Tu as été d'une grossièreté effroyable, murmura Robin.

Lisa, feignant de ne pas l'avoir entendu, s'adressa à Richard :

— Eh bien, vas-tu te décider enfin à le lui dire ?

Richard parut gêné. Finalement il fit un effort pour se ressaisir :

— Robin, nous avons décidé, Lisa et moi, d'attaquer le testament.

— Vous voulez attaquer quoi exactement ? demanda Robin.

— La donation en faveur de Sergio. Nous sommes sûrs de notre affaire.

— D'où tenez-vous cette belle confiance ?

Richard se rengorgea :

— Dès que nous aurons entamé une procédure légale, les biens de mère seront mis sous séquestre. Sergio aura besoin d'argent pour vivre. Il n'en a pas, nous le savons. D'ici quelques mois il sera trop content de signer un arrangement contre le versement de quelques milliers de dollars. Bien entendu, nous allons aussi faire valoir que Kitty n'était pas saine d'esprit au moment où elle a signé son testament — et le fait que ce garçon l'a influencée pour qu'elle le rédige dans ce sens.

— Et moi, je vais contre-attaquer, répliqua calmement Robin.

— Tu vas prendre le parti de ce chenapan ? s'écria Richard.

— Je suis décidé à défendre tous ceux qui se sont dévoués pour Kitty.

— Et moi je compte faire une enquête sur Sergio afin d'en savoir plus long sur ses antécédents, rétorqua Richard. Je pourrai prouver qu'il a tiré profit des sentiments d'une vieille femme malade.

— Qui diable êtes-vous donc pour prouver quoi que ce soit ? Avez-vous vécu ici, pendant la maladie de notre mère ? Vous ne savez rien, moi oui. C'est la raison pour laquelle mes déclarations auront plus de poids que les vôtres.

— Que non, tu te trompes fort, intervint Lisa d'une voix bizarre. Il se trouve que Richard et moi en savons assez pour anéantir tes déclarations. Et toute la publicité qui sera faite autour de cette affaire pourra te gêner dans ton travail. Sans parler de ta vie privée...

Richard décocha à sa femme un regard courroucé :

— Lisa, nous avons le droit pour nous, inutile d'invoquer nos vies privées.

— J'aurais dû m'y attendre de ta part, dit Lisa méchamment en se tournant vers Robin. Après tout, tu n'es qu'un bâtard qui a eu de la veine.

— Lisa ! (La voix de Richard était devenue dure.)

— Laisse-moi ! Pourquoi le ménager ? Et si cela me fait plaisir de voir mon grand frère perdre son sang-froid, une fois dans sa vie ! Cela prouverait seulement que nous n'appartenons pas au même monde. Il n'est pas davantage mon frère que ce petit pédé dans la pièce à côté. (Elle s'approcha de Robin et lui lança d'une voix stridente :) Tu as été adopté quand tu avais cinq ans !

Elle fit une pause, guettant la réaction de Robin. Mais seul Richard paraissait touché. Il alla à la fenêtre et se mit à regarder obstinément le patio afin de cacher son embarras et son irritation.

Robin, pour sa part, n'avait pas baissé les yeux :

— Lisa, après cette sortie, rien ne saurait me faire un plus grand plaisir que la conviction de ne pas être du même sang que toi.

— Ta mère était une putain !

— Lisa ! (C'était Richard qui protestait.)

— Laisse-la donc parler, intervint Robin calmement.

— Bien sûr, je me suis tue toutes ces dernières années. Au début, je ne savais rien. C'est Kitty qui m'a mise au courant quand elle est tombée malade. Elle m'a dit que si j'avais des ennuis un jour, je devrais m'adresser à toi ! Parce que tu étais un homme fort. Elle t'aimait comme si tu étais son propre fils. Elle t'avait adopté lorsqu'elle avait perdu tout espoir d'avoir un enfant. Père avait un ami avocat qui lui avait parlé d'un cas dont il avait eu à s'occuper — un petit orphelin malade hospitalisé dans un foyer à Providence. Maman s'était mis en tête d'adopter cet orphelin et pas un autre. Ta vraie mère était morte. Etranglée si tu tiens à le savoir ! Tu n'avais pas de père. Et maman — *ma* mère — s'est mise à t'adorer. Parce que deux ans plus tard, contre toute attente, elle a eu un enfant bien à elle — *moi*. Je n'ai aucun moyen pour t'empêcher de toucher ta part d'héritage — tout ça est légal. Et c'est mon père qui a rédigé ce testament stupide. Mais je peux t'empêcher de soutenir ce petit pédé qui aurait le culot de s'approprier une part de ce qui me revient à moi.

— Tu peux toujours essayer, Lisa. J'adore me bagarrer.

Elle se leva comme une furie et lança son café à la figure de Robin :

— Tu l'as toujours su que tu avais été adopté, espèce de dégueulasse. Je te hais !

Elle quitta la pièce en courant. Richard resta là, comme pétrifié sur sa chaise. Robin se contenta de s'essuyer le visage avec son mouchoir.

— Le café était tiède, j'ai eu de la veine, dit-il en souriant.

Richard se leva et alla vers Robin pour tenter d'excuser sa femme :

— Je suis désolé, Robin. Elle ne croit pas un mot de tout ce qu'elle vient de dire. Elle est très nerveuse, ça lui passera. (Il se dirigea vers la porte mais avant de sortir il se retourna :) Robin, ne te fais pas de soucis. Je l'empêcherai d'attaquer le testament.

— Mon vieux, je me suis peut-être trompé sur ton compte, répondit Robin en souriant.

Kitty fut incinérée le lendemain. Lisa prit sans mot dire l'urne contenant les cendres de sa mère. Ce même jour Richard et elle repartirent en avion. Très certainement, Richard avait fait la leçon à Lisa, car elle ne mentionna même pas son intention d'attaquer le testament en faveur de Sergio.

Une fois qu'ils furent seuls, Robin se servit un grand verre de vodka. Sergio le regarda faire puis il se décida enfin à parler :

— Robin, comment vous remercier ? J'étais installé dans la pièce à côté lorsque votre sœur vous a parlé si durement. Je ne pouvais pas ne pas l'entendre — et je le regrette vivement. Est-ce vrai, cette histoire d'adoption ? Vous n'étiez pas le fils de Kitty... ?

Robin détourna son regard pendant un court instant, puis il dit en souriant :

— Oui, c'est vrai — mais c'est tout aussi vrai que tu es devenu riche.

Le jeune garçon eut un geste évasif :

— Oui, Kitty m'a légué un tas de bijoux. Des perles, un brillant de vingt carats taillé en émeraude. Maintenant, je peux partir en Amérique.

Robin émit un sifflement :

— Sergio, tu as fait une excellente affaire, tous mes compliments.

— Robin, vous aimeriez sans doute garder la bague ou le collier de perles pour les offrir... à la femme que vous aimerez.

— Non, je veux que tu gardes tout. Tu étais là lorsqu'elle avait besoin de toi. Tu lui as fait beaucoup de bien par ta présence.

— Et vous, Robin, qu'allez-vous faire ?

— Eh bien, pour commencer, je vais me payer une de ces cuites carabinées ! Tiens, Sergio, j'ai une idée. Nous allons faire la foire tous les deux, nous allons nous trouver des filles. (Il s'interrompit brusquement et remarqua le visage rougissant de Sergio.) Les femmes ne te disent vraiment rien ? Rien du tout ?

Sergio secoua la tête :

— Même pas Kitty. J'ai été son ami, son confident, rien de plus.

— Peu importe. Ce soir tu seras *mon* ami, mon confident. Viens, nous allons nous saouler ensemble.

— Je veux bien vous accompagner, mais je ne bois pas.

A deux heures du matin Robin déambulait à travers les rues de Rome en chantant à tue-tête. Il se rendait vaguement compte de la présence de Sergio à ses côtés. D'ailleurs son compagnon l'avait empêché à plusieurs reprises de s'étaler. C'était bien la première fois de sa vie que Robin s'était saoulé à ce point-là. Une fois monté dans sa chambre, il s'écroula sur le lit et perdit connaissance. Le lendemain, Robin se réveilla avec une gueule de bois épouvantable. Jamais encore il n'avait fait cette expérience. Allongé sous les couvertures il s'aperçut qu'il était nu, ou presque, il n'avait que son caleçon sur lui.

Sergio s'approcha du lit et tendit à Robin un bol de café aussi noir que de l'encre. Il ingurgita le breuvage fumant tout en observant Sergio :

— Explique-moi donc comment j'ai fait pour me déshabiller alors que j'étais complètement noir ?

— C'est moi qui vous ai enlevé vos vêtements...

— Tu m'en diras tant ! Et ça t'a fait plaisir, petit ?

Sergio prit un air offensé :

— Robin, les gens ont tort de s'imaginer qu'un homosexuel est toujours prêt à se précipiter sur n'importe quel mâle. Si vous vous trouviez avec une jeune fille évanouie est-ce que vous auriez envie de la violer rien que parce qu'elle est femme ?

— Je m'attendais à ce que tu viens de dire. Il ne faut pas m'en vouloir, Sergio. (Après quoi, pour mettre fin à l'incident il prit un air sombre pour ajouter :) Sergio, c'est moi qui aurais dû me sentir outragé. J'avais cru que je te plaisais !

Pendant un court instant, les yeux noirs de Sergio brillèrent d'espoir mais il ne tarda pas à remarquer le sourire narquois de Robin :

— Vous vous moquez de moi, mais je porterai ce bracelet tant que je vivrai ! (Il tendit le poignet pour le faire voir à son compagnon.) Je sais bien que vous aimez les femmes, mais un jour je rencontrerai un homme que j'aimerai et qui m'aimera.

Robin but son café à petites gorgées. Le goût en était atroce mais il retrouvait peu à peu toute sa lucidité.

— Vous détestez ce que je suis, n'est-ce pas, Robin ?

— Mais non, pas du tout. Toi du moins, tu sais ce que tu es et ce que tu attends de la vie.

— Est-ce que cela vous tracasse de ne pas connaître votre vraie mère ?

— Oui, cela me donne l'impression d'être encore dans les limbes, dit Robin songeur.

— Vous n'avez qu'à chercher à savoir *qui* était votre mère.

— Tu as entendu ce que Lisa en a dit. Et malheureusement, c'était vrai. J'ai dans mon portefeuille une vieille coupure de journal qui me le prouve.

— L'Allemagne n'est pas bien loin.

— Et alors ?

— Vous connaissez le nom de votre mère, vous savez où elle est née. Elle a peut-être des parents, des amis — ils pourraient vous renseigner.

— Pas question.

— Si je comprends bien, vous préférez les ragots de Lisa et ce que contient une vieille coupure de journal ? Selon Lisa je suis une tapette. C'est vrai, mais je suis autre chose encore, un être humain. Votre mère était peut-être une femme très bien. Essayez au moins de connaître la vérité.

— Enfin, nom d'une pipe, je ne parle pas un mot d'allemand et je n'ai jamais mis les pieds à Hambourg.

— Moi je le parle et j'ai vécu autrefois à Hambourg. C'est une ville que je connais très bien.

Robin sourit :

— Décidément, Sergio, tu es un homme plein de ressources.

— Nous pouvons être à Hambourg dans quelques heures. Robin, laissez-moi vous accompagner.

Robin rejeta ses couvertures et sauta à bas du lit :

— Soit, Sergio. Je ne suis jamais allé en Allemagne et j'aimerais y faire un tour. A Hambourg surtout. J'ai lancé un certain nombre de bombes sur cette ville dans ma jeunesse. Et j'ai aussi un petit faible pour les Allemandes. Tu peux faire réserver nos billets d'avion. Peut-être ne découvrirons-nous rien sur ma mère — mais sait-on jamais ?

Ils descendirent à l'hôtel des Quatre Saisons. La suite qu'ils occupaient avait un petit air vieillot qui n'était pas sans charme. Faux tapis d'Orient et édredons pansus sur les lits. Sergio s'installa près du téléphone et décrocha immédiatement l'appareil pour appeler tous les Boesche figurant dans l'annuaire. Robin s'était fait monter une bouteille de vodka. Il alla s'asseoir à la fenêtre pour observer la tombée de la nuit tout en sirotant son alcool. Des passants allaient et venaient, des gens attendaient le passage de l'autobus, des mères traînaient leurs gosses, les boutiques fermaient leurs portes. Et il apercevait au loin les eaux sombres et paisibles de l'Alster. Ainsi donc c'était Hambourg — la ville qu'il avait bombardée. Elle ressemblait à n'importe quelle ville américaine. Trop pris par ses souvenirs, Robin écoutait à peine Sergio qui s'activait au téléphone dans un allemand parfait. A la huitième tentative, Sergio l'appela d'une voix tremblante d'émotion.

— Nous avons de la veine, s'exclama-t-il après avoir inscrit un numéro et une adresse sur son calepin. Le dernier Boesche que je viens d'appeler m'a dit qu'il avait une cousine éloignée qui se prénommait Herta. Il veut bien nous rencontrer demain !

Mais une heure s'était à peine écoulée que Sergio avait déniché cinq Herta Boesche supplémentaires qui avaient toutes émigré en Amérique du Nord. L'une d'elles vivait encore à Milwaukee. Aussi fut-elle éliminée sur la liste de Sergio. Les autres n'avaient plus donné signe de vie.

Sergio était découragé :

— Excusez-moi, Robin. Je ne suis arrivé à rien et pourtant, j'avais cru que mon plan était bon. Je suis vraiment désolé.

— Il n'y a pas de quoi être désolé. Tu ne vas pas te mettre à pleurer dans ton pot de bière. Tu devrais plutôt me faire visiter Hambourg. N'y aurait-il pas moyen de s'amuser la nuit dans cette bonne ville ?

Sergio éclata de rire :

— Robin, nulle part ailleurs la vie nocturne n'est plus animée qu'ici.

— Tu plaisantes ? Plus qu'à Paris ?

— Paris ! Les Français sont devenus puritains. Leurs cabarets sont tout juste bons pour les touristes. Venez avec moi et je vous ferai voir ce qu'est une vraie vie nocturne. Mais n'emportez pas plus de cent dollars, et changez-les en petites coupures. Là où je compte vous emmener on se fait voler à tous les coins de rues.

Ils hélèrent un taxi. Sergio indiqua l'itinéraire à suivre au chauffeur. Arrivés dans un quartier que Sergio paraissait bien connaître il fit signe d'arrêter :

— St. Paüli, dit-il en tendant les deux bras.

Ils se trouvaient dans une rue éclairée *a giorno*.

— Voici la fameuse Reeperbahn.

Il y avait de part et d'autre de la chaussée plus de lumières multicolores qu'à Broadway. Un gratte-ciel s'élevait près d'un wimpy's. Dans une allée, quelques joueurs faisaient une partie de boules. Mais ce qui frappa surtout Robin c'était la foule innombrable des flâneurs qui musaient de tous côtés. Cela lui rappelait la Cinquième Avenue, la veille de Noël quand les New Yorkais se ruent vers les magasins pour y faire leurs derniers achats, sauf qu'ici les badauds erraient nonchalamment sans but précis. Robin et Sergio marchaient en silence en regardant distraitement les vitrines de toutes sortes violemment éclairées au néon. Des vendeurs faisaient l'article aux chalands, toute la rue était imprégnée d'une forte odeur de saucisses chaudes. Robin s'arrêta devant le comptoir d'un stand et demanda :

— Deux *Weisswurst*, s'il vous plaît.

Sergio le regarda tout ébahi :

— Vous avez envie d'en manger ? On dirait des hot dogs de couleur blanche !

Robin mordit à belles dents dans une saucisse sans toucher à la choucroute qui l'accompagnait :

— *Weisswurst*. Je n'en avais plus mangé depuis... (Il se tut brusquement comme pris d'un étourdissement.) Sergio, je viens de la revoir ! J'ai revu la petite table bancale et une belle femme aux cheveux noirs qui apportait une assiette avec deux saucisses comme celles-ci à son petit garçon. C'était chaud et exquis. (Il repoussa l'assiette qu'il tenait à la main.) Ce plat est infect comparé à ce qu'elle me préparait...

Ils se remirent à marcher en silence.

— J'ai revu son visage, murmura Robin. C'est étrange, je me souviens de tout brusquement. Elle était belle — brune, avec de grands yeux sombres, des yeux de gitane.

— J'en suis heureux pour vous, dit Sergio.

— Pourtant, c'était une putain. Mais du moins je me souviens maintenant. Dieu qu'elle était belle ! On va fêter ça, petit. Nous n'allons tout de même pas nous contenter d'arpenter les rues de Hambourg, hein ? C'est peut-être l'idée que tu te fais des plaisirs du noctambule. Très peu pour moi !

Sergio prit Robin par le bras pour lui faire traverser la rue. Ils bifurquèrent à droite et continuèrent à marcher pendant une centaine de mètres.

— Nous y sommes. Voici la Silbersackstrasse.

Robin écarquilla les yeux. C'était comme s'ils avaient brusquement pénétré dans un autre monde. Des filles les accostaient sans vergogne. « *Amerikaner — Spiel ?* » L'une d'elle plus effrontée que les autres s'acharna à les suivre : « On s'amuse un peu — tous les trois ? »

Robin sourit et ils poursuivirent leur chemin. A tout instant une putain surgissait devant une porte cochère. Leurs offres de service ne variaient guère. Ces filles étaient si vulgaires que, comparées à elles, celles qui arpentaient la Septième avenue ou Central Park South auraient pu passer pour d'exquises « débutantes ». C'étaient de rudes luronnes habituées à racoler des matelots à tricots rayés dans le quartier du port. Ils prirent une autre rue. Sergio s'arrêta devant un portail de couleur sombre sur lequel était peint en lettres blanches le mot VERBOTEN. Sergio poussa le vantail suivi de Robin, visiblement intrigué.

— La Herbertstrasse, chuchota Sergio.

Robin n'en croyait pas ses yeux. La rue était étroite, longue, mal pavée. De part et d'autre, elle était bordée de petites maisons à deux étages. Les fenêtres du rez-de-chaussée étaient très hautes, derrière chacune d'elles, sous un éclairage cru, se tenait une fille. Au premier étage quelques-unes des croisées n'étaient pas éclairées. Sergio les désigna à son compagnon :

— Ça signifie qu'elles sont au boulot, murmura-t-il.

Des hommes déambulaient tout en lorgnant les filles. Robin remarqua avec surprise quelques femmes parmi les badauds et il reconnut une vedette de cinéma fort connue qui arborait des lunettes de soleil et un turban. Le correspondant allemand de sa maison de production lui faisait visiter les bas quartiers de Hambourg. Robin était tout aussi éberlué que l'était probablement l'actrice. Installées en devanture, les filles semblaient ignorer les curieux. Elles ne portaient qu'un soutien-gorge et un cache-sexe minuscule et buvaient du vin. Leurs yeux tout barbouillés de rimmel semblaient regarder au loin. De temps à autre, une de ces femmes se tournait vers celle qui occupait la vitrine contiguë, et lui disait quelques mots. Alors elles éclataient de rire. Rire ? Comment pouvait-on rire dans un monde pareil ? Quels étaient leurs sentiments, leurs pensées ?

— Ici, la nuit de Noël est la plus triste de l'année, murmura Sergio. Et pourtant, elles installent un petit arbre de Noël illuminé devant leur fenêtre et se font de menus cadeaux. Et puis quand sonne minuit, elles pleurent.

— Tu es bien renseigné ?

— Ma sœur travaillait ici, répliqua-t-il calmement.

— Ta sœur !

— Je suis né pendant la dernière guerre. Mon père a été tué en Tunisie, ma mère s'est échinée pour nous faire vivre, mes trois frères et moi. Nous avions tous alors moins de dix ans. Ma sœur en avait quatorze. Elle s'est mise à travailler dans la rue, pour nous rapporter de quoi manger, ce que lui donnaient les soldats américains. Un peu plus tard elle s'est installée ici, derrière une de ces fenêtres de la Herbertstrasse. Elle est morte l'année dernière à trente-cinq ans. C'est vieux pour une fille du quartier. Venez, Robin, je tiens à vous montrer où elles échouent, la trentaine dépassée.

Sergio entraîna Robin tout au bout de la Herbertstrasse. Ici, les fenêtres donnaient sur un grand mur nu. Les maisons étaient réservées aux vieilles femmes bouffies de graisse — celles qui avaient plus de trente ans. Robin fixa ses regards sur une grosse fille aux cheveux teints, avec une dent en or qui brillait dans sa bouche et un regard terne. Un homme à la face rougeaude, au gros nez veiné de rouge s'avança et frappa au carreau de sa fenêtre ; la femme ouvrit sans se faire prier. L'homme était accompagné de trois autres types. Il y eut une discussion, le ton monta. Brusquement, la femme referma sa fenêtre. Les hommes haussèrent les épaules et ils s'en allèrent frapper un peu plus loin. Derrière cette fenêtre une femme était tapie, revêtue d'un kimono qui dissimulait à peine sa poitrine flasque. Ils parlementèrent de nouveau. La femme leur ouvrit sa porte et les quatre hommes s'engouffrèrent dans le petit réduit. Les lumières s'éteignirent, ils étaient montés au premier.

— Pourquoi la première n'a-t-elle pas voulu les laisser entrer ? s'enquit Robin auprès de Sergio.

— Question de fric. Ils étaient d'accord sur le prix à payer pour celui qui allait consommer. Mais les trois autres voulaient voir le spectacle contre un petit supplément.

Robin ne put s'empêcher de rire :

— De la collaboration en somme.

— La seconde a accepté leur proposition après leur avoir fait promettre de payer le nettoyage du tapis, au cas où ils le saliraient en se masturbant pendant la séance.

Ils revinrent sur leurs pas et se retrouvèrent dans le secteur vivement illuminé de la Herbertstrasse. Derrière une des fenêtres Robin vit une fille qui lui rappela la putain qu'il avait battue. Celle-ci se tenait à peine vêtue, bottée, une cravache à la main.

— Elle fait l'article pour sa spécialité, murmura Sergio.

348

Ils repartirent ensuite vers la Reeperbahn et entrèrent dans une discothèque — mais on les mit à la porte sans le moindre ménagement. Robin y avait jeté un coup d'œil — des femmes dansaient entre elles, quelques autres se tenaient tendrement enlacées devant le bar. Ici, les hommes étaient *verboten*. Sergio qui prenait son rôle de cicerone très au sérieux emmena ensuite Robin devant un café. Un homme se tenait devant l'entrée et annonçait d'une voix tonitruante un merveilleux spectacle de femmes nues. Robin haussa les épaules, néanmoins il se laissa entraîner par Sergio à l'intérieur de l'établissement. La salle était bondée, il y avait surtout des matelots. Ils réussirent à se caser dans un coin.

Sur l'estrade une stripteaseuse finissait de s'effeuiller sous les regards approbateurs des hommes. Elle se mit complètement nue, sans garder de cache-sexe, ni rien. Des applaudissements assez nourris éclatèrent tandis que la fille s'éclipsait. Une autre s'avança — elle pouvait avoir dix-neuf ans, pas plus. Une blonde aux yeux clairs, au visage rieur, habillée de soie rose. Son sourire avait conservé l'ingénuité de la jeune fille qui se rend à son premier rendez-vous.

— Je parierais gros qu'elle va nous chanter quelque chose, commenta Robin.

Elle fit le tour de la salle, lançant des baisers et adressant des sourires et de petits signes d'amitié à tous les matelots qui poussaient des cris et applaudissaient. C'était sans conteste leur artiste préférée. La musique enchaîna et la petite blonde commença à se déshabiller. Robin était stupéfait. Elle était fraîche et jolie — elle aurait été plus à sa place dans un bureau de la IBC que sur cette scène minable, en face de toutes ces brutes avinées. Brusquement, elle se dressa complètement nue et se mit à faire des pirouettes avec le même joyeux sourire aux lèvres. Visiblement, la petite garce aimait son métier. Après quoi, elle traîna une chaise au centre du plateau, s'y assit, écarta les jambes sans arrêter de sourire. Elle abandonna ensuite l'estrade et entreprit de faire le tour de la salle. Elle s'approchait des consommateurs et se laissait peloter sans la moindre retenue. Elle arriva devant la table de Robin, eut un petit rire, cligna de l'œil à l'adresse de Sergio et ne s'attarda pas plus longtemps.

Robin jeta quelques pièces de monnaie sur la table et abandonna les lieux. Sergio le rattrapa au pas de course et ils reprirent leur promenade en silence.

— Cette fille, murmura Robin, elle n'avait pas plus de vingt ans. Bon sang, *pourquoi ?*

— Robin, ces filles ont été marquées par la guerre. Elles ont grandi dans un monde différent du vôtre. Pour elles, le sexe n'a rien à voir avec l'amour, pas même avec le plaisir. Cela leur a permis de survivre.

Tous les cinq pas des filles les accostaient.

— Ecoute, j'en ai marre, je rentre à l'hôtel, fit Robin.

— Je voudrais d'abord vous montrer une dernière boîte.

Ils entrèrent dans un établissement situé dans la Grosse Freiheitstrasse. Un endroit bon genre, décoré avec beaucoup de goût. Les tables étaient occupées par des consommateurs élégants qui bavardaient à voix basse. Un trio jouait en sourdine des airs mélancoliques. La salle était tout en longueur, faiblement éclairée, les murs recouverts de tentures autrichiennes, la clientèle en majorité masculine, ce qui mit la puce à l'oreille de Robin tant qu'il ne vit pas quelques couples hétérosexuels tendrement enlacés qui écoutaient distraitement la musique.

— La cuisine est excellente ici, lui glissa Sergio. La *Maison Bleue* est bien connue des gourmets.

— Mange si tu veux. Moi je me contente de boire.

Sergio se fit servir un steak qu'il attaqua avec tant d'énergie que Robin se sentit coupable. Il avait oublié qu'ils n'avaient pas encore dîné. Il se fit apporter une bouteille de vodka d'origine qu'il entama aussitôt. C'était doux et chaud comme du velours.

Le trio à cordes déposa ses instruments. Il y eut un roulement de tambour, un grand coup de cymbales, et une voix gutturale annonça le début du spectacle.

Robin regardait distraitement ce qui se passait autour de lui. La *Maison Bleue* était une boîte ultra-chic où l'on venait souper tard dans la soirée. Une chanteuse française, Véronique, entra en scène. Elle chantait bien, elle avait une bonne voix de contralto. On l'applaudit poliment, sans plus.

Robin se versa un autre verre de vodka et cligna des yeux pour mieux observer la fille qui succédait à la chanteuse. Une blonde, assez jolie, qui chanta des extraits de l'opérette *Gipsy*. Elle ne cassait rien. Ethel Merman pouvait dormir sur ses deux oreilles. Robin leva les yeux sans grand intérêt lorsque l'orchestre entama un air de fanfare. L'animateur hurla : *Brazillia !* et une grande fille brune apparut sous les feux de la rampe.

Robin se redressa. Elle méritait d'être annoncée en fanfare. Elle portait un habit d'homme et un collant noir. Ses cheveux bruns étaient tirés en arrière, elle était coiffée d'un chapeau mou, penché sur l'oreille. Très lentement elle se mit à exécuter une danse apache. Elle dansait remarquablement bien. Il était évident qu'elle avait dû suivre des cours de danse classique. Elle termina son numéro sur un rythme endiablé et finit par se débarrasser de son chapeau. Ses longs cheveux se répandirent en cascade souple sur ses épaules. On l'applaudit très fort mais elle ne quitta pas la scène. Elle attendit que le silence se fût rétabli, puis la musique reprit. La jeune femme se déhancha, lascive et suggestive à souhait, elle enleva son habit, s'agenouilla très lentement et se dépouilla, tel un serpent qui mue, de son collant, révélant un jeune corps très blanc, très svelte, dissimulé à peine sous un bikini minuscule et un soutien-gorge en lamé argent.

La musique accéléra son rythme, les lumières se mirent à vaciller, elle virevoltait, aérienne, sur le plateau et finit par atterrir en faisant le grand écart. La salle était plongée dans la pénombre : c'est alors que la danseuse arracha le peu qu'elle avait sur elle, révélant un ventre très plat et de petits seins fermes, brusquement mis en lumière par les projecteurs. Puis les lumières s'éteignirent et la danseuse s'éclipsa sous un tonnerre d'applaudissements.

C'était la fin du spectacle et Robin était tout à fait soûl.

— Je veux que tu me présentes Brazillia, annonça-t-il.

— Rien de plus facile. Je vous emmène chez Liesel, à deux pas d'ici. Tous les artistes vont y prendre leur petit déjeuner. Brazillia y sera à coup sûr.

Robin jeta un coup d'œil à sa montre :

— Tu te moques de moi ? Il est trois heures du matin. Ici, ils sont en train de fermer la boutique. Toutes les boîtes doivent en faire autant.

— Beaucoup d'établissements à Hambourg restent ouverts vingt-quatre heures sur vingt-quatre.

Robin paya l'addition et voulut à tout prix qu'on remette un mot à Brazillia pour lui fixer rendez-vous chez Liesel. Sergio obéit. Il rédigea un billet, en allemand bien entendu :

— Elle y sera, ne vous en faites pas, Robin. Allons, il est temps de partir.

Sergio prit Robin par le bras et ils sortirent dans la rue.

La patronne du Liesel était une grosse matrone qui accueillait ses clients à l'entrée d'une cave où étaient installées quelques petites tables recouvertes de nappes à carreaux. Sergio commanda une bière, Robin resta fidèle à la vodka. Un homme très grand et très beau entra et alla s'installer seul à une table de l'autre côté de la salle. Quelques jeunes gens efféminés ne tardèrent pas à aller le rejoindre. Mais l'homme tenait ses regards fixés sur Sergio. Quoique très éméché, Robin conservait assez de lucidité pour percevoir une sorte de lien invisible qui attirait Sergio vers l'inconnu.

— Es-tu sûr que Brazillia viendra et que cette boîte n'est pas exclusivement réservée aux pédés ?

— Tout le monde y vient, rétorqua Sergio quelque peu vexé. C'est d'ailleurs le seul endroit dans le coin qui serve des petits déjeuners. (Tout en renseignant Robin, Sergio n'arrêtait pas de regarder le bel inconnu.)

Robin donna une tape affectueuse sur l'épaule de Sergio :

— C'est bon, Sergy. Va donc rejoindre ces messieurs.

— Non, je reste avec vous. Si Brazillia n'arrive pas, je m'en voudrais de vous laisser tout seul ici.

— Ecoute, petit, je n'ai pas besoin d'un garde du corps. Et ne te bile pas pour moi, elle viendra.

Sergio eut une minute d'hésitation :

— Je suis inquiet. J'aurais dû vous prévenir... Vous savez quel genre de fille est Brazillia, n'est-ce pas ?

— Allons, laisse-moi. Ton Tarzan va finir par s'impatienter. Il croit probablement que je suis ton bon ami.

— Mais Robin...

— Tu veux me faire le plaisir de déguerpir !

A cet instant la porte s'ouvrit : c'était Brazillia. Elle parut hésiter sur le seuil. Robin se leva et lui fit signe d'approcher. Elle se dirigea immédiatement vers lui.

— Laisse-nous, marmonna Robin à l'adresse de Sergio.

Le jeune homme haussa les épaules et se dirigea vers la table du bel inconnu tandis que Brazillia s'asseyait tout près de Robin. La patronne du lieu s'approcha et posa devant elle un cognac.

— Je parle anglais, fit Brazillia d'une voix grave, légèrement voilée.

— Tu n'as pas besoin de parler, mon chou.

Robin leva les yeux et aperçut Sergio qui s'en allait en compagnie de son nouvel ami. Il adressa un petit signe à Robin qui à son tour leva deux doigts, en signe de victoire. La jeune fille buvait son cognac en silence. Robin en commanda un deuxième à son intention. Il avança la main et la posa sur celle de Brazillia. Elle ne broncha pas. Un jeune homme blond, aux allures efféminées, entra dans la salle et vint tout droit vers Brazillia. Il lui dit quelques mots en français, Elle l'invita à s'asseoir puis se tourna vers Robin :

— Je vous présente Vernon. Il ne sait pas parler anglais. Il attend un ami et préfère ne pas rester tout seul au bar.

Robin fit signe qu'on serve à boire à leur hôte. Quelle ne fut pas sa surprise en voyant la patronne s'approcher avec un grand verre de lait.

— Vernon ne supporte pas l'alcool, expliqua Brazillia.

Soudain la porte s'ouvrit, livrant passage à un grand gaillard aux allures décidées. Vernon avala d'un trait son verre de lait et se précipita au-devant du nouveau venu.

— Pauvre Vernon, commenta Brazillia, il n'arrive pas à savoir ce qu'il voudrait être.

— Ça crève pourtant les yeux.

Brazillia soupira :

— Le jour, il essaie de vivre comme un homme. La nuit il devient femme. C'est triste. (Elle se tourna vers Robin.) Etes-vous venu ici en quête de sensations fortes ?

— J'aime les sensations de toutes sortes.

— Si vous êtes à la recherche de sensations fortes, de trucs inédits, vous feriez aussi bien de rentrer chez vous. (Elle paraissait très lasse, comme découragée. Elle le regarda longuement.) Vous êtes très beau. Ça me plairait beaucoup de coucher avec vous. Mais je voudrais vivre une vraie nuit d'amour, une belle nuit — rien de bizarre ni de contre nature. Vous me comprenez ?

— C'est d'accord. Je n'ai rien contre.

— C'est bien promis ? (Elle le suppliait presque.)

— Mon chou, ce soir c'est toi qui commandes.

— Excusez-moi un instant. (Elle alla au bar et murmura quelques mots à l'oreille de Vernon qui acquiesça avec un léger sourire. Puis elle vint rejoindre Robin.) Partons.

Tandis qu'il payait l'addition, il se demanda ce qu'elle avait bien pu chuchoter à l'oreille du jeune homme. Il est vrai que les filles se plaisent souvent à avoir un pédé pour confident. Amanda lui avait même confié qu'un mannequin de ses amies vivait maritalement avec un homosexuel. Et d'ailleurs lui-même avait beaucoup d'amitié pour Sergio.

Un taxi stationnait devant la porte de l'établissement, mais Brazillia secoua la tête :

— Inutile, j'habite à deux pas d'ici.

Elle le prit par la main, le guida à travers des rues obscures aux pavés inégaux et finit par s'arrêter devant un immeuble plutôt vétuste. Ils en franchirent le portail, traversèrent une cour. Soudain, Robin crut se retrouver à Paris. Il y avait des pots de géraniums aux fenêtres, un chat de gouttière se faufila dans ce décor banal. Ils montèrent aux deuxième étage. Brazillia ramassa une miche de pain déposée devant sa porte, elle introduisit sa clé dans la serrure et poussa le battant.

— Je me fais livrer tous les jours un pain, pour le cas où j'aurais avalé trop de cognac après la représentation. Si j'en mange un morceau, au réveil je n'ai jamais la gueule de bois.

L'appartement était petit mais très féminin. D'une propreté immaculée, il faisait très chambre de jeune fille avec son couvre-pied de piqué blanc et ses poupées installées sur le lit. Sur la coiffeuse, un portrait de Brazillia. Sur la cheminée la photo de la jeune chanteuse qu'il avait vue tout à l'heure — celle qui se prénommait Véronique.

— Elle est vraiment trop bien pour passer en début de spectacle, commenta Robin. Je suis sûr qu'elle aurait du succès à New York. (Il prit Brazillia par la taille et l'attira vers lui.) Quant à toi, tu danses beaucoup trop bien pour faire du strip-tease. Tu as du talent, sincèrement.

Elle haussa les épaules.

— Je fais du strip parce que ça me rapporte un peu plus d'argent et me donne l'avantage de passer en vedette. Après tout, où est la différence ? Pas une de nous n'arrivera jamais à faire carrière. Dès que l'on a mis les pieds dans la Reeperbahn, c'est trop tard. Mais j'ai déjà été en Amérique. J'ai dansé à Las Vegas.

— Non, vraiment ? fit Robin visiblement surpris.

— Oui, et je n'y faisais pas l'effeuilleuse. J'étais dans une troupe. Nous étions six qui dansions sur scène autour d'un vieux chanteur américain qui avait eu son heure de célébrité. Mais il pouvait à peine sortir ses notes, nous étions la sauce qui fait passer le poisson. C'était il y a dix ans déjà. J'en avais dix-huit et j'espérais encore étudier sérieusement la danse classique. Mais lorsque mon engagement prit fin, je n'avais plus que mon billet de retour en poche. Alors je suis rentrée chez moi.

— Où ça ?

— A Milan, j'y ai vécu pendant un certain temps. (Elle prit une bouteille de cognac et en versa un verre pour Robin.) Et puis, j'ai fini par comprendre que servir à table et mener la sotte vie bourgeoise que l'on voulait m'imposer était aussi déshonorant que ce que je fais. (Elle haussa les épaules.) Alors, tu es comme tous les autres ? Les confidences font partie de la rigolade ?

— Non. Tu n'as pas besoin de me raconter quoi que ce soit. Tu es jeune, douée, ravissante. Tu as tort de vouloir renoncer à tes rêves de jeunesse.

Elle le poussa vers le divan et se blottit sur ses genoux. Elle le regarda longuement, avec une sorte d'extase :

— Cette nuit, un de mes rêves va se réaliser. (Elle caressa le visage et les mains de Robin.) Dire qu'un homme aussi beau que toi veut coucher avec moi...

— Oui, j'ai une folle envie de faire l'amour avec toi, dit-il en l'embrassant très doucement.

Elle se leva, l'obligea à l'imiter et l'entraîna dans sa chambre à coucher.

A peine étaient-ils au lit qu'elle prit la direction des opérations. Elle était comme déchaînée. Sa langue lui caressait les paupières avec la délicatesse d'un papillon, sa longue chevelure brune se répandait sur le visage et les épaules de Robin. Ce fut elle qui lui fit l'amour tandis qu'il était étendu, alangui, privé de forces, totalement passif. Lorsque ce fut fini, il resta silencieux, haletant, pendant un long moment. Il avança une main et lui caressa doucement les cheveux.

— Brazillia, je n'oublierai jamais cette nuit. C'est bien la première fois de ma vie que je me suis laissé aimer par une femme.

— Robin, c'était merveilleux.

— Et maintenant, c'est à mon tour de faire mes preuves.

— Non, ça n'est pas la peine...

— Petite bécasse, moi j'y tiens !

Il la caressa longuement puis il pénétra en elle, rythmiquement en se retenant aussi longtemps que possible. Il voulait la rendre heureuse. Il s'enfonçait en elle, toujours plus vite, dans une espèce de délire. Elle s'accrochait à lui, gémissait, mais il sentit qu'elle n'était pas prête. Il continua encore à la posséder pendant un temps qui lui parut une éternité. Il sentait son sang battre contre ses tempes, il réunit toutes ses forces pour ne pas jouir. Et chez elle toujours rien. Cela ne lui était jamais encore arrivé. Il n'avait jamais fait un tel effort pour satisfaire une femme. Il serra les dents et continua. Il devait réussir, il fallait qu'elle jouisse. Alors il sentit un flot presque douloureux traverser son corps tandis qu'il atteignait le comble du plaisir. Il se sépara d'elle, complètement épuisé, sachant qu'elle n'avait pas atteint l'orgasme. Elle se redressa et lui caressa la joue. Elle se blottit contre lui et lui baisa tendrement le front, le nez, le cou.

— Robin, tu es un amant merveilleux.

— Inutile de mentir, petite fille.

Il se leva et se rendit dans la salle de bains. Une salle de bains avec des ruchés et des volants de dentelle un peu partout, fort bien agencée d'ailleurs. Robin remarqua qu'il y avait même un bidet. Il se doucha rapidement et retourna dans la chambre, en caleçon. Elle avait allumé pour lui une cigarette et lui fit signe de la rejoindre au lit. Il regarda longuement son corps gracile, charmant, ses petits seins qui pointaient sous la chemise de soie rose qu'elle avait revêtue.

— Viens fumer une cigarette, fit-elle, souriante.

Il répondit d'un air las :

— Brazillia, dans mon pays les femmes m'ont toujours dit que je suis un bon étalon. Mais je ne me sens pas en forme pour me lancer dans une séance supplémentaire.

Il accepta la cigarette, refusa de se recoucher et commença à se rhabiller.

Elle sauta à bas du lit, s'approcha de Robin et l'enlaça :

— Reste avec moi cette nuit, je t'en supplie. Je voudrais tant dormir dans tes bras. Demain matin je te préparerai un bon petit déjeuner et s'il fait beau, nous irons nous promener ensemble. Je te ferai connaître St. Paüli de jour — et après, si tu veux, nous pourrions refaire l'amour... Robin, c'était tellement merveilleux ; sois gentil, reste. (Robin était déjà en train de nouer sa cravate.) Je ne te plais pas ? questionna-t-elle.

— Mais si, mon chou, tu me plais beaucoup. (Il prit son portefeuille.) Combien ?

Elle se laissa tomber sur le lit et baissa la tête. Robin lui toucha l'épaule et lui demanda d'une voix pleine de gentillesse :

— C'est combien, Brazillia ? Fais ton prix.

Elle baissa la tête :

— Tu ne me dois rien.

Il s'assit sur le lit, lui releva le menton et vit des larmes couler sur ses joues :

— Qu'est-ce qui ne va pas, mon chou ?

Brazillia sanglotait :

— Je ne te plais pas.

— Quoi ? (Robin était abasourdi.) Ecoute, je ne vais pas me mettre à genoux devant toi, mais sache que j'ai eu beaucoup de plaisir. Je regrette que tu ne puisses en dire autant.

Elle se jeta à son cou :

— Robin, je te dois la plus belle nuit de ma vie. Tu es un homme, un vrai !

— Que veux-tu dire par là ?

— Quand je t'ai vu avec ce garçon, j'ai imaginé que... que tu étais une tante. Mais tu es un homme merveilleux et je t'adore !

— Sergio est un ami, un excellent ami, rien de plus.

Elle hocha la tête :

— Je comprends. Et il t'a entraîné là histoire de t'encanailler un peu.

— As-tu bientôt fini de te dénigrer ? Sergio a voulu me faire connaître Hambourg *by night*. Un point c'est tout.

— Quel effet est-ce que cela t'a fait de coucher avec moi ? questionna-t-elle.

— C'était sensationnel. Je regrette seulement que ça n'ait pas marché pour toi.

Elle leva les yeux sur lui en souriant tristement :

— Robin, chez moi tout se passe ici (elle lui désigna son front). Etre dans tes bras et t'aimer, je n'en demande pas davantage.

Il lui passa tendrement la main sur les cheveux :

— Brazillia, tu ne jouis jamais ?

— J'en suis devenue incapable.

— Mais pourquoi ?

— Il y a des choses irremplaçables, une fois qu'on ne les a plus.

Il la regarda froidement dans les yeux. Soudain, elle prit peur :

— Robin, tu ne le savais donc pas ? Cet ami ne t'avait pas prévenu ? Oh, mon Dieu...

Elle se leva et se précipita dans la pièce voisine. Robin l'y suivit. Elle s'adossa contre le mur et le regarda fixement. Elle semblait terrifiée.

— Brazillia (elle s'écarta vivement de lui, se raidit, comme si elle craignait d'être battue). Brazillia, que signifie toute cette comédie ?

— Robin, par pitié, laisse-moi !

Elle se précipita dans sa chambre et lui tendit son pardessus. Il le jeta sur le lit et lui prit les deux mains. Elle tremblait de peur.

— Allons, dis-moi ce qui se passe. Je n'ai pas l'intention de te faire le moindre mal. Mais je veux savoir !

Elle tourna ses regards vers lui et le contempla longuement :

— Je croyais que tu savais. Que ton ami t'avait dit quel genre de personnes fréquentent la *Maison Bleue*.

— Non, je ne sais rien. (Mais déjà un terrible soupçon commençait à se faire jour dans son esprit.)

— Vernon... c'est lui qui passe en premier et que tu avais admiré. Pour chanter, il porte une perruque et se fait appeler Véronique. C'est un ami, il vit ici avec moi.

Robin lâcha les mains de la jeune femme :

— Et toi ? Comment t'appelles-tu en réalité ?

— Je m'appelais Anthony Brannart — avant mon opération.

— Tu est un... ?

Elle s'écarta de lui :

— Je suis une femme, je suis devenue une vraie femme ! cria-t-elle.

— Mais tu ne l'as pas toujours été, fit-il lentement.

Elle acquiesça en silence, son visage était baigné de larmes :

— Je suis une femme maintenant. Ne me fais pas de mal, ne sois pas fâché. Ah, si tu savais ce que j'ai enduré pour devenir une femme ! Tu ne peux pas imaginer la torture d'être une femme et de se voir prisonnière dans un corps d'homme... Avoir des sentiments de femme, penser et aimer comme une femme — au fond de moi-même j'ai toujours été une femme, Robin.

— Mais tes seins ?

— Silicone. Et en ai-je avalé des hormones ! Tiens, touche mes joues — je ne me rase jamais plus. Mes bras et mes jambes sont lisses, crois-moi, je suis devenue une *vraie* femme.

Robin se laissa tomber lourdement sur le divan. Un travesti ! Il avait fait l'amour à une saleté de travesti ! Pas étonnant que ce salaud n'ait pas été capable de jouir. Il la regarda, et brusquement elle lui fit pitié.

— Viens près de moi, Brazillia. Tu as raison, tu *es* une femme. Je n'ai jamais voulu te battre, ne pleure plus. C'est vrai, tu es une femme, une très jolie femme.

Elle s'élança vers lui et voulut se nicher dans ses bras. Mais Robin l'en empêcha.

— Maintenant, après ce que tu viens de me confier, nous allons essayer d'avoir une conversation, d'homme à homme.

Elle s'éloigna dignement de lui tandis qu'il reprenait :

— Et toutes ces poules qui gambillaient sur scène, ce sont des hommes ? (Elle fit signe que oui.) Et elles ont toutes subi la même opération que toi ?

— Toutes, sauf Vernon. Il s'y est refusé parce qu'il craint, s'il change de sexe, de ne plus pouvoir utiliser son passeport pour rentrer en France. Il est si malheureux, ce pauvre Vernon ! Et amoureux fou de Rick, le type que tu as aperçu avec lui ce soir. Vernon a voulu se suicider il y a trois mois en avalant un flacon de teinture d'iode. C'est la raison pour laquelle il ne peut plus boire d'alcool. Rick est — comment dit-on — à voile et à vapeur. Tantôt il cavale après une femme et tantôt il préfère aller avec un jeune garçon. Et ce pauvre Vernon, il n'est ni l'un ni l'autre.

— Et à Las Vegas, tu leur avais aussi bourré le crâne ?

— Pas du tout. A l'époque, j'étais un danseur homme.

Robin se leva et fouilla dans sa poche. Il ne lui restait plus de marks. Mais il avait un peu plus de cent dollars dans son portefeuille. Il les lui tendit :

— Tiens, Brazillia, de quoi t'acheter une nouvelle robe.

— Je n'en veux pas !

Robin lança l'argent sur le divan et quitta l'appartement. Avant de fermer la porte derrière lui il l'entendit éclater en sanglots. Il avait lui aussi la gorge serrée. Il ne regrettait pas son aventure, mais cette pauvre créature ne lui inspirait plus que de la pitié. Il descendit quatre à quatre les deux étages et se retrouva dans la rue. A l'horizon le ciel devenait plus clair, les noctambules de la Reeperbahn rentraient chez eux. Des couples cheminaient en se tenant par la main. Des matelots avec des stripteaseuses, des hommes avec des hommes, des hommes avec des femmes, qui toutes brusquement lui paraissaient vaguement masculines. Ces gens-là, tous leurs rêves, toutes leurs espérances n'étaient plus que cendres. Le monde n'était pas fait pour les perdants. Brazillia avait joué et perdu.

Soudain, ses propres problèmes lui semblèrent mesquins, ridicules et il sentit une colère sourde le gagner. Gregory Austin craignait Dan, mais il n'avait pas peur de Robin Stone. Parce que Gregory le prenait, lui, pour un perdant. Eh bien, désormais, ce serait Robin qui mènerait le jeu. Il eut brusquement envie de rentrer à New York. Et il avait aussi envie de revoir cette cinglée de Maggie Stewart en Californie. Mais Maggie pouvait attendre — attendre le jour où Robin serait devenu le plus grand, le plus fort...

28

Robin arriva à New York juste à temps pour voir Dip et Pauli dans le *Christie Lane Show*. Dip était beau comme un dieu, mais il chantait faux et ses gestes étaient d'une incroyable gaucherie. Pauli était laide comme un pou, mais elle chantait à ravir et se déplaçait sur scène avec la grâce d'une ballerine. Robin n'en croyait pas ses oreilles. Pauli avait renoncé à imiter Lena Horne, Garland et Streisand, elle avait trouvé sa vraie voix. Son style était parfait, elle phrasait avec un goût exquis. Robin se demanda à quel moment une telle métamorphose s'était opérée en elle. Peut-être qu'à force de traîner dans les boîtes de nuit, à la remorque de Dip, Pauli avait abandonné son espoir de réussir. Et le fait d'y avoir renoncé avait suffi à la débarrasser, à son insu, de son ancienne affectation, et de ses tics ridicules. De toute façon, la chose tenait du miracle. Même son stupide nez en trompette et ses dents proéminentes contribuaient à lui donner du caractère.

Le lendemain matin, à onze heures, Robin vit entrer Dip dans son bureau. La mine défaite et les yeux injectés de sang, il se laissa tomber dans un fauteuil.

— Je m'en vais la tuer ! annonça-t-il.

Robin sursauta.

— Quoi ? Qu'est-il donc arrivé ?

— Il y a une heure mon agent m'a téléphoné. Ce fumier d'Ike Ryan, avec son goût de chiotte ! Figure-toi qu'il ne veut plus de moi. Il est décidé à lancer Lon Rogers — ce minable à la voix de fausset !

— Mais tu viens de dire que tu allais *la* tuer ? De qui s'agit-il ?

— De Pauli, bien sûr. (Les yeux de Dip lancèrent des éclairs.) Ike Ryan lui a proposé de servir de doublure à Diana Williams et cette andouille de Pauli a accepté ! Après tout ce que je lui ai appris, après tout le mal que je me suis donné pour en faire quelqu'un de valable, voilà qu'elle accepte de jouer les doublures !

— Ce n'est peut-être pas plus mal, rétorqua Robin. En tous cas, ça fera rentrer un peu d'argent dans votre ménage.

— Tu parles ! Elle va toucher trois cents dollars par semaine. J'ai dépensé plus que ça en pourboires au Beverly Hills autrefois. Et d'ailleurs, qu'est-ce que je fous moi dans tout ça ? Cette sale petite conne ! Elle fiche le camp et me laisse en carafe ! (La colère décuplait son énergie. Il se leva d'un bond et se mit à arpenter la pièce.) Tu sais quoi, Robin ? je mets les bouts et je rentre chez moi. Je ne veux pas être là quand la grande Star reviendra avec ce foutu contrat en poche. On verra bien combien de temps elle tiendra sans le Grand Dipper. Et puis je vais fiche à la porte la mère de Madame. Mais d'abord je m'en vais aller casser la figure à la môme Pauli. Rira bien qui rira le dernier !

Il sortit en trombe du bureau.

Robin était encore à réfléchir aux histoires de Dip et de Pauli quand la sonnerie du téléphone le fit sursauter. C'était Cliff Dorne. Au même instant la secrétaire de Robin entra pour lui annoncer que Danton Miller attendait dans l'antichambre. Mais il n'eut même pas le temps d'ouvrir la bouche que déjà Dan faisait irruption dans son bureau.

— Tu ne vas pas me laisser faire le poireau pendant toute la matinée, non ? Tu as lu les critiques ce matin ? La fille, épatante, rien à dire. Mais Dip Nelson a été au-dessous de tout. Il a complètement coulé l'émission ! Et je te prie dorénavant de ne plus jamais te mêler de mes affaires.

Robin ne lui répondit pas et reprit l'écouteur.

— Allo, Cliff, excuse-moi de t'avoir fait attendre. (Dan vit le visage de Robin changer d'expression.) Quand est-ce arrivé ? Au Mount Sinai ? J'y vais immédiatement.

Il raccrocha. Dan, toujours fulminant, n'avait pas bougé de sa place. Robin lui décocha un regard surpris comme s'il venait seulement de se rappeler sa présence :

— Gregory ne va pas bien du tout, lança-t-il.

Il fit mine de sortir mais Dan le prit par la manche.

— Je le croyais encore à Palm Beach ? (Sa colère s'était brusquement dissipée sous le coup de la mauvaise nouvelle.)

— Il est rentré il y a une heure et s'est fait immédiatement hospitaliser au Mount Sinai.

— C'est grave ?

— Ils n'en savent rien. Cliff m'a seulement dit que Gregory se sentait patraque depuis plusieurs jours. Il croit savoir qu'il a subi un examen de contrôle à Palm Beach — mais il a préféré revenir pour avoir l'avis des médecins de Mount Sinai.

— Tu veux que je t'accompagne ?

Robin lui lança un regard étonné :

— Sûrement pas !

Une fois de plus il sortit en laissant Dan planté au milieu de la pièce.

Lorsque Robin se fit annoncer chez Gregory, celui-ci était affalé au fond d'un fauteuil. Il portait une robe de chambre sur son pyjama de soie ; sous son hâle, il avait les traits tirés. Judith était également bronzée, mais elle paraissait fatiguée. Cliff Dorne se tenait près de Gregory, la mine soucieuse. Robin fit un effort pour sourire dans l'espoir de détendre l'atmosphère pénible qui régnait dans la chambre.

— Vous ne m'avez pas l'air tellement malade, fit-il gaiement en serrant la main de Gregory.

— J'ai un cancer avec un grand C, murmura Gregory d'une voix éteinte. Je le sais.

— Greg, veux-tu ne pas dire de bêtises, supplia Judith.

— Je n'ai jamais entendu dire qu'il faille tout ce temps pour se remettre d'une opération de la vessie. Et je n'arrête pas de souffrir.

— Toujours au même endroit ? interrogea Robin.

— Comment le savoir ? J'ai mal partout. Je ne peux même pas uriner sans avoir mal. Et naturellement, personne ne veut rien me dire. Ils ont essayé à Palm Beach de me faire croire que c'est la prostate. Mais je sais qu'ils ont avoué la vérité à Judith. J'ai un cancer.

Judith se tourna vers Robin et lui lança un regard suppliant :

— Je lui ai dit et redit qu'il s'agissait de la prostate. Je ne lui ai rien caché.

— Tu parles ! fit Gregory d'un ton plein d'amertume. On va encore me refaire de nouveaux examens. Après quoi on me montrera des radios auxquelles je ne comprends rien en affirmant qu'elles sont négatives. Et tout le monde me fera de grands sourires en me regardant mourir à petit feu.

— C'est vous qui m'enterrerez, et plus tôt que vous ne croyez, si vous continuez cette comédie. (C'était le docteur Lesgarn qui venait d'entrer dans la chambre.) Ecoutez-moi bien, Gregory. J'ai vérifié les résultats de vos examens. Le doute n'est guère possible, vous souffrez d'une affection prostatique. L'opération est inévitable.

— Qu'est-ce que je vous disais ! triompha Gregory. On n'opère pas un homme de la prostate à moins qu'il ne s'agisse d'une tumeur maligne.

— En voilà assez, fit le médecin d'un ton sans réplique, je ne veux voir personne dans cette pièce. Gregory, je vais vous donner un sédatif. Ce voyage a été très éprouvant et je tiens à ce que vous soyez en forme demain pour l'opération.

— Vous allez me charcuter ? s'affola soudain Gregory.

— Ne vous inquiétez pas, tout ira bien.

— Et si c'était une tumeur maligne ?

— Il sera temps alors d'aviser. Ecoutez-moi Gregory, un cancer, de nos jours, n'équivaut pas à une sentence de mort. Je connais un certain nombre d'hommes qui vivent depuis de longues années après avoir été opérés d'une tumeur maligne. L'important est d'intervenir à temps.

— Oui, j'ai entendu parler de ces cas-là. Ils sont mutilés, impuissants, et s'en vont par petits morceaux.

Le médecin regarda Judith et lui fit signe de sortir. Elle traversa la chambre pour rejoindre Robin et Cliff. Le médecin prit un tampon d'ouate, l'imbiba, et s'approcha de Gregory qui le repoussa avec véhémence.

— Je veux savoir. Il faut que vous me disiez la vérité avant de m'endormir. C'est une tumeur maligne, oui ou non ?

— Personne ne peut rien affirmer avant l'opération. Mais je tiens à vous dire ceci : j'ai opéré un grand nombre de patients qui souffraient d'une tumeur maligne, vous n'avez aucun des symptômes que j'avais constatés chez eux. Je puis par conséquent vous affirmer que vous avez quatre-vingt-dix-neuf chances sur cent de ne pas en avoir une. Vous voilà satisfait ?

— Ainsi, il reste une chance...

Judith s'approcha de Gregory et l'embrassa.

— Mon chéri, allons, souviens-toi que tu as toujours été un joueur chanceux. Et maintenant tu as tous les atouts en main. Pourquoi te fais-tu tant de bile ?

Il esquissa un sourire. Judith lui posa un baiser sur le front.

— Je serai là demain matin avant qu'ils ne t'emmènent à la salle d'opération. Obéis au docteur, repose-toi bien. Greg, je t'aime.

Elle quitta la chambre sans se retourner. Robin et Cliff l'attendaient dans le couloir. Elle ne leur dit rien jusqu'à ce qu'ils se fussent engouffrés dans l'ascenseur.

— J'ai vu dans ses yeux qu'il se croit perdu. (Elle frissonna.) Il s'imagine vraiment qu'il va mourir...

Devant la clinique la longue Lincoln de Gregory attendait. Le chauffeur ouvrit la portière pour laisser monter Judith.

— Voulez-vous que je vous accompagne ? demanda Cliff.

— Je crois que nous avons tous besoin d'ingurgiter un verre ou deux, intervint Robin.

— Il vaut mieux que je file, soupira Cliff. J'ai un bout de chemin à faire pour rentrer à Rye et je tiens à me trouver ici demain matin.

— Ne t'en fais, je veillerai sur Mme Austin, promit Robin. (Il s'installa dans la voiture à côté de Judith.) Je connais un petit bar... à moins que vous n'ayez une préférence pour le Saint-Régis ou l'Oak Room ?

Elle appuya sa joue contre le dossier :

— Non, n'importe quel endroit tranquille fera l'affaire.

En arrivant au Lancer, Judith regarda autour d'elle avec curiosité. C'était donc là le bistrot favori de Robin. La salle était faiblement éclairée, ce dont elle sut gré à Robin. Il choisit une table un peu à l'écart des autres et commanda au garçon un scotch pour elle, un martini pour lui. Dès qu'ils furent servis elle demanda avec un peu d'anxiété à Robin :

— D'après vous, que va-t-il se passer ?

— Sincèrement, je crois que Gregory s'en tirera.

— Vous ne dites pas ça pour me rassurer ?

— Non. Ceux qui redoutent la mort s'en tirent généralement indemnes. Votre mari a trop peur pour mourir.

— Je ne comprends pas.

— Pendant la guerre, après ma blessure, j'ai passé plusieurs semaines dans une salle commune, parmi un grand nombre de blessés. A ma droite j'avais un voisin de lit dont le corps était truffé d'éclats d'obus. On lui avait fait cinq opérations. Et à chaque fois il me faisait ses adieux comme s'il ne devait plus me revoir. Il s'en est finalement bien tiré. Le jeune militaire qui occupait un lit à ma gauche lisait paisiblement des journaux, toujours le sourire aux lèvres, et pourtant il se vidait peu à peu de tout son sang. Je sais depuis lors que les hommes sont étrangement calmes lorsque la mort les guette. J'ai fini par admettre que la mort nous apporte une sorte d'anesthésie émotionnelle.

— Vous m'avez redonné courage, merci.

— De toute façon, l'avenir immédiat vous réserve des soucis. Les difficultés commenceront pour vous *après* son opération.

— Est-ce que vous faites allusion à notre vie sexuelle ? (Elle haussa les épaules.) Robin, entre Greg et moi cela n'a jamais été le fol amour. Sa vraie passion a toujours été la IBC. J'en ai souffert pendant des années.

— Il ne s'agit pas de vous, fit Robin d'un air méditatif. Je pensais à Gregory. Il ne voudra pas admettre que sa tumeur n'était pas maligne.

— Et moi dans tout ça ? Gregory est un lutteur qui n'a jamais accepté une défaite. La maladie lui est étrangère. Vous ne pouvez pas savoir ce que j'ai enduré depuis quelques mois. J'ai vécu auprès d'un invalide qui geignait sans arrêt. C'était devenu une idée fixe. Il refusait de sortir, de jouer au golf, de rencontrer des gens. Il se tâtait le pouls à tout instant...

Il la regarda sans aménité :

— En principe, on se marie pour le meilleur et pour le pire. Vous ne le saviez donc pas ?

— C'est ce que vous croyez, vous ?

— C'est ce que je croirais, si je m'étais marié.

— C'est fort possible, dit-elle en pesant ses mots. Mais notre union n'a jamais été un véritable mariage.

— Le moment me paraît mal choisi pour vous en apercevoir.

— Robin, ne me regardez pas comme si vous me détestiez. Si ce mariage a été raté, je n'y suis pour rien.

— *Ce* mariage ? Est-ce ainsi qu'une femme parle de son union ? C'est *notre* mariage que vous auriez dû dire.

— Vous me paraissez soudain bien sentimental.

Il fit signe au garçon et lui commanda deux autres consommations.

— Sentimental, moi ? Fichtre non ! Mais je croyais que les femmes l'étaient.

— Je l'ai été, autrefois. Lorsque j'ai épousé Greg je croyais que nous allions être merveilleusement heureux. Mais il n'a jamais accepté ce qui fait les unions heureuses. Il ne tenait pas à ce que je lui donne des enfants, il se contentait d'avoir une *épouse*, une femme d'intérieur. Gregory a toujours adoré les propriétés. Sa maison en ville, celle à Palm Beach, la villa de Quogue... Ma vie à ses côtés n'a pas été une sinécure.

— J'estime que diriger une chaîne de télévision aussi importante que celle de Gregory, ce n'est pas rien non plus.

— Je le sais. J'ai toujours respecté son travail, accepté tous ses amis, je les ai même adoptés. Mais une femme a besoin d'autre chose que de recevoir, de jouer les parfaites maîtresses de maison. J'ai été privée de tant d'autres satisfactions... Si je me reporte en arrière je constate que ma vie a été bien vide.

— Allons, Judith, le moment est mal choisi pour ressasser le passé. A l'heure qu'il est, vous ne devez penser qu'à la guérison de Greg. Il aura besoin de vous. Cessez de vous lamenter sur ce qui aurait pu être. Désormais vous devez être Florence Nightingale, Sigmund Freud et le meilleur ami de

Greg. J'ai noté et apprécié ce que vous lui avez dit avant de le quitter — vous lui avez rappelé qu'il a toujours été un joueur et vous avez bien fait. D'instinct, vous avez vu juste. Il faut savoir à quel moment il convient d'apaiser un malade et quand il est préférable pour lui d'être rabroué. On guérit moins facilement d'une défaillance morale que d'une maladie physique. Vous devez veiller à ce qu'il ne craque pas — vous risqueriez d'avoir la vie dure pour de bon. J'ai connu des types à qui c'est arrivé. Ils traînent encore en robe de chambre et font des puzzles toute la journée dans un asile de vieillards.

— Mais pourquoi cela devrait-il arriver à Greg ? Des hommes moins solides que lui surmontent une opération de la vessie. Ou même de la prostate. Il n'a plus été dans son état normal depuis qu'il a mis les pieds dans un hôpital.

Robin alluma une cigarette :

— Il arrive que la maladie frappe plus durement un homme fort qu'une lavette. Greg n'avait jamais été malade auparavant, c'est vous qui me l'avez dit. Il ne sait pas comment se défendre. En affaires, il a toujours été prêt à toutes les éventualités. Mais il ne lui est jamais venu à l'idée que son corps était vulnérable, lui aussi. Il se trouve pris au dépourvu. Et un homme comme Gregory se croit amoindri lorsqu'il est atteint par la maladie.

Judith leva sur Robin un regard implorant :

— Robin, aidez-moi !

— Vous pouvez compter sur moi.

Elle lui prit les mains et se cramponna à lui :

— Robin, je suis décidée à me battre, mais je ne me sens pas assez forte pour me battre seule. Je suis restée pendant trop longtemps enfermée dans ma tour d'ivoire. Des amis sincères, je n'en ai pas. Les femmes du monde que je reçois à déjeuner me racontent leurs ennuis. Moi, je n'ai jamais parlé de mes propres soucis à qui que ce soit, et soudain je m'aperçois que je n'ai personne à qui me confier. Je me refuse à parler de l'opération de Greg à des indifférents. Robin, m'autorisez-vous à vous appeler, à pleurer sur votre épaule ?

Il sourit :

— J'ai les épaules larges.

Elle s'appuya contre le dossier de son fauteuil et but quelques gorgées d'alcool.

— Greg se fait également des soucis au sujet de sa chaîne, soupira-t-elle. Dan a accordé un tas d'interviews à tort et à travers. Gregory pique une colère dès qu'il les lit. C'est lui qui a créé ce réseau de toutes pièces, et il a horreur de voir un autre que lui s'en mêler.

— Il est souvent malaisé d'éviter les journalistes. J'arrive à leur échapper, mais ils se rattrapent en s'accrochant à Dan. Depuis ma seule et unique conférence de presse, je me suis toujours défilé.

Judith sourit :

— Dan doit en être malade. Sans vous en rendre compte, vous avez été plus malin. En refusant de recevoir les journalistes, vous vous êtes transformé en énigme. Chacun se perd en conjectures. Et j'aime assez le surnom qu'on vous a donné : le robot d'amour.

Robin fit la grimace :

— Laissez-les parler, ils finiront par se lasser. La célébrité est bien le cadet de mes soucis.

— Greg s'en rend compte et il ne vous en veut pas de cette gloire. Cela tient à votre perspicacité. Dan a toujours travaillé pour la télévision, mais vous avez beau être passé par le petit écran, vous continuez à intriguer les gens de la profession. Ils s'acharnent à découvrir qui vous êtes vraiment. Il existe une légende autour de Robin Stone.

— Je crois que vous exagérez quelque peu l'intérêt qu'on me porte. (Il vida son verre.) Vous prenez autre chose ?

— Non merci. Je dois me lever demain à l'aube. Vous viendrez, Robin ?

Il hocha la tête.

— Impossible, il faut que quelqu'un garde la boutique. Mais soyez assez gentille pour m'appeler dès que vous saurez le résultat de l'intervention.

— C'est promis. Vous disposez d'une ligne privée à la IBC ? (Il tira son calepin et griffonna un numéro.) Mettez-moi aussi le numéro de votre domicile.

— Ils le connaissent là-bas. Ils peuvent toujours me contacter.

— Robin, vous vous souvenez de ce que vous m'avez dit au sujet de vos épaules ? Si aux petites heures du jour je me sentais perdue, je pourrais avoir besoin de parler à quelqu'un...

Il inscrivit le numéro de son appartement qui ne figurait pas dans l'annuaire :

— Dans ce cas, n'hésitez pas à m'appeler. Il arracha le feuillet et le lui tendit.

Installée dans son lit Judith recopia les deux numéros dans son carnet d'adresses. Elle le fit à la lettre A, sans indication de nom. A — pour Amour. C'était ainsi qu'elle inscrivait toujours le numéro de téléphone de celui auquel elle s'intéressait tout particulièrement. Elle s'étira voluptueusement. Son visage était enduit d'une épaisse couche de crème nourrissante, ses cheveux emprisonnés dans un filet de soie afin de les maintenir en place. Elle se sentait soulagée. Gregory n'avait pas de cancer. Après son opération, il redeviendrait sans doute lui-même. Sa convalescence serait longue, elle aurait l'occasion de revoir Robin très souvent...

Gregory était resté six heures sur la table d'opération. Pendant ces heures pénibles, Judith avait téléphoné deux fois à Robin. Il s'était montré chaleureux, lui avait dit qu'en principe il avait deux rendez-vous mais qu'il était prêt à venir si elle avait besoin de lui. Finalement, il fut convenu qu'il passerait là-bas en fin de soirée. Avant de raccrocher, il lui assura que tout irait bien.

Le docteur Lesgarn se montra à trois heures de l'après-midi. Il rapportait d'excellentes nouvelles. Gregory était en salle de réanimation. Il n'avait pas de tumeur maligne.

A cinq heures, on redescendit Gregory dans sa chambre. Il avait repris connaissance, mais avec la perfusion et les tubes qu'on lui avait introduits dans le nez il paraissait presque végétatif. Lorsque le docteur Lesgarn, une heure plus tard, vint vers lui apporter le résultat des analyses il se détourna en ricanant.

Judith s'élança vers son mari et prit sa main dans les siennes :

— C'est la vérité, Greg, je te le jure.

Il la repoussa :

— Mensonges ! Vous me prenez pour un idiot ? Et toi, ma pauvre Judith, tu es une comédienne déplorable.

Judith alla se réfugier dans le couloir, en proie à un tremblement nerveux. Le médecin ne tarda pas à la rejoindre :

— Je lui ai administré un calmant, soupira-t-il. Mais je crains que nous ayions du mal à le débarrasser de son obsession du cancer.

Quelques instants plus tard, Robin fit son apparition. Son sourire, son allure décidée et son teint bronzé contrastaient avec la pauvre loque humaine que Greg était devenu.

— Je me suis permis de téléphoner ici tout à l'heure et j'ai appris la bonne nouvelle, annonça-t-il.

Judith haussa tristement les épaules :

— Greg ne veut pas nous croire.

Robin la regarda d'un air compatissant :

— Cliff a dit aux journalistes que c'était toujours la vessie. Je pense que cette explication leur suffira.

Le médecin se tourna vers Judith et lui conseilla de rentrer chez elle après les épreuves de la journée. Elle sourit tristement :

— Je voudrais bien m'asseoir pour manger n'importe quoi et boire un verre. Je suis à jeûn depuis hier.

Robin l'emmena au Lancer. Elle avait donné congé à son chauffeur, non sans arrière-pensée. De cette façon, Robin se sentirait obligé de la raccompagner chez elle. Ils s'installèrent dans le même box que la veille et elle se demanda dans quelle mesure il avait ici ses habitudes.

Manifestement il avait remarqué son expression :

— Je vous aurais volontiers emmenée ailleurs, expliqua-t-il, mais malheureusement j'avais déjà fixé rendez-vous à quelqu'un ici. De toute façon, les grillades y sont excellentes et les alcools encore meilleurs.

Judith sirotait prudemment son verre. Sur un estomac vide l'alcool lui monterait à la tête et elle tenait à conserver toute sa lucidité.

— Je ne voudrais surtout pas déranger vos plans, Robin.

— Mais non, mais non. (Il se leva brusquement au moment où une grande jeune fille blonde se dirigeait vers leur table.)

— Excuse-moi, Robin, je suis en retard.

— Aucune importance. (Il fit signe à la jeune fille de s'installer à côté de lui.) Madame Austin, je vous présente Ingrid, une hôtesse de l'air de la TWA. Nous avons plus d'une fois volé ensemble.

La jeune Ingrid leva un regard très tendre sur Robin :

— Nous avons été obligés de tourner au-dessus de l'aérodrome Kennedy pendant une demi-heure sans pouvoir atterrir à cause du brouillard. Voilà pourquoi je suis arrivée en retard.

Robin fit signe au barman de servir la jeune fille. Judith remarqua que le garçon apportait automatiquement une vodka-tonic, ce qui prouvait qu'elle était déjà venue avec Robin. Elle avait un léger accent suédois ou tout au moins scandinave. Elle était grande, très élancée, presque trop mince, avec de longs cheveux qui lui tombaient sur les épaules et couvraient en partie son front. Elle avait les yeux très maquillés mais pas de rouge à lèvres. Et lorsqu'elle posa tendrement une main longue et très fine sur le bras de Robin, Judith l'aurait volontiers poignardée. Oh ! l'éclat de la jeunesse ! Cette fille, avec son modeste chemisier blanc et sa jupe toute simple lui donnait l'impression d'être épaisse et boudinée dans son tailleur de chez Chanel. Cette petite Ingrid ne devait pas avoir plus de vingt-deux ans — elle aurait pu être sa fille à elle ! Elle était d'ailleurs trop jeune pour Robin, et pourtant elle le regardait avec une sorte d'extase. Le monde, hélas, était fait pour les hommes. L'âge ne les atteignait pas. Dans dix ans Robin pourrait avoir encore une hôtesse de vingt-deux ans en adoration devant lui. Elle ouvrit son sac et en tira un étui à cigarettes en or. Robin lui tendit son briquet — du moins se souvenait-il encore de sa présence. Et bien, elle ne rendrait pas les armes avant de s'être battue. Elle ne se laisserait pas vaincre par cette bécasse — une fille qui en avion viendrait lui apporter son plateau — une *serveuse,* en quelque sorte !

Judith observait Robin du coin de l'œil. Comment pouvait-il consentir à partager une partie de son temps avec une hôtesse de l'air ? A combien de filles banales comme celle-ci avait-il fait l'amour tandis qu'elle se morfondait, hantée par son image, à tirer des plans pour l'attirer à elle ?

Robin commanda une autre tournée. Judith avait faim — elle aurait volontiers mangé un morceau. Son premier scotch commençait à lui monter à la tête. Robin leva son verre et but à la santé de Gregory. Il se tourna vers la jeune fille et lui expliqua qui était Gregory Austin.

— Je suis désolée, dit Ingrid en s'adressant à Judith. Je souhaite de tout mon cœur sa prompte guérison. De quoi souffre-t-il ? C'est grave ?

— Un simple examen de contrôle, mon chou, expliqua Robin. M. Austin est revenu en avion de Palm Beach parce qu'il préfère les médecins d'ici.

— Est-ce que vous voyagez sur nos lignes ? s'enquit Ingrid.

— Nous avons notre avion personnel, répliqua Judith.

— Ça doit être agréable, approuva Ingrid sans paraître outre mesure impressionnée.

— Judith, je compte sur vous pour que Gregory continue à s'intéresser au réseau même pendant ses examens de contrôle, fit Robin. (Il prit un air grave en insistant sur le mot *examen de contrôle.* Judith acquiesça.) Je vous le demande instamment. Vous me comprenez ?

Ingrid les regarda tous deux :

— Voyons, ce pauvre M. Adlen...

— Austin, mon chou, corrigea Robin.

— Austin, d'accord. Eh bien, mon père un jour a dû subir un de ces examens de contrôle. Il nous a raconté que c'était abominable. On doit avaler de la chaux, passer aux rayons X et tout ça. Laissez donc M. Austin se remettre et oublier un peu ses affaires.

Robin eut un sourire condescendant :

— Mon chou, est-ce que tu donnes des conseils au pilote lorsque le temps se gâte ?

— Non, bien sûr. La tour de contrôle et le navigateur sont là pour ça.

— Eh bien, la tour de contrôle c'est moi et Judith est le navigateur.

— Tout de même je trouve que vous ne devriez pas tourmenter ce malheureux tant qu'il est hospitalisé.

Judith ne put s'empêcher d'admirer cette enfant. Elle n'avait pas baissé les yeux lorsque Robin l'avait rabrouée. Mais là encore, cela prouvait bien qu'elle avait couché avec lui, qu'elle avait un certain pouvoir sur lui. Et pour quelle raison ? Rien que parce qu'elle se savait jeune. Ah, grands dieux, du temps de sa jeunesse, à elle aussi, tout lui semblait permis.

— J'ai faim, annonça soudain Ingrid.

Robin fit signe au garçon d'approcher.

— Un steak pour Mademoiselle et une double vodka pour moi. (Il se tourna vers Judith.) De quoi auriez-vous envie ? Je vous conseille le steak et la salade-maison.

— Et pour vous, Robin ?

Il montra son verre.

— Un autre scotch pour moi aussi, dit-elle résolument.

— Pas de steak ?

— Pas de steak.

Un sourire éclaira le visage de Robin.

— Ma foi, Judith, je vous admire. Vous ne vous laissez pas abattre, et vous êtes toujours prête à poursuivre le combat. C'est sans doute la raison pour laquelle vous n'êtes jamais perdante.

— Vous croyez ? interrogea-t-elle avec une lueur de défi.

Il leva son verre :

— J'y crois dur comme fer.

Ingrid avait suivi cette scène, visiblement déconcertée. Brusquement elle se leva :

— Robin, je crois que tu devrais décommander mon steak. J'ai l'impression que vous n'avez plus besoin de moi ici.

Robin regardait fixement le fond de son verre :

— A ta guise, mon chou.

Elle prit son manteau, l'enfila et se dirigea très digne vers la sortie. Judith essaya de paraître ennuyée :

— Robin c'est peut-être à moi de m'en aller. Cette jeune fille et vous...

Il lui prit la main :

— Inutile de me jouer la comédie, Judith. Ce n'est pas votre genre. D'ailleurs, vous souhaitiez qu'elle nous laisse, n'est-il pas vrai ?

Judith vit Ingrid hésiter un instant sur le seuil. Peut-être espérait-elle encore que Robin essaierait de la retenir. Elle attendit de voir la porte se refermer derrière la jeune fille pour dire d'un air chagrin :

— Je n'aime pas faire de la peine aux gens.

— Ingrid sera vite consolée, fit-il avec beaucoup de sérénité.

Il décommanda le steak et se fit apporter l'addition. Ils terminèrent leurs verres en silence et quittèrent le bar.

— J'habite en bas de cette rue, dit Robin tout naturellement.

Elle le prit par le bras tout en marchant. Ce n'était pas ainsi qu'elle avait imaginé leur idylle. Tout cela lui paraissait trop brusqué, trop direct, pas romantique pour deux sous. Il lui fallait avouer à Robin que pour elle ce n'était pas une aventure comme les autres.

— Robin... j'ai beaucoup pensé à vous et depuis longtemps déjà...

Il ne répondit pas mais dégagea son bras et lui prit la main :

— Judith, vous gagnez à tous les coups. N'essayez donc pas de me donner des explications. C'est très bien ainsi.

Lorsqu'ils pénétrèrent dans l'appartement de Robin, elle eut brusquement peur, tout comme une jeune fille sur le point de céder à son premier amant. Et soudain, elle sentit la sueur perler entre ses seins, sur son front, le long de son dos — ah, ces maudites bouffées de chaleur ! Comme si elle avait besoin de se rappeler qu'elle n'était pas une jeune hôtesse de l'air.

Robin prépara un scotch à l'eau, debout dans son living. Judith s'assit sur un divan — elle remarqua qu'il était immense — et attendit toute frémissante qu'il vînt l'y rejoindre. Face au divan il y avait une cheminée garnie de bûches. Elle n'osa pas demander à Robin de faire du feu ni de mettre son électrophone en marche. Elle aurait voulu qu'il la prenne dans ses bras...

Brusquement il vint vers elle, lui prit le verre à moitié plein des mains et l'entraîna dans sa chambre à coucher. Elle se sentit angoissée à l'idée qu'il lui faudrait se déshabiller devant lui. Ingrid se laissait probablement effeuiller par lui, heureuse de se montrer dans sa jeune nudité. Tout à coup, Judith se souvint d'un détail ridicule : elle portait une gaine. Rien de moins sexy que ce genre de dessous. Malgré sa sveltesse, cette ceinture la serrait étroitement et formait des bourrelets peu flatteurs autour de sa taille. Tout en retirant sa cravate Robin désigna la salle de bains d'un mouvement du menton :

— Je n'ai pas de boudoir à vous offrir, mais c'est mieux que rien.

Elle se dirigea d'un pas hésitant vers la salle de bains et commença à se déshabiller sans trop de hâte. Elle aperçut un peignoir en soie marron accroché à une patère. Elle l'enfila et en noua la ceinture. En ouvrant la porte, elle vit Robin en slip, debout devant la fenêtre. La chambre était plongée dans le noir, mais la lumière de la salle de bains éclairait ses larges épaules. Elle ne s'était jamais rendu compte à quel point il était bien bâti. Elle s'approcha de lui. Il se retourna et la prit par la main pour l'entraîner vers le lit avec beaucoup de douceur.

— Eh bien, on m'a toujours dit que les femmes d'expérience sont ce qu'il y a de meilleur au lit. Chère madame, il faudra me le prouver — étendez-vous là et faites-moi l'amour.

Ces mots la bouleversèrent — mais elle avait si ardemment désiré cet instant qu'elle lui céda. Après quelques préliminaires il la renversa sur le lit et se jeta sur elle comme sur une proie. Ce fut terminé très vite. Il s'étendit à côté d'elle et alluma une cigarette.

— Désolé, j'aurais dû faire un peu plus de cinéma, dit-il avec un sourire contraint. Mais je ne suis jamais en forme lorsque j'ai trop bu.

— Robin, pour ma part, cela a été merveilleux.

— Pas vrai ? (Il la regarda d'un air ahuri.) Mais pourquoi donc ?

— Parce que c'était vous, toute la différence est là.

Il bâilla :

— Si je me réveille dans le courant de la nuit je tâcherai de faire mieux.

Il l'embrassa distraitement et lui tourna le dos. Quelques minutes plus tard sa respiration régulière apprit à Judith qu'il s'était endormi. Elle le contempla. Ainsi, c'était donc cet homme que l'on avait surnommé le Robot d'Amour. Et maintenant ? Il s'attendait à ce qu'elle s'endorme à son tour. C'est ce qu'Ingrid aurait fait, et toutes ses autres maîtresses également. Pourquoi n'en ferait-elle pas autant ? Gregory était à l'hôpital. Elle n'avait de comptes à rendre à personne. Mais si elle avait à nouveau des bouffées de chaleur, en pleine nuit ? Et si par malheur elle se mettait à ron-fler. Elle avait partagé à Palm Beach la chambre de Gregory et il lui avait fait remarquer, non sans y prendre un malin plaisir, qu'elle ronflait. C'était une façon de rappeler à sa femme qu'elle n'était plus toute jeune.

Elle resta allongée, le regard fixé au plafond. L'âge modifiait tout. Plus possible de passer une nuit dans les bras d'un homme sans crainte de se trahir... Si elle s'endormait couchée sur le côté, il risquait de s'apercevoir que sa poitrine était flasque. Elle se rendit compte soudain qu'elle portait encore sur elle le peignoir marron. Robin n'avait pas pris la peine de le lui enlever. Il ne l'avait pas regardée et ne l'avait même pas touchée — il s'était contenté de la posséder sans se soucier d'elle.

Elle se laissa glisser hors du lit, entra dans la salle de bains et se rhabilla sans bruit. Lorsqu'elle entra dans la chambre Robin était assis sur son séant. Il paraissait entièrement dégrisé.

— Judith, vous partez déjà ? Quelle heure est-il ?

— Minuit. (Revêtue de son tailleur Chanel elle avait retrouvé toute son assurance.)

— Pourquoi diable vous êtes-vous rhabillée ?

— Je crois qu'il est préférable que je rentre au cas où l'on me téléphon-nerait de l'hôpital.

Il sauta à bas du lit et enfila son slip :

— Vous avez raison. Donnez-moi le temps de me rhabiller et je vous raccompagne. Ce sera vite fait.

— Non, Robin. (Elle s'approcha de lui et l'enlaça. Il n'était que minuit. S'il se rhabillait, il pourrait encore rejoindre Ingrid. Par ailleurs, il lui en voudrait s'il était obligé de sortir maintenant rien que pour se montrer galant.) Je trouverai facilement un taxi. Reposez-vous, vous avez une rude journée devant vous.

Il la prit par la taille et l'accompagna jusqu'à la porte. Ce fut elle qui lui demanda timidement :

— Vous reverrai-je demain ?

— Non, je pars pour Philadelphie. Je dois aller filmer Diana Williams.

— Quand serez-vous de retour ?

— Dans deux ou trois jours, cela dépendra.

Elle se blottit contre lui.

— Robin, vous ne m'avez même pas embrassée. (Il lui déposa obli-geamment un baiser sur le front.)

— Je veux dire vraiment embrassée.

Il sourit :

— Pas dans ce couloir rempli de courants d'air. (Il la regarda d'un air étrange.) Venez ici, dit-il soudain. (Il la prit dans ses bras et l'embrassa furieusement sur la bouche.)

— Voilà, fit-il en la poussant vers la porte. Je ne puis vous laisser rentrer chez vous insatisfaite, après les risques que vous avez pris.

Elle se dirigea vers l'ascenseur en se demandant pour quelle raison elle se sentait déprimée. Elle avait eu Robin et elle l'aurait encore. Seulement, la prochaine fois elle l'empêcherait de boire autant.

Mais au cours de la quinzaine qui suivit, l'état de Gregory se détériora si rapidement qu'elle n'eut pas le loisir de songer à un nouveau rendez-vous. Gregory allait certes beaucoup mieux au point de vue physique, mais son état mental se dégradait de jour en jour. Robin vint le voir à l'hôpital mais Greg se refusa obstinément à discuter avec lui des projets de télévision. Il restait prostré en robe de chambre et regardait le vide.

Lorsqu'on lui notifia sa sortie Gregory rentra chez lui et se mit au lit. Il refusait d'ajouter foi aux rapports du laboratoire. Il prétendait ressentir de fortes douleurs dans la nuque, et aux hanches.

— Ça me dévore intérieurement, je le sais, gémissait-il.

Et un matin il se réveilla paralysé à partir de la taille. Il ne pouvait plus bouger les jambes, il était incapable de s'asseoir dans son lit. Judith appela immédiatement le docteur Lesgarn. Il enfonça une aiguille dans le mollet du malade, constata qu'il n'avait aucune réaction, et fit venir une ambulance. On procéda à une exploration complète. Il ne s'agissait pas d'une attaque, ainsi que Judith l'avait redouté. Tous les examens se révélèrent négatifs. Un neurologue fut appelé en consultation.

Le docteur Chase, un éminent psychiatre, eut un long entretien avec Gregory. Un deuxième spécialiste fut convoqué à son tour au chevet de Gregory. Tous deux se montrèrent unanimes. La paralysie dont celui-ci souffrait n'était pas d'origine somatique.

Ils reçurent Judith et la mirent au courant de leur diagnostic. Elle fut terrifiée. Assise en face d'eux, elle les dévisageait.

— Je suggère son hospitalisation, déclara le psychiatre d'un air important.

Le médecin secoua la tête :

— Non, je parle d'un hôpital psychiatrique. Je vous conseille de le faire entrer à Payne Whitney ou bien à l'Institut Hartford.

Judith se couvrit le visage à deux mains :

— Non, non, pas Greg ! Il ne supportera pas de vivre au milieu d'un tas de gâteux.

Le psychiatre se raidit.

— Madame Austin, la plupart de ces patients sont des hommes de grande valeur, intelligents, et sensibles. Les gens dépourvus de sensibilité sont rarement victimes d'une dépression nerveuse.

— Peu importe. Gregory serait désespéré si on apprenait qu'il se fait soigner dans un institut de ce genre. Sa vie en serait brisée. Et les actionnaires de la IBC s'affoleraient — non, on ne peut pas courir ce risque.

Le docteur Lesgarn réfléchit puis il se tourna vers le docteur Chase :

— Et que diriez-vous de cet établissement en Suisse dont on dit tant de bien ? Gregory pourrait s'y faire admettre sous un nom d'emprunt. Ils ont aussi des bungalows où les malades peuvent vive en compagnie de leur épouse pendant la durée du traitement. Gregory y serait admirablement soigné et personne n'en saurait rien. Judith pourrait raconter aux journalistes qu'ils ont l'intention de faire tous deux un voyage prolongé en Europe. (Le praticien adressa un sourire à Judith.) Et rien ne vous empêcherait d'aller faire un saut à Paris ou à Londres d'où vous posteriez des cartes postales à vos amis afin d'accréditer cette version.

— Mais c'est ridicule, s'écria le docteur Chase. Il n'y a rien de déshonorant dans le fait d'avoir recours aux soins d'un psychiatre. Nous avons ici, aux Etats-Unis, des cliniques splendides. Je ne vois pas l'utilité de réclamer le secret.

Le docteur Lesgarn secoua la tête :

— Pour ma part, je partage l'avis de Mme Austin. Trop de publicité ferait du tort à la IBC du fait que Gregory a toujours été seul maître à bord. Si on apprenait qu'il n'est plus en état de diriger le réseau, les actionnaires prendraient peur. Partir se faire soigner en Suisse, c'est la meilleure solution. (Il se tourna vers Judith.) Cependant la cure pourra exiger un séjour de six mois à un an, peut-être davantage.

— J'en prends le risque, dit-elle d'une voix ferme.

Elle pria le docteur Lesgarn de faire le nécessaire immédiatement. Rentrée chez elle, Judith téléphona à Cliff Dorne d'abord, ensuite à Robin Stone. Elle leur demanda à l'un et à l'autre de venir la retrouver sur-le-champ.

Il était six heures lorsqu'ils se présentèrent chez les Austin. Judith les reçut dans le bureau de son mari et les mit au courant de la situation.

— Si un seul mot de cette affaire transpirait, j'opposerais un démenti formel et je vous mettrais à pied, sans hésitation. Etant donné que Greg n'est plus en mesure de prendre des décisions, je dois agir en son nom.

— Qui vous dit le contraire ? répliqua Cliff paisiblement. J'estime que vous avez bien fait d'exiger le secret. Les actions de la chaîne dégringoleraient immédiatement si la chose s'ébruitait. Et à ma modeste échelle, je suis actionnaire, moi aussi.

— Alors, nous sommes bien d'accord. (Les deux hommes acquiescèrent en silence.) Je tiens à ce que Robin Stone prenne la direction des affaires. Cliff, il faudra en aviser Dan dès demain. Vous lui direz que Greg a décidé de prendre de longues vacances à l'étranger et que ce sera Robin qui le remplacera pendant son absence. Les directives de Robin ne devront pas être discutées.

Judith ne releva pas l'expression d'incrédulité qui se lisait sur le visage de Cliff. Très digne, elle se leva pour leur signifier que l'entretien était terminé.

— Robin, si vous voulez bien rester quelques instants, j'ai à vous parler.

Cliff hésita avant de franchir le seuil :

— Alors j'attendrai dans le couloir. Il y a un certain nombre de points que je voudrais régler avec vous, madame Austin.

Elle eut un geste d'impatience :

— Est-ce que cela ne peut pas attendre à demain ? Je suis très lasse.

— Non, je crains que cela ne puisse pas attendre. Vous partez demain à minuit et il reste plusieurs questions urgentes que je tiens à vous soumettre.

Robin se dirigea vers la porte.

— Je vous verrai demain, madame Austin.

— Très bien. Pouvez-vous venir ici ? Peut-être pourrions-nous déjeuner ensemble ? J'aurai fort à faire avec tous les bagages.

— Je serai là à une heure,

Elle acquiesça d'un signe de tête et il quitta le bureau. Dès que la porte se fut refermée derrière lui, elle se tourna vers Cliff sans essayer de dissimuler sa mauvaise humeur :

— Qu'aviez-vous donc de si urgent à me dire ?

— Je voulais savoir si Greg est au courant des dispositions que vous avez prises.

— Gregory ne sait même plus comment il s'appelle ! Vous ne comprenez donc rien à rien ? Il est paralysé. Ce n'est plus le même homme...

— Madame Austin, vous rendez-vous compte de ce que vous êtes en train de faire ?

— Je fais exactement ce que Greg aurait fait.

— Ce n'est pas mon avis. Greg avait engagé Robin afin de limiter le pouvoir de Danton. Et voilà que non seulement vous confiez tous les leviers de commande à un seul homme mais encore vous lui laissez une entière autonomie.

— Si j'essayais de partager les responsabilités, tout le réseau s'écroulerait. Danton est jaloux de Robin, il ferait obstacle à toutes ses initiatives, et et rien ne se déciderait. Non, il faut qu'un seul homme prenne la barre.

— Mais alors, pourquoi pas Danton ?

— Parce que Gregory n'a pas confiance en lui.

— Et qui vous dit qu'il peut faire confiance à Robin ?

— J'ai eu sous les yeux une enquête sur Robin. Il dispose d'une très grosse fortune personnelle, ce qui implique qu'il n'est pas à vendre.

Cliff haussa les épaules :

— L'amour du pouvoir s'acquiert à l'usage. Il suffit de le détenir pour y prendre goût. Par ailleurs, j'estime que Dan est plus qualifié pour ce poste.

— Il est trop porté sur la boisson.

— Ce qui ne l'a jamais empêché de faire du bon travail. Il a produit plusieurs émissions excellentes. Il sait diriger une chaîne de télévision. Et quelle sera, d'après vous, sa réaction lorsqu'il apprendra la promotion de Robin ?

— C'est son affaire.

— Vous le mettez dans une situation impossible. Il se croira obligé de démissionner pour sauver la face.

— Vous estimez qu'il préférera se retrouver sans emploi ?

— On fait n'importe quoi sous le coup le l'émotion. Dans ces cas-là on ne prend pas le temps de réfléchir.

— Eh bien, à lui de décider. Je ne vous retiens plus.

Le lendemain matin Cliff Dorne annonça la nouvelle à tout le personnel réuni. Une demi-heure plus tard Danton Miller lui remettait sa démission. Cliff essaya de lui faire entendre raison.

— Ne te laisse pas abattre, Dan. Les choses n'en resteront pas là. Gregory reviendra. J'ai toujours cru que tu savais nager. Prouve-le moi !

Dan eut un pâle sourire :

— Il arrive dans la vie que l'on soit obligé de se retirer pour survivre.

Ne te fais pas de bile pour moi, Cliff. En attendant, qui comptez-vous mettre à ma place ?

Cliff haussa les épaules :

— Logiquement on aurait dû désigner George Anderson, mais Robin a déjà convoqué Sammy Tabet.

— Ne le laisse pas faire ! s'écria Dan. Sammy est un type bien mais il appartient à la même classe sociale que Robin. Harvard, le grand monde et tout ça. Il emboîtera toujours le pas à Robin.

Cliff sourit :

— Moi aussi il faut que je survive. Et pour moi, survivre ça signifie rester dans la place et surveiller la boutique. Pour l'instant, je n'ai pas les moyens de contrer Robin, je peux seulement l'avoir à l'œil.

Robin sentait l'hostilité de Cliff à son égard. Mais il n'avait que faire d'être populaire. Il s'entendait parfaitement bien avec Sammy Tabet et quelques semaines plus tard la plupart des employés de la IBC avaient oublié que Danton Miller avait un jour fait partie de la maison. Les sous-directeurs mirent leurs complets noirs et leurs cravates noires dans la naphtaline et adoptèrent à l'instar de Robin des complets de flanelle grise.

Pour ce qui était de Robin, il travaillait sans relâche. Il regardait la télévision tous les soirs et ne faisait que de rares apparitions au Lancer. Peu à peu il perdait tout contact avec le monde extérieur. Rien n'existait plus pour lui en dehors de la IBC. Il épluchait tous les programmes et avait une douzaine de nouveaux projets à visionner sur la Côte.

Il était sur le point de se rendre à l'aéroport lorsque Dip lui téléphona. Depuis quelques semaines ses activités ne lui avaient même pas laissé le temps de penser à celui-ci.

— Comment va le grand directeur ? fit la voix joviale de Dip à l'autre bout du fil. Je voulais te téléphoner depuis plusieurs jour pour t'en féliciter, mais j'ai été si occupé avec les affaires de Pauli.

Robin ne put s'empêcher de sourire :

— La dernière fois qu'on s'est vus, tu parlais de lui casser la figure.

— Tu me connais, vieux frère. Je m'enflamme facilement mais ça me passe aussi vite. Sache que Pauli ne peut plus faire un pas sans moi. Je la fais travailler, je la conseille. Veux-tu parier que si Diana Williams continue à dégringoler ce sera Pauli qui la remplacera à Broadway ? Dis donc, et si tu m'accompagnais à Philadelphie ce soir, tu pourrais venir voir le spectacle.

— J'allais justement prendre l'avion pour me rendre en Californie. Désolé, Dip, mais j'ai un tas de rendez-vous là-bas, je dois étudier les projets d'émissions pour février.

— Tant pis. Mais profite donc de ton séjour sur la Côte pour crier sur les toits que ton ami Dip prépare un grand coup.

— Et c'est vrai ?

— Penses-tu ! Mais tu peux toujours le dire. Ils sont tellement crédules là-bas !

Le voyage de Robin fut des plus monotones et il se surprit à songer à Judith Austin. Leur dernier déjeuner n'avait été qu'un rendez-vous d'affaires. Cependant, à l'instant de se séparer elle l'avait regardé dans les yeux en murmurant : « Ciao — pour le moment. » Il avait d'abord été tenté d'ignorer ce que son adieu contenait d'intimité. Mais elle lui avait paru si faible et si vulnérable dans cette grande maison qu'il en avait été touché. C'était absurde, mais elle lui avait fait soudain penser à Kitty. Il lui avait pressé tendrement la main et s'était obligé à sourire d'un air dégagé en murmurant à son tour : « Oui, *ciao* — pour le moment. »

Robin savait que Gregory serait longtemps absent ; Judith aurait tout le temps de faire de nouvelles conquêtes en Europe. Il la chassa de son esprit et s'efforça de concentrer son attention sur le film choisi par la compagnie aérienne. Il étudia ensuite le découpage des projets qu'il devait visionner à son arrivée. Il avait hâte d'atterrir, de se dégourdir les jambes — mais surtout il était impatient de revoir Maggie Stewart.

A peine installé dans sa chambre au Beverly Hills, il lui téléphona. Elle parut fort surprise d'entendre sa voix. Elle accepta de venir le retrouver à six heures au Polo Lounge.

Dès qu'elle fit son entrée, il se dit qu'il avait oublié à quel point elle était belle. Elle se glissa près de lui en souriant :

— Je m'étais imaginé que tu ne voudrais plus jamais m'adresser la parole après cet incendie.

Il lui tapota la main :

— Tu plaisantes ! J'ai trouvé ça très drôle.

— Comment marche la pièce de Diana ? questionna-t-elle.

— Je n'en sais rien. Je n'ai plus vu cette dame que pour parler affaires. J'ai l'impression que quelqu'un a réduit en cendres notre idylle naissante. Et toi, comment marche ton nouveau film ?

Elle fit la grimace :

— J'en ai vu un prémontage la semaine passée. (Elle avala son whisky et en commanda un autre.)

Il la regarda avec curiosité :

— Il est si mauvais que ça ?

— Un vrai navet. Si je n'avais déjà signé pour trois autres films je crois que je renoncerais au cinéma. Je pense d'ailleurs qu'il ne passera même pas en exclusivité. Il sortira directement dans les salles de quartier.

— Ça arrive à tout le monde de tourner dans un mauvais film.

Elle acquiesça :

— J'aurais peut-être pu avoir une chance de me rattraper avec le prochain. C'est Adam Bergman qui doit le diriger.

— Un excellent metteur en scène.

— A coup sûr. Il est même arrivé à me faire jouer comme si j'étais une actrice !

— Mais alors, qu'est-ce qui ne colle pas ?

— Il ne me donnera le rôle que si... j'accepte de l'épouser ! (Robin resta silencieux.) Je suis décidée à refuser. Oh, je t'en prie, ne prends pas cet air coupable. Je le lui avais déjà dit avant Noël. (Brusquement ses yeux lancèrent des éclairs.) Et puis oui, après tout tu devrais te sentir coupable, espèce de sale type. Tu as quasiment réussi à me rendre frigide !.

Cette affirmation sembla amuser vivement Robin.

— Allons donc, je ne suis pas extraordinaire à ce point.

— Ça tu peux le dire ! C'est ma faute. Tu avais raison, je suis cinglée. De toute façon, j'ai consulté un psychanalyste et il m'a révélé à quel point j'avais une haute idée de moi-même.

— Un psychanalyste, grands dieux ! Mais quel rapport entre cette révélation et ton mariage avec Adam ?

— Je me refuse à faire un mariage du genre Hollywood, du moins un mariage tel que le souhaite Adam. Pendant que j'ai vécu avec lui, sur la Côte — j'ai fait des choses dont je ne me croyais pas capable. Très drôle, non ? Lorsque je suis allongée sur le divan de mon psychanalyste, je dis « Où sont-ils tous passés ? Où est la Maggie de jadis — celle qui vivait à Philadelphie, vibrante d'espoir et d'amour ? Cette fille qui fait des trucs idiots, ça n'est pas moi... »

— Mais qu'est-ce qui t'a poussée à aller te faire analyser ?

— Cet incendie... Lorsque je me suis rendu compte que des gens auraient pu mourir dans les flammes, j'ai été horrifiée.

— N'en parlons plus. J'ai un lit tout neuf, avec une couverture en amiante, garantie incombustible.

Ils dînèrent chez Dominick, après quoi ils allèrent boire quelques verres aux Melton Towers. Robin passa trois journées entières à visionner des enregistrements et trois nuits avec Maggie. Le jour de son départ ils se se retrouvèrent au Polo Lounge pour y boire un dernier pot ensemble. Elle lui tendit un petit paquet :

— Ouvre, lui dit-elle, c'est un cadeau.

Il contempla le mince anneau d'or dans son écrin de velours :

— Qu'est-ce que c'est ? On dirait une petite raquette de tennis.

Elle rejeta la tête et éclata de rire :

— C'est un *ankh*, une croix ansée, si tu préfères.

— Et qu'est-ce que ça signifie ?

— C'est un symbole égyptien — Cléopâtre en portait toujours un. Cela signifie persistance de la vie et de la génération. C'est-à-dire toi ! Pas une femme qui puisse t'oublier et il en sera toujours ainsi. Ce petit insigne est pour moi un symbole sexuel, celui de la sexualité qui domine tout. (Elle lui passa l'anneau au petit doigt.) Mince, brillant et beau. Comme vous, monsieur Stone ! Et je tiens à ce que tu le gardes. Dans un certain sens, c'est ma façon de te marquer au fer rouge. Bien sûr, tu le mettras au panier dès que j'aurai tourné les talons — mais je vais tout de même faire semblant de croire que tu le porteras toujours et que toutes les femmes qui le verront te demanderont ce qu'il signifie. Peut-être auras-tu le cran de le leur dire.

— Maggie, j'ai horreur des bijoux, dit-il en pesant ses mots. La plupart du temps, je ne supporte même pas de montre. Mais ta bague, je la porterai, c'est promis.

— Tu sais quoi ? fit-elle lentement. J'avais entendu parler de gens qui éprouvaient tout à la fois amour et haine pour un être. Mais je ne savais pas ce que cela signifiait avant de t'avoir rencontré.

— Maggie, tu me m'aimes pas et tu ne me hais pas davantage.

— C'est faux, je t'aime, dit-elle d'une voix très calme et je te hais pour m'avoir obligée à t'aimer.

— Quand vas-tu commencer le tournage de ton prochain film ?

— Dans dix jours.

— Viens à New York avec moi.

L'espace d'un instant, ses yeux s'illuminèrent :

— C'est bien vrai ? Tu as réellement envie que je vienne ?

— Mais ouî. La IBC a mis à ma disposition un avion particulier. Un jet avec un grand lit — nous pourrons nous y vautrer pendant toute la durée du trajet. (Elle resta silencieuse.) Ecoute, Maggie, nous irions voir tous les spectacles et si le temps le permet, je t'emmènerai faire un tour à la campagne. Tu peux t'arranger pour venir ?

— Robin, je laisserais tomber toute ma carrière si j'étais sûre que tu aies *besoin* de moi. Je ne parle même pas de mariage, je parle uniquement de *besoin*. Et dans ce cas-là, je te suivrais n'importe où.

Il lui lança un regard étrange.

— Qui a jamais parlé de besoin ? Je t'ai demandé de venir à New York. Il me semblait qu'un changement de décor te ferait du bien.

— Tiens donc, un petit voyage d'agrément ?

— Exactement, la vie ne devrait être que cela, mon chou.

Elle se leva d'un geste si brusque qu'elle renversa les verres encore pleins sur la nappe :

— Sache que j'en ai ras le bol ! Oh ! je ne dis pas que je ne me précipiterai pas vers toi quand tu me téléphoneras à ton retour. Il y a même des chances pour que je couche encore avec toi. Parce que je suis une *malade*. Mais je fais confiance à mon psychanalyste, il me remettra d'aplomb et un jour viendra où ce sera toi qui auras besoin de *moi* — mais voilà, je ne serai plus là !

Robin lui lança un regard glacial.

— Tu n'y as rien compris, mon chou. Je n'ai jamais eu besoin de personne. Mais il se pourrait que tu aies besoin d'Adam Bergman, ne serait-ce que pour tourner enfin dans un film qui ne soit pas un navet.

Elle se pencha sur lui et le regarda droit dans les yeux :

— Sachez, monsieur Stone, pour utiliser l'argot de ma nouvelle profession, que j'*en pince pour vous*. — Oui j'en pince pour vous ! — Mais il n'empêche que vous êtes le roi des salauds !

Elle quitta le bar sans se retourner. Il termina lentement son verre, après quoi il se fit conduire à l'aéroport. Il était prêt à jeter l'anneau de Maggie dans une corbeille à papiers, mais il le serrait trop et il ne réussit pas à le retirer. Il sourit. Peut-être l'avait-elle réellement marqué, après tout.

En rentrant à New York, il apprit qu'à Philadelphie Diana Williams s'était retirée du spectacle — c'était Pauli qui avait repris le rôle. Elle y remportait un vrai triomphe, à tel point qu'Ike Ryan prenait le risque de monter la pièce à Broadway, avec Pauli en vedette.

Dip qui avait émigré à Philadelphie, lui aussi, inondait presque chaque jour Robin de bulletins de victoire. Dans un effort destiné à sauver le *Phénomène Diana Williams*, Robin partit avec toute une équipe de techniciens à Philadelphie pour y filmer Pauli. De retour à New York il visionna toute l'émission et fut surpris de constater sa qualité. Dans la première partie, ils avaient filmé Diana au cours d'une répétition, Diana parlant de son retour à la scène, puis les manchettes des journaux annonçant sa « maladie ». Dans la deuxième partie on voyait Pauli succédant à Diana, une interview de Pauli et enfin Pauli prenant possession de la loge de la vedette. L'ensemble avait un côté mélo mais qui ne manquerait pas de plaire au grand public.

Le spectacle fut monté à New York. Pauli eut droit à des critiques délirantes d'enthousiasme. Pourtant, chose bizarre, aucun producteur de films ne lui fit la moindre offre. Dip s'en montra mortifié et ne voulut pas entendre les explications de ses managers. D'après eux, Pauli était avant tout une actrice de théâtre, elle avait une telle présence qu'elle deviendrait avant peu une grande étoile au firmament de Broadway. Il fut ulcéré en apprenant que Hollywood avait engagé une vedette de cinéma célèbre pour reprendre le rôle de sa femme à l'écran.

Robin programma le *Phénomène Diana Williams* au mois de mai. Les résultats répondirent exactement à ses prévisions. L'émission remporta un triomphe et fut classée première au box-office.

Pour Robin cet été commençait bien. Les nouveaux programmes volaient de succès en succès. Il sortit avec quelques-unes des plus jolies partenaires de Pauli et tenta même de se montrer aimable avec celle-ci, mais elle tournait délibérément les talons dès qu'elle l'apercevait. Il fit semblant d'ignorer l'hostilité de Pauli à son égard et prit l'habitude de s'installer au Sardi's avec les compagnes que Dip lui amenait régulièrement. Néanmoins, à mesure que la légende qui entourait son pouvoir prenait de l'ampleur, il renonça à ses soirées au Sardi's et reprit ses vieilles habitudes au Lancer. Désireux d'éviter managers, confrères et vedettes, il s'abstint également de retourner au 21 et au Colony. Il n'avait pas tardé à comprendre qu'un « non » énergique, accompagné d'un sourire décidé, était le meilleur moyen de couper court aux discussions lorsqu'il était résolu à refuser une émission. Il s'était juré de ne jamais se mettre en colère ni de perdre son sang-froid. Il ne disait jamais « j'y réfléchirai ». C'était toujours un « oui » ou un « non » catégorique. Il ne tarda pas avec ce système à s'attirer la réputation d'être un salaud impitoyable qui avait le pouvoir de lancer ou de démolir une carrière. Lors de ses rares apparitions au 21 il s'aperçut avec stupeur que sa présence inspirait une sainte terreur à tous ceux qui fréquentaient le club.

A la même époque il découvrit que sa nouvelle réputation engendrait un phénomène plutôt curieux. Pour la première fois de sa vie, il avait du mal à faire de nouvelles conquêtes. Il fuyait les starlettes : elles auraient exigé pour prix de leurs faveurs un engagement. Il était obligé de s'en tenir aux hôtesses de l'air, mais ne les gardait jamais longtemps. Il leur fixait rendez-vous, elles arrivaient toutes pimpantes, espérant que Robin les emmèneraient au El Morocco ou chez Voisin pour un souper fin, mais elles ne tardaient pas à déchanter. Les invitations de Robin Stone se résumaient à un dîner au Lancer, une séance de cinéma ou un tête-à-tête dans son appartement. N'était la complaisance de Dip, le grand séducteur aurait dû se résoudre à renoncer totalement aux plaisirs de l'amour. Mais Dip était un pourvoyeur fidèle qui lui amenait des filles à la chaîne. D'ailleurs les nouvelles fonctions de Robin ne lui laissaient guère de loisirs. Deux ou trois séances par semaine, il n'en demandait pas plus. Et il gardait toujours la petite bague de Maggie à son doigt. Quand une de ses partenaires le questionnait à ce sujet, il répondait invariablement : « Cet anneau signifie que je suis amoureux de *toutes* les femmes. C'est un symbole de longue vie et d'inépuisable puissance sexuelle. »

Deux fois par semaine il recevait une carte de Judith. Pour sa part, Cliff Dorne veillait à ce que paraissent régulièrement dans la presse des échos relatant les diverses étapes du voyage en Europe de Gregory Austin.

La veille du 1er mai, Dip Nelson entra comme un fou dans le bureau de Robin et lui déclara qu'il était sûr et certain que Pauli le cocufiait avec son partenaire, Lon Rogers. Au même instant Cliff Dorne téléphona à Robin pour lui dire qu'Ethel et Christie Lane avaient la joie d'annoncer la naissance d'un beau garçon pesant neuf livres.

Robin rassura Dip en lui affirmant qu'il ne s'agissait certainement que de « ragots de Broadway », après quoi il téléphona chez Tiffany pour faire expédier au jeune Christie un gobelet en argent.

Ce soir-là, il déambula seul à travers Broadway, et entra dans un cinéma qui passait un affreux navet dont Maggie Stewart était la vedette.

29

Robin attendait, assis dans son appartement, le premier *Christie Lane Show* de la saison. Depuis plusieurs jours déjà, les journaux faisaient allusion à la grande « surprise » que Christie réservait aux téléspectateurs. Robin était persuadé que Christie allait présenter son bébé au grand public.

Sans se retourner, il tendit son verre vide à Dip Nelson qui s'empressa d'aller le remplir.

— Un scotch léger pour moi, Dip, précisa-t-il.

Il observa Dip tandis que celui-ci s'approchait du bar. Robin n'ignorait pas les ragots qui couraient en ville au sujet de leur amitié. Il s'était contenté de sourire le jour où Jerry Moss lui avait rapporté qu'aux yeux de tous Dip servait d'entremetteur à Robin. En fait, il continuait à voir aussi fréquemment Dip parce qu'il en avait pitié. Il sentait que malgré l'exaltation que lui procuraient les succès de Pauli, il ne se plaisait nullement dans le rôle de « mari de la vedette ». Toutefois, Dip ne se plaignait jamais.

A deux reprises Robin avait engagé Dip dans des émissions de variétés. Les deux fois, les critiques avaient été meurtrières. Un journaliste avait même fait allusion aux relations haut placées de Dip à la IBC. Robin se souciait comme d'une guigne des racontars. Si Dip avait eu le moindre talent, Robin aurait veillé à ce qu'il figurât dans toutes les émissions de la chaîne. Mais à la télévision Dip était vraiment exécrable ; son physique ne suffisait pas. Il y avait un tas de garçons beaucoup plus beaux que lui qui se contentaient de figurer dans les spots publicitaires.

— Du whisky ? Qu'est-ce qui te prend ce soir ? demanda Dip en tendant à Robin son verre.

— C'est le début d'une nouvelle saison et que je tiens à être parfaitement lucide lorsque je visionne une émission. Nous aurons tout le temps d'aller ensuite au Lancer pour nous payer une cuite.

— Robin, j'aimerais d'abord que tu m'accompagnes au Danny's. Voilà qui me rendrait bougrement service.

— Pourquoi ça ? demanda Robin en tournant le bouton de son téléviseur en couleurs.

— Tu connais pas l'histoire ? Le milliardaire J.P. Morgan reçoit un jour un quémandeur venu lui demander une introduction. Morgan prend le pauvre bougre par le bras et l'emmène à la Bourse. Et là il lui explique : « C'est la meilleure façon de vous introduire, mon ami. »

Robin sourit.

— D'accord, on ira ensemble là-bas après l'émission.

Dip se rua comme un gosse sur le téléphone et parlementa pour se faire réserver une table bien placée au Danny's. Puis comme le *Christie Lane Show* commençait, Robin tourna le bouton du son.

Dès le début, Robin fut frappé de stupeur. Il crut tout d'abord qu'il s'agissait d'un gag et que d'un instant à l'autre on comprendrait que le frac de Christie n'était qu'un accessoire destiné à amuser le public. Mais après le premier spot publicitaire, il se rendit compte qu'il n'en était rien. Les réalisateurs avaient réellement eu l'intention de filmer une comédie musicale du genre « distingué ». Le résultat en était si lamentable que l'on aurait pu croire qu'il s'agissait d'une parodie. Seule la jeune personne qui donnait la réplique à Christie avait assez de talent pour tirer son épingle du jeu.

Dip alla chercher une bouteille de bière à la cuisine. Pendant quelques instants, il suivit l'émission d'un œil plus ou moins distrait tout en se demandant pourquoi Robin n'en perdait pas une miette. Au bout d'un moment il préféra se réfugier dans le bureau et regarder un western sur le petit téléviseur portatif. Robin comprendrait : ce n'était pas drôle pour lui de regarder une émission dont il avait été exclu.

Le *Christie Lane Show* terminé il rejoignit Robin et voulut s'excuser d'avoir quitté la pièce — mais Robin ne s'était même pas aperçu de son absence. Il paraissait profondément plongé dans ses réflexions.

— Alors, comment t'as trouvé ça, vieux frère ? demanda Dip d'une voix enjouée.

— Atroce.

— Bof, ils feront mieux la semaine prochaine. (Dip avait hâte d'aller au Danny's avec Robin.)

— On croit rêver ! Et dire que la NBC passe une très bonne comédie à la même heure, et la CBS un excellent film policier. On a sûrement perdu la moitié des téléspectateurs au cours de la deuxième partie. On va avoir une cote désastreuse !

— Allons, mon vieux, il est temps de filer. On ne peut plus rien y changer. Ce sont des choses qui peuvent arriver à n'importe qui.

— Pas à moi, dit Robin d'un ton froid. (Il appela la IBC sur sa ligne directe.) Robin Stone à l'appareil. Passez-moi immédiatement Artie Rylander, sur la côte. Vous avez le numéro de son domicile, il habite Brentwood. J'attends. (Il alluma une cigarette.) Je me moque pas mal de savoir si la ligne est occupée ! hurla-t-il dans le récepteur. Coupez la communication et envoyez-les à tous les diables.

Lorsqu'il finit par avoir Artie au bout du fil, il grinçait littéralement des dents :

— Alors, Rylander, explique-toi ! Comment as-tu pu les laisser tourner une pareille ordure ? Tu n'as pas vu que ce serait un bide ?... Pourquoi ne m'as-tu pas prévenu ?.... Je me fous pas mal de Noël Victor ! C'est peut-être un excellent parolier pour Newley ou pour Robert Goulet, mais pas pour Christie Lane... Qu'est-ce que tu me chantes là ? quoi ? Chris a envoyé dinguer nos paroliers ? Je sais bien que Chris possède un gros paquet d'actions mais la IBC aussi ! Et c'est nous qui disposons du temps d'antenne. Quoi, des nouvelles chansons ? Ecoute-moi bien, Artie, pour nous, il n'y a pas de nouvelles chansons qui tiennent, l'important ce sont les chansons connues, c'est ça que le public demande... Ne me parle pas de Broadway. A Broadway, on peut se permettre d'innover, la critique en parle, et le public s'y fait à force d'entendre les mélodies en disques ou dans les juke boxes. Nous autres, nous n'avons pas le temps de lancer des airs inédits avec une seule émission hebdomadaire. Sans compter que Chris Lane n'est pas Rex Harrison ! Chris, c'est le petit Américain moyen. Dans son bel habit, il avait tout d'un pingouin suralimenté. Tu lui diras de ma part de remanier son show et de revenir à l'ancienne formule. Qu'il reprenne la petite chanteuse qui figurait avec lui dans les sketchs et l'animateur habituel. Et qui est ce génie à la manque qui a eu l'idée d'introduire un corps de ballet dans cette émission ? Tu ne sais pas qu'un ballet classique ne donne rien sur le petit écran ? Et j'aime mieux ne pas penser aux frais supplémentaires que va nous coûter cette connerie... Je me fous de Noël Victor et de son contrat. Tu vas immédiatement contacter nos anciens paroliers. Quoi « il n'acceptera pas » ! On l'obligera à accepter... Non, je n'ai pas lu son contrat mais je le ferai dès ce soir ! Et je te rappellerai demain matin. (Il raccrocha brutalement l'écouteur.)

— Robin, si on ne se grouille pas, ils ne vont plus nous garder notre table, gémit Dip.

Robin traversa la pièce et enfila sa veste :

— Dîner, voilà bien le cadet de mes soucis. (Il revint dans le living et décrocha son téléphone.) Passez-moi Cliff Dorne. Il doit être chez lui, à Rye. Vous avez son numéro. (Il fit signe à Dip de lui apporter ses cigarettes.) Allo, Cliff ? Robin Stone à l'appareil.

— Un instant, Robin, ne quitte pas. Je prends la communication dans l'autre pièce. (Robin alluma sa cigarette, puis il entendit de nouveau Cliff à l'autre bout du fil.) Excuse-moi, nous avons une petite réunion de famille ce soir...

— Comment as-tu trouvé le show de Christie Lane ? (Cliff resta silencieux.) Ah ! Tu l'as trouvé exécrable toi aussi !

— Ma foi... pour être franc, je ne l'ai pas regardé. Tu comprends...

— Comment ça tu ne l'as pas regardé ?

— Ecoute, Robin, ma belle-mère fête ses soixante-dix ans. Nous faisons une petite fête de famille. On est en train de dîner.

— Son émission était dégueulasse, annonça Robin sèchement.

— Je me ferai passer la bande dès demain matin.

— Viens me rejoindre au bureau. Tout de suite.

— Quoi ?

— Tout de suite ! C'est toi qui as les clés du casier qui contient les dossiers, pas vrai ?

— Robin... ça ne peut pas attendre jusqu'à demain ? La mère de ma femme...

— Je m'en moque et même s'il s'agissait de la mère de Rembrandt ! Rapplique ici en vitesse.

— Robin, comprends-moi. S'il s'agissait de ma propre mère, je n'hésiterais pas. Mais ma femme ne voudra jamais admettre que je sois obligé de partir maintenant. Je n'ai pas une admiration sans bornes pour sa mère. Nous observons une trêve, elle et moi, depuis trente ans déjà. Si je m'en allais...

— Elle est à ta charge ?

— Non, elle est sapeur-pompier ! Bien sûr, qu'elle est à ma charge ! Je lui ai même offert une étole de vison pour son anniversaire. C'est plutôt idiot de faire une dépense pareille pour une femme de son âge — mais je la connais, elle survivra à son vison.

— Cesse de me bourrer le mou avec tes boniments. Amène-toi au bureau en vitesse.

— Robin, je crains de ne pouvoir y être avant demain matin.

— Dans ce cas, nous n'aurons plus besoin de toi !

Il y eut une pause.

— C'est bon, j'arrive, annonça Cliff d'une voix glaciale. Mais tu profiteras de l'occasion pour jeter un coup d'œil sur mon contrat à moi. Je ne suis pas *ton* employé et je ne travaille pas sous *tes* ordres. Je suis le chef du service judirique de la IBC et pas un garçon de bureau qu'on peut foutre à la porte...

— Si tu es au bureau dans une demi-heure, ta belle-mère aura peut-être droit l'an prochain à une deuxième étole de vison. Si tu ne te pointes pas, tu pourras toujours la rendre au fourreur. C'est *moi* qui dirige la boîte maintenant. Et sache que personne n'est irremplaçable. On a sur les bras une émission-vedette qui menace de couler si on n'agit pas en vitesse. Il faut que je voie si on peut encore la sauver. Et pas demain matin — tout de suite !

— D'accord, Robin.

— Encore une chose, Cliff. Si tu ne crois pas pouvoir travailler avec moi, je te conseille de déménager tes affaires du bureau dès ce soir.

— Je ne vois pas pourquoi je ne continuerais pas à travailler avec toi — jusqu'au retour de Gregory. A ce moment-là on pourrait avoir un petit entretien tous ensemble.

— A ton aise. Et maintenant, souffle les bougies, souhaite un joyeux anniversaire à Madame mère et magne-toi !

Robin raccrocha. Il s'approcha de la baie vitrée et contempla longuement les lumières qui se reflétaient dans le fleuve.

Dip se mit à rire :

— Tiens, tu me fais penser à une phrase que j'avais à prononcer dans un film à la noix : « A nous deux, New York ! »

Robin se retourna :

— Que veux-tu dire ?

— Oh rien, c'est un cliché. Mais voilà l'impression que tu m'as donnée — le grand méchant loup prêt à dévorer Madison Avenue, mordre, mordre et tuer !

— Je ne fais que mon métier.

— Et le Danny's dans tout ça ?

— Pas le temps.

— Ecoute-moi, Robin, ce mec habite Rye, il n'aura pas le temps de faire ce long trajet en une demi-heure. Tu pourrais tout au moins venir avec moi au Danny's en coup de vent.

— Non, toute cette histoire m'a coupé l'appétit. Je n'ai même pas envie de boire. Je t'y accompagnerai un autre jour.

— Mais c'est que je connais quelques grosses légumes qui y seront ce soir et je m'étais débrouillé pour nous faire réserver une table tout près de la leur.

— Alors, vas-y. Raconte à qui tu voudras que je dois te rejoindre, que je suis un pote à toi. D'ailleurs je me suis laissé dire que tu ne te prives pas de le crier sur les toits. Tu n'auras qu'à me téléphoner de la table en parlant très fort. Personne ne répondra. Tu diras : « D'ac, Robin je passe chez toi tout à l'heure. » (Robin fouilla dans sa poche, en tira un billet de cinquante dollars qu'il lança sur le divan.) Voilà, pour te payer à dîner.

Il se dirigea vers la porte. Dip ramassa le billet et lui emboîta le pas. Arrivé en bas, Robin sauta dans un taxi.

— Si tu n'en as pas pour longtemps, viens me retrouver là-bas. Je ne ferai le coup du téléphone que dans une heure, lui cria Dip.

Il était quatre heures du matin lorsque Robin et Cliff eurent fini d'éplucher le contrat.

— Rentre chez toi, Cliff, dit Robin d'une voix très lasse. Nous avons examiné toutes les clauses, c'est sans espoir. Nous sommes faits comme des rats.

Cliff enfila son manteau et resserra le nœud de sa cravate.

— Le jour où nous lui avons cédé une partie des droits sur l'émission, nous nous étions réservé un droit de regard sur le choix des interprètes, nous avions toutefois cédé à Christie le contrôle de la partie artistique et de la réalisation.

Robin alluma sa dernière cigarette et froissa le paquet vide :

— Et qui est le génie qui a été imaginer une clause aussi ambiguë que celle-là ? Comment peut-on avoir un droit de regard sur le choix des interprètes si c'est Christie qui est responsable de la réalisation artistique ?

— C'est une vieille histoire qui date de l'époque de la *Chasse aux sorcières*. La clause n'a jamais été abolie. C'était une façon de permettre à une chaîne de balancer un artiste qui ne plairait pas au commanditaire ou ne conviendrait pas à son image de marque.

Robin réfléchit pendant quelques instants :

— Est-ce que nous ne pourrions pas refuser en bloc toute sa distribution jusqu'à ce qu'il accepte de revenir à l'ancienne formule ?

— Encore faudrait-il avoir une raison valable pour le faire. Prétendre, par exemple, que les artistes actuels risquent de nuire à l'image de marque du commanditaire. Or, d'après ce que tu m'en as dit son émission était parfaitement chiante, mais réalisée avec un goût irréprochable. Donc impossible d'incriminer la distribution sans courir le risque d'outrepasser nos droits.

Robin écrasa sa cigarette :

— Bon, si je comprends bien, voilà une de nos émissions-vedettes de fichue !

— C'était vraiment si mauvais que ça ? questionna Cliff.

— Tu verras la bande tout à l'heure. Et je devine le genre de cote que nous allons récolter. Il quitta Cliff d'un air las.

Il commençait à faire jour lorsque Robin s'engagea dans Madison Avenue. Il savait ce qui lui restait à faire. Inutile de se lamenter sur le *Christie Lane Show*. Sa décision était prise. Fin juin l'émission serait retirée du programme. Il lui fallait maintenant dénicher quelques bonnes émissions, davantage de comédies et davantage de violence aussi. Il convoquerait tous ses collaborateurs ce matin même, il engagerait des écrivains, il demanderait à visionner tous les projets en cours.

En janvier, Robin créa une véritable sensation dans les milieux de la télévision lorsqu'il annonça sa décision de retirer du circuit le *Christie Lane Show* dès la fin du mois de juin. Il dit à Jerry de ne pas se tracasser. Il comptait dénicher un bon sujet pour la prochaine saison et les commanditaires de Jerry auraient priorité dessus.

La résiliation du contrat de Christie souleva une tempête non seulement parmi les professionnels mais également dans la presse. Tous les grands quotidiens en parlèrent. Deux jours après la publication de la nouvelle, Christie se vit offrir des contrats par la NBC et la CBS pour les mois à venir.

Bien que la cote de Christie eût baissé, il continuait sa nouvelle formule. Sa célébrité était fantastique. Christie et Ethel étaient de toutes les réceptions. Depuis qu'ils s'assuraient les services de Cully & Hayes, et de Noël Victor, Ethel fréquentait la « bande à Alfie ». Alfie ne jurait que par elle, et elle acceptait de couvrir ses affaires de cœur avec ses petits amis. Ethel, Alfie et le favori du moment assistaient à toutes les grandes premières tandis que Christie travaillait à la préparation de son show.

Chris avait reçu des offres fermes de la part des chaînes NBC et CBS, mais il attendait pour signer. Les émissions qu'on lui proposait ne lui accordaient qu'un côté d'animateur brillant. En février, il vint à New York pour tenter de régler le différend qui l'opposait à Robin Stone et trouver un biais qui lui permettrait de conserver son poste à la IBC. Il chargea l'agence Johnson & Harris de faire savoir à Robin qu'il acceptait de revenir à l'ancienne formule. La « nouvelle » formule avait été une idée d'Ethel qui espérait ainsi se faire admettre dans la bande d'Alfie dont Noël Victor était l'un des amis intimes. Eh bien, c'était gagné ! Elle était même si bien admise que son mari ne la voyait pour ainsi dire plus. Pour sa part, il ne demandait pas mieux que de revenir à l'ancienne formule ; c'était tellement plus facile pour lui de chanter les chansons qu'il connaissait que d'en apprendre de nouvelles chaque semaine.

A son arrivée, Chris fut stupéfait d'apprendre que ses agents n'avaient même pas réussi à obtenir un rendez-vous avec Robin Stone. « Quand Stone dit non, c'est non », lui avait-on expliqué. « Il ne vous laisse même pas une chance de discuter... »

Christie essaya cependant d'entrer en rapport avec Robin. A chaque fois, il s'entendit répondre : « Désolé, M. Stone est en conférence. »

Chris appela Danton Miller. Dan se montra ravi d'avoir de ses nouvelles et l'invita à venir au 21. A quatre heures de l'après-midi le bar était pour ainsi dire désert. Chris et Dan s'installèrent autour d'une table, face au comptoir et passèrent une bonne heure à mettre en pièces leur ennemi commun, Robin Stone. Cela mit du baume au cœur de Christie.

— Toi au moins, tu as des offres de la part de deux autres chaînes. Tiens, regarde là-bas, en voilà un qui se retrouve vraiment le bec dans l'eau.

C'était Dip Nelson qui venait de faire son entrée et était allé directement s'accouder au bar.

Dan sourit.

— Il vient tous les jours ici et toujours seul.

— Pourquoi ?

Dan haussa les épaules.

— Que peut faire d'autre un type sans travail dont la femme est une vedette ?

— Et toi, tes affaires ? demanda Chris.

— Eh bien, mettons que j'ai réussi à obtenir un sursis. Et vois-tu, ce grand veau blond là-bas tout seul devant son verre, ce sera peut-être lui mon sauveur.

— Dip Nelson ?

— Il en a sa claque d'être laissé pour compte. Et j'ai justement une option à vendre.

— Dip est un homme fini. Va plutôt trouver sa femme.

— Elle n'est pas dans les petits papiers de Robin. Tandis que Dip, pour une raison que j'ignore, a Robin dans sa poche.

— Ouais. (Chris prit un air songeur.) D'ailleurs en Californie, on parle que de ça, on raconte même que c'est louche. Une histoire de pédé ou un truc comme ça.

— Moi je m'en fous, quand bien même ils seraient mariés. Je tiens seulement à fourguer mon émission.

— Je vois. T'aimerais te refaire une petite place au soleil comme producteur.

— Entre autres. Je connais le métier, et je pourrais me faire engager ailleurs, mais je tiens à rester à la IBC. Je veux y être le jour où cette grande gueule de robot d'amour se cassera la figure. Alors je reprendrai la place qui était la mienne, plus grand et plus puissant qu'autrefois.

Chris approuva :

— Au moins, tu as déjà tout prévu ton avenir !

Dan éclata de rire.

— Toi, mon vieux, tu n'as pas à t'en faire. Une grande maison en Californie, plus de fric qu'il ne t'en faut, et tu es copain avec Alfie et sa bande par-dessus le marché. La belle vie, quoi !

— La grande vie, c'est Ethel qui la mène, pas moi, soupira Chris. Elle a obtenu ce qu'elle a toujours voulu. Moi je ne suis pas dans le coup. Tous les soirs en rentrant chez moi, il faut que je me prépare à aller chez Alfie, ou bien à l'accompagner à quelque grande réception. Je n'ai même plus Eddie et Kenny. Ils préfèrent New York. Ils ont trouvé du boulot dans cette nouvelle émission de variétés de la CBS.

— Tu n'es plus de leur monde, mon vieux. Tu as fait trop de chemin pour eux.

— Tu appelles ça grimper que d'avoir à se farcir les histoires soi-disant drôles d'Alfie et le regarder faire les doux yeux à son favori du moment ! Fais toujours ce dont Alfie a envie. Ainsi, tiens, ma femme pique une colère quand je lui dis « ma poulette » ! Mais il faut que j'appelle tout le monde « mon chou ». Tu te rends compte, je suis toujours fourré avec des mecs qui s'appellent « mon chou ». (Brusquement, le brave visage de Christie s'éclaira d'un sourire.) Au fond, je n'ai pas le droit de me plaindre. Comme tu dis, j'ai plein de pognon. Mais surtout, j'ai mon fils, Christie Lane Jr. (Il prit dans la poche intérieure de son veston un énorme porte-feuille bourré de photos qui toutes représentaient un beau poupon joufflu.) Et même si Ethel n'avait fait que ça de son existence, moi je m'en plain-drais pas. J'ai mon gosse, c'est tout ce qui compte pour moi. Je vis que pour lui. J'ai l'impression d'avoir signé un nouveau bail avec la vie. (Il regarda sa montre.) Il se fait tard, c'est l'heure de rentrer à l'hôtel. J'habite le Plaza, c'est Alfie qui a insisté pour que je descende là. Dans une suite digne d'un Président. Ethel a promis de me téléphoner à six heures trente. Elle approche le gosse de l'appareil, je l'entends gazouiller ou rire. Tu verrais ce môme !

Dan appela le garçon, se fit servir un deuxième martini et lui remit un petit billet en lui faisant signe de le remettre au monsieur — Dip — qui était toujours accoudé au bar. Dip lut le billet et vint vers lui.

— Pourquoi boire en solitaire, demanda Dan. Bois donc un coup avec moi.

— En quel honneur ? C'est pourtant bien toi qui as beuglé quand Robin m'a engagé dans le show de Christie Lane.

— Je ne l'avais fait à l'époque que parce que j'avais quelque chose de mieux à te proposer. Si Robin m'avait accordé quelques semaines de plus, tu aurais pu avoir de très bonnes critiques.

— Les gens sont toujours prêts à démolir une vedette de cinéma, fit Dip en s'installant à la table. Ils commencent toujours par déclarer que ce type n'a pas de talent pour deux ronds. Mais lorsque je chante sur scène, face au public — mon vieux crois-moi, pas un ne m'arrive à la cheville.

— Laisse-moi te payer un pot, proposa Dan.

— Heu... j'attends un coup de fil — de Robin. Ce soir on doit aller faire la java tous les deux.

— Si j'ai bien compris, toi et Robin, ça marche toujours très fort ?

— Comme les deux doigts de la main, répliqua Dip.

— Mais alors, je me demande pourquoi il ne fait rien pour toi ? D'après ce que l'on chuchote, Robin te considère en quelque sorte comme son garçon de courses.

Dip lui décocha un regard fielleux.

— Ne répète jamais ça ! Robin a confiance en moi. Si tu tiens à le savoir, c'est *moi* qui lui ai conseillé de balancer Chris Lane. Et puis, il y a encore autre chose. Robin aurait conservé Lane pendant une saison de plus, je l'en ai dissuadé. Car moi, j'ai bonne mémoire ! Lorsque nous avons participé à son show, Pauli et moi, Chris nous a traités comme de la crotte. J'ai attendu mon heure et j'ai fini par l'avoir au tournant, ton Chris Lane.

— Ta femme va jouer pendant encore longtemps à Broadway ?

— Jusqu'en juin, après quoi son spectacle partira en tournée pendant un an. Bien entendu, j'irai avec elle. Ils sont en train d'écrire un rôle pour moi, celui du frère.

— Tu vas te contenter d'un petit rôle ? Pourquoi ?

— Pour rester auprès de Pauli ; elle a besoin de moi.

— Elle a besoin de toi autant que d'un râtelier neuf, ricana Dan.

— Dis donc, tu tiens absolument à ce que je te casse la figure, ici, en plein bar ?

— Ce que j'en dis, c'est pour te rendre service.

— C'est-à-dire ?

— J'essaie de te faire comprendre que puisque tu as la veine d'être grand copain avec un caïd tel que Robin Stone, tu devrais en profiter tant que ça dure. Car tôt ou tard, il sautera à son tour, c'est fatal. Je l'ai bien observé, ton Robin Stone et j'ai fini par comprendre que ce gars prend plaisir à se créer des ennemis. On dirait, ma parole, qu'il cherche à savoir jusqu'où il peut aller... trop loin. Son arrogance et le mépris qu'il affiche pour les autres, ont un côté presque maladif. Si tu veux un bon conseil...

— Je n'ai que faire des conseils d'un homme fini, rétorqua Dip méchamment.

— Deux hommes finis valent mieux qu'un seul. Est-ce que tu serais disposé à partager un paquet d'actions avec moi ?

— Comprends pas.

— Je t'expliquerai en temps voulu. Dis-moi, que comptes-tu faire ce soir ?

— Rien. Enfin, je dois dîner avec Robin.

— Tu ne peux pas te décommander pour une fois ?

— Je suis libre de faire ce que je veux.

— Dans ce cas, tu dînes avec moi. J'ai rendez-vous avec Peter Kane, un gars de la Johnson-Harris, chez Voisin. A propos, es-tu vraiment décidé à accompagner Pauli en tournée ?

— Non, pas tout à fait. J'attends de voir quel genre de rôle ils me réservent.

— Alors, viens avec moi. Ecoute attentivement mais boucle-là.

— Je n'aime pas beaucoup qu'on me parle sur ce ton.

— J'ai une bonne raison pour me le permettre. J'ai décidé de faire de toi un type riche.

Dan se leva et sortit en tenant Dip par le bras.

Une fois arrivés chez Voisin, Dip se fit servir un whisky à l'eau ; Dan et Peter commandèrent des martinis.

Dan ne tarda pas à orienter la conversation sur la carrière de Dip. Chose étrange, Peter Kane l'écouta parler avec un visible intérêt. Il était du même avis que Dan, à savoir que la critique avait éreinté Dip par antipathie pour Robin.

— Mon pauvre Dip, tu as hérité de tous les ennemis de Robin Stone mais tu n'as pas récolté un seul de ses amis, conclut Dan.

— Quels amis de Stone ? demanda Peter Kane railleur. Il n'a même pas une petite amie attitrée. Le bruit court qu'Ike Ryan lui sert d'entremetteur et que Robin aurait une préférence pour les trios. Dis-moi Dip, tout à fait entre nous, est-ce que Robin ne serait pas un peu de la pédale ?

— Il aime les femmes, répondit Dip d'une voix neutre.

— D'accord, n'en parlons plus mais si tu veux mon avis, c'est Robin qui a bouzillé ta carrière. Vu qu'il est ton meilleur ami, s'il ne t'engage pas, tout le monde en déduit que tu joues comme un manche. Du coup, on te laisse le bec dans l'eau. Robin t'a joué un sale tour en se refusant à t'employer.

— Je n'avais jamais envisagé la chose sous cet angle-là, répondit lentement Dip. En effet c'est peut-être bien pour ça qu'on ne me propose rien.

Dip resta sans piper mot dans son fauteuil pendant que les deux hommes passaient en revue les diverses émissions de la saison. Dès qu'ils eurent terminé leur dîner, Peter Kane se tourna vers Dan :

— J'ai fait réserver la salle de projection pour neuf heures — il est temps d'y aller.

Dan expliqua alors à Dip.

— Nous préparons une émission, c'est moi le producteur et Peter mon représentant. Il s'agit d'un feuilleton, une histoire d'espionnage qui ne nous coûtera pas très cher. Vic Grant a été pressenti pour tenir le rôle principal. Je voudrais que tu le voies et que tu me donnes ton avis.

Dip avait repris un peu de poil de la bête. Il se souvint d'un détail ; Vic Grant était un petit acteur inconnu quand lui-même était déjà une vedette consacrée. Et Vic n'avait plus joué dans un film potable depuis plus de deux ans.

Dan régla l'addition, après quoi ils se rendirent tous les trois dans la salle de projection de l'agence Johnson-Harris. Dip regarda attentivement l'émission. On s'y bagarrait beaucoup. Vic n'était pas mauvais, mais Dip savait qu'il aurait été meilleur que lui ; ce rôle était comme fait sur mesure pour lui et il pourrait lui rendre la place qu'il avait perdue dans le monde du spectacle.

Quand les lumières revinrent, Dan se tourna vers Dip :

— Qu'est-ce que tu en penses ?

— Ça risque de faire un tabac, répondit-il avec enthousiasme.

— Venez, nous descendons. Je connais un bar au coin de la rue où nous serons tranquilles, dit Peter Kane.

— On arrive, lança Dip joyeusement.

Ils entrèrent dans le petit bar discret choisi par Kane et s'installèrent à l'écart. Dip commanda un whisky qu'il avala pur. Si Dan et Kane lui proposaient ce rôle du détective joyeux drille qui n'a pas froid aux yeux, il ne pouvait guère leur avouer qu'il ne buvait que des sodas et de la bière.

— Nous nous proposons de vendre l'émission cent vingt-cinq mille dollars, expliqua Dan, nous pourrons nous arranger de façon à ce que la réalisation ne dépasse pas les quatre-vingt-dix mille. Nous y ajouterons dix pour cent de commission, autrement dit, nous en tirerions un bénéfice de trente mille dollars à partager en trois, si nécessaire.

— Si j'ai bien compris, je toucherais un tiers des bénéfices à la place d'un salaire ? s'enquit Dip très intéressé.

— Ma foi, nous pouvons aussi nous arranger pour vous payer un salaire symbolique — mille dollars par semaine plus les frais de bureau.

— Pour quoi faire un bureau ?

— Dip, tu en auras besoin pour y installer ta société. Si l'on te versait cette somme en tant que salaire, les impôts t'en prendraient une grosse part.

Ma société s'appelle la Danmill — tu n'auras qu'à choisir un nom pour la tienne. Si tu es d'accord, mon avocat pourra s'occuper de tout cela,

Pour Dip, les choses allaient trop vite.

— Et qui me dit que je peux avoir confiance en *ton* avocat ?

— Tout simplement parce que ta société touchera tous les bénéfices et versera sa part à la Danmill.

— Où comptez-vous tourner votre film ? Ici ou à Los Angeles ?

— Ce sera la IBC qui choisira. Ils disposent de vastes studios à Los Angeles, mais je préférerais tourner les extérieurs à New York, le mouvement, l'agitation d'une grande métropole, rien de tel pour un film policier.

— Mais alors la IBC l'a acheté ?

— Pas encore, mais elle va le faire — je l'espère...

Dip était plein d'enthousiasme.

— En tous cas, je sens que ce rôle m'ira comme un gant.

Dan et Peter se regardèrent. Ce fut Dan qui parla le premier.

— Je n'en doute pas, mais nous sommes liés à Vic Grant par contrat et ça pour une durée de deux ans. Il a tourné les essais à la condition expresse qu'il aurait le rôle si l'émission était vendue.

— Mais alors, qu'est-ce que je fous ici, s'exclama Dip.

— Ton rôle consiste à faire accepter notre projet par Robin Stone. Tu es seul à pouvoir y réussir.

Dip fit mine de se lever mais Dan le retint par la manche :

— Allons, reste assis ! Dis-moi si tu préfères végéter comme acteur de troisième ordre ou devenir millionnaire.

Dip le foudroya du regard.

— Toi, tu n'as pas arrêté de me débiner pendant toute la soirée !

Peter jugea bon d'intervenir :

— Allons, Dip réfléchissez un peu. Vous avez eu toutes les occasions de percer et vous ne l'avez pas fait. Essayez d'être un peu malin pour une fois. Vous pouvez gagner *gros*. En outre, un producteur jouit toujours d'un prestige plus grand qu'un acteur, même très bon.

— Et qui me dit que la IBC acceptera de vous l'acheter ? demanda soudain Dip.

— J'ai cru t'entendre dire, au Danny's, que tu avais Robin Stone dans la poche, remarqua Dan posément. Eh bien, c'est le moment ou jamais de nous le prouver. Demande-lui donc d'acheter notre film. En janvier beaucoup d'émissions vont sauter. Tu peux dire à Robin que s'il l'achète il aura sa part du gâteau. Un tiers des bénéfices pour lui. Tu pourras le payer sous telle forme qu'il choisira : argent comptant, voyages, résidence secondaire.

— Et pas d'ennuis avec le fisc ?

— Nous avons un excellent conseil fiscal. Il arrangera tout ça le plus légalement du monde. Si Robin a envie d'une Cadillac, nous en achèterons une, nous l'utiliserons pour tourner quelques séquences et nous la déclarerons comme « accessoire ». La résidence secondaire, nous l'achèterons afin d'y tourner des scènes en intérieur. Les meubles que nous utiliserons en tant que décors seront à lui. S'il veut de l'argent, il y a mille façons de jouer avec les frais généraux. C'est notre boulot.

— D'après toi, je n'ai qu'à aller le trouver et lui mettre le marché en main ?

Dan haussa les épaules.

— Puisque Robin est ton grand ami, tu dois savoir mieux que personne comment il faudra t'y prendre.

— Et l'affaire nous rapporterait combien ?

— Part à trois, ça fait dix mille pour chacun.

— Et Pete alors ?

Pete prit un air modeste.

— Moi, je me contenterai de décrocher la commission pour notre agence. Si je réussis l'affaire avec Robin Stone, ils me nommeront sous-directeur. Je n'en demande pas plus.

Dip médita un instant :

— J'exige que mon nom figure au générique — en tant que producteur.

Dan ne put réprimer un sourire.

— Tout le monde saura que ça n'est pas vrai.

— Je m'en fiche. Pauli en tous cas n'en saura rien, le public pas davantage. Et je tiens à ce que mon nom figure en caractères plus gros que celui de Vic Grant. Ça impressionnera Pauli.

— C'est entendu, concéda Dan. Dans ce cas moi je serai producteur-réalisateur.

Dip sourit :

— Tu me donneras une lettre signée en bonne et due forme que tu me réserves les deux tiers des bénéfices. Après tout, si je fais accepter votre truc par Robin et qu'ensuite vous vous arrangiez pour me laisser tomber, hein ?

— Je vais faire rédiger la lettre demain à la première heure, fit Dan en levant la séance.

Le lendemain après-midi, Dip retrouva Robin au Lancer. Il avait la lettre rédigée par Dan dans la poche de sa veste. Il attendit que Robin eut terminé son deuxième martini avant de mettre le sujet qui lui tenait à cœur sur le tapis. Il en parla avec force détails, mima son propre rôle et déclara pour terminer :

— Et n'oublie pas qu'il y a un tiers des bénéfices pour toi vieux frère.

Robin l'agrippa par le revers de son veston et l'attira à lui.

— Et maintenant, tu vas bien m'écouter, espèce d'andouille. Danton Miller s'est enrichi en faisant ce genre de combines au temps où il dirigeait la IBC. J'ai flanqué à la porte tous ceux qui ont fricoté avec lui. Et je t'interdis de mêler mon nom à ce genre de trafics sordides.

— Alors tu refuses ? demanda Dip d'une voix humble.

— Je refuse en ce qui me concerne, oui. (Il se tourna vers Dip.) Ecoute, si tu as un bon projet d'émission, tu n'as qu'à me le soumettre. S'il est à peu près utilisable je lui donnerai la préférence. Et si Dan a envie de t'épauler je n'y vois aucun inconvénient, c'est son affaire.

Dip eut un large sourire, il paraissait soulagé :

— Alors, tu ne m'en veux pas, Robin ?

— Sauf quand tu essaies de m'entraîner dans tes tripotages. Tu sais que je suis toujours à la recherche d'une bonne émission. Et je ne vois pas pourquoi tu ne tâterais pas de la production, c'est bien ton droit. Tu possèdes une imagination un tantinet gangster qui ne me déplaît pas. Si je me décide à acheter ce projet et qu'ils te font passer pour le producteur, je saurai à l'avance que Dan aura fait tout le boulot. Mais si tu te contentes de rester là à te tourner les pouces, alors je reprends tout ce que j'ai dit rapport à tes dons d'imagination. Je te conseille de te mettre dans le bain, apprends le métier, observe les cameramen, renseigne-toi sur les prix de revient — les bénéfices dépendront du prix que coûtera la réalisation du projet. Mais pour ce qui est de partager à trois — rien à faire. Tu partageras avec Dan et puisqu'il le faut avec cette espèce d'agent marron.

Robin examina le projet d'émission avec Dip. Lorsqu'il en eut terminé il s'écria :

— Ce truc n'est pas bon — il est *formidable !* Tu peux courir chez Dan et lui dire que c'est dans la poche.

Après avoir quitté Robin, Dip déambula pendant longtemps à travers les rues de New York. Il se dit qu'il méprisait Robin, haïssait Danton Miller et détestait tous les salauds de la terre. Comment en était-il arrivé là ? Il avait une femme promue vedette qui le traitait comme le dernier des larbins. Il fréquentait des types tels que Robin et Dan qui ne se gênaient même pas pour lui jeter à la face qu'il était un acteur raté. Où étaient les beaux jours d'antan, lorsqu'il lui suffisait d'entrer n'importe où pour faire sentir à tous le rayonnement de sa gloire ? Le temps où les femmes se jetaient à son cou ? Maintenant elles l'évitaient. Pauli lui avait interdit de s'approcher des danseuses qui participaient à son show, si bien qu'il n'en trouvait plus une seule qui acceptât de se faire inviter par Robin Stone. Et pourtant, il devait absolument lui en amener une de temps à autre s'il voulait rester dans ses bonnes grâces. La chose n'était pas facile, car Robin avait de drôles de façons avec les filles — il n'oublierait jamais cette malheureuse prostituée que Robin avait rouée de coups. Et puis toutes les filles se plaignaient à Dip de la mesquinerie de Robin. Il ne les invitait jamais ailleurs qu'au Lancer ou dans quelque restaurant bon marché et puis hop, au lit. Et si par malheur une fille ne s'y prenait pas de la manière qui lui convenait à *lui*, il la mettait à la porte sans même lui payer un taxi pour rentrer chez elle. Dip poussa un soupir et se dirigea sans se presser vers Sardi's. Il y avait ses habitudes, déjeunait presque tous les jours dans cette boîte où il essayait de lever une petite actrice qui ferait l'affaire de Robin. Bien sûr, Robin ne lui avait jamais demandé de lui servir de rabatteur, mais il paraissait toujours très satisfait lorsque Dip lui disait à l'oreille en clignant de l'œil, « Je t'en ai dégotté une, mon vieux — elle est sensationnelle. »

Comment en était-il arrivé là ? Eh bien, à partir de ce jour les choses allaient changer. Il aurait de nouveau du fric. Trente mille dollars par semaine à partager en deux... Pourquoi en deux ? Comment Dan pourrait-il deviner que Robin refusait d'être dans le coup ? Il n'en saurait jamais rien. Dip empocherait les deux tiers à lui seul, plus son salaire. Il leur dirait que Robin voulait être payé cash et les laisserait se débrouiller avec leur conseil fiscal pour camoufler l'histoire. Pour sa part, il mettrait ces dix mille dollars de rab dans un coffre à la banque toutes les semaines. Libres d'impôt ! Il redeviendrait un homme riche. Quant à Robin, il s'était mis le doigt dans l'œil en imaginant que Dip allait s'éreinter à apprendre le métier de producteur, à espionner les cameramen, à éplucher la comptabilité. Que des pauvres manches comme Dan Miller se décarcassent donc afin de gagner leur misérable tiers du gâteau, lui, il empocherait les deux tiers et se donnerait du bon temps. Et il s'arrangerait finement pour que les autres croient que Robin était dans la combine. Et alors, tous ceux qui auraient des projets d'émissions à vendre iraient chez Dip pour lui offrir deux parts — une pour lui, l'autre pour Robin. Et Dip deviendrait un caïd, un vrai. Pauli lui mangerait dans la main. Elle cesserait de prétendre qu'elle était trop lasse quand il avait envie de coucher avec elle. Pas plus tard que dans quelques semaines, ce serait lui qui procurerait des rôles à Pauli... Brusquement son exaltation tomba. Pauli ! C'était comme une maladie, il n'arrivait pas à s'en guérir. Il l'avait dans la peau. Il avait parfois envie de l'étrangler — mais malgré toutes les splendides nanas qu'il côtoyait, seule Pauli lui faisait de l'effet. Il avait même tâté de l'orgie avec Robin — une fille pour eux deux. Il avait assisté un jour à leurs ébats et ça l'avait laissé froid. Quand son tour était venu, il lui avait fallu imaginer que c'était Pauli pour arriver à se dégeler. Et pourtant, cette fille était de première. Patience, lorsque le nom de Dip Nelson brillerait sur tous les écrans de télévision, qu'il aurait signé une, deux ou même trois émissions — alors Pauli saurait, elle aussi, que Dip était le caïd.

Robin programma le projet de Dip intitulé *Un dénommé Jones* pour le mois de janvier. Le contrat une fois établi, Dan l'approuva et Dip n'eut plus rien à faire qu'à attendre.

Pauli partit en tournée début juin mais Dip préféra rester à New York. L'attitude de Pauli à son égard ne fut plus la même dès qu'elle apprit que Dip allait palper dix mille dollars par semaine. (Il avait passé sous silence les dix mille dollars supplémentaires.) Sa tendre épouse lui envoyait de longues lettres d'un peu partout, sans oublier une seule fois de lui avouer combien son cher Dip lui manquait.

Les nouvelles émissions furent programmées en septembre. La IBC toucha immédiatement un gagnant, en l'occurrence un feuilleton choisi par Robin qui obtint un succès énorme. Les deux émissions de jeux télévisés marchaient bien, elles aussi. Quant aux deux émissions que Robin avait jugées très mauvaises, il allait en éliminer une sans la moindre hésitation. Il la remplacerait par celle de Dip — ce qui mettrait un point final à toutes les obligations qu'il pouvait avoir envers lui. A la réflexion, Robin s'apercevait que son attitude vis-à-vis de Dip avait changé. Au début il avait vraiment eu un faible pour ce garçon. Sa franchise, sa vitalité, sa bonne humeur lui plaisaient. Mais à mesure que le temps passait, il ne pouvait plus supporter de voir Dip ramper devant Pauli, tant et si bien que l'ancienne estime qu'il lui portait avait fait place à un profond mépris. Il fallait que Dip sache enfin que Pauli se moquait de lui. Au commencement Robin avait essayé de le rappeler à la dignité de lui-même. Il avait cru qu'en le traitant par-dessous la jambe, son orgueil se réveillerait, qu'il se révolterait et redeviendrait lui-même. Mais Dip encaissait tout sans broncher.

L'exemple qu'il avait devant les yeux donnait à Robin de moins en moins envie de s'attacher à une fille. Il avait deux ou trois fois essayé de nouer une liaison amoureuse avec l'une ou l'autre de ses conquêtes passagères, mais toujours ses pensées le ramenaient vers Maggie si bien que sa partenaire du moment perdait tout attrait pour lui. Non, mieux valait se contenter des filles que Dip racolait régulièrement à son intention. Et elles l'excitaient si peu que Robin en était arrivé à préférer les séances à trois. Lorsqu'il assistait aux ébats amoureux d'Ike, cela finissait par lui donner envie d'en faire autant. Mais il savait qu'au fond de lui la pensée de Maggie ne le quittait pas. D'ailleurs, dès qu'il en prenait conscience, cette constatation le mettait en rogne. Il n'y avait pas une femme au monde qui lui mettrait la corde au cou ! Diriger la IBC lui prenait tout son temps. Il n'avait pas travaillé à son livre depuis un an — depuis cette nuit où il avait soigneusement placé les trois cents feuillets jaunes dans une chemise avant de les ranger dans son classeur. Il se demandait parfois quand Gregory allait revenir, s'il revenait jamais... Dans sa dernière carte postée de Cannes, Judith lui avait annoncé que Gregory allait bien, assez bien pour passer des heures au casino autour des tapis verts.

Fin septembre les Austin arrivèrent à New York sans crier gare. Une idée de Judith. Elle avait décidé qu'une fois réinstallés chez eux leur retour « officiel » serait annoncé en grande pompe. Elle ne voulait pas de photographes ni de reporters à l'aérodrome afin de ne pas émousser la sensation que leur retour ne manquerait pas de provoquer. Elle tenait à ce que l'événement fût fêté au cours d'une réception somptueuse qu'elle se proposait d'organiser. Elle avait déjà pensé à la grande salle du Plaza, préparé la liste des invitations qu'elle ferait parvenir à la presse et au Tout New York... Gregory était parfaitement rétabli et convaincu de n'avoir jamais eu de cancer. Il avait même sporadiquement fait avec elle ses preuves au lit. Judith estimait avoir mérité un Oscar — elle avait joué la comédie en grande actrice, lui avait affirmé qu'il était redevenu le plus merveilleux des amants. Elle n'avait pas manifesté autant d'enthousiasme au temps lointain de leur lune de miel. Mais elle s'était juré de ne reculer devant rien pour tirer Gregory de sa neurasthénie — et surtout pour le faire revenir à New York. Ils étaient partis depuis dix-huit mois.

Cependant, Judith avait mis cette longue absence à profit. Au cours des trois premiers mois de leur séjour à Lausanne, Gregory avait été si mal en point que sa femme n'était pas autorisée à lui rendre visite. Il avait subi quarante électrochocs, traversé la terrible période de régression pendant laquelle il était même devenu incontinent, puis il avait commencé à remonter lentement la pente. Judith avait loué un petit appartement à proximité de la clinique. Pendant les trois mois au cours desquels les visites étaient interdites, elle s'était confiée aux soins d'un excellent spécialiste en chirurgie esthétique.

Bien qu'elle eût été déçue au début, elle finit par se rendre compte que ce chirurgien avait fait des miracles. Elle s'était attendue à retrouver son visage de vingt ans. Du moins en paraissait-elle maintenant trente-huit. Une ravissante femme de trente-huit ans admirablement conservée. Ce chirurgien était un génie. Certes, elle avait encore quelques rides minuscules aux tempes et des cicatrices assez profondes derrière les oreilles. Mais elle avait changé de coiffure, elle portait les cheveux un peu plus longs et légèrement bouffants, de façon à lui cacher les oreilles. Vidal Sassoon en personne avait créé cette coiffure pour elle. Le résultat en était sensationnel Gregory évidemment n'était au courant de rien. Il lui déclara simplement qu'elle était très en beauté et que sa nouvelle coiffure lui allait à merveille. Elle sourit. N'avait-il pas remarqué que le contour de son visage avait retrouvé la fermeté de jadis ? Il n'avait même pas prêté attention au galbe de sa poitrine, ni aux petites cicatrices qu'elle portait autour des seins, et au creux des cuisses, là où le chirurgien lui avait remonté la peau.

Gregory avait, lui aussi, une mine splendide. Ses cheveux étaient redevenus roux, il était mince et bronzé, mais il n'avait pas la moindre envie de reprendre le collier. Ils étaient rentrés à New York depuis plus d'une semaine et Greg n'avait pas fait une seule apparition à son bureau. Il trouvait toujours quelque nouveau prétexte pour s'en dispenser. Tantôt il était obligé d'aller chez son tailleur — plus un seul complet ne lui allait depuis qu'il avait maigri de cinq kilos. Le lendemain, il devait aller à la campagne voir ce que devenaient ses chevaux. Finalement Judith le mit littéralement à la porte en lui faisait promettre qu'il passerait à la IBC.

A peine Gregory parti, Judith décrocha le téléphone et appela Robin. Elle avait volontairement retardé cet instant. Pourtant, il *savait* qu'elle était de retour à New York, Gregory lui avait déjà parlé plusieurs fois au téléphone. Elle était sûre que son silence commençait à l'intriguer. Il devait bouillir d'impatience...

Son numéro personnel ne répondit pas. Elle fut déçue mais s'abstint de lui laisser un message. Il était probablement en conférence. A trois heures elle réussit à le joindre. Il parut ravi qu'elle l'appelle. Il avait passé toute la matinée à s'entretenir avec Gregory qu'il trouvait en excellente forme.

— Quand vous reverrai-je ? lui demanda-t-elle.

— Mais quand vous voudrez, répliqua-t-il d'un ton dégagé. Dès que Gregory en aura envie, je vous emmènerai dîner en ville tous les deux.

— Robin, ce n'est pas ce que je vous demandais, dit-elle calmement. J'aimerais vous rencontrer — seul.

Il ne répondit pas.

— Robin, m'entendez-vous ?

— Mais oui, je vous entends.

— Quand et où puis-je vous voir ?

— Demain soir, six heures. Chez moi.

— J'y serai. Je laisserai un mot pour prévenir Gregory. Je prétexterai un cocktail de bienfaisance de sorte que je pourrai rentrer à n'importe quelle heure. Gregory s'endort dès qu'il a fini de dîner.

Le lendemain, Judith jugea préférable ne pas aller chez son coiffeur habituel. Elle prit rendez-vous dans un salon de coiffure éloigné de son quartier. Avec ses cicatrices derrière les oreilles, elle ne tenait pas à ce que tout Park Avenue sache qu'elle s'était fait ravaler le visage.

Elle entra paisiblement persuadée que personne ne la reconnaîtrait. Elle s'était fait inscrire sous le nom de Wrisht. Il y avait plus d'un an que son portrait n'avait plus paru en première page de *Women's Wear*. A vrai dire, elle comptait bien y reparaître en bonne place, d'ici quelques semaines. Elle s'installa dans une cabine et se livra aux mains d'une shampooineuse qui frottait beaucoup trop fort. Judith savait que cette fille avait immédiatement repéré ses cicatrices. Sans doute jalousait-elle cette cliente inconnue, habillée à ravir. La malheureuse ne devait guère avoir plus de trente-cinq ans, mais elle était déjà fanée : des hanches trop fortes, des doigts tachés de teinture, des souliers plats, des jambes déformées par les varices à force de rester toujours debout. Comment cette pauvre fille n'envierait-elle pas une femme qui pouvait débourser trois mille dollars rien que pour se faire effacer quelques rides ?

Après son shampooing, Judith dut changer de cabine pour la mise en plis. Tout en feuilletant un récent numéro de *Harper's* elle entendit la fille chuchoter au jeune coiffeur qui allait prendre la relève.

— Tu vas te faire un beau pourboire, Dickie. C'est **Mme Gregory Austin**, je l'ai reconnue...

Judith fumait nerveusement une cigarette tandis que le jeune coiffeur enroulait ses cheveux autour des gros rouleaux. Elle le surprit qui examinait ses cicatrices.

— J'ai eu une otite, l'année dernière, expliqua-t-elle négligemment.

Dickie prit un air apitoyé pour lui affirmer qu'un de ses amis avait subi la même opération.

Judith se sentit soulagée, une fois à l'abri du séchoir. Elle allait se maquiller dès que ce garçon aurait fini de la coiffer. Elle se souvint avec beaucoup de satisfaction des adorables dessous qu'elle portait sous sa robe, des dessous achetés à Paris. Les cicatrices qu'elle gardait autour des seins étaient à peine visibles, l'opération avait été très pénible, mais cela avait valu la peine. Judith se sentait désormais en mesure de rivaliser avec n'importe quelle hôtesse de l'air !

Elle quitta le coiffeur à cinq heures trente. Elle ne s'était pas sentie aussi euphorique depuis des années. Ce jeune Dickie l'avait très bien coiffée, il avait remis ses cheveux en place exactement comme l'avait fait Vidal. Pour sa peine elle lui avait donné dix dollars de pourboire. Elle aurait voulu pousser des cris de joie, chanter et danser mais elle se contenta d'entrer dans un drugstore pour prendre une tasse de thé, histoire de tuer le temps. A six heures moins cinq elle héla un taxi et se fit conduire chez Robin. Le concierge lui jeta un regard indifférent, il ne la reconnaissait pas, sans doute grâce aux lunettes de soleil dont elle s'était munie. Et puis bien sûr, comment l'aurait-il reconnue après une si longue absence.

Elle était à bout de nerfs lorsqu'elle se décida enfin à sonner chez Robin. Il ouvrit la porte, lui fit signe d'avancer, après quoi il retourna au téléphone. Certes, elle s'était attendue à un tout autre genre de réception ! Il s'entretenait avec un correspondant en Californie et il rappela à Judith son mari et ses sacrés sondages. Elle n'était venue qu'une seule fois dans cet appartement, mais elle se souvenait des moindres secondes qu'elle y avait vécues. Tous les meubles, les plus infimes détails de cet intérieur étaient restés gravés dans sa mémoire. Elle se sentait un peu trop serrée dans ses ravissants dessous, le soutien-gorge la serrait aux épaules et son minuscule pantalon de dentelle lui irritait la peau des cuisses. Mais tout cela n'était rien — elle s'en consolait en imaginant la surprise de Robin, son émerveillement lorsqu'elle enlèverait sa robe : cette fois Valentino s'était surpassé. Et le corsage se boutonnait par devant, inutile de le passer par la tête au risque de déranger sa mise en plis.

Robin raccrocha, vint vers elle et lui prit les deux mains qu'il serra entre les siennes pour lui souhaiter la bienvenue. Il souriait, mais Judith vit deux rides profondes se creuser entre ses sourcils.

— Avez-vous des ennuis ? lui demanda-t-elle.

— Oui, Roddy Collins.

— Qui est-ce ?

Il eut un sourire amusé :

— Vous vous êtes non seulement absentée pendant tout ce temps, mais je suppose que vous n'avez même pas regardé la télévision depuis votre retour ?

— Je l'avoue. Et Gregory a fait comme moi. Il a pu s'en dispenser grâce à vous.

Il s'installa sur le divan et tendit son étui à cigarettes à Judith.

— Roddy Collins est notre nouvelle vedette, reprit-il d'un ton soucieux. Son dernier film, un western, a remporté un succès énorme. Ce bonhomme manie ses colts mieux que n'importe quel cow-boy. Un magnifique gaillard, un mètre quatre-vingt-douze, une présence du tonnerre, et je viens d'apprendre que Roddy est une tante.

Judith haussa les épaules, tout ce qui l'intéressait pour le moment, c'était d'être embrassée par Robin — et lui, il arpentait la pièce sans lui accorder un regard. Son esprit était occupé par la nouvelle concernant les mœurs de sa vedette.

— Est-ce que d'après vous, un acteur n'a pas le droit de vivre comme il l'entend ? demanda-t-elle.

— Bien entendu, sa vie privée ne me regarde pas — tant qu'elle reste privée. Je me fiche pas mal de ce qu'il fait au lit et avec qui. Mais il ne se contente pas de recevoir des invertis chez lui. Monsieur se déguise, il s'habille en femme et va draguer des types dans les boîtes de nuit. Judith, vous vous rendez compte ? Un mètre quatre-vingt-douze, l'acteur le plus en vue de la télé, patronné de surcroît par une lessive qu'utilisent toutes les familles américaines, et il entre dans un bar en travesti et fait de l'œil à un homme ! (Elle éclata de rire.) Cela n'a rien de drôle, je vous assure. Mon agent vient de me dire au téléphone que Roddy s'étant attaqué à plus fort que lui s'est fait tabasser par un inconnu. La police s'en est mêlée. Nos avocats, heureusement, ont été alertés à temps, et ils ont réussi pour cette fois à étouffer l'affaire. Mais nous ne pouvons tout de même pas monter la garde autour de lui, jour et nuit.

— Robin, j'ai été éloignée de tout ça depuis si longtemps... il faut me laisser le temps de me réhabituer. Ce soir nous sommes enfin ensemble. Ne pensez plus à tous ces gens de la télé !

Il la regarda comme s'il venait de la voir pour la première fois.

— C'est vrai, vous avez tout à fait raison. Voulez-vous boire un verre, Judith ?

Elle accepta, n'importe quoi lui était bon, il fallait surtout briser la glace entre lui et elle.

Il s'approcha du petit bar et prépara deux grands whiskies.

— Gregory a très bonne mine, dit-il en lui tendant un verre. Je suis heureux, bien sûr, qu'il veuille me laisser la direction des opérations. Vous devriez cependant l'obliger à s'intéresser de nouveau...

— Vous croyez qu'il se désintéresse de ses affaires ?

— Je l'ai constaté ce matin encore. Il nous a tous convoqués et a dit à chacun combien il était content de moi... Il compte jouer au golf demain, après-demain il ira voir des chevaux.

Elle haussa les épaules :

— Oui, c'est vrai, dit-elle calmement. Alors, laissez-le donc jouer au golf et acheter des chevaux !

— Judith, j'avais pensé qu'une fois rétabli, Gregory reprendrait ses affaires en main. J'étais décidé à me battre s'il le fallait pour défendre mes intérêts — trente pour cent des contrats de publicité ont été signés grâce à moi. Mais j'estime que Gregory ne doit pas se désintéresser de la IBC ; l'inaction ne lui vaudrait rien, je voudrais travailler avec lui, discuter de tout et de rien, prêt à accepter ses critiques ou ses blâmes, le cas échéant. Il s'est trouvé quelques mauvaises langues pour raconter que maintenant, c'est moi le patron de la IBC — cela m'a irrité, surtout en pensant à Gregory — car ces racontars pourraient lui faire de la peine, et je tiens à conserver son amitié.

Judith déposa son verre sur une table basse et tout en fixant son regard sur Robin elle lui dit :

— Laissez-moi faire. C'est un peu mon réseau à moi aussi, vous savez ?

— Judith, vous pouvez parler de la sorte, parce que vous n'êtes plus dans le bain, précisément. Mais attendez d'y être et vous modifierez votre point de vue. Je n'accorde pas d'inverviews, les journalistes ne me portent pas dans leur cœur, croyez-moi. A moins que Gregory n'accepte de se battre à mes côtés et de se mouiller comme autrefois, il finira par se faire oublier. Tant qu'il était à l'étranger la chose s'expliquait assez bien, mais il est à New York. S'il ne se décide pas bientôt à retrousser ses manches, les journalistes s'en donneront à cœur joie et ils proclameront partout que Gregory a abdiqué en ma faveur et que désormais, c'est moi le patron. Je connais notamment un reporter minable qui me voue une haine inextinguible. Il y a de cela un certain temps déjà, j'avais refusé sa participation à un de nos jeux télévisés. C'est un pauvre crétin mais sa rancune est particulièrement tenace. Il n'a plus arrêté de pondre des papiers pleins de fiel à mon sujet dans lesquels il ne cesse de m'appeler le *robot d'amour* !

Elle lui adressa un regard interrogateur.

— Et ce surnom, l'avez-vous réellement mérité ?

Robin avala d'un trait son whisky.

— Donnez-moi le temps de me retaper, ma chère. Vous vous êtes dorée au soleil de la Côte d'Azur alors que je n'ai même pas eu le loisir de passer un week-end dans les environs de New York...

— Vous avez pourtant l'air de fort bien vous porter, Robin.

Il s'approcha d'elle et l'obligea à se lever. Elle l'enlaça, au comble de la joie et soudain la sonnerie du téléphone la fit sursauter. Elle lui dit presque suppliante :

— Robin, ne répondez pas.

— Impossible, c'est la ligne directe avec mon bureau.

Il se dégagea de son étreinte, alla vers l'appareil et le décrocha. « Allô, oui ? Ah, pas de blagues, Dip. Est-ce que Dan l'a vu, oui ou non ? Tu as dit non ? Je ne connais pas Preston Slavitt. Au fait, oui, j'en ai entendu parler. C'est un écrivain qui semble n'avoir jamais le temps de prendre un bain. Tu peux l'envoyer à la gare... Tu as dit formid ? Tu peux disposer de la salle de projection jusqu'à quand ? Bon, j'y serai, d'ici vingt minutes. Et il raccrocha.

— On vous attend ? Vous avez donné rendez-vous à quelqu'un ? Elle n'arrivait pas à y croire.

— C'était Dip Nelson. Il a paraît-il déniché un sujet de film qui serait formidable. (Robin prit son verre de whisky qu'il avala d'un trait.) Dip prétend que je dois visionner ce projet ce soir, avant de le montrer aux maisons concurrentes. Impossible de refuser.

Elle parut surprise.

— Et qui est Dip Nelson ?

— Ma chère, c'est une très longue histoire. Il a été autrefois une vedette de cinéma en vogue, oubliée maintenant. Et il voudrait se recycler, devenir producteur. Nous lui avons acheté une série de shows qu'il a écrits en collaboration avec Dan Miller. Venez... (Il lui tendit la main et l'aida à se lever.) Judith, je préfère que vous partiez sans moi. Je descendrai dans quelques minutes.

— Et quand vais-je vous revoir ?

— Je vous téléphonerai demain, vers onze heures.

Il posa distraitement ses lèvres sur la joue de Judith et l'accompagna jusqu'à la porte du palier. Mais elle sentait qu'il était déjà très loin d'elle. Elle prit l'ascenseur, descendit dans la rue et héla un taxi qui la déposa devant chez elle. Lorsqu'elle entra au salon, elle vit Gregory en train de se verser un martini. Gregory poussa une exclamation :

— Déjà rentrée, ma chérie ? Quelle bonne surprise. J'ai trouvé ton billet et m'étais déjà résigné à dîner tout seul. Dieu, que je te trouve belle ce soir ! Tu veux boire un verre ?

Elle prit le verre que Gregory lui tendait et y trempa les lèvres. A cet instant, elle se dit avec beaucoup d'amertume que Robin n'avait même pas remarqué à quel point elle avait rajeuni et embelli.

Le lendemain, après avoir attendu jusqu'à une heure l'appel promis, Judith se mit en colère. Elle s'apaisa en se disant que Robin avait eu probablement un rendez-vous, qu'il avait déjeuné en ville et qu'il lui téléphonerait vers trois heures. Peut-être était-il resté bloqué dans un embouteillage ? Elle tournait en rond dans sa chambre sans savoir que faire. Elle était déjà coiffée et maquillée mais n'avait pas eu envie de s'habiller. Elle avait espéré si fort qu'il l'inviterait à déjeuner en tête-à-tête, qu'ils bavarderaient tendrement, elle et lui. Trop tard, elle devrait se contenter d'aller boire un verre avec lui. Peut-être la retiendrait-il chez lui jusqu'au soir ; elle n'aurait qu'à laisser un mot pour prévenir Gregory et lui demander de ne pas l'attendre pour dîner.

Elle prit un paquet de cartes et s'étendit en travers de son lit. Une réussite, voilà qui était excellent pour se calmer. Elle se dit que si cinq cartes sortaient, Robin lui téléphonerait à quatre heures ; dix cartes, il l'appellerait à trois heures pour s'excuser de ne pas l'avoir fait plus tôt. Quinze cartes, il l'emmènerait dîner au Lancer ; et si tout le jeu réussissait, il lui dirait qu'il l'aimait à la folie. Huit cartes seulement sortirent... Elle recommença un autre jeu. Quinze cartes sortirent cette fois. Non, il ne fallait pas tricher. Recommencer sans tricher. Et pas une seule carte ne sortit. Est-ce qu'elle devait en conclure que Robin avait renoncé à lui téléphoner ?

A cinq heures, exaspérée, ce fut elle qui l'appela. Elle forma le numéro de son poste personnel à la IBC. Personne ne répondit. Elle en conclut que Robin n'était pas dans son bureau. Gregory rentra vers six heures et elle était encore en robe de chambre. Il remarqua toutefois qu'elle était coiffée et maquillée.

— Est-ce que nous sortons ce soir, ma chérie ?

— Je voudrais bien.

Il eut un petit sourire plein de bienveillance.

— Je devine tes pensées — tu te sens négligée par nos relations. Mais nous nous sommes absentés pendant si longtemps — la plupart des gens ignorent que nous sommes de retour.

— C'est bien vrai. Au fond, je devrais me décider à téléphoner aux amis pour leur dire que nous sommes là.

Greg soupira.

— A te dire la vérité, cette petite vie calme ne me déplaît pas. Ainsi, ce soir, nous pourrions dîner bien gentiment tous les deux et ensuite regarder un bon programme à la télévision...

— D'après toi, qu'ai-je fait pendant ces derniers dix-huit mois ?

La remarque de Judith le troubla et il dit tout penaud :

— Tu as raison, va t'habiller, je t'emmène dîner au Colony. D'accord ?

— Tout seuls ?

— Oui, rien que toi et moi, dit-il en souriant.

Elle lui dit avec aigreur :

— De quoi aurons-nous l'air ?

— Nous aurons l'air de dîner au Colony.

— Comme si nous étions seuls au monde, sans un ami !

— Peut-être n'en avons-nous pas un seul, Judith. Ils ne sont pas rares ceux qui n'ont pas d'amis.

— Tu dis des bêtises, Greg. Autrefois, des tas de gens se bousculaient pour nous inviter.

— Des invitations, dit-il, visiblement agacé. Des invitations pour assister aux premières, aux vernissages, à des dîners en ville, à des cocktails, eh bien, supposons qu'ils nous ont oubliés.

— Je ferai en sorte qu'ils se souviennent de nous.

Il haussa les épaules.

— Je te donne carte blanche, tu peux relancer qui tu voudras. D'ailleurs, c'était toujours toi qui t'occupais des mondanités.

Judith rumina cette conversation pendant une partie de la nuit, sans arriver à trouver le sommeil. Comment s'y prendrait-elle pour se remettre dans le mouvement ? Des amies intimes, elle n'en avait jamais eu une seule. Des relations, oui certes, elle n'en manquait pas, des femmes élégantes qui se réunissaient pour déjeuner, parler chiffons, dire du mal les unes des autres et se confier leurs ennuis. Judith, elle, n'avait jamais fait de confidences à qui que ce fût. Et elle était restée très en vue, une des hôtesses les plus élégantes de New York. Des invitations, les Austin en étaient submergés, il fallait être de toutes les premières, de tous les vernissages, galas, etc. Soudain, elle réalisa que toute leur vie mondaine était liée à la profession de Gregory. Si l'on donnait une nouvelle pièce de théâtre à Broadway, ils étaient invités par le producteur — simplement parce que lui ou le propriétaire de la salle espéraient signer un contrat avec la IBC ou faire engager un de leurs poulains pour une émission de télévision ; dès qu'une vedette arrivait à New York, elle s'empressait de téléphoner à Gregory pour l'inviter, lui et sa femme. Mais le téléphone ne sonnait pour ainsi dire plus depuis que les Austin étaient rentrés. Judith se persuada qu'elle s'y était mal pris, il fallait y mettre bon ordre. Elle n'avait plus pensé à rien depuis que Robin occupait son esprit. Dès le lendemain, il faudrait s'y mettre. Peut-être faudrait-il organiser un petit dîner, entre intimes ? Elle inviterait Dolorès et John Tyron, ces deux-là acceptaient toujours n'importe quelle invitation.

Le lendemain, lorsque Judith appela Dolorès, celle-ci se montra enchantée d'avoir de ses nouvelles.

— Ah, ma très chère, vous voilà enfin revenus ? Vous assisterez certainement au gala organisé vendredi prochain en l'honneur de Joan Sutherland ?

— Sincèrement, Dolorès, je n'ai pas encore eu le temps de prendre des engagements pour la semaine prochaine. Vous êtes la première de mes amies à laquelle je téléphone. Je n'ai même pas fini de défaire mes valises...

— Oui, comme je vous comprends ! Vous devez être épuisée par toutes les fêtes et les galas auxquels vous avez été obligée d'assister en Europe. Je meurs d'envie de vous entendre me raconter tout cela par le menu. Avez-vous rencontré Grace dans le Midi ? J'ai entendu parler du merveilleux gala organisé par elle à Monaco !

— Justement, nous étions à Capri, mon mari et moi, lorsque ce gala a eu lieu...

— Mais je suis sûre que vous n'avez pas voulu manquer le bal chez les Korda ? Cela a dû être féerique, divin !

— Je vous en parlerai lorsque nous nous reverrons. Pour ma part, je suis très impatiente d'apprendre des nouvelles sur vous et sur tous nos amis, après une aussi longue absence.

— Vous avez dû vous amuser follement en Europe, ma chérie ! Et Gregory a une vraie veine de pouvoir compter sur un as tel que Robin Stone... Dites-moi, ma chère, entre nous, est-ce que tout ce qui se dit sur Robin est réellement vrai ?

— Qu'avez-vous entendu raconter sur lui ?

— Oh, un tas de trucs... Des orgies qu'il organise, et l'on insinue qu'il ne dédaigne pas les... jolis garçons ! On le voit partout avec un très bel homme, une ancienne vedette de cinéma, vous devez le connaître, c'est le mari de Pauli Nelson.

— Qui est Pauli Nelson ?

— Mon chou, on voit que vous êtes restée au loin pendant très longtemps ! Pauli Nelson fait fureur à Broadway depuis un an. Pour en revenir à Robin Stone, je serais ravie de faire sa connaissance. Pourriez-vous me le présenter ?

— Rien de plus facile. J'organise un petit dîner entre intimes, il y viendra, lui aussi. Quel jour de cette semaine vous conviendrait le mieux ?

— Mon chou, toutes nos soirées sont prises pendant la quinzaine qui vient, ne m'en parlez pas ! Mais tâchez donc d'inviter votre Robin Stone pour, mettons, jeudi en quinze. Soyez un amour, téléphonez-moi pour me dire la date exacte que vous aurez choisie. Je vais l'inscrire sur mes tablettes. Ciel, on m'appelle sur l'autre ligne, excusez-moi, et voilà mon coiffeur qui vient d'arriver pour me refaire mon chignon. Déjà onze heures, et je dois être à « La Grenouille » pour midi ! A très bientôt, mon chou !

Judith essaya de joindre quelques autres personnes — toutes se déclarèrent enchantées de la savoir rentrée, mais toutes étaient « très prises », car il se préparait beaucoup de réceptions, de dîners et de grandes premières pour le début de la saison.

Un petit dîner intime au Colony s'étant avéré impossible, Judith en prit son parti et décida d'organiser une grande réception chez elle, à la maison. Tenue de soirée, bien entendu.

Elle la fixa au 1er octobre et rappela Dolorès, qui était sur le point de sortir. Mais bien sûr, elle prit le temps de consulter son agenda.

— Ma grande chérie, le premier ? Vous n'y pensez pas, c'est précisément ce jour-là que l'on inaugure le New Regal, un club réservé aux adhérents. Vous en faites partie, bien entendu — vérifiez votre courrier, la carte d'invitation s'y trouve sans aucun doute. Pourquoi ne remettez-vous pas votre réception au huit octobre ? Nous sommes libres. Soyez un ange, rappelez-moi pour me confirmez si le huit vous convient ? Je suis abominablement en retard. A très bientôt, ma bonne chérie !

Judith tenta sa chance auprès de Betsy Ecklund. Le huit octobre ? Judith avait-elle renoncé à assister à ce grand vernissage, suivi d'un souper, à la Galerie Berner ? La duchesse de Windsor avait promis, en principe, de l'honorer de sa présence. Judith ne pouvait pas manquer cela !

Judith raccrocha et se mit en devoir de parcourir son courrier qui attendait sur le plateau du petit déjeuner. Quelques factures, une annonce de chez Sacks, une lettre de sa sœur — et pas la moindre carte d'invitation. C'était incroyable ! Ils n'étaient plus dans le vent. Etre obligé de s'incliner devant les préférences d'une Dolorès et d'une Betsy — quel affront ! Autrefois, Judith n'avait qu'à choisir un jour et à remettre à sa secrétaire la liste des invités — elle était sûre qu'ils rappliqueraient tous, sans exception. Maintenant, c'était à elle de se débrouiller pour complaire aux désirs de ces dames ! Est-ce qu'une absence de dix-huit mois avait suffi à enterrer toute sa vie mondaine ?

Il était midi trente et elle n'avait rien à faire. Elle forma le numéro de Robin sur le cadran de son appareil d'un doigt tremblant de rage. Il décrocha à la troisième sonnerie. Elle discerna un bruit de voix, Robin avait plusieurs visiteurs dans son bureau. « Oui ? » Sa voix était neutre et ne révélait pas la moindre émotion.

— Désolé, il m'a été impossible de vous appeler. Beaucoup de travail, oui. Puis-je vous rappeler dans la soirée — ou dans la matinée de demain ?

Elle raccrocha. Et maintenant, que faire ? Elle avait pris la peine de se maquiller — il fallait qu'elle le voie. Une fois auprès de lui, elle était sûre qu'il changerait d'attitude à son égard. Elle n'avait pas manqué de voir l'admiration de son regard, le soir où elle s'était rendue chez lui — pour rien, à cause de ce malencontreux appel téléphonique qui avait tout gâché.

Sa décision était prise, elle irait à sa rencontre, elle s'arrangerait pour lui faire croire qu'il s'agissait d'un hasard. Oui, il le fallait, elle n'avait plus le courage d'attendre indéfiniment. Voyons un peu — il ira probablement déjeuner vers une heure. Elle passerait devant l'immeuble de la IBC à deux heures et elle lui parlerait.

Judith s'habilla avec beaucoup de soin — non, pas de chapeau. Son manteau beige à col de zibeline. A deux heures moins dix elle arriva devant l'immeuble de la IBC. Elle entra dans une cabine téléphonique, au coin de la rue, et appela le bureau de Robin. Ce fut sa secrétaire qui répondit et demanda de la part de qui. Elle dit au hasard :

— De la part de Miss Weston, de la maison Nielsen.

— Voulez-vous que M. Stone vous rappelle ? Il ne tardera pas à rentrer.

— Non merci. C'est moi qui rappellerai.

Bon, elle savait qu'il était parti au restaurant, elle n'aurait pas long-temps à attendre. Elle se souvint de la librairie qui jouxtait l'immeuble de la IBC. Elle y alla et fit semblant de s'intéresser aux livres exposés en devan-ture. Elle resterait là jusqu'à ce qu'il passe et prétendrait être là tout à fait par hasard. Judith attendit pendant dix minutes qui lui semblèrent inter-minables. Pendant combien de temps peut-on rester ainsi à examiner des livres ? Et le vent qui commençait à souffler. Heureusement, elle avait pris la précaution de laquer abondamment ses cheveux. Elle se demanda si le portier l'avait remarquée, peut-être reconnue ? Le froid la gagnait, ses yeux commencèrent à larmoyer. Son rimmel avait-il coulé ? Il y avait une énorme glace à gauche de la librairie ; elle s'en approcha, s'y regarda et vit effecti-vement quelques traces de rimmel sur ses paupières. Ses cils n'étaient plus impeccablement faits. C'était l'ennui des blondes naturelles ; avec l'âge, leurs cheveux fonçaient mais leurs cils restaient pâles. Elle tira un minuscule mouchoir de son sac et essaya d'effacer les parcelles de rimmel qui tachaient ses paupières.

— Une poussière dans l'œil ?

Elle se retourna. C'était Robin.

En le voyant devant elle, en plein jour, en pleine rue, Judith se rendit brusquement compte de ce que toute sa machination n'avait abouti qu'à une scène grotesque. Elle leva les yeux sur lui et réussit à sourire.

— Non, ce n'est rien, un peu de rimmel et ce vent... (Elle se crut obligée de lui donner des explications.) J'ai déjeuné en ville, avec une amie — il faisait si beau, j'ai voulu profiter du soleil, me promener un peu — c'est la raison pour laquelle j'ai renvoyé le chauffeur. Mais voilà qu'il s'est mis à faire froid.

— Voulez-vous que j'arrête un taxi ?

— Oui, je vous en prie, dit-elle en essayant de dissimuler sa déception.

Robin l'accompagna jusqu'au coin de la rue et fit signe à un taxi qui passait.

— Judith, je me proposais de vous téléphoner — j'ai été trop pris pour le faire.

— Bien sûr. Je comprends. Mais...

Le taxi s'arrêta devant elle et sa rage la reprit. Des taxis, on n'en trouve pas un seul quand on en a besoin et voilà que ce grand nigaud est arrivé en trombe comme s'il s'entraînait pour le Grand Prix d'Indianapolis. Robin ouvrit la portière. « Judith, je vous téléphonerai. »

Une fois rentrée chez elle, Judith se précipita dans sa chambre et se laissa tomber sur son lit. Sans se soucier de son maquillage elle pleura à chaudes larmes.

A cinq heures, elle avala un somnifère et traça quelques lignes à l'in-tention de Gregory pour lui dire qu'elle avait la migraine. Avant de s'en-dormir elle se demanda si Robin se doutait qu'elle avait monté cette rencontre « accidentelle ».

Cette rencontre avait troublé Robin. Il y pensa tout l'après-midi. Il se surprit à houspiller sa secrétaire, se montra à peine poli envers Andy Parino et carrément grossier au téléphone lorsque Jerry l'appela pour l'inviter à aller boire un pot avec lui au Lancer. Quand il rentra chez lui, il se prépara un grand verre et essaya de regarder la télévision. Mais la pensée de Judith le hantait. Elle lui avait semblé si désemparée, plantée devant cette librairie... Sa piètre explication l'avait ému — la pauvre devait être bien malheureuse pour l'avoir ainsi guetté dans la rue. Bon Dieu, comment cela était-il possible ? Est-ce que Kitty avait éprouvé la même chose avec ses gigolos ?

Robin prit un journal, impossible de lire. Il se révolta ; ah mais non, il n'allait tout de même pas se tourmenter à cause de Judith ! Jadis, Amanda l'avait aimé, elle aussi ; il connaissait une légion de belles filles qui n'attendaient qu'un signe de lui pour lui tomber dans les bras — des filles qui ne vivaient pas dans un appartement de luxe, qui n'avaient pas un mari patron d'une chaîne de télévision. Oui, mais elle étaient *jeunes,* elles n'avaient pas cinquante-cinq ans et n'avaient pas dû subir un complet ravalement esthétique. Il ne lui en avait rien dit, mais il avait été stupéfait en la retrouvant avec cette peau lisse, ces contours du visage fermes, cette poitrine au galbe presque parfait. Et il se souvint là encore de Kitty. Au diable, après tout, il y avait des tas de femmes riches ayant dépassé la cinquantaine qui se faisaient effacer les rides — pourquoi fallait-il qu'il se sente coupable à cause de Judith ?

Il feuilleta son journal en faisant un effort pour s'éclaircir les idées quand soudain son regard accrocha une photo de Dip Nelson riant de toutes ses dents. Elle accompagnait une interview du même, rédigée dans le style inimitable de Dip lui-même. « La télé a besoin de sang neuf. Raison pour laquelle Robin Stone s'est empressé de nous acheter à Danton Miller et à moi le projet d'une émission. La Télé souffre parce que trop de gens qui en font leur métier ne connaissent rien de rien au vrai show-business, tandis que moi... »

Robin lança le journal à l'autre bout de la pièce, il souleva son téléphone et appela Dip.

— En voilà assez ! Je t'interdis de donner à l'avenir des interviews à la noix, hurla-t-il dans son micro. Tu parles beaucoup trop ! Mais tu vas la boucler désormais. C'est un ordre !

— C'est entendu et noté, vieux frère. J'estime malgré tout que tu as eu tort de ne pas prendre une option sur le deuxième projet que je t'ai montré — je le trouve excellent, moi.

— Une belle ordure, oui !

— T'as l'air de bonne humeur, ce soir !

Robin ne prit même pas la peine de répondre et raccrocha brutalement. Il se versa un grand verre d'alcool, puis un deuxième. Et vers onze heures il était complètement noir.

Le lendemain matin, Judith se réveilla avec le sentiment lancinant d'avoir commis une grosse bévue. Et puis, elle se remémora en détail les événements de la veille, ce qui suffit à lui remplir les yeux de larmes. Il était neuf heures, Gregory lui avait annoncé la veille qu'il comptait aller à Westbury pour y voir des chevaux qui étaient à vendre. Toute une journée de liberté devant elle. Une journée vide. Elle entra dans la chambre de son mari sur la pointe des pieds — il était déjà parti. Lorsque Gregory sortait d'aussi bon matin c'était soit pour faire une partie de golf, soit pour aller rendre visite à ses chevaux. Elle n'avait rien à faire. Elle ouvrit l'armoire à pharmacie et y prit un somnifère. La veille, ce petit cachet lui avait fait un effet immédiat. Elle en avala un. Pourquoi pas ? Cela lui permettrait de trouver quelque repos — tout plutôt que de traîner dans l'appartement à espérer un appel — qui ne viendrait pas.

L'effet du somnifère ne se fit pas attendre. Judith n'avait pas voulu dîner la veille. Elle se demanda si elle devait appeler la femme de chambre pour se faire servir une tasse de thé, mais elle n'en eut même pas le temps. Déjà le sommeil la gagnait.

Elle entendit la sonnerie du téléphone comme si elle venait de très loin. Elle fit un effort pour se réveiller — la sonnerie devenait toute proche, insistante. Elle s'empara de l'écouteur... Grands dieux, il était quatre heures et demie, et elle dormait depuis le matin.

— Allô, Judith ?

C'était lui. Il avait pensé à lui téléphoner et elle était encore à moitié somnolente... Il demanda :

— Est-ce que je vous dérange ?

— Non, pas du tout. J'ai eu une matinée très chargée. Je venais seulement de rentrer et j'essayais de faire un petit somme.

— Dans ce cas, je préfère vous laisser.

— Mais non, je ne dors pas. Elle espérait que sa voix ne la trahirait pas.

— Judith, j'ai réussi à en terminer pour aujourd'hui. Je me demandais si vous auriez envie de boire un verre, avec moi.

— Justement, j'en meurs d'envie.

— Parfait. Chez moi, dans une demi-heure, d'accord ?

— Mettons dans une heure, dit-elle. J'attends des appels au sujet d'une vente de charité.

Elle se leva en chancelant, sonna sa femme de chambre et se fit servir du café noir. Ah, pourquoi avait-elle avalé cet affreux cachet ! Robin l'avait appelée il avait envie de la voir !

Elle s'installa devant sa coiffeuse et but son café à petites gorgées. Elle en but trois tasses, coup sur coup et se sentit beaucoup mieux. Pas tout à fait lucide néanmoins. Mais elle constata que ses mains ne tremblaient pas et elle se sentit assez sûre d'elle-même pour se maquiller. Ses cheveux étaient dans un piètre état, elle se décida à épingler son postiche et le consolida à l'aide d'un grand nombre d'épingles à cheveux. Elle ne voulait pas risquer de se montrer à Robin avec une coiffure mal fichue. Peut-être ne lui demanderait-il pas de faire l'amour aujourd'hui. Surtout, ne pas le brusquer, elle pouvait attendre... Robin l'avait appelée. Il voulait la revoir et c'était merveilleux.

Elle griffonna un billet pour expliquer à Gregory qu'elle assisterait à un cocktail de bienfaisance et que peut-être, elle ne rentrerait qu'assez tard pour dîner.

Judith avait la tête encore un peu vide lorsqu'elle sonna chez Robin. Il vint lui ouvrir, en manches de chemise, le nœud de cravate dénoué. Il la prit par la main et la fit entrer dans son salon. Sans mot dire, il se pencha vers elle et lui baisa doucement les lèvres. Brusquement, dans un élan dont elle se serait pas crue capable, elle se jeta à son cou et l'embrassa passionnément. Sans mot dire il la prit par la taille et l'entraîna dans sa chambre. Pour Judith, c'était comme si elle rêvait. Tous les sons étaient amortis, ses propres gestes plus lents qu'à l'état de veille. Chose étrange, elle ne ressentit aucune gêne lorsqu'elle se déshabilla lentement, devant lui. Il lui tendit les bras, la fit basculer sur le lit et soudain, faire l'amour avec Robin lui semblait être la chose la plus naturelle du monde ; elle accepta ses caresses comme si elle n'avait jamais fait autre chose de toute sa vie.

La demie de neuf heures venait de sonner lorsque Judith rentra chez elle. Gregory était assis dans son lit, en train de regarder la télévision. Elle l'embrassa tendrement, se fit câline pour lui dire combien elle était désolée de n'avoir pu arriver à temps pour dîner avec lui. Il lui sourit, lui caressa les cheveux et lui demanda :

— Ainsi, tu es contente ? Te revoilà dans le circuit ?

— Oh, à peine. J'ai assisté à la réunion du comité qui n'en finissait pas. Ensuite, nous sommes allées avec quelques dames prendre un verre au 21.

— J'en suis ravi pour toi, ma chérie. Veux-tu que je sonne pour te faire servir quelque chose ?

Elle secoua la tête.

— Non, merci. J'ai bu deux Bloody Mary, je préfère aller me coucher tout de suite.

Elle avait très faim mais elle avait surtout hâte de se retrouver seule avec ses pensées, elle voulait dormir aussi, ne plus se tourmenter. Et demain, elle allait revoir Robin — tout le reste lui était indifférent.

Au cours des semaines qui suivirent ce jour mémorable pour elle, l'existence de Judith fut centrée sur Robin. Il téléphonait en général vers onze heures pour prendre rendez-vous. Afin d'éviter les rencontres, notamment avec Jerry ou Dip, Robin avait renoncé à prendre ses repas au Lancer. Il emmenait Judith chez Marsh, un restaurant discret où il avait pris ses habitudes. Lorsque Judith évoquait Marsh, elle disait toujours « notre » petit restaurant. Et les jours où elle ne pouvait pas rencontrer Robin, elle se faisait un plaisir de passer dans la rue de Marsh et de contempler cet établissement de loin, en pensant à Robin. Souvent, après avoir déjeuné, elle l'accompagnait chez lui. Un jour, elle l'avait conduit à l'aéroport. Il devait partir de toute urgence à Los Angeles, pour affaires. Quel bonheur pour Judith d'être au volant et d'accompagner son bien-aimé. Elle se félicitait d'avoir rapporté de ravissantes toilettes de Paris, mais déjà elle pensait à sa garde-robe d'hiver. Gregory s'était mis en tête d'aller passer la mauvaise saison à Palm Beach et Judith y consentit. Elle s'arrangerait pour se faire soigner une dent, pour modifier la décoration intérieure de leur appartement — ce qui l'obligerait à revenir souvent à New York. Des nuits entières dans les bras de Robin, sans danger pour elle depuis qu'elle prenait ces merveilleuses pilules prescrites par le docteur Spineck — finies les bouffées de chaleur. Pour ce qui était de ronfler, eh bien elle pourrait fort bien se passer de dormir la nuit. D'ailleurs, comment l'aurait-elle pu, sachant qu'elle avait toute une nuit à passer auprès de Robin ? Il s'éveillerait à ses côtés, ils prendraient leur petit déjeuner ensemble. Bien sûr, elle feindrait de s'être réveillée quelques instants avant lui, juste à temps pour se poudrer le nez et se donner un coup de peigne. Elle avait déjà repéré un de ces nouveaux sacs en crocodile, assez vaste pour y fourrer n'importe quoi.

Judith n'avait plus rien entrepris pour se relancer dans le monde. A quoi bon ? Ses rencontres avec Robin, rien d'autre ne comptait plus pour elle. Par moments, cette passion dévorante qu'elle éprouvait pour lui l'effrayait. Elle l'aimait vraiment. Ce qui lui faisait surtout peur, c'était ce besoin lancinant de le voir, de sentir sa présence. La nuit, elle restait éveillée et elle imaginait des tas de choses — entre autres la mort subite de Gregory, une mort douce, sans souffrances. Robin la consolerait et après un certain délai — il fallait respecter les convenances — elle épouserait Robin.

Se *marier*, avec Robin ! Elle se dressa sur son séant, en proie à une vive agitation. Grands dieux, imaginer la mort de Gregory, c'était abominable de sa part. Mais elle aimait Robin, oui, elle l'aimait d'amour. Un amour comme les romanciers aiment à les décrire. L'Amour, avec un grand A, cela existait. Ses aventures passées n'étaient rien comparées à ses sentiments pour Robin. En dehors de lui, plus rien n'existait. Il était toute sa vie. Et Gregory ne mourrait certainement pas de mort subite — il se portait comme un charme.

Et si elle divorçait ? Non... cette solution était exclue. Dans ce cas, Robin serait obligé de quitter la IBC. Et pourquoi ne le ferait-il pas ? Il lui avait parlé d'un livre qu'il voulait écrire, dont il avait déjà rédigé une première ébauche. Il avait choisi pour sujet la vie des grands hommes qui avaient réussi à remonter la pente après avoir subi un échec. Entre autres, le général de Gaulle, Winston Churchill. Selon la théorie chère à Robin, le vrai gagnant est celui qui réussit à se hisser au sommet après avoir essuyé un échec qui l'a fait tomber de très haut. On peut avoir essuyé une remontée de cet ordre une fois dans la vie. Mais seuls les très grands hommes peuvent le faire deux fois. C'est ce qui les distingue des chanceux.

Après tout, pourquoi se ferait-elle des soucis ? Elle avait une grosse fortune personnelle. Même si elle n'acceptait rien de Gregory, elle possédait plus d'un million de dollars en valeurs et en titres. Gregory avait pris la précaution de se renseigner sur Robin avant de l'engager, et Judith savait ainsi qu'il avait une fortune personnelle des plus coquettes. Rien ne les empêcherait d'aller s'installer à Majorque, d'y acheter une maison ; elle se sentait assez forte pour le garder, ils mèneraient une vie idéale, longues promenades sur la plage, croisières ; et le soir venu ils s'installeraient au coin du feu et Robin lirait son manuscrit à haute voix, rien que pour elle...

A mesure que le temps passait, cette idée s'était transformée en obsession. Elle se dit un jour qu'il fallait en parler à Robin. Il l'aimait — elle n'en doutait plus. Depuis six semaines, ils s'étaient vus constamment. Elle savait que lorsqu'il ne passait pas ses nuits avec elle, Robin restait chez lui, cloué devant son poste de télévision. Il ne s'était pas passé une seule nuit sans que Judith ne l'appelle pour lui dire quelques mots pleins d'amour et de tendresse. C'était tellement merveilleux de rester ainsi, étendue dans le noir, de savoir que Gregory dormait dans sa chambre et de pouvoir avouer sa passion à Robin. Certes, lui-même ne s'était jamais laissé aller à lui dire qu'il l'aimait. Ce n'était pas son genre... Mais il lui disait à chacun de ses appels nocturnes : Dormez bien, chérie.

Elle regarda sa montre : déjà midi ! Il y avait une heure de décalage avec Chicago, il était onze heures là-bas. Judith avait appelé Robin la veille au soir à Los Angeles. Il devait revenir aujourd'hui. A quatre heures, l'avion ferait escale à Chicago pour faire le plein. Elle sauta à bas de son lit. Il fallait qu'elle soit à l'aéroport de Chicago lorsque Robin y arriverait. Elle écrivit un petit billet à l'intention de Gregory pour lui annoncer qu'elle passerait la journée à Darien. Heureusement, Greg était toujours si las après sa partie de golf qu'il s'endormait tout de suite après dîner.

Elle arriva à Chicago à quatre heures pile et se rendit dans le salon réservé aux VIP où elle demanda à un employé de prévenir M. Robin Stone qu'on l'attendait. Quelques instants plus tard, elle vit arriver Robin, quelque peu hors d'haleine et surtout stupéfié de la voir devant lui.

Elle se jeta dans ses bras. Peu lui importait désormais d'être vue et reconnue — sa décision était prise. Robin et elle ne se quitteraient plus. Ils eurent le temps de boire un verre au bar pendant que l'avion faisait le plein d'essence. C'était bien la première fois que Judith se félicitait de ce que Greg eût autorisé Robin à se servir de son avion personnel. Robin paraissait passablement gêné de se trouver aux côtés de Judith, mais elle se dit qu'au fond, il était ravi de la revoir. Tant qu'ils ne furent pas installés dans l'avion elle ne fit pas la moindre allusion à sa « décision ». L'avion volait en direction de New York quand, chose bizarre, ce fut lui qui offrit à Judith une excellente entrée en matière.

Il prit la main de Judith et la serra très fort avant de parler :

— Tout ça est très beau, parfaitement romanesque, mais il faut me promettre de ne plus jamais recommencer. Le pilote vous a certainement reconnue — et nous voulons avant tout éviter la moindre peine à Gregory...

— Justement, c'est pourquoi je tiens à ce que tout soit net et propre entre lui et moi. Je vais lui demander de divorcer.

Robin ne répondit pas, il se contenta de suivre du regard la nappe de nuages qui flottait sous l'avion.

— Robin, vous m'aimez, n'est-ce pas ?

— Nous sommes l'un à l'autre — pourquoi faudrait-il blesser Gregory ?

— Je veux être votre femme, Robin !

Il lui prit les mains et lui dit d'une voix ferme :

— Judith je ne *veux* pas me marier. (Il vit qu'elle avait les yeux pleins de larmes.) Je n'ai jamais voulu me marier, ajouta-t-il doucement, ni avec vous ni avec aucune autre femme. Comprenez-moi...

— Robin, ne dites pas ça ! Vous pourriez quitter la IBC, écrire, je serais près de vous... Nous aurions une vie merveilleuse. Ne me dites pas non tout de suite. Réfléchissez — je ne vous demande rien d'autre. Mais promettez-moi d'y réfléchir !

Il sourit et caressa la main de Judith.

— Promis, nous y réfléchirons, vous et moi. Assez parlé maintenant.

Il se leva, alla vers le petit bar et prépara deux grands verres d'alcool.

Elle leva son verre et dit :

— A notre bonheur !

— A votre bonheur, Judith. Je voudrais pouvoir ne jamais vous faire de la peine. Ne l'oubliez pas.

Elle se blottit contre son épaule.

— Chéri, je voudrais que ce voyage ne finisse jamais. Ce serait merveilleux.

Le lendemain matin Judith attendit en vain l'appel de Robin. Elle ne s'en inquiéta pas tout d'abord. Elle s'enferma dans sa chambre et attendit. A trois heures de l'après-midi ce fut elle qui téléphona. Il décrocha à la deuxième sonnerie.

— Je suis désolé, nous avons eu plusieurs réunions, je n'ai pas pu m'y soustraire. Les problèmes à régler se sont accumulés pendant mon absence.

Elle rit avec une pointe de malice.

— On dirait que vous avez des gens dans votre bureau, n'est-ce pas ?

— En effet.

— Ils vont rester là longtemps ?

— Tout l'après-midi, j'en ai peur.

— Et si je vous retrouvais chez vous, vers six heures ?

— Impossible. J'ai un tas de rendez-vous jusqu'à sept heures. Après, il me faudra regarder notre nouvelle émission à la télé. Elle passe ce soir pour la première fois.

— Je serais ravie de la regarder avec vous.

— Mais je ne serai pas chez moi. Cela se passera au domicile du commanditaire qui doit m'emmener ensuite à une réception. Puis-je vous rappeler ? (Sa voix trahissait son irritation.)

Elle raccrocha. Il ne la rappela pas. Elle dîna seule avec Gregory qui, très fatigué par sa journée au grand air, ne tarda pas à s'endormir devant le petit écran. Judith fit semblant de s'intéresser à la nouvelle émission. Elle se dit que Robin était en train de la regarder lui aussi, ce qui le rapprocha un peu d'elle. Il s'ennuierait probablement à cette réception dont il avait touché un mot. C'était un genre de réjouissances qu'il n'appréciait guère.

Le lendemain Judith se fit apporter les journaux. Elle constata que la IBC avait remporté un succès très flatteur. Le *Times* consacrait un compte rendu fort élogieux à la nouvelle émission et faisait allusion à l'influence revivifiante de Robin Stone sur les programmes. Mais ce furent les quotidiens du soir qui la bouleversèrent : elle apprit ainsi que Robin avait effectivement assisté à la réception... mais qu'il ne s'agissait pas d'une petite soirée banale. La production avait loué pour l'occasion le *Rainbow Room* et invité toutes les célébrités de la scène et de l'écran. Une double page du journal était consacrée aux photos — une grande photo de Robin, assis entre une vedette de la scène et un mannequin. Il riait, penché vers la vedette. Mais Judith reçut un coup de poignard au cœur lorsqu'elle remarqua que Robin serrait dans sa main celle du mannequin... Ce geste était plus éloquent que de longues phrases.

Il ne lui téléphona plus pendant toute une semaine. Fallait-il qu'il soit occupé ailleurs pour la négliger de la sorte. Au comble de l'exaspération, elle se décida enfin à l'appeler sur sa ligne privée. La voix neutre de la standardiste lui répondit que ce numéro n'était plus en service. Une peur atroce s'empara de Judith. Ce n'était pas possible, il n'allait pas la lâcher ainsi ! Elle appela chez lui. La même voix impersonnelle lui répondit :

« Ce numéro n'est plus en service. Nous ne pouvons pas vous indiquer le nouveau numéro de l'abonné — il ne figure pas à l'annuaire. »

Il s'était donné tout ce mal pour l'éviter ! C'en ·était trop, elle enfouit son visage sous son oreiller pour ne pas être entendue et éclata en sanglots. Elle ne s'endormit qu'à l'aube. Maintenant, son amour pour Robin avait fait place à la haine. Elle voulait le détruire, elle obligerait Gregory à le renvoyer.

Elle lança sa première attaque dès le lendemain matin.

— Greg, tu n'as pas l'air de t'en apercevoir, mais Stone s'est emparé de ton affaire, il t'a évincé. Nous sommes réduits à l'état de parias. Est-ce que tu te rends compte ? Toutes les invitations, on les adresse à Robin Stone et plus personne ne pense à nous !

Gregory l'écouta patiemment. Il finit par lui dire :

— Judith, j'ai soixante-deux ans. Les actions de l'affaire n'ont jamais été aussi bien cotées en Bourse qu'en ce moment, l'entreprise n'a jamais aussi bien marché. Je me garderais bien de mettre des bâtons dans les roues à l'homme qui a mené à bien pareille réussite. Si tu veux connaître le fond de ma pensée, je ne suis pas fâché de pouvoir aller de temps à autre au bureau, de constater que tout marche bien et de m'éclipser pour aller faire ma partie de golf...

— Et que dois-je faire, moi, pendant ce temps ? Rester seule à la maison du matin au soir ? Tu est trop fatigué pour sortir et moi, je me morfonds dans la solitude.

— Je te croyais très prise par tes œuvres de charité ? Cela semblait te suffire tous ces temps-ci ?

Elle évita son regard.

— A combien de ventes de charité puis-je prendre part, selon toi ? (En réalité, elle n'avait assisté à aucune vente.) J'ai essayé de relancer nos anciennes relations — elles m'évitent depuis que tu n'es plus le grand Gregory Austin. Et quand elles s'étonnent de ne plus nous rencontrer dans aucune réception « dans le vent » je suis bien obligée de leur avouer que personne ne pense plus à nous inviter.

— Tu n'en as pas encore soupé de toutes ces bêtises ? Rencontrer les mêmes têtes, écouter les mauvaises langues, voir à chaque réception les mêmes femmes qui s'évertuent à éclipser les autres en s'affublant de robes de plus en plus chères...

— C'est ton point de vue. Mais moi, j'aime sortir !

— A ton aise, moi, ces sorties m'empoisonnent. Je te croyais redevenue raisonnable depuis un certain temps. J'étais heureux, et voilà que tu me demandes de balancer Robin Stone, rien que parce qu'on l'invite à notre place ! Judith, tu te conduis comme une enfant.

— Je n'ai pas soixante-deux ans et je ne suis pas impuissante, moi ! hurla-t-elle dans un véritable accès de fureur.

Gregory se leva et quitta la pièce. Elle resta là, comme frappée de stupeur, puis de grosses larmes se mirent à couler sur son joli visage refait à neuf. Elle se reprochait amèrement d'avoir blessé son mari. Et pourquoi ? Pour cet horrible Robin ? Elle se précipita dans sa chambre, se jeta sur son lit en se tordant les mains. Ah, c'était trop affreux, tout était fini entre elle et Robin... Il avait fait exprès de se laisser photographier avec cette fille... Il l'avait plaquée, elle et tous ses rêves. Elle ne le serrerait plus jamais dans ses bras, elle ne le sentirait jamais plus pénétrer en elle... Ses sanglots avaient fait place à des hoquets, elle n'avait plus de larmes pour pleurer. Elle avait envie de mourir.

Soudain, elle sentit une main lui caresser doucement les cheveux. Gregory était assis à son chevet.

— Ne pleure pas, ma chérie. Je ne suis pas fâché après toi. Je sais que tu t'es laissée emporter par la colère.

Elle se tourna vers lui, se jeta à son cou :

— Gregory, je t'aime !

— Je le sais bien... Patiente encore un peu, attends que je sois complètement rétabli. Je ne me sens pas encore assez fort pour me charger du réseau. Mais tu n'auras pas longtemps à attendre. Nous irons passer l'hiver à Palm Beach. Tu t'y amuseras, je te promets.

Elle baissa humblement la tête et murmura :

— Greg, ce n'est pas vrai, tu n'es pas impuissant.

Judith fit de gros efforts pour se réintégrer dans la vie mondaine mais avec un résultat nul. Le sentiment de frustration qu'elle en éprouvait adoucissait, dans une certaine mesure, son chagrin d'avoir à tout jamais perdu Robin. Cependant, toutes les nuits, elle regardait obstinément son téléphone et se souvenait des temps heureux où elle pouvait s'entretenir tendrement avec lui. Ses souvenirs suffisaient à lui arracher des larmes, l'obligeant à enfouir son visage sous l'oreiller pour étouffer ses sanglots.

Elle décida de partir à Palm Beach avant Noël. Et elle n'osa même pas lancer des invitations pour son habituel cocktail, sachant que tout le monde ou presque était déjà parti, les uns pour Acapulco, les autres pour les Bahamas et tous ceux qui restaient étant déjà pris par les réceptions des nouvelles hôtesses qui l'avaient détrônée.

Souvent, elle pensait à Robin avec un mélange de désir et de haine. Son souvenir ne la lâchait pas. Même à Palm Beach, elle se contentait de rester assise dans le patio de l'hôtel à faire des réussites et à se torturer en se représentant Robin faisant l'amour à quelque fille, belle et jeune.

Mais il n'y avait pas de belles filles dans la vie de Robin. Il travaillait dix heures par jour pour maintenir le réseau en tête. L'émission de Dip était programmée pour le mois de février. Chaque jour l'acteur prenait contact avec Robin.

— T'as envie de faire une virée mon pote ?

Parfois Robin lui permettait de l'accompagner jusqu'au Lancer. Parfois, lorsque à dix heures du soir il était pris de claustrophobie dans son bureau, il téléphonait à Dip :

— Viens m'attendre à la sortie. J'ai envie de marcher.

— Mais il fait moins quatre et je suis au page.

— Tu rappliques, oui ou non ?

— Laisse-moi dix minutes pour m'habiller.

Quand il n'était pas fourré avec Robin, Dip trônait au Danny's où les impresarios lui faisaient une cour assidue. Il se déclarait toujours prêt à les pistonner et prétendait que Robin Stone n'achetait jamais une émission sans le consulter. Dip se sentait très à l'aise dans ce nouveau rôle. Il réglait ses comptes avec ceux qui l'avaient dédaigné autrefois ; il leur affirmait qu'aucun de leurs poulains ne figurerait jamais aux émissions de la IBC Le plus beau est qu'ils le croyaient tant on lui attribuait d'influence sur Robin Stone. L'un d'eux alla jusqu'à dire : « Celui qui est amoureux d'une femme est capable de tout pour elle, mais celui qui aime un homme, alors là... »

Chose bizarre, Dan s'efforçait de dissiper ces rumeurs. Quand on lui parlait d'une liaison entre Dip et Robin, il éclatait de rire :

— Il ne s'agit pas d'amour, mais de galette. Dip Nelson doit l'arroser copieusement.

Ces bruits parvinrent jusqu'aux oreilles de Gregory à Palm Beach. Quand il vit le nom de Nelson figurer comme producteur au générique de la nouvelle émission de Danton Miller, il appela aussitôt Cliff Dorne.

— C'est une excellente émission, dit-il. Mais que ce cabot qui n'était pas capable de pisser sans mouiller son pantalon se retrouve producteur, ça me paraît un peu louche. Les racontars ne sont peut-être pas faux. Je ne crois pas qu'ils soient de la pédale, mais il y a une histoire de pots de vin là-dessous.

— J'ai étudié les contrats méticuleusement, répliqua Cliff d'un ton las. S'ils fricotent, c'est bien caché. Moi aussi ça m'intrigue. J'ai même demandé tout de go à Robin pourquoi il avait acheté un projet à Dip Nelson et il m'a répondu : « Cliff, si tu avais une bonne émission à vendre, je te l'achèterais, même à *toi* ! »

Gregory raccrocha. Judith était assise auprès de lui dans le patio pendant cette conversation.

— Qu'est-ce que tu vas faire ? demanda-t-elle.

— Pour l'instant, une partie de golf, répondit-il en se levant.

Rien ne semblait devoir arrêter Robin Stone. Le magazine *Life* publia un article à son sujet, sans sa collaboration. Il consistait en opinions formulées par des gens qui travaillaient avec lui et par des filles qu'il avait fréquentées. Selon une hôtesse de l'air, il était vraiment le robot d'amour. Selon un mannequin, c'était l'homme le plus romanesque qu'elle eût jamais connu. Une jeune personne qui aspirait à devenir actrice le qualifia de parfait minus. L'article attribuait à Maggie Stewart cette réponse : « Pas de commentaire. » Cette renommée fit boule de neige, la notoriété de Robin s'accrût prodigieusement, mais il l'ignora. Il allait parfois au cinéma avec Dip. De temps en temps il rencontrait Jerry au Lancer. Il dînait seul au Steak Place. Mais surtout, il travaillait.

Jerry finit par lui toucher deux mots de la mauvaise humeur que Gregory manifestait à son égard. Ils étaient tous deux debout au comptoir du Lancer quand Jerry lui demanda :

— Est-ce qu'il t'arrive de consulter Gregory avant d'acheter une émission ?

— Jamais. Je n'en vois pas la nécessité. En ce moment je visionne des projets susceptibles de remplacer les émissions qui pourraient nous claquer entre les doigts pendant la saison prochaine. Quand j'aurai fait mon choix, j'inviterai Gregory à les voir.

— Quelle générosité !

Robin ne répondit pas. Il gardait les yeux fixés sur la glace qui flottait dans son verre.

— Il t'a donné ta chance, insista Jerry. Si tu veux conserver ta situation, je te conseille de lui demander son avis de temps en temps, ou tout au moins de faire semblant.

— Désormais tout le monde sait que le maître c'est moi, répondit Robin lentement.

— Oui, c'est vrai.

Robin sourit :

— Alors que Gregory me reprenne la place s'il en a envie.

— Qu'est-ce que ça signifie ?

— Que je m'en fous éperdument. Je ne lui ai pas demandé son réseau. Mais, maintenant que je l'ai, je ne vais pas le lui rendre sur un plateau d'argent. Qu'il se débrouille, qu'il se défende, s'il veut le récupérer.

Jerry le considéra d'un air curieux :

— Ecoute, Robin. Quelqu'un m'a dit que tu avais des tendances suicidaires. Je commence à le croire.

Robin éclata de rire :

— Occupe-toi de tes complexes et laisse les miens tranquilles.

En avril, tous les programmes de l'automne étaient au point. Un soir que Robin quittait son bureau, Dip Nelson y arriva en trombe.

— Pauli a terminé sa tournée, annonça-t-il. Elle arrive à New York demain. J'ai une idée géniale. J'en ai pas encore parlé à Dan. Au lieu de changer de fille chaque semaine dans l'émission, pourquoi pas utiliser Pauli en permanence ? Qu'est-ce que tu en dis ?

— Non. (Robin s'assit et parla de son ton le plus cordial.) Ecoute, Dip. Inutile de chercher midi à quatorze heures. Pauli peut choisir le rôle qui lui plaît dans n'importe quelle comédie musicale de Broadway. Ike Ryan meurt d'envie de l'engager pour son spectacle de la saison prochaine.

— Mais Pauli est faite pour la télé.

— Dip, occupe-toi de ta propre carrière. Aucune émission de télévision ne dure éternellement. Trouve quelque chose de nouveau et essaie de t'en assurer les droits. Dan Miller est en train de mijoter une idée d'émission qui pourrait être sensationnelle.

Le regard de Dip s'assombrit :

— Tu rigoles ! Ce fumier-là me tire dans les pattes, mais nous avons un accord : moitié moitié sur tout.

— C'est un accord écrit ?

— Non, un arrangement à l'amiable.

Robin éclata de rire :

— Avec des gars de votre acabit, ce n'est pas rassurant.

Dip fronça les sourcils : je lui revaudrai ça, songea-t-il. Mais son humeur changea du tout au tout et il retrouva son sourire gamin :

— Si tu venais faire un tour au Danny's avec moi ? Tu ne mets plus le nez dehors. Les gens vont finir par croire qu'on n'est plus copains !

Robin secoua la tête :

— Non, je pars ce soir pour la Côte. Il faut que je dégotte une tête d'affiche pour l'émission de Dan. Et j'achèterai peut-être une série à Ike Ryan si je déniche l'acteur adéquat.

Le sourire de Dip s'effaça :

— Comment est-ce qu'il te tient, Ike ?

— Qu'est-ce que tu veux dire ?

Assis sur le bord du bureau de Robin. Dip sourit d'un air entendu :

— Ecoute, mon pote, le grand Dipper en sait long sur ton compte. Tu ne donnes rien pour rien, pas même de la glace en hiver, à moins que tu sois coincé. T'aurais pas rossé une autre putain quelque part ?

Robin le saisit par la cravate.

— Ecoute, espèce de sale petit fumier, personne ne me tient, pas même toi. Si Dan Miller n'avait pas proposé un bon spectacle, je n'aurais jamais laissé passer son projet. J'étais très content que tu sois dans le coup parce que je pensais que ça te donnerait la possibilité de faire une nouvelle carrière. Si l'émission d'Ike Ryan est bonne, je l'achète. Mais si celle de mon meilleur ami fait un bide, je l'annule, tout aussi vite. Tâche de ne pas l'oublier.

Il relâcha son étreinte. Dip rectifia sa cravate en souriant :

— Il n'y a pas de quoi te mettre dans tous tes états, mon pote. Le grand Dipper est ton copain. Il irait même jusqu'à *tuer* pour toi. Tâche de ne pas l'oublier non plus. On ne trouve pas souvent des amis comme ça.

A peine installé à l'hôtel Beverly Hills, Robin téléphona à Maggie.

— Il est onze heures du soir, gémit-elle. Quoi que tu aies à me dire, je suis trop lasse pour t'écouter.

— J'arrive de New York où il est deux heures du matin. Puisque je ne suis pas trop fatigué pour parler, tu peux m'accorder quelques minutes d'attention. D'ailleurs, il s'agit d'affaires. Je t'invite à prendre le petit déjeuner à la Loggia, demain matin à neuf heures.

— Si tu disais onze heures, j'envisagerais la question.

— J'ai deux émissions à visionner entre dix et onze.

— Désolée, mais je n'aime pas qu'on me bouscule.

— Maggie, il s'agit de travail.

Elle bâilla.

— Alors dis-moi tout de suite ce que tu as à me dire.

— D'accord. J'ai vu ton dernier film.

Elle éclata d'un rire rauque.

— Tu as raison. C'est peut-être bien mon *dernier*.

— C'est un navet effroyable, mais tu y étais formidable. J'ai besoin de toi pour une nouvelle série à la télévision.

— Pourquoi ?

— Parce que le rôle t'irait comme un gant.

— Alors, adresse-toi à mon impresario. Lui, il déjeunera peut-être avec toi. Il s'appelle Hy Mandel. Tu trouveras son numéro dans l'annuaire. (Le déclic indiqua à Robin qu'elle avait raccroché.)

Il passa les dix jours suivants à visionner des émissions et ne donna plus signe de vie à Maggie. Pourtant il avait envie de la voir. A plusieurs reprises il se surprit à tendre la main vers le téléphone, mais il résista à la tentation. Il sentait qu'ils ne pouvaient plus simplement se retrouver, faire l'amour et se quitter ensuite. Et il refusait de se laisser passer la corde au cou.

Puis vint une soirée de solitude sinistre. Robin estima que nulle part ailleurs on ne se sent aussi esseulé qu'à Los Angeles. A New York, on peut au moins sortir et marcher. Mais à Beverly Hills, celui qui se déplace à pied sur les trottoirs bordés d'arbres voit immédiatement une voiture de ronde s'arrêter à sa hauteur. Personne ne marche à pied à Los Angeles. En semaine tout ferme à dix heures du soir. Evidemment, il lui était toujours loisible d'aller lever une nana. Il en aurait trouvé à foison au Polo Lounge. C'était le repaire des starlettes ambitieuses et des impresarios qu'il terrifiait mais qui auraient fait n'importe quoi pour se mettre dans ses petits papiers. Tout à coup il se sentit las... il en avait marre. Pourquoi diable ne rendait-il pas le réseau à Gregory ? Mais que ferait-il ensuite ?

La sonnerie du téléphone l'interrompit dans ses réflexions. Il regarda sa montre. Dix-neuf heures trente. Trop tard pour une communication professionnelle.

— M. Milano, annonça la standardiste.

Pendant un instant le nom ne lui évoqua rien, puis son visage s'éclaira.

— Passez-le moi, s'exclama-t-il joyeusement.

— Robin ! Je suis si content d'avoir réussi à te joindre !

— Sergio ! quelle bonne surprise !

— Je suis rentré aujourd'hui de Los Angeles et je viens de voir dans un journal corporatif que tu étais ici également.

— Ma parole. Tu parles même comme un acteur. Moi j'avais lu que tu tournais un film à Rome. Qu'est-ce qui s'est passé depuis ?

— On m'a offert la chance de ma vie. Je commence à tourner ici dans un nouveau film la semaine prochaine. Je tiens le rôle principal. Je suis devenu acteur, Robin. Ce n'est pas merveilleux ?

— Qu'est-ce que tu fais en ce moment ?

— Je te le dis, je tourne un film la semaine prochaine.

— Non. En ce moment même, qu'est-ce que tu es en train de faire ?

Un instant de silence, puis Sergio répondit :

— Robin, j'ai fait la connaissance de quelqu'un à qui je tiens beaucoup...

— Alors, mes félicitations. J'en suis heureux pour toi, Sergio. Sincèrement.

— Je dîne avec lui ce soir. Il s'appelle Alfie Knight.

— Je pense que vous êtes faits l'un pour l'autre, approuva Robin bienveillant.

— Mais nous pourrions prendre un verre ensemble demain.

— Volontiers. Cinq heures au Polo Lounge ?

— J'y serai.

Robin se fit servir à dîner dans sa chambre et alluma la télévision. C'était l'heure de l'émission de Dip. Autant la regarder.

D'abord, ce fut le spot publicitaire. Puis l'animateur entra en scène juste comme le garçon apportait le repas. Robin attaquait la première bouchée lorsque le visage de Pauli apparut en gros plan. Il faillit s'étrangler. Ce salaud de Dip ! Il lui avait pourtant *interdit* d'introduire Pauli dans son émission ! Mais pourquoi Dan lui avait-il donné son accord ? Il repoussa la table pour reporter toute son attention sur le spectacle. Un bide ! On avait désormais centré l'histoire sur Pauli afin de la garder en permanence, et de ce fait démoli l'émission.

Il appela immédiatement Dan qui parut stupéfait :

— Dip m'a affirmé que c'était toi qui en avais donné l'ordre. Les émissions de la semaine prochaine sont déjà enregistrées. J'ai signé un contrat à cette sauterelle pour le reste de la saison.

Robin raccrocha brutalement le combiné puis appela Dip. Occupé. L'imbécile bavardait sans doute avec ceux qui le félicitaient. Robin se fit réserver une place dans l'avion de minuit pour New York. Puis il se rappela son rendez-vous avec Sergio. Il ne connaissait même pas le numéro de téléphone. Tant pis ! il laisserait un mot au maître d'hôtel du Polo Lounge.

Il arriva à l'aéroport Kennedy à huit heures du matin et fila tout droit à son bureau. Il convoqua aussitôt Dip et Dan Miller. D'un ton sans réplique, il exigea que Pauli soit immédiatement retirée de la distribution.

— Je ne peux pas lui faire ça, plaida Dip. Elle a donné aujourd'hui une conférence de presse pour annoncer qu'elle faisait désormais partie de l'émission. Si on la balance après ça, ce sera vraiment moche pour sa réputation.

— C'est un ordre !

— J'ai des droits sur l'émission, répliqua Dip têtu.

Robin se tourna vers Dan :

— Tu as autant de droits que lui.

Dan parut étonné :

— Je n'en ai qu'un tiers et je suis prêt à me ranger à ton avis.

— Qui possède le troisième tiers ? demanda Robin.

Après un moment de silence Dan répondit :

— Je croyais que c'était toi.

Pendant un instant Dip parut avoir peur, puis son expression se durcit et il se raidit comme s'il s'apprêtait à la bagarre.

— Non, mon pote, c'est moi qui ai les deux tiers. Je suis la majorité à moi tout seul, comme qui dirait. (Il sourit.) Alors, c'est réglé, Pauli reste.

Robin se leva et le regarda droit dans les yeux.

— Dip, tu m'as déjà rendu un grand service autrefois. Je t'en demande un autre : ne m'approche jamais plus.

Dip mima une révérence pompeuse et s'en alla. Dan remuait nerveusement le pied en attendant la réaction de Robin. Elle l'étonna.

— Alors, il t'a collé Pauli sur le dos. Eh bien bonne chance, fit-il froidement.

— Tu ne peux pas m'en vouloir à moi.

— Si. Tu n'aurais jamais dû croire un seul instant que j'avais accepté de marcher dans ce genre de combine.

— Mais alors ma prochaine émission dans tout ça ?

— Dip est dans le coup ?

— Non.

— Alors, ça tient toujours.

La cote de l'émission dégringola dès que Pauli y participa. En juin, Robin l'annula. Dip resta sur le sable. Mais chose bizarre, ce fiasco à la télévision rendit service à Pauli. On lui offrit un contrat pour un film. Dip partit avec elle pour la Côte et Robin consacra toute son activité à préparer la saison d'automne.

Gregory Austin avait décidé que l'assemblée générale des actionnaires prévue pour novembre se tiendrait sur la Côte. D'ordinaire il faisait un aller et retour de trois jours en compagnie de Cliff Dorne. Cette fois il décida de passer une semaine entière à Los Angeles. Ce serait une distraction pour Judith.

En considérant le portrait de Robin sur la couverture de *Newsweek*, Gregory réalisa que pour les actionnaires ce diable d'homme était un dieu et qu'ils tenaient désormais Gregory Austin pour un vieillard quasiment à la retraite. Pourtant il ne s'était jamais senti plus en forme et il aspirait à reprendre les leviers de commande. Il avait déjà esquissé plusieurs tentatives subtiles dans ce sens, mais jusqu'alors elles avaient toutes échoué. Robin écoutait ses conseils... après quoi il continuait d'agir à sa guise. Or, tout ce qu'il faisait tournait bien. Les cotes n'avaient jamais été meilleures A n'en pas douter, la IBC était devenu le réseau de M. Robin Stone.

Mais Gregory ne capitulait pas. L'été s'était bien passé pour lui à Quogue, mais Judith s'y était ennuyée. Enfin quoi, bon sang, on passe trente années de sa vie à créer un réseau, à s'assurer une existence à son goût et crac ! Il suffit de tomber malade une seule fois, de se tenir à l'écart un an et demi et, au retour, on émerge dans une civilisation nouvelle !

Il avait le cœur gros pour Judith. Les cicatrices derrière les oreilles ne lui avaient pas échappé. Bon Dieu ! le croyait-elle assez idiot pour ne pas avoir remarqué combien ses seins s'étaient redressés tout à coup ? Il devinait qu'elle s'était fait opérer pendant ces semaines où il était en traitement psychiatrique. Elle avait été si bonne pour lui durant sa maladie. Elle n'en avait que plus besoin de distractions. Elle avait envie de sortir, de s'amuser maintenant que tout allait bien. Et voilà qu'il la décevait.

Pourtant il était obligé de s'avouer qu'à son retour il s'était réjoui de voir Robin à la barre. C'était une situation reposante. Il avait passé un été agréable à Quogue en s'efforçant d'ignorer les longs soupirs que Judith poussait le soir en regardant la télévision. Mais finalement ce fut l'attitude de sa femme à leur retour en ville qui le décida à agir.

Judith passait des journées entières au lit. Il lui arrivait de prendre un somnifère toutes les quatre heures. Gregory dût s'assurer les services d'une infirmière pour veiller sur elle, et la nuit il couchait dans la chambre de sa femme. Les somnifères la mettaient dans un tel état qu'elle titubait et il redoutait qu'elle mît le feu à ses vêtements en allumant une cigarette.

Quand elle ne restait pas au lit, elle traînaillait dans la maison, vêtue d'une vieille robe de chambre, sans prendre la peine de se peigner ni de se maquiller. Elle refusait de sortir. Il lui proposa même de l'emmener au El Morocco. Non, pas de tête-à-tête, elle voulait de la compagnie. D'accord. Il suggéra alors de louer à Maurice Uchitel la salle du premier pour y donner un grand dîner. Elle éclata en sanglots. « Personne ne viendrait », gémit-elle. En désespoir de cause il téléphona en Suisse, au docteur Brugalov, et lui expliqua que Judith subissait le contre-coup de la tension nerveuse qu'elle avait éprouvée pendant sa propre maladie. Il demanda au médecin de lui recommander un confrère aux Etats-Unis.

Le docteur Brugalov lui indiqua un certain docteur Galens. Quand Gregory lui exposa la situation, chose curieuse, le docteur Galens ne demanda pas à voir Judith. Il proposa à Gregory d'avoir avec lui un entretien quotidien. Gregory était alors tellement désespéré qu'il accepta.

Au cours de leurs conversations, ils remontèrent à sa crise de paralysie, puis discutèrent des relations sexuelles du ménage. Gregory révéla au médecin qu'il avait remarqué les petites cicatrices sur le corps de sa femme, et derrière les oreilles. Non, elle n'avait pas fait cela pour séduire d'autres hommes, il en était convaincu. Ce n'était pas son genre. D'ailleurs, la sexualité ne comptait guère pour elle. Gregory était convaincu qu'elle avait subi ces opérations pour conserver son prestige de beauté célèbre.

Mais le docteur Galens en revenait sans cesse à leur vie sexuelle. Exaspéré, Gregory finit par lui dire :

— Ecoutez-moi. Quand nous nous sommes mariés ma femme avait vingt-sept ans et elle était vierge. J'ai donc commencé en douceur avec elle. Elle n'a jamais manifesté aucune curiosité, recherché aucune fantaisie. Nous en sommes restés aux pratiques les plus banales. Elle a sûrement lu il y a quelque temps un livre de conseils quelconque, vous savez le genre : *Comment faire ceci... Comment réussir cela*, un espèce de manuel de la vie conjugale parce que ces dernières années, elle a fait quelques tentatives maladroites avec la bouche. Je n'aurais jamais osé auparavant essayer un truc comme ça avec elle. Ce n'est pas son genre, tout simplement. Je n'ai pas besoin de fantaisies. Dieu sait si j'ai varié les plaisirs quand j'étais célibataire. J'en ai eu ma dose pour le reste de mes jours. Puisque Judith semblait se contenter de l'amour à la papa, ça me suffisait. D'ailleurs ce qu'elle aimait dans notre vie conjugale, c'était une existence mouvementée, passionnante, et...

Il se tut, frappé par une inspiration subite. C'était ça ! La peur ! Sa propre peur à lui dans laquelle entraient pêle-mêle la IBC et Judith. Elle avait raffolé de l'existence qu'il lui faisait autrefois. Il l'aimait. Non... plus que ça, il l'adorait. Quoiqu'il bougonnât contre ses cocktails du Nouvel An, il était encore émerveillé qu'elle fût sienne, ensorcelé par l'élégance qu'elle avait introduite dans sa vie. Lorsqu'ils recevaient à dîner il réalisait que c'était elle qui avait transformé son univers et l'avait illuminé. Alors, la peur le prenait à l'idée qu'un jour quelque chose pourrait détruire cette magie. Un autre homme ? Non. Judith n'avait pas assez de tempérament pour cela. L'argent ? Il en aurait toujours assez. La maladie ? Ah, oui : la maladie pouvait tout anéantir.

Et c'était arrivé. Il avait perdu Judith. Elle cherchait à s'anéantir. Mais n'en avait-il pas fait autant lui-même en prétendant s'offrir le luxe de laisser son réseau entre les mains de Robin après sa guérison ? Alors, la vérité lui apparut clairement tout à coup. Il pourrait remettre Judith sur pied. Ce ne serait pas facile. Mais le goût du combat lui était revenu.

D'abord il lui fallait reprendre la direction de la IBC. Il saisit immédiatement le taureau par les cornes. Il alla trouver Robin et lui déclara tout de go :

— Ne prenez aucune décision pour l'an prochain sans me consulter.

— Et pourquoi cela ? demanda Robin.

Gregory fut gêné. Le regard froid et direct de Robin le mettait mal à l'aise. Il tenta de parler affectueusement, à cœur ouvert :

— Ecoutez, Robin. Vous étiez journaliste et je vous ai promu directeur général du réseau. Je suis fier de vous et je veux travailler avec vous. Vous êtes mon protégé.

— Je ne suis le protégé de personne. Voilà près de deux ans que je décide de tout ici. Je ne vais pas commencer maintenant à demander la permission. Si c'est ça que vous attendez, dégottez-vous un autre *protégé*.

Certes, Gregory ne serait pas en peine d'en dénicher un mais il ne pouvait pas se permettre de laisser un autre réseau mettre la main sur Robin Stone. Néanmoins, chaque fois qu'il voyait Judith, sa résolution s'affermissait. Pauvre petite Judith, elle qui avait subi toutes ces opérations pour sombrer par sa faute dans l'oubli ! Il lui fallait redevenir le maître à bord.

Il espéra que le voyage à Los Angeles l'y aiderait. Il ne comptait pas sur l'assemblée générale des actionnaires pour renverser la situation. Il devait temporiser. Aussi idiot que cela puisse paraître, il lui fallait souhaiter que les émissions de Robin soient des fiascos et que les actions en Bourse de la IBC dégringolent. Quand bien même il y perdrait gros, il était prêt à l'accepter parce qu'ainsi les actionnaires demanderaient la destitution de Robin.

Le docteur Galens estima que Los Angeles aurait un effet thérapeutique sur Judith si elle ne restait pas enfermée à l'hôtel. Gregory téléphona à Cully & Hayes pour qu'ils s'occupent d'annoncer à grand renfort de publicité l'arrivée du ménage Austin sur la Côte et veillent à les faire inviter à toutes les grandes réceptions. S'adresser à cette agence lui faisait mal au cœur, mais seul importait le bonheur de Judith. Cully & Hayes firent bien les choses. Avant leur départ, les Austin avaient déjà reçu plusieurs invitations. Judith cessa de prendre des somnifères, se fit coiffer, et acheta toute une garde-robe pour son séjour en Californie. Une semaine de vie mouvementée l'arracherait peut-être à sa neurasthénie.

Leur départ était fixé au dimanche. Le vendredi Gregory demanda à sa femme à quelle heure elle souhaitait partir.

— Il n'y a pas péril en la demeure ! répliqua-t-elle. Donne des ordres pour que l'avion soit prêt vers midi.

Gregory pria sa secrétaire de téléphoner au pilote afin qu'il se tînt à leur disposition. La secrétaire parut surprise :

— M. Stone est parti avec l'avion il y a deux heures.

— Quoi ?

— Il s'est rendu à Las Vegas pour recruter un artiste. De là, il ira jusqu'à la Côte assister au conseil d'administration. Je croyais que vous étiez au courant.

— En effet, j'avais oublié, se hâta de répondre Gregory.

Comment Robin avait-il *osé* prendre cet avion ! Il convoqua immédiatement Cliff Dorne.

Cliff soupira :

— Que voulez-vous, Gregory ! C'est tout à fait normal. Cet avion appartient à la maison. Stone dirige la maison, il se sert de l'avion. Dans Madison Avenue on l'a même surnommé le Canapé volant. Robin a remanié l'aménagement intérieur pour en faire une chambre à coucher avec un lit aussi large que la carlingue. Il le prend rarement seul. Il trimbale toujours une fille avec lui, la première qui lui tombe sous la main, pour lui tenir compagnie dans ce plumard. Il m'est impossible de le surveiller. La moitié du temps je ne sais même pas où il est.

— Il faut que ça cesse.

— Malheureusement pendant votre maladie, votre femme lui a donné les pleins pouvoirs. Si vous saviez combien de fois j'ai eu envie de partir en claquant la porte ! Mais c'était lui laisser le champ libre. Il aurait mis un homme à lui à la tête du service juridique et nous étions fichus.

— Nous le sommes déjà.

— Non. Il se coulera lui-même.

— Qu'est-ce qui vous permet de dire ça ? questionna Gregory.

— Ça doit lui arriver fatalement un jour ou l'autre. Il n'y a qu'à voir comment il s'est conduit pendant les six derniers mois. Il prend des décisions insensées, des risques inouïs. Il a monté deux émissions qui *devaient* logiquement se casser la figure. Et les deux ont fait un tabac !

— Il est comme tout le monde. Le pouvoir le démange et il a la folie des grandeurs.

— Non, je ne crois pas que ce soit ça. Par moments, on croirait qu'il veut faire étinceler son nom comme un feu d'artifice, et puis à d'autres, il nuit délibérément à sa réputation. Je vous avoue franchement que je ne comprends pas ce type. Le bruit court même qu'il serait de la pédale, pourtant il est toujours fourré avec des filles. On a raconté aussi qu'il acceptait des pots de vin. J'ai passé des semaines à éplucher la question. Je n'ai rien trouvé. Toutefois, j'ai mis le doigt sur un truc bizarre. Jusqu'à ces derniers temps Robin envoyait trois cents dollars par semaine à un acteur italien récemment arrivé à Hollywood : Sergio Milano. Je l'ai appris parce que le conseiller fiscal de Robin et le mien sont cousins. Actuellement Sergio Milano est à la colle avec Alfred Knight.

— Alors d'après vous, Robin serait à voile et à vapeur ?

— Il semblerait. Sergio n'a pas encore crevé le plafond, mais on lui confie des rôles intéressants et il est plutôt beau gosse. Selon toute évidence il gagne assez maintenant pour n'avoir plus besoin de Robin, ou bien il a cessé d'accepter son fric parce qu'il est avec Alfred Knight.

— On ne pourrait pas charger quelqu'un d'ouvrir l'œil ? Personnellement, je ne sais pas trop comment on s'y prend, fit Gregory gêné.

— Je m'en suis occupé. Un détective privé prendra Robin en filature dès qu'il prendra pied sur la Côte. Nous avons des responsabilités vis-à-vis des actionnaires. Vous vous rendez compte de l'effet sur le public si notre directeur général se faisait pincer dans une affaire de mœurs.

— Surtout pas de scandale, Cliff ! Je veux me débarrasser de Robin, mais pas lui casser les reins. Je n'irai pas jusque-là.

Cliff sourit.

— Gregory, je veux simplement un rapport écrit. Nous en apprendrons sûrement de belles. Alors, nous présenterons le rapport à Robin. Lui non plus ne tient pas au scandale. Sa sœur est de la haute, elle fait partie du gratin à San Francisco. Robin est assez intelligent pour comprendre qu'un scandale mettrait fin à sa carrière. Il acceptera donc que nous chargions quelqu'un de l' « épauler ». On procéderait à une division du pouvoir. Il vous suffira d'imaginer un nouveau titre. Que Robin reste directeur général de la IBC, ça n'est pas gênant, mais on pourrait récupérer Dan Miller. Vous joueriez le rôle d'arbitre entre les deux directeurs généraux et c'est à vous que reviendrait la décision finale.

En écoutant Cliff, Gregory hochait la tête :

— J'aimerais assez voir Dan Miller de retour, dit-il. Lui au moins, je l'ai bien en main. Mais acceptera-t-il de partager la direction avec Robin ? La dernière fois il a préféré démissionner.

— Non, il nous a quittés parce que Robin était devenu son supérieur.

— D'accord. Mais supposons que Robin nous quitte à son tour ? Tous les autres réseaux seraient enchantés de l'embaucher.

— Aucun danger de ce côté-là si nous avons le rapport que j'espère.

— Alors, nous ne pouvons rien faire avant, conclut Gregory.

— Ça prendra peut-être du temps. Si ce n'est pas pour cette fois, ce sera la prochaine. Si ce n'est pas à Hollywood, ce sera à New York. Je me suis adressé à une agence de tout premier ordre qui a des représentants dans toutes les villes du pays. En attendant, patientons.

— Patientons, soupira Gregory.

Il se demandait maintenant comment s'y prendre pour annoncer à Judith qu'ils iraient à Los Angeles dans un avion de ligne. Mais elle prit fort bien la chose :

— Je déteste ton sale avion. Vends-le donc, dit-elle.

Robin arriva à Los Angeles le dimanche en fin d'après-midi. Une pile de messages l'attendait à l'hôtel. Agents, impresarios, vedettes, directeurs de stations affiliées au réseau l'avaient appelé. Tous avaient envoyé de bonnes bouteilles. Son appartement présentait l'aspect d'un bar bien fourni. Il parcourut les messages. L'un d'eux émanait de Sergio.

Il se servit un verre de vodka.

Le Polo Lounge serait bondé de gens appartenant au personnel de la IBC, sans compter les fichus actionnaires. Mieux valait l'éviter. Robin appela Sergio.

— Robin, je t'envoie le mois prochain un chèque pour te rembourser toutes les « avances » que tu m'as faites. Je viens de signer un contrat du tonnerre avec la Century.

— Surtout n'en fais rien. Tu compliquerais seulement ma situation fiscale. Tu as été autrefois un ami précieux et ce que t'a légué Kitty ne pouvait pas durer éternellement, je le savais.

— Le fisc ne m'a pas laissé grand-chose, soupira Sergio. (Puis son humeur changea.) Robin, Alfie donne tout à l'heure une grande soirée chez lui à partir de huit heures. J'aimerais que tu viennes.

— Non, ce n'est pas mon genre.

— Ce n'est pas du tout ce que tu crois, Robin. Il invite tout Hollywood. (Sergio éclata de rire.) Pauvre de moi ! Je commence juste à percer, je ne pourrais pas me permettre des fantaisies dangereuses. J'ai d'ailleurs une clause de moralité dans mon contrat. Alfie également.

— Ce n'est pas à ça que je faisais allusion. D'ailleurs je n'y ai même pas pensé. Non, les mondanités de Hollywood m'empoisonnent. C'est ça que je voulais dire. Désolé, vieux frère, vous ferez la fête sans moi. Mais au fait, vous vivez ensemble, Alfie et toi ?

— Non. Il possède une petite maison et moi j'habite aux Melton Towers. Plus tard, nous achèterons peut-être une grande maison à nous deux. C'est mon rêve.

— Aux Melton Towers ? Je connais quelqu'un qui habite là-bas... Maggie Stewart.

— Effectivement, nous nous rencontrons de temps en temps dans l'ascenseur. Elle est très belle.

La communication terminée, Robin appela les Melton Towers. Maggie répondit à la première sonnerie.

— Tiens voilà Superman et son Canapé volant. J'ai lu dans les journaux corporatifs que tu devais arriver aujourd'hui.

— Maggie, il faut que je te voie.

— Je termine le tournage d'un jeu télévisé. Trois séances aujourd'hui et deux autres demain. Je dois apporter toute une garde-robe au studio avec tous les accessoires et me changer entre chaque séance. Il faut être pimpante, pétillante, manifester une personnalité pleine de gaieté et d'enthousiasme. Il n'y a rien de plus crevant.

— Il faut que je te voie, répéta-t-il.

— J'avais entendu la première fois.

— Alors, pourquoi radotes-tu au sujet de tes enregistrements et autres sornettes ?

— Parce que je suis une malade mentale. Tu veux savoir pourquoi ? Parce que j'ai *envie* de te voir. Preuve que je suis cinglée. Il faut vraiment avoir le goût du malheur pour s'intéresser à un type comme toi.

— Veux-tu venir ici ? Je nous ferai monter un repas dans la chambre. A moins que tu préfères dîner au Matteo ?

— Non, viens chez moi, dit-elle lentement. Je me suis déjà démaquillée et brossé les cheveux. J'ai des saucisses de Francfort dans le congélateur et je ferai réchauffer une merveilleuse boîte de flageolets.

— J'arrive.

— Ne te presse pas. Donne-moi une heure. Il faut que je prenne une douche et que j'aie l'air à peu près présentable.

Il se versa un autre verre de vodka, alluma la télévision et se demanda si Gregory Austin était arrivé. Peut-être devrait-il lui passer un coup de fil ? Il haussa les épaules. Et puis, tant pis ! Il verrait Gregory mardi au conseil d'administration.

Gregory était assis dans le vaste salon du bungalow numéro huit, à l'hôtel Beverly Hills. En temps ordinaire, il aurait préféré le Bel Air, plus isolé, et où il eût été davantage à l'abri d'une rencontre avec le personnel du réseau. Il consulta sa montre. Neuf heures. Mais c'était l'heure de New York, ce qui faisait six heures sur la Côte. Clint Murdock venait de lui téléphoner. Général en retraite, Clint était une des principales personnalités du conseil d'administration. Mme Murdock avait vu arriver le ménage Austin et l'invitait à dîner ce soir-même dans la salle à manger de l'hôtel. Gregory ne pouvait refuser. Le général était un personnage trop important. Eh bien, ce dîner ne traînerait pas. Avec un rien de chance, Gregory pourrait être de retour au bungalow avant minuit. Il bâilla. Il était crevé. Peut-être aurait-il le temps de faire un petit somme puisque le dîner n'était prévu que pour huit heures.

Il lui fallait aussi prévenir Judith. Assommante la mère Murdock, mais ce dîner offrirait à Judith l'occasion d'étrenner une de ses robes neuves. Peut-être iraient-ils prendre l'apéritif au Polo Lounge auparavant.

Ensuite, à partir du lendemain soir, ils étaient invités tous les jours. Cully & Hayes avaient gagné leurs mille dollars par semaine. Il espéra que Judith en serait heureuse.

Elle le rejoignit au salon.

— Je ne sais pas quoi faire, dit-elle, la lingerie est fermée le dimanche soir.

— Elle sera ouverte suffisamment tôt demain.

Elle sourit :

— Eh bien, j'en serai quitte pour mettre ce soir mon ensemble en lamé or. Tout le reste est trop froissé.

— Ce soir ?

Elle brandit une invitation :

— J'ai trouvé ça en arrivant. Alfie Knight donne une grande réception. Tout Hollywood y sera.

— Judith, nous sommes invités tous les soirs à partir de demain, mais aujourd'hui j'ai accepté de dîner avec le général Murdock et sa femme.

— *Les Murdock ?* Je ne dînerais pas avec eux même si je n'avais *rien d'autre* en vue. Quant à rater la soirée chez Alfie Knight pour eux, ça jamais !

Gregory se leva de son fauteuil et la prit par la taille :

— Judith, j'ai *besoin* de Murdock. Il peut m'être utile au conseil d'administration.

Judith fit une vilaine grimace de mépris :

— Mais comment donc ! Alors je vais passer des heures à papoter stupidement avec Mme Murdock pendant que tu écouteras les dernières histoires de pêche du général. Crois-tu que Robin Stone ramperait comme ça ? Lui, il sera chez Alfie Knight ce soir. Tout Hollywood y sera ! Elle repoussa son mari et se précipita vers la chambre.

En la voyant traverser la pièce pour aller à la salle de bains, il fut pris de panique.

— Judith que fais-tu ?

Elle lui montra son petit flacon de somnifères :

— J'en prends deux. Pour rien au monde je ne perdrai mon temps avec des gens aussi sinistres. En dormant je ne regretterai pas d'avoir raté la meilleure soirée de la saison.

Il s'empara du flacon :

— Ecoute, moi je ne peux pas faire faux-bond au général. Mais si tu tiens tant à cette réception, vas-y. J'inventerai un prétexte pour expliquer ton absence.

— Je ne peux pas aller toute seule à une réception comme celle-là. (Elle tendit la main vers le flacon.) Donne-moi ces pilules. *Je t'en supplie* Greg. Je ne me sens vraiment pas la force d'endurer un dîner qui n'en finit pas avec ces gens-là.

— Non, dit-il. Je trouverai quelqu'un pour t'accompagner. (Soudain, il se pencha vers elle.) Robin Stone, peut-être ?

Elle resta impassible :

— Il n'est sûrement pas seul.

— Même s'il a déjà quelqu'un d'autre, il peut t'accompagner. Il se dirigea vers le téléphone. Il lui en coûtait de demander un service à Robin. Mais il aurait tout fait pour Judith. Nom de Dieu, non ! Il n'allait pas la laisser se droguer et dormir dès le premier soir.

Dès qu'il eut Robin au bout du fil, Gregory entra dans le vif du sujet :

— Une vedette de cinéma donne ce soir une réception, Robin. Je crois que c'est Alfie Knight. Ma foi, euh, Mme Austin a reçu une invitation et elle pense que ça risque d'être amusant. Voilà longtemps qu'elle n'a pas assisté à un de ces raouts hollywoodiens. Malheureusement je suis pris ce soir, je dîne avec un membre du conseil d'administration. Alors, vous pourriez me rendre un service énorme en accompagnant Mme Austin.

Judith observait le visage de Gregory pour y déceler tout changement d'expression. Le silence lui parut lourd de présages... elle devina que Robin refusait.

— C'est bien mon avis, reprit Gregory. Mais vous me rendriez un service personnel. Oui, je vois... Eh bien, écoutez, Robin, vous pourriez tenir parole au sujet de votre dîner et accompagner ensuite Mme Austin. L'invitation est pour huit heures mais ce genre de réunions ne bat son plein que vers neuf ou dix heures. Je vous en serais extrêmement reconnaissant...

— Pour l'amour du ciel ! cria Judith. Cesse de mendier. (Elle bondit vers lui et lui arracha le combiné.) Robin, Judith à l'appareil. Ne tenez pas compte de ce que vous a dit mon mari. C'était une idée à lui, pas à moi.

— Vous avez vraiment envie d'y aller, Judith ? interrogea-t-il.

— Je pensais que ça risquait d'être amusant et j'ai besoin de me distraire un peu. Mais pour rien au monde je ne voudrais vous obliger à y aller.

— J'ai horreur des mondanités de Hollywood. Mais écoutez, Judith, si nous y allions assez tard, est-ce que ça vous irait ? Vers dix heures par exemple ?

— Ce serait merveilleux. Ça me donnerait le temps de faire un petit somme auparavant.

— Parfait. Alors, je vous téléphonerai de la réception.

Elle raccrocha et s'efforça de ne pas manifester sa joie. Robin n'avait pas envie d'y aller et il lui sacrifiait une soirée. Il éprouvait donc encore un sentiment pour elle ? Elle lui avait offert toutes les possibilités de refuser. Probablement avait-il rendez-vous avec une fille et il l'envoyait promener pour sortir avec elle. Judith donna un petit baiser à son mari.

— Je les plains tes subordonnés, dit-elle en souriant. Ils t'obéissent encore au doigt et à l'œil.

La bonne humeur de sa femme soulagea Gregory :

— Il n'était pas tellement disposé à obéir... pas à moi, en tout cas. C'est toi qui l'as décidé. Mais que veux-tu, Judith, tu as toujours fait tout ce que tu voulais des hommes.

Elle était si heureuse qu'elle eut envie d'être bonne pour tout le monde.

— Ce dîner avec les Murdock ? Tu peux te passer de moi, tu en es sûr ?

— Mais évidemment. Je leur dirai que le voyage t'a épuisée. Ils ne sauront jamais que tu es allée à la réception d'Alfie. Quelle chance qu'ils n'y soient pas invités !

Elle lui baisa le front :

— Je vais me mettre de la crème sur le visage, me prélasser dans un bain bien chaud, ensuite je ferai un somme. Réveille-moi en partant.

En attendant que la baignoire soit remplie, elle chantonnait dans la salle de bains. Elle allait revoir Robin. Elle était sûre que lui aussi avait envie de la revoir. C'était évident. Il tenait à elle, mais elle l'avait effrayé en lui parlant mariage. Dès ce soir, elle lui ferait entendre qu'à l'avenir elle acceptait ses conditions. Plus d'ultimatum. Elle le verrait tous les soirs de cette semaine. Ils seraient certainement invités aux mêmes réceptions. Et puis, de retour à New York, ils se retrouveraient au Steak Place. Et puis... Dieu que la vie était belle !

Robin loua une voiture et se dirigea vers l'appartement de Maggie. Il n'était pas loin de sept heures. Quel désastre que ce coup de téléphone de Gregory ! Mais Judith lui avait paru si désespérée ! Il avait cessé net de la revoir dès qu'elle lui avait parlé mariage et il espérait qu'elle avait trouvé quelqu'un d'autre depuis. Mais quand elle lui avait affirmé fièrement qu'elle ne voulait pas lui imposer une corvée, ce sursaut d'orgueil ne l'avait pas trompé. En réalité c'était un appel au secours et il n'avait pas eu le courage de refuser.

Tout en roulant le long de Sunset Boulevard, il se demanda pourquoi il s'apitoyait ainsi sur le sort de Judith. En réalité, il n'éprouvait rien pour personne. Sauf pour Maggie. Avec quelle violence il la désirait ! C'était un besoin physique. Une force impulsive. Tout simplement. Il admirait aussi le cran avec lequel elle rendait coup pour coup. Dans sa vie, elle représentait un défi. Ce n'était pas la molle Amanda aux yeux tristes. Maggie était une lutteuse : une fille dans son genre. Mais Judith ? Il ne lui devait rien à celle-là. Pourquoi diable avait-il promis d'écourter sa soirée avec Maggie ? Cette réaction spontanée au téléphone le tracassait. Il s'efforça de ne plus y penser en entrant dans le petit parking proche des Melton Towers.

Maggie paraissait lasse, mais d'une beauté affolante. Il remarqua les cernes mauves sous ses yeux. Elle était trop maigre, mais elle ne lui en parut que plus désirable.

Ils dînèrent au salon devant une petite table basse. Le repas terminé, il l'aida à laver la vaisselle. Puis avec un sourire presque intimidé, elle l'emmena dans la chambre à coucher. L'effet qu'elle exerçait sur lui l'émerveillait. La présence de Maggie suffisait à éveiller toute la tendresse de son cœur... Plus tard, en la serrant dans ses bras, il se sentit pleinement heureux, ce qui ne lui était pas arrivé depuis bien longtemps. Bon sang ! si seulement ils pouvaient s'entendre sur un modus vivendi pratique ! Il aurait voulu vivre avec elle, mais il ne pouvait pas lui demander simplement de partager son existence. Tout en lui caressant doucement les cheveux, il pensa au mariage. Ça pourrait marcher... à condition qu'elle le laisse libre de prendre son essor chaque fois qu'il en aurait envie. Chose bizarre, il ne voyait personne avec qui il serait tenté de faire la moindre fredaine. Bon Dieu ! avant peu il serait obligé de la quitter pour aller accompagner Judith à cette maudite réception. Il jeta un coup d'œil à son bracelet-montre. Neuf heures moins le quart... Il lui restait encore un peu de temps.

— Maggie ?...

— Mmm ? (Elle remua et blottit son visage entre l'épaule et le menton de Robin.)

— As-tu des projets à part les jeux télévisés ?

— Alfie Knight va tourner un film dans lequel je voudrais jouer.

426

— Mon offre de passer en vedette dans une nouvelle série à la télévision tient toujours.

— J'aime mieux jouer dans un film.

— Tu t'en es occupée ?

Elle se pencha par-dessus Robin et tendit la main vers la table de nuit pour y prendre une cigarette :

— J'ai envoyé un mot à Alfie, et Hy ne le lâche pas. Alfie est prêt à m'engager, paraît-il, s'il ne parvient pas à mettre la main sur une locomotive. J'ai entendu dire qu'il voudrait Elizabeth Taylor. Je pense donc que mes chances sont assez réduites.

— Je pourrais peut-être te donner un coup de main. Mais pourquoi n'acceptes-tu pas ma série à la télévision ? Ça te ferait connaître encore mieux du public et la IBC paie bien. Alfie ne tournera pas son film avant l'an prochain.

Elle leva lentement la tête et le regarda droit dans les yeux :

— Et puis, tu surgiras tous les trois ou quatre mois. Nous nous retrouverons, nous baiserons et nous parlerons de ma carrière.

— Je serai là très souvent...

— Alors on baisera plus et on parlera plus. (Elle se leva.)

— En fin de compte, qu'est-ce que tu veux, Maggie ?

Elle se tenait au milieu de la pièce, la lumière de la salle de bains éclairait son corps. Robin vit luire la colère dans ses yeux.

— C'est *toi* que je veux ! Ce soir encore, c'était merveilleux, mais comme d'habitude demain matin je m'en voudrai. Pour toi je ne suis qu'une commodité... La fille que tu baises sur la Côte !

Il bondit hors du lit et la prit dans ses bras.

— Bon Dieu c'est faux et tu le sais. Des filles, il y en a des tapées en ville, je n'ai qu'à leur faire miroiter la perspective d'un engagement...

— Et qu'est-ce que tu viens de faire d'autre ? Tu viens de me proposer l'occasion inespérée, le rôle en or dans une série d'émissions. En échange tu espères sans doute que je t'ouvrirai les bras au moindre signe. Tiens, on dirait un mauvais film ! Dis-moi, comment s'appelle la souris que tu gardes en réserve à New York et qui est prête à filer au Lancer dès que tu as envie d'elle ? Est-ce qu'il y en a une aussi à Chicago ? Ça me paraît indispensable. Il faut bien que le Canapé volant refasse le plein à chaque escale.

Il la lâcha et enfila son slip. Elle passa une robe de chambre, alluma une cigarette et le regarda s'habiller.

Soudain, le visage de Robin s'éclaira :

— Le Canapé volant ?... C'est comme ça qu'on appelle mon avion ?

— Tu n'as pas lu *Undercover* le mois dernier ?

— Je ne sais même pas ce que c'est.

— Une feuille à scandales. Ton portrait s'étalait sur la couverture. On ne parle pas de toi seulement dans *Newsweek* et dans le *Time*. Tous les périodiques s'intéressent à Monsieur Robin Stone. Selon *Undercover* peu t'importe ce qu'il y a sur le canapé : homme ou femme, tout fait bas-ventre pour toi !

Il la gifla. Elle mollit, éclata en sanglots et lui tomba dans les bras.

— Mon Dieu, Robin, pourquoi nous déchirer ainsi ? sanglota-t-elle.

— Maggie, je tiens à toi et je veux que tu acceptes ce boulot.

— Je ne me vends pas ! (Les larmes coulaient sur ses joues.) Tu ne comprends donc pas ? Je ne veux qu'une chose au monde : toi.

— Eh bien, je suis là, je suis à toi, plus qu'à n'importe quelle autre femme. Je porte même encore ta putain de bague qui me donne des allures de pédale.

Elle ne répondit pas. Il reprit :

— A propos de bague, est-ce qu'avec une alliance ça ferait mieux ?

— Oui.

— D'accord.

— D'accord quoi ?

— On se marie. (Il regarda son bracelet-montre. Neuf heures et quart. L'heure d'aller chercher Judith, mais il tenait à régler la situation avec Maggie.) Tu seras Madame Robin Stone. Mais je conserverai ma liberté de mouvements. Maintenant, par exemple, je suis obligé de m'en aller.

Elle le regarda, incrédule :

— Tu es obligé de quoi faire ?

— Il faut que j'aille conduire une dame à une réception.

Elle resta un moment interloquée. Puis elle recula, comme s'il l'avait frappée :

— Tu es venu ici ce soir et tu avais rendez-vous plus tard avec une autre ? Tu savais que tu sauterais à bas du lit pour rejoindre une autre femme ?

— Il ne s'agit pas de ça, ma pauvre enfant, cette femme, c'est Mme Austin.

— Alors, tout est correct. On ne peut pas dire, en effet, que ce soit une pin-up.

— Sois gentille, Maggie, ne la mêle pas à nos histoires.

— Bien sûr, elle est au-dessus de ça ! (Maggie éclata de rire.) Avec moi, tu exiges de conserver ta liberté, mais tu sautes comme un toutou dès que Mme Austin te siffle. C'est comme çà que tu es devenu directeur de la IBC ?

— Je suis obligé de m'en aller, Maggie. Je ne veux pas que tu me dises des choses désagréables auxquelles tu ne crois pas toi-même. Je te donnerai un coup de fil demain.

— Il n'y aura pas de demain. (Ses yeux flambaient de rage.)

— Tu parles sérieusement Maggie ?

Elle fit demi-tour. De gros sanglots secouèrent ses épaules. Il s'approcha et la prit dans ses bras.

— Maggie, je tiens à toi. Sacré bon Dieu ! Comment veux-tu que je te le prouve ? Je te demande de m'épouser. Si tu veux m'accepter tel que je suis, bravo ! Mais je te veux.

— Il faut que tu aies *besoin* de moi. *Besoin*, haleta-t-elle. Autrefois j'ai épousé un homme qui n'avait pas besoin de moi, sauf pour lui donner un héritier. Comprends-moi Robin. Je t'aime tant que ça me fait peur. Quand Hudson m'a trompée, ça m'a blessée et pourtant je n'étais pas amoureuse de lui. Mais si toi tu m'abandonnais, j'en mourrais. J'ai tout fait pour t'oublier, crois-moi, avec Andy, avec Adam, avec tous mes partenaires de cinéma. Ça n'a jamais marché. Je ne veux pas que tu m'épouses pour me faire plaisir. Je veux que tu m'épouses parce que tu me veux, parce que tu veux que je partage tout avec toi : tes pensées, tes espoirs, ton amour, tes soucis, pas rien que ton corps. Tu ne comprends pas, Robin ? *Je veux que tu aies besoin de moi.*

— Alors, je ne vois pas de solution, dit-il enfin. (Il sourit d'un air bizarre.) Vois-tu, mon chou, je n'ai besoin de personne.

Elle hocha la tête, vaincue :

— Dan Miller me l'avait dit.

— Alors, il est plus malin que je ne croyais. (Il se dirigea vers la porte.) Tu la fais cette émission ? demanda-t-il.

— Non.

— Tu veux te marier avec moi ?

Elle secoua la tête :

— Pas à tes conditions.

Il ouvrit la porte.

— Je reste ici quatre ou cinq jours. Si tu changes d'avis pour le boulot ou pour le mariage...

Elle le regardait fixement, les yeux gonflés par les larmes :

— Ne reviens jamais. Ne me téléphone jamais, Robin. Jamais, je t'en prie.

— Tu parles sérieusement ?

— Oui ! cria-t-elle. Je ne veux plus entendre parler de toi tant que tu ne pourras pas me dire que tu as *besoin* de moi.

Il partit. Elle resta immobile. Quand elle entendit la porte de l'ascenseur se refermer, elle se jeta en travers du lit et sanglota.

Robin arriva dans le hall du Beverly Hills à dix heures moins une. Un instant plus tard Judith apparut rutilante dans son ensemble en lamé. Elle était plus en beauté qu'elle ne l'avait jamais été. Elle n'avait non plus jamais inspiré autant de pitié à Robin. Il pensa à Maggie avec sa queue de cheval et ses cernes mauves sous les yeux. Il comprit qu'il ne pourrait plus jamais faire l'amour avec Judith quelque effort qu'il fît. Néanmoins, il lui offrit un sourire radieux en se dirigeant vers elle.

— Toutes les étoiles de cinéma vont être jalouses de vous.

— Ne vous moquez pas de moi. J'ai porté cet ensemble à Dieu sait combien de réceptions à New York et par malheur je n'ai rien d'autre à me mettre ce soir.

— Je n'ai loué qu'une Rambler. Ce n'est pas assez chic pour vous, fit-il en la conduisant vers la voiture.

Elle se pelotonna contre lui sur le siège avant.

— J'aime mieux ça qu'une limousine. (Elle s'écarta pour regarder son profil alors qu'il lançait la voiture à l'assaut des collines.) Vous m'avez manqué, Robin, dit-elle doucement.

— Une femme aussi belle que vous ne devrait jamais avoir besoin de personne, dit-il d'un ton désinvolte. Soyez assez gentille pour surveiller les plaques de votre côté. Alfie habite Swallow Drive. Dans ce quartier toutes les rues ont des noms d'oiseau.

— Pour l'instant nous sommes dans Doheny Drive.

— C'est la bonne route. Pas loin d'ici il faut que j'oblique à droite.

Elle fixa son attention sur les plaques des rues.

— Je me suis conduite comme une gamine, dit-elle lentement.

— Quand cela ?

— Quand j'ai pris l'avion pour vous rejoindre à Chicago.

— C'était un peu imprudent, mais charmant.

— J'ai beaucoup réfléchi depuis, Robin. Je ne peux pas abandonner Gregory. Il a besoin de moi.

— Bravo. Je crois que vous avez besoin de lui, vous aussi.

— Non, c'est de vous que j'ai besoin.

— Tiens, voilà Swallow Drive. Je crois que j'ai repéré la maison. Il y a des Rolls et des Bentley devant.

Au moment où Robin se garait le long du trottoir une voiture de ronde s'arrêta à sa hauteur :

— Vous entrez là-dedans ? demanda le policier.

— Oui. On y donne une soirée.

Le policier éclata de rire :

— C'est la troisième fois qu'on m'envoie ici. Soyez aimable, dites à Alfie Knight que je suis un de ses admirateurs, qu'il a le droit de s'amuser, malheureusement la voisine, là-bas, a un bébé qui fait ses dents.

— Je n'y manquerai pas, promit Robin. (Il aida Judith à descendre de voiture.)

Le policier l'examina et se détourna déçu en constatant qu'elle n'appartenait pas au monde du spectacle. Son regard revint se poser sur Robin.

— Il me semble que je vous connais, vous... mais oui, autrefois je ne ratais jamais *En Profondeur* quand c'était vous qui présentiez. Vous êtes Robin Stone, pas vrai ?

— C'est exact.

— Presque toutes les célébrités sont réunies là ce soir. Vous devriez reprendre cette émission. Elle me plaisait beaucoup de votre temps. Vous êtes presque aussi bon que Huntley et Brinkley.

— Maintenant M. Stone fait une autre émission qui s'appelle *Phénomène*, annonça Judith avec une fierté de propriétaire.

— Sans blague ! Ma foi, je suis de service de nuit actuellement et je ne vois pas grand-chose à la télé. (Il attendit que Robin se fût engagé dans l'allée puis il lui dit, sans forcer sa voix :) Monsieur Stone, vous pourriez m'accorder une seconde... seul ?

Robin hésita. Judith sourit et hocha la tête. Il alla jusqu'à la voiture de ronde.

— Ecoutez, Monsieur Stone, reprit l'agent, la gonzesse avec vous, c'est pas votre femme. Elle a trop de bouteille. (Robin le regarda froidement sans répondre.) Ce que je vous en dis, poursuivit le policier, c'est pas pour me mêler de vos affaires, mais pour vous mettre au parfum... au cas où ça serait la femme d'un autre.

— Je ne saisis pas.

— Rien ne m'échappe, voyez-vous, et tout en vous parlant j'ai repéré qu'on vous file.

— Moi ?

— J'en suis à peu près sûr. Vous avez des ennuis ou quoi ?

— Pas plus d'ennuis que d'habitude.

— Bon, eh bien voilà. Pendant que nous parlions, un gars s'est engagé dans cette rue. Il a fait demi-tour sur place. Il est reparti, il est revenu et il s'est éloigné de nouveau. Maintenant sa voiture est garée un peu avant le carrefour. La deuxième fois je l'ai reconnu, c'est un détective privé.

— Il file peut-être quelqu'un d'autre. J'accompagne cette dame parce que son mari me l'a demandé.

L'agent haussa les épaules :

— Il surveille peut-être une autre maison ou il attend peut-être qu'un mari sorte de chez quelqu'un. Mais je suis sûr qu'il est en planque.

— Il ne s'agit pas de moi, lui assura Robin. Mais merci quand même. (Il se hâta de rejoindre Judith.)

L'étonnement et la joie de Sergio à son arrivée le consolèrent d'avoir gâché sa soirée. Il reconnut plusieurs metteurs en scène en vogue, quelques grandes vedettes et l'assortiment habituel de starlettes. Quelqu'un le saisit par le bras et lui fit claquer un baiser mouillé dans le cou. C'était Tina St. Claire. Il présenta Judith à Sergio, Alfie et Tina. Puis il remplit deux verres et conduisit Judith vers un canapé. Un gros chat siamois traversa le salon en quelques bonds, le regarda, laissa échapper un miaulement rauque et lui sauta sur les genoux.

Il s'en fallut de peu qu'Alfie en lâchât son verre.

— Ça alors ! s'exclama-t-il, on peut dire que tu as du sex-appeal, toi au moins. Slugger déteste tout le monde.

— Slugger ! répéta Robin. (En entendant sa voix, le chat ronronna. Robin le gratta derrière l'oreille.) Où l'as-tu déniché ?

— Ike Ryan me l'a donné. Il appartenait à sa femme. Ike voyage tant que ce malheureux matou passait le plus clair de sa vie en pension. Or moi justement j'adore les chats. D'habitude, il déteste les étrangers, mais tu dois être une exception.

— Nous sommes de vieux amis Slugger et moi. (Il gratta le cou du chat et remarqua que la petite médaille d'argent était encore accrochée à son collier.)

Debout devant l'orchestre, Tina St. Claire se mit à se tortiller d'une manière suggestive en posant un regard tout aussi suggestif sur Robin.

— Demande-leur de ne pas faire trop de raffut, recommanda Robin à Alfie. Il y a une voiture de ronde dans le secteur.

— Ah, cet irrésistible officier de police ! Le bébé de la voisine n'est qu'un prétexte pour se pointer. Entre nous, je crois qu'il en est.

Judith sourit à Robin.

— Nous ne sommes pas obligés de rester, chuchota-t-elle.

— Vous vous ennuyez déjà ? s'étonna-t-il. Ou bien, il y a trop de monde pour vous ?

— Il y a toujours trop de monde quand nous sommes ensemble. J'aimerais aller boire un verre chez vous.

— Je croyais que vous teniez absolument à venir ici.

— C'est fait. Maintenant j'ai envie d'être seule avec vous.

— Ce serait cavalier envers Alfie et envers Sergio qui est un de mes vieux amis.

Elle haussa les épaules et s'éloigna en lui souriant pour manifester qu'elle consentait à patienter un peu.

Robin but et bavarda avec Sergio et Alfie. Judith se laissa agglutiner par un groupe d'acteurs. Robin était résolu à rester tard chez Alfie, trop tard pour pouvoir emmener Judith chez lui ensuite.

Vers minuit, l'assistance commença à se clairsemer. Judith se libéra de ses interlocuteurs et rejoignit Robin près du bar. Elle s'efforça de sourire.

— Je vous ai laissé tout le temps seul avec ces deux garçons. Maintenant, c'est mon tour. Alors, ce verre ?

— Que désirez-vous boire ?

— N'importe quoi.

— Il y a tout ce qu'il faut au bar d'Alfie. Choisissez.

— Ce n'est pas ici que je veux boire, dit-elle en colère.

Alfie s'approcha.

— Qu'est-ce qui ne va pas, mamour ?

Robin réprima un sourire. Alfie était une des rares vedettes qui ne voulait pas entendre parler de télévision. Mme Gregory Austin ne l'impressionnait donc pas le moins du monde.

— Tout va bien, fit-elle en souriant. Je disais seulement à Robin qu'il était temps de rentrer.

— Si vous êtes fatiguée, petite, je trouverai bien quelqu'un pour vous déposer à votre tanière.

Dédaignant de lui répondre, Judith se tourna vers Robin et lui dit d'un ton décidé :

— Robin, je veux rentrer.

— Alfie, dit Robin en souriant, tu as entendu ce qu'a dit la dame ? Qui pourrait la reconduire au Beverly Hills ?

— Johnny habite North Canyon... Hé, Johnny ! Quand est-ce que tu te tailles ?

Un jeune homme, à l'autre extrémité de la pièce, fit signe à deux bras qu'il était sur le point de s'envoler.

— Eh bien, voilà, mamour, vous avez un chauffeur, annonça Alfie.

— Qui vous permet ! (Elle tourna le dos à Alfie et ordonna encore plus fermement :) Robin, ramenez-moi à mon hôtel.

— Bien sûr, mais pas tout de suite. Laissez-moi finir mon verre.

Alfie passa derrière le bar et lui tendit la bouteille de vodka.

— Il me semble que tu n'en as plus assez.

Judith regarda Robin emplir son verre de nouveau et insista :

— Robin, je veux partir. Avec vous.

— Ecoutez, mamour, intervint Alfie, on ne peut pas toujours avoir ce qu'on veut. Actuellement je voudrais épouser Sergio et avoir des enfants avec lui. Malheureusement, c'est pas possible, il faut se faire une raison.

La colère flamba dans les yeux que Judith fixait sur Robin :

— Vous vous plaisez avec ces dégénérés ?

— Je me plais avec mes amis.

Il la quitta et alla s'asseoir sur le canapé. Alfie et Sergio l'y rejoignirent.

Judith resta adossée au bar. Il ne lui était jamais rien arrivé de semblable. La désinvolture de cet Alfie !... Ils la traitaient comme une fille des rues. Elle ! Mme Gregory Austin. Ils la raillaient, lui tournaient le dos, la dédaignaient.

Elle se versa un grand verre de scotch. Le tic-tac de la pendule accrochée derrière le bar retentissait dans la pièce silencieuse. Elle remarqua tout à coup que presque tout le monde était parti. Il ne restait plus que Robin et ces deux petits pédés, blottis ensemble sur le canapé. Ils se conduisaient ainsi intentionnellement, pour l'humilier. Elle descendit du tabouret ;

à cet instant quelque chose de brillant, sur le tapis, retint son regard. C'était une gourmette en or. Elle la ramassa, lut l'inscription gravée à l'intérieur, et sourit lentement. Tenant le bijou entre le pouce et l'index, à bout de bras, comme pour ne pas se salir, elle s'approcha du canapé.

— Je comprends maintenant pourquoi vous vouliez vous débarrasser de moi. Vous aviez envie de rester seuls tous les trois, n'est-ce pas ?

Cette sortie étonna d'abord les trois hommes. Puis quand Alfie vit le bracelet, il se leva d'un bond en portant machinalement une main à son poignet.

— Où avez-vous piqué ça, espèce de salope ? Je le portais ce soir.

— Je l'ai trouvé par terre, devant le bar, dit-elle en reculant. (Elle le lui agita sous le nez.) Le fermoir doit être cassé. Voilà une gourmette très intéressante.

Sergio se leva à son tour et s'avança vers elle :

— Rendez-lui ce bracelet, dit-il

D'un geste prompt, elle fit tomber la gourmette dans son soutien-gorge puis s'essuya les deux mains l'une contre l'autre.

— Voilà un endroit où des pédales comme vous n'auront pas le cran d'aller le chercher !

Robin se leva lentement.

— Ne m'oubliez pas. Les nichons ne me font pas peur.

— Vous en êtes, vous aussi, jeta-t-elle en reculant. Le robot d'amour. Les femmes pour la galerie et les hommes pour le plaisir ! Ce bracelet le prouve.

— Qu'est-ce que vous racontez ? Il est à Alfie.

— A vous de me l'expliquer, répliqua-t-elle narquoise. Il y a le nom de Sergio dessus, et à l'intérieur : *A Sergio, Robin Stone, Rome, Noël 1962*. Mais c'est Alfie qui l'avait au poignet. C'est pour ça que vous vouliez rester ici, Robin, pour régler son compte à Alfie qui vous a fauché votre grand amour.

Sergio se tourna vers Robin d'un air désolé.

— C'est ce bracelet que tu m'as offert à Rome. Tu m'avais permis d'y graver ce que je voudrais. Rappelle-toi. J'y ai fait mettre ton nom. Je l'ai toujours porté depuis. C'était et c'est encore mon plus cher trésor. (Il tendit le bras pour montrer une gourmette d'or toute pareille.) Mais Alfie m'a donné le sien. Il le tenait de sa mère. Pour lui aussi c'était son bien le plus précieux. Nous les avons échangés.

Alfie acquiesça d'un signe de tête :

— Oui, Robin, fit-il. Pour nous c'est plus que des bijoux.

Judith rejeta la tête en arrière et rit.

— Je n'ai jamais été témoin d'une scène aussi touchante. Maintenant il me semble que je n'ai plus rien à faire ici. Je m'en vais. Gregory sera enchanté de voir ce bracelet. Et les feuilles à scandale en feront leurs choux gras. La bombe pourrait bien éclater avant le conseil d'administration de mardi. J'espère que vous comprenez, Robin ? Il s'agit de vous rendre... comment dit-on ça ? Ah, oui... *persona non grata*.

— Judith, je me fous éperdument du réseau. Si vous avez une dent contre moi, ne vous gênez pas. Mais ne mêlez pas Sergio et Alfie à cette histoire, vous pourriez briser leur carrière.

Elle soutint son regard en riant :

— De plus en plus beau. (Elle se tourna vers Alfie.) La presse à scandales va être aux anges, *mamour* ! (La colère flambait dans ses yeux. Elle se dirigea vers la porte.)

Sergio se précipita vers elle. Plus agile, Alfie la rattrapa le premier, la saisit par le bras et en deux secousses la ramena vers le bar. Robin fit un pas vers eux pour les séparer. Alfie avait d'ailleurs lâché Judith, mais Sergio avançait vers elle.

Elle recula et se trouva coincée derrière le bar. Alors elle jeta autour d'elle un regard affolé de bête traquée, avisa l'Oscar brillant sur une étagère, s'en saisit, et quand Sergio approcha elle le lui asséna sur le crâne. Il tomba aussitôt, raide.

— Salope ! glapit Alfie. Tu l'as tué ! Oh, mon Dieu, mon Sergio... (Il tomba à genoux et sanglota, penché sur son ami inanimé.)

Judith courut vers la porte, mais Alfie se releva et l'attrapa :

— Ah, non, tu vas pas filer comme ça !

Il lui balaya la figure d'un revers de main. Robin ramassa Sergio et l'allongea sur le canapé. Il entendit hurler Judith, mais crut que seul son amour-propre souffrirait des gifles d'Alfie. L'état de Sergio l'inquiétait beaucoup plus. Il alla chercher de la glace au bar et lui en mit sur la tête.

— Attention ! s'écria Alfie. C'est peut-être une fracture du crâne.

Robin se retourna, vit Judith et traversa la pièce en deux bonds. Elle avait la lèvre fendue et saignait du nez. Sa moumoute de travers donnait à son visage tuméfié un air étrangement cocasse. Robin essaya de s'interposer mais Alfie la saisit par les cheveux et la traîna derrière lui. Par miracle la coiffure ne se décrocha pas. Elle cria de toutes ses forces. Robin saisit le bras d'Alfie et l'obligea à lâcher sa proie. L'ensemble en lamé de Judith, déchiré à l'encolure, révélait le soutien-gorge fortement baleiné.

Le bracelet fit un bruit sec en tombant par terre. Alfie s'en saisit. Puis, pour faire bonne mesure, il colla encore une claque magistrale à Judith.

Robin l'attira contre lui. Elle l'étreignit en sanglotant.

— Je suis désolé Judith, murmura-t-il, qui joue les garces doit s'attendre à être traitée comme une fille des rues.

Soudain tous les trois s'immobilisèrent, alertés par le carillon de la porte et une grosse voix qui criait : « Ouvrez ! Police ! »

— Oh, mon Dieu ! hoqueta Judith. Gregory en mourra. Regardez dans quel état il m'a mise.

— Et moi, alors ! brailla Alfie. Et Sergio ! un scandale comme ça risque de nous démolir tous... par ta faute, vieille salope !

Judith s'accrochait à Robin.

— Sauve-moi. Oh mon Dieu ! Sauvez-moi, Robin. Je ne ferai plus jamais rien de mal !

— Tu ne feras jamais rien de mal. Tu pourras toujours te retrancher derrière tes millions, cracha Alfie. Moi, j'ai une clause de moralité au bas de mon contrat !

Tout en serrant Judith contre lui, Robin saisit Alfie de sa main libre.

— Je te tire de ce pétrin à une condition, fit-il. Maggie Stewart sera la vedette de ton prochain film.

— Quel film ? Demain on sera tous virés d'Hollywood !

— Ecoutez-moi bien, fit Robin (Il s'écarta légèrement de Judith et regarda son visage tuméfié.) Voilà ce que vous allez raconter : J'étais soûl.

Je me suis jeté sur vous et j'ai déchiré votre corsage. Sergio est intervenu pour me faire lâcher prise. J'ai voulu le frapper, il a esquivé et c'est vous qui avez reçu le coup de poing. Ça explique l'état où vous êtes. Et puis j'ai assommé Sergio.

— Et moi, qu'est-ce que je fais là-dedans ? demanda Alfie.

— Tu voles au secours de Judith et... (Robin lui donna un coup de poing retentissant sur la mâchoire. Alfie glapit.) Excuse-moi mon vieux, mais quand on défend une dame on prend des risques, conclut-il ironiquement.

Le carillon s'était tu et on ne frappait même plus à la porte. Robin comprit que la police essayait d'entrer de force par derrière.

— Alors, vous connaissez votre rôle, j'espère, fit Robin, parce que les flics sont là...

Il tourna la tête juste au moment où les policiers faisaient irruption par le balcon de la chambre à coucher. Affolée, Judith fonça vers la porte, l'ouvrit et fut aveuglée par les flashes des journalistes qui envahirent le salon. Judith revint en courant vers Robin et se serra contre lui pour cacher son visage.

Elle entendit confusément Alfie expliquer :

— Un terrible malentendu, messieurs. Une histoire navrante. M. Stone était resté pour me parler de Mlle Maggie Stewart que je tiens à avoir comme vedette dans mon prochain film. Tout en devisant, nous avons bu quelques verres. Robin en a pris un de trop. Il ne savait sûrement plus ce qu'il faisait, parce que sans ça, le malheureux, il n'aurait pas cherché à violer Mme Austin. Cette pauvre vieille pourrait être sa mère.

Judith releva la tête et ses lèvres gonflées firent une vilaine grimace à Alfie.

— Non mais, sale petit...

— Doucement, doucement, intervint Robin. Disons que je n'étais pas dans mon assiette.

L'ambulance arriva. Tout le monde entoura le médecin qui se penchait au-dessus de Sergio.

— Rien qu'une commotion, sans doute, mais on ne peut pas se prononcer avant la radiographie. (Il secoua la tête.) Vous y allez fort, vous, les gens du cinéma.

L'agent de police qui avait parlé à Robin au début de la soirée le prit par le bras et le regarda d'un air ulcéré comme pour dire : « Et moi qui avais confiance en vous. »

On demanda à Alfie d'accompagner Robin pour servir de témoin. Judith déclara qu'elle refusait de porter plainte, mais on l'embarqua quand même en dépit de ses protestations.

Tout se passa de manière fort banale au poste de police. Il sembla à Robin que tous les reporters de Los Angeles étaient rassemblés là. Il y avait même le cameraman d'une station locale de télévision. Robin ne fit rien pour éviter d'être photographié, mais il s'efforça de dissimuler le visage de Judith. Quand un photographe trop entreprenant plongea entre eux pour prendre un instantané du visage tuméfié de la malheureuse, Robin lui arracha son appareil des mains et le mit en pièces à coups de talon. Les autres photographes filmèrent la scène. La police rétablit l'ordre aussitôt.

Alfie refusa lui aussi de porter plainte.

— Je lui avais collé un jeton le premier, affirma-t-il. Il n'a fait que me le rendre. Et puis, il avait bu.

Le médecin téléphona que Sergio était remis sur pied. Il n'avait subi qu'une légère commotion. Robin paya sur-le-champ une amende pour tapage nocturne et signa un chèque au journaliste dont il avait détruit l'appareil. En fin de compte, on relâcha tout le monde.

Robin reconduisit Judith à son hôtel et arrêta sa voiture près de Crescent.

— Nous pouvons entrer par là pour arriver à votre bungalow sans passer par la réception. Je vais vous conduire.

— Robin...

Il se tourna vers elle. Son œil commençait à virer au jaune. Elle avait les lèvres à vif.

— Mettez une compresse froide sur votre visage. Demain vous allez avoir un œil au beurre noir.

— Qu'est-ce que je vais dire à Gregory ? demanda-t-elle en se tâtant délicatement le visage du bout des doigts.

— Exactement la même chose qu'à la police.

Elle lui prit la main.

— Robin, ça va vous sembler absurde, je le sais, mais je vous aimais sincèrement. Il faut me croire. (Les larmes lui vinrent aux yeux.) Et maintenant, je vous ai coulé.

— Mais non, mon chou, vous n'avez rien fait du tout. Je me suis libéré. Il en était temps.

Il l'accompagna jusqu'au bungalow. Aucune lumière ne filtrait :

— Je ne vais pas réveiller Gregory, chuchota-t-elle. Il sera temps de lui raconter ça demain.

— Bonne nuit, Judith. Dormez bien.

Elle l'étreignit pendant un bref instant :

— Mon Dieu, Robin, pourquoi a-t-il fallu que ça nous arrive ?

— Rentrez dans votre bungalow, murmura-t-il. Restez-y. Et à l'avenir, restez dans le monde qui est le vôtre.

Il s'en alla, regagna sa chambre, débrancha son téléphone, tomba en travers du lit et s'endormit tout habillé.

Cliff Dorne réveilla Gregory Austin en lui téléphonant dès sept heures du matin.

— Doux Jésus ! dit-il. J'ai failli me trouver mal quand j'ai entendu les nouvelles à la radio. Comment va-t-elle ?

— Comment va qui ? répondit Gregory encore ensommeillé.

— Judith.

Gregory jeta un coup d'œil à la pendulette sur sa table de nuit.

— De quoi parlez-vous ?

— Gregory, le hall est envahi de reporters. La standardiste de l'hôtel refusait de vous déranger. J'en ai pris la responsabilité. Avez-vous lu les journaux du matin ?

— Pour l'amour du ciel ! Expliquez-moi de quoi il retourne ! Vous venez de me réveiller. Et Judith, qu'est-ce qu'elle vient faire dans cette histoire ?

— Robin Stone l'a rouée de coups.

— Quoi ! Gregory laissa tomber le combiné et courut à la chambre de Judith. Elle dormait, le visage sur l'oreiller. Il lui tira doucement le bras. Elle gémit et s'éveilla lentement.

— Judith ! Tu as un œil poché. Qu'est-ce qui s'est passé ? s'exclama-t-il effaré.

— Ce n'est rien, fit-elle.

Elle voulut cacher sa figure dans l'oreiller. Il l'obligea à s'asseoir :

— Cliff est au téléphone. Il y a des journalistes dans le hall. Il paraît que tous les journaux parlent de ton aventure. Qu'est-il arrivé ?

— Je veux du café, dit-elle lentement. Ce n'est pas aussi grave que tu le crois.

Gregory retourna à la hâte dans sa chambre et reprit l'écouteur :

— Judith va bien. Arrivez ici immédiatement et apportez-moi les journaux, ordonna-t-il à Cliff.

Puis il commanda du café.

Judith finit par se lever et vint au salon.

— Je vais mieux que je n'en ai l'air, dit-elle en souriant avec difficulté.

— Raconte-moi ce qui est arrivé.

— Il n'y a pas grand-chose à raconter. Robin a beaucoup bu. Tout à coup, il s'est jeté sur moi. Son ami Sergio est intervenu. Robin a voulu le frapper. Sergio a esquivé. C'est moi qui ai encaissé. Ensuite, Robin a assommé Sergio. Et puis la police est arrivée. C'est tout.

— C'est tout ! tonitrua Gregory. Mais regarde-toi dans la glace, malheureuse. Pourquoi ne m'as-tu pas envoyé chercher ? Moi ou Cliff Dorne ?

Judith but quelques gorgées de café :

— Tu fais trop d'histoires pour bien peu de choses, Greg. Ce n'est pas si grave puisque les flics nous ont tous relâchés. C'est d'ailleurs Robin qui m'a ramenée ici.

— Il t'a raccompagnée *après* ?

— Oui, il s'était calmé.

Elle entendit sonner le carillon de la porte et se leva aussitôt.

— C'est sans doute Cliff, dit-elle. Je ne veux pas qu'il me voie dans cet état.

Elle se réfugia dans la chambre à coucher.

Cliff apportait tous les journaux du matin. Gregory gémit en voyant les manchettes qui clamaient toutes à peu près la même chose :

LE ROBOT D'AMOUR SE TRANSFORME EN GIROBROYEUR.
ROBIN STONE SE JETTE SUR LA FEMME DU PATRON.
STONE IMPLIQUE DANS UNE BAGARRE.
CETTE NUIT LE ROBOT D'AMOUR S'EST DETRAQUE.

Les articles étaient à peu près identiques. Gregory considéra les photos : tous les protagonistes semblaient sur le point de s'effondrer sauf Robin ; étrangement calme, il avait même un petit sourire aux lèvres.

Assis auprès de Gregory, Cliff avait l'air aussi lugubre que s'il tenait les cordons du poêle. A tout instant le carillon de la porte d'entrée tintait et des chasseurs apportaient des télégrammes envoyés à Judith par ses amies de New York. Là-bas il était déjà près de midi, et les journaux racontaient la même histoire avec les mêmes photos.

Gregory se mit à arpenter le salon :

— Comment se fait-il que les journalistes soient arrivés si vite sur les lieux ?

— Le détective que j'avais mis aux trousses de Robin les a alertés, dit Cliff penaud. Il ne savait pas que Judith était mêlée à la bagarre.

Judith sortit de la chambre à coucher. Elle avait mis un taffetas noir sur son œil poché. Malgré ses lèvres enflées, elle était assez présentable. Elle parvint même à sourire à Cliff.

— Eh bien, cette expérience m'aura au moins appris beaucoup de choses. Et tous les amis qui nous oubliaient se rappellent soudain notre existence. Greg, croirais-tu que dans leurs télégrammes ils me parlent tous de mon charme irrésistible. Je te les ferai lire. Peggy Ashton veut donner une grande réception en notre honneur. A ses yeux, je suis la femme du siècle parce qu'un homme s'est battu contre deux autres pour m'avoir. (Son sourire dénotait une jubilation enfantine.)

— Il faut donner un communiqué à la presse, dit Cliff. Evidemment il n'est plus question de Robin à la IBC. Dommage que ça se termine ainsi. (Il jeta un coup d'œil vers Judith qui continuait à ouvrir des télégrammes.) Mais nous avons un prétexte convenable pour le conseil d'administration.

— Non, dit Gregory. Robin reste.

Ni Judith ni Cliff n'en crurent leurs oreilles.

— Il faut trouver une histoire plausible. Pour nous, il s'agira d'un terrible malentendu. Dans notre communiqué, nous affirmerons que Robin n'a nullement cherché à abuser de Judith, qu'elle a glissé et qu'elle est tombée dans l'escalier.

— Je ne marche pas ! s'écria Judith en se levant. Ce communiqué me ferait passer pour une imbécile et Robin pour un héros. Il s'est jeté sur moi, un point c'est tout ! (Furieuse, elle se retira dans sa chambre.)

— Elle a raison, dit Cliff. Nier serait attiser le scandale. Si vous congédiez Robin, dans quelques jours personne n'en parlera plus.

— *Il reste !* Téléphonez à Danton Miller et offrez-lui de reprendre son ancienne situation. Dites-lui qu'il travaillera avec Robin. Ils auront les mêmes pouvoirs l'un que l'autre, mais ni l'un ni l'autre ne pourra prendre des décisions sans mon approbation. A partir de cet instant, le maître, c'est moi.

— Vous perdez la raison, Gregory. Vous cherchiez une occasion de liquider Robin. Vous l'avez maintenant.

— Je voulais reprendre mon réseau en main. C'est fait. En outre, c'est moi qui ai demandé à Robin d'accompagner Judith à cette beuverie parce qu'elle en avait envie. Maintenant j'espère qu'elle s'en tiendra aux gens de son propre milieu. Mais je ne vais pas pour autant jeter Robin aux loups.

— Je crois que vous commettez une grave erreur. Désormais aucun réseau ne voudra de lui. Il n'y a plus rien à craindre de ce côté-là.

— Gardez vos opinions pour vous, rétorqua Gregory. Je vous paie vos conseils juridiques, un point c'est tout. Robin Stone a trop contribué aux progrès de la IBC pour qu'on le vide sous prétexte qu'un soir il a perdu les pédales. D'ici quelque temps, cette affaire se tassera. Nous ne réunirons le conseil d'administration qu'après-demain. Entre-temps j'aurai supervisé le rapport de la direction et c'est *moi* qui le présenterai. Convoquez Dan. Qu'il arrive par le premier avion. Robin et lui seront assis derrière moi, en qualité de collaborateurs, et c'est moi qui prendrai la parole.

Des coups violents frappés à sa porte réveillèrent Robin. Il était encore allongé tout habillé sur son lit. Il marcha d'un pas raide jusqu'à la porte et l'ouvrit. Cliff Dorne entra et jeta un paquet de journaux sur la table basse du salon.

Robin les ramassa. Pire qu'il n'avait prévu !

— J'arrive du bungalow des Austin, dit Cliff.

— Compris. Gregory veut ma démission.

— Et comment ! Mais il est navré pour toi... Il embauche Danton Miller pour te remplacer, mais tu peux rester jusqu'à ce que tu aies trouvé autre chose. Ça te premettra de sauver la face.

Robin alla à son bureau et jeta quelques lignes sur une feuille.

— Voilà, je crois que c'est la bonne formule. De toutes façons mon contrat venait d'arriver à expiration... Voici ma démission. Tu peux signer en qualité de témoin. Il tendit la feuille et le stylo à Cliff.

— Il y a longtemps que j'attends cet instant, dit Cliff en souriant.

— Je pars par le premier avion. Je passerai au bureau vider mes tiroirs. Mais attends, Cliff... Les programmes des émissions du printemps sont là-dedans. Tout y est : projets, rendement des émissions et le rapport que j'aurais présenté au conseil d'administration. (Il poussa une serviette bourrée de dossiers vers son interlocuteur.)

— Je te la renverrai à New York.

— Inutile. C'est toi qui me l'as offerte l'an dernier à Noël.

Robin se dirigea vers la porte et la tint grande ouverte.

Gregory Austin regardait la démission de Robin. Il secoua la tête.

— Vous lui avez bien dit que je voulais le garder, Cliff ?

— Sa lettre de démission était déjà prête quand je suis arrivé.

Gregory haussa les épaules.

— Il se bannit lui-même à tout jamais de la télévision. Maudit amour-propre ! S'il était resté travailler avec Dan, cette affaire se serait tassée... Je devrais sans doute lui parler.

— Si tu fais ça, je te quitte ! s'exclama Judith.

Tous deux la regardèrent étonnés.

— Je veux le chasser de nos existences, reprit-elle. Je parle sérieusement, Gregory.

Gregory hocha la tête.

— Bon. Dans ce cas, Cliff, dites à Dan que tout est réglé. Mais j'entends embaucher Sammy Tabet pour remplacer Robin. Sammy est un type capable... rien de comparable à Robin, mais je ne crois pas qu'on en trouve un autre de son envergure.

— Alors pourquoi embaucher Sammy puisque tu as déjà Dan ? questionna Judith.

— Il me faut deux hommes, répondit Gregory en souriant. Et je veux les dresser l'un contre l'autre.

Cliff acquiesça et s'en alla.

Ses valises faites, Robin allait quitter son appartement quand il se ravisa et décrocha le téléphone.

— Ah, monsieur Stone ! dit la standardiste. Vous aviez débranché. Nous avons reçu une centaine d'appels pour vous. Tous les journaux vous ont appelé. Un reporter du *Time* vous attend avec un photographe dans le hall. Si vous voulez leur échapper, il y a une sortie de secours sur Crescent Drive.

— Merci, mon chou. Pouvez-vous me passer les Melton Towers. C'est un immeuble, mais il y a un standard.

— Oui, nous avons ici le numéro. Et puis vous savez, monsieur Stone, permettez-moi de vous dire que je vous admire quoi que racontent les journaux. De nos jours on ne trouve plus beaucoup d'hommes prêts à se battre contre deux types pour obtenir les faveurs de leur dulcinée. Je trouve ça très romanesque ! (Elle gloussa puis elle appela les Melton Towers.)

Maggie répondit d'une voix ensommeillée à la deuxième sonnerie. Il devina qu'elle n'était pas au courant.

— Réveille-toi, paresseuse. On t'attend au studio pour enregistrer les jeux.

— Pas avant une heure... *Robin* ! s'exclama-t-elle enfin tout à fait réveillée. Tu m'appelles ! Alors, c'est que...

— C'est que je pars pour New York par l'avion de onze heures, Maggie.

Après une longue pause elle demanda :

— C'est tout ce que tu as à me dire ?

— Oui. Et puis je voulais aussi te dire que je n'ai pas... Il se tut.

Soudain il lui semblait inutile de préciser qu'il n'avait pas cherché à abuser de Judith et qu'il ne l'avait pas rossée. Maggie comprendrait d'elle-même ce qui s'était passé. Mais il tenait à ce qu'elle sache qu'il ne déguerpissait pas sans même lui dire au revoir.

— Vois-tu, Maggie, je...

Mais il parlait dans le vide. Elle avait déjà raccroché.

30

Dip Nelson se précipita pour aller déjeuner chez Sardi's le dernier numéro de *Variety* sous le bras. A son entrée il éprouva de nouveau une impression de puissance. Dip Nelson était producteur à Broadway. De Robin Stone il ne subsistait plus qu'un souvenir presque oublié. Le scandale datait d'un an et depuis lors personne ne savait ce qu'était devenu Robin. Il avait tout simplement disparu. Mais le grand Dipper n'avait jamais capitulé. Il avait remonté la pente, sinon comme acteur du moins comme producteur. Et il était l'un des plus célèbres de Broadway. Joe Katz n'avait pas le choix. Pour s'assurer Pauli comme vedette, il était obligé de prendre Dip en qualité de co-producteur. Leur spectacle remportait un triomphe. Il s'arrêta à chaque table pour montrer les comptes rendus de presse de *Variety*. Chez Sardi's tout le monde lui prêta l'oreille parce que tous avaient déjà lu l'article et savaient que Pauli était la grande vedette du moment. Personne n'ignorait non plus qu'elle avait une liaison avec son partenaire masculin.

Assis dans l'avion, Christie Lane parcourait *Variety*. Un grand sourire éclaira son visage. Il arracha un morceau de la rubrique « Déplacements ».

— Qu'est-ce que c'est ? demanda Ethel.

Il lui tendit la coupure :

DE LOS ANGELES A NEW YORK.
Christie Lane
Ethel Lane
Chritie Lane Jr.

Il la plia et la mit dans son portefeuille.

— Sa première coupure de presse pour son album. Je la mettrai avec les faire-part de naissance.

Ethel, qui tenait l'enfant sur ses genoux, dit en souriant :

— Ta première va faire du bruit. Alfie et Sergio ont déjà réservé leurs places d'avion pour y assister et tu auras la moitié de Hollywood.

Il hocha la tête, se cala dans son fauteuil et essaya de faire un petit somme. Il brûlait d'impatience à l'idée de jouer dans une comédie musicale à Broadway. Que le spectacle fût organisé par Ike Ryan ne le gênait même pas. Jusqu'alors Ike n'avait jamais connu de four. Et Ike ne cédait jamais à aucun chantage. Quand Dip Nelson avait voulu s'imposer comme co-producteur, Ike l'avait jeté dehors. Ma foi, Dip avait traité avec Joe Katz, et Pauli remportait un succès du tonnerre. Tant mieux pour Dip... Il avait beaucoup appris en fréquentant Robin Stone. Marrant ! Robin était le plus fort de tous et puis, clac ! il avait disparu du décor du jour au lendemain. Soudain, Chris pensa à Amanda. Désormais il se la rappelait sans en être ému. Ce n'était plus qu'un souvenir assez vague. Ethel lui avait donné la seule chose qu'il désirât vraiment : un fils.

Chris sourit, satisfait.

Ethel serra le poupon contre elle et lui baisa la tête. Curieux ! au début, elle s'était fait faire un enfant rien que pour imposer ses caprices à Christie. Désormais seul le bébé comptait pour elle. Elle ne tenait qu'à lui. Tout l'amour incompris qu'elle avait donné aux hommes qui avaient traversé son existence, elle le répandait sur son fils. Mais elle n'en ferait jamais un fi-fils à sa mé-mère... elle saurait à quel moment lui donner sa liberté. C'était son petit à elle, et elle lui assurerait la plus belle vie du monde. La première de Christie à Broadway mettrait du sel dans son existence. Elle menait une bonne vie. Pareil à lui-même, Chris se souciait peu de mondanités, mais sa femme jouait à la maîtresse de maison chez Alfie et Sergio. Elle était devenue une des hôtesses les plus courues de Hollywood. En fin de compte, ses rêves de Hamtramck se réalisaient. Bien sûr elle n'avait pas épousé une séduisante vedette de Hollywood... rien que Christie. Elle avait largement assez de loisirs pour s'offrir quelques aventures, mais personne ne lui faisait la cour. On respectait *Madame* Christie Lane. Ma foi ! on ne peut pas tout avoir.

Danton Miller parcourut les critiques de sa dernière émission spéciale dans *Variety*. Une catastrophe ! A en crever de rage : les seules émissions qui tenaient encore la cote étaient celles que Robin Stone avait choisies. Sacré Robin ! Il s'était élevé dans la profession à la vitesse d'une fusée, mais comme toutes les fusées, il avait fait explosion et s'était désintégré dans les hauteurs. Dan le ressassait à Sammy Tabet chaque fois que ce dernier se risquait à prendre de grands airs. Sammy était un type brillant. Il fallait que Danton le tienne à l'œil. Il n'allait pas tolérer un autre Robin Stone dans son existence. Gregory y veillait aussi, d'ailleurs. Le vieux Gregory avait repris la barre en main et menait son monde à la baguette. Il annulerait le nouveau spectacle de variétés retenu par Dan en septembre. Dan le sentait d'ici. Cela se passerait à la réunion hebdomadaire du lendemain. Il alluma une cigarette. Son ulcère lui vrilla l'estomac. Il regarda le plafond et se promit mentalement de ne plus jamais fumer s'il gardait sa situation après le conseil du lendemain. Il se demanda si Gregory avait lu *Variety*.

Gregory avait lu *Variety* mais il regardait la couverture de *Women's Wear* sur laquelle figurait Judith. Il la contempla tendrement. Chaque fois qu'il se rappelait les photos parues un an plus tôt en première page des journaux de Los Angeles, il en frémissait. Chose bizarre, depuis son retour Judith était redevenue une célébrité. Elle avait porté un taffetas sur l'œil pendant une semaine. Que Robin Stone fût allé jusqu'aux dernières extrémités de la passion à son égard lui donnait un prestige tout neuf parmi ses amies. Ce qui prouvait que les réactions féminines sont toujours imprévisibles. Depuis lors, on s'arrachait sa présence dans les salons. Seigneur ! Cette semaine encore ils auraient une soirée ou une première chaque soir. Gregory se rappela soudain qu'il avait rendez-vous à cinq heures chez son tailleur pour essayer une nouvelle tenue de soirée. Evidemment Judith avait exigé qu'il commande aussi un nouveau smoking de velours pour leur cocktail du Jour de l'An, qui cette année-là serait encore plus couru que les précédentes. Le vieil époux sourit en regardant le portrait de sa femme. Elle n'avait jamais été plus belle et n'avait jamais semblé plus heureuse...

Tous lisaient *Variety*, mais aucun ne s'intéressait à la rubrique « littéraire ». Personne n'avait donc remarqué ce petit entrefilet : « Robin Stone, ancien directeur général de la IBC, vient de terminer un livre qui sortira chez Essandess à la fin du printemps. »

Maggie Stewart embarqua dans l'avion de la BOAC en partance pour Londres. Elle aussi portait *Variety* sous le bras. Le gros titre en première page annonçait qu'elle abandonnait le tournage du nouveau film d'Alfie Knight. Quand l'avion prit son vol, elle ne lut pas *Variety*. Elle lisait et relisait un télégramme :

MISS MAGGIE STEWART
MELTON TOWERS
BEVERLY HILLS CALIF.

J'AI BESOIN DE TOI. — ROBIN.

DORCHESTER HOTEL.
LONDRES.

Cet ouvrage a été réalisé sur
Système Cameron
par la SOCIÉTÉ NOUVELLE FIRMIN-DIDOT
Mesnil-sur-l'Estrée
pour le compte des Éditions Belfond
le 2 avril 1984

Imprimé en France
Dépôt légal : avril 1984
N° d'édition : 673
N° d'impression : 0789